D1155798

COLLECTION
L'IMAGINAIRE

Julio Cortazar

# Marelle

*Traduit de l'espagnol*
*par Laure Guille-Bataillon*
(partie roman)
*et Françoise Rosset*
(partie essai)

Gallimard

*Titre original :*

RAYUELA

## MODE D'EMPLOI

A sa façon, ce livre est plusieurs livres mais en particulier deux livres. Le lecteur est invité à *choisir* entre les deux possibilités suivantes :

Le premier livre se lit comme se lisent les livres d'habitude et il finit au chapitre 56, là où trois jolies petites étoiles équivalent au mot *Fin*. Après quoi, le lecteur peut laisser tomber sans remords ce qui suit.

Le deuxième livre se lit en commençant au chapitre 73 et en continuant la lecture dans l'ordre indiqué à la fin de chaque chapitre. En cas d'incertitude ou d'oubli il suffira de consulter la liste ci-dessous :

73 - 1 - 2 - 116 - 3 - 84 - 4 - 71 - 5 - 81 - 74 - 6 - 7 - 8 - 93 - 68 - 9
104 - 10 - 65 - 11 - 136 - 12 - 106 - 13 - 115 - 14 - 114 - 117 - 15 - 120
16 - 137 - 17 - 97 - 18 - 153 - 19 - 90 - 20 - 126 - 21 - 79 - 22 - 62 - 23
124 - 128 - 24 - 134 - 25 - 141 - 60 - 26 - 109 - 27 - 28 - 130 - 151
152 - 143 - 100 - 76 - 101 - 144 - 92 - 103 - 108 - 64 - 155 - 123 - 145
122 - 112 - 154 - 85 - 150 - 95 - 146 - 29 - 107 - 113 - 30 - 57 - 70
147 - 31 - 32 - 132 - 61 - 33 - 67 - 83 - 142 - 34 - 87 - 105 - 96 - 94
91 - 82 - 99 - 35 - 121 - 36 - 37 - 98 - 38 - 39 - 86 - 78 - 40 - 59 - 41
148 - 42 - 75 - 43 - 125 - 44 - 102 - 45 - 80 - 46 - 47 - 110 - 48 - 111
49 - 118 - 50 - 119 - 51 - 69 - 52 - 89 - 53 - 66 - 149 - 54 - 129 - 139 - 133
140 - 138 - 127 - 56 - 135 - 63 - 88 - 72 - 77 - 131 - 58 - 131.

Afin de situer rapidement les chapitres, leur numéro est répété en haut de chaque page.

# DE L'AUTRE CÔTÉ

*Rien ne vous tue un homme comme d'être obligé de représenter un pays.*

Jacques Vaché,
« Lettre à André Breton ».

# 1

Allais-je rencontrer la Sibylle ? Il m'avait tant de fois suffi de déboucher sous la voûte qui donne quai Conti en venant de la rue de Seine pour voir, dès que la lumière cendre olive au-dessus du fleuve me permettait de distinguer les formes, sa mince silhouette s'inscrire sur le Pont des Arts, parfois allant et venant, parfois arrêtée contre la rampe de fer, penchée au-dessus de l'eau. Et c'était tout naturel de traverser la rue, de monter les marches du pont, d'entrer dans sa mince ceinture et de m'approcher de la Sibylle qui souriait sans surprise, persuadée comme moi qu'une rencontre fortuite était ce qu'il y avait de moins fortuit dans nos vies et que les gens qui se donnent des rendez-vous précis sont ceux qui écrivent sur du papier rayé et pressent leur tube de dentifrice par le fond.

Mais elle ne serait pas sur le pont à présent. Son fin visage à la peau transparente devait se pencher sous de vieux portails dans le ghetto du Marais, ou peut-être bavardait-elle avec une marchande de frites si elle ne mangeait pas une saucisse chaude boulevard Sébastopol. De toute façon, je montais jusqu'au pont, et la Sibylle n'y était pas. Elle ne se trouvait plus sur mon chemin à présent et bien que nous connaissions nos domiciles, chaque recoin de nos deux chambres de faux étudiants à Paris, toutes les cartes postales qui ouvraient sur les tapisseries criardes ou les moulures bon marché, une petite fenêtre Braque, Ghirlandaio ou Max Ernst, nous n'irions sûrement pas nous chercher chez nous. Nous préférions nous rencontrer sur le pont, à la terrasse d'un café, dans un ciné-club ou penchés au-dessus d'un chat, dans une cour du Quartier latin. Nous nous promenions sans nous chercher mais en sachant que nous nous promenions pour nous retrouver. O Sibylle, sur chaque femme qui te ressemblait se précipitait comme un silence assourdissant, une pause aiguisée et cristalline qui finissait par retomber tristement comme un parapluie mouillé qui se referme ! Et à propos de parapluie, Sibylle, tu te rappelles le vieux pépin que nous avons jeté dans un ravin du parc Montsouris par une soirée glaciale de mars ? Nous l'avons jeté là parce que nous l'avions trouvé place de la Concorde, déjà un peu déchiré, et tu t'en étais beaucoup servie, surtout pour l'enfoncer dans les côtes des gens dans l'autobus ou dans le métro, toujours distraite et maladroite, bayant aux corneilles ou à ce petit dessin que faisaient deux mouches au plafond de la voiture, et cet après-midi-là il y eut un orage et tu voulus ouvrir fièrement ton parapluie quand nous sommes entrés dans le parc, alors ta main a déclenché un cataclysme d'éclairs glacés et de nuages noirs, de lambeaux d'étoffes déchirées et de tiges arrachées, et nous riions comme des fous en nous faisant tremper, puis nous avons pensé qu'un parapluie trouvé sur une place devait mourir dignement dans un parc, il ne pouvait entrer dans le cycle ignoble de la poubelle ou du ruisseau; alors je l'ai refermé de mon mieux, nous l'avons emporté jusqu'en haut du jardin près du petit pont sur le chemin de fer et je l'ai lancé de toutes mes forces au fond du ravin mouillé, tandis que tu poussais une imprécation de valkyrie. Et il s'est enfoncé dans le creux du ravin comme un bateau qui succombe à l'eau verte, à l'eau verte et orageuse, *à la mer qui est plus félonesse en été qu'en hiver*, à la vague perfide, selon des citations que nous poursuivîmes longuement, tous les deux amoureux de Joinville et du parc, enlacés et pareils à des arbres mouillés ou à des acteurs de cinéma d'un très mauvais film hongrois. Il reposait dans l'herbe, tout petit et noir, comme un insecte écrasé. Et il ne bougeait plus, aucun de ses ressorts ne s'étirait plus comme avant. Fichu. Fini. O Sibylle ! et nous n'étions pas contents.

Qu'allais-je faire Pont des Arts ce jour-là ? Je crois que j'avais décidé, ce jeudi de décembre, de passer sur la rive droite et d'aller boire un verre dans le petit café de la rue des Lombards où Mme Léonie regarde les lignes de ma main et me prédit des voyages et des surprises. Je ne t'ai jamais emmenée te faire lire dans les lignes de la main par Mme Léonie, car j'ai eu peur sans doute qu'elle n'y vît quelque vérité sur moi, tu as toujours été un terrible miroir, une effroyable machine à répéter les choses, et ce que nous appelons nous aimer ce fut peut-être cette image, moi debout devant toi, une fleur jaune à la main, tandis que le temps nous soufflait au visage une lente pluie de départs, d'abandons et de tickets de métro. Quoi qu'il en soit, Sibylle, je ne t'ai jamais emmenée voir Mme Léonie. Et tu n'aimais pas, je le sais parce que tu me l'as dit, que je te voie entrer dans la petite librairie de la rue de Verneuil où un vieil homme voûté faisait des milliers de fiches et savait tout ce qu'on peut savoir en historiographie. Tu allais y jouer avec un chat, et le vieux te laissait entrer sans rien te demander, s'estimant heureux si parfois tu lui descendais un livre des plus hautes étagères. Et tu te chauffais à son poêle au grand tuyau noir et tu n'aimais pas que je te sache près de ce poêle. Mais tout cela, il aurait fallu le dire au moment voulu (évidemment ce n'était pas facile de déterminer le moment d'une chose) et même alors, accoudé au parapet et regardant passer une péniche couleur lie-de-vin, belle comme un cafard luisant de propreté, avec une femme en tablier blanc qui étendait du linge sur une corde à l'avant, regardant les petites fenêtres peintes en vert avec ses rideaux Hansel et Gretel, et même alors, Sibylle, je me demandais si ce détour avait un sens car, pour aller rue des Lombards, j'aurais mieux fait de passer par le Pont Saint-Michel et le Pont au Change. Mais si tu avais été sur le Pont des Arts ce soir-là comme tant d'autres fois, j'aurais su que mon détour avait un sens, tandis que j'avilissais mon échec en l'appelant détour. Il fallait donc, après avoir remonté le col de ma canadienne, suivre les quais jusqu'à cette zone de boutiques qui se termine au Châtelet, puis passer à l'ombre violette de la Tour Saint-Jacques et remonter ma rue en pensant que je ne t'avais pas rencontrée. Ni vu Mme Léonie.

Je sais qu'un jour je suis arrivé à Paris, que j'y ai vécu d'emprunts un certain temps, faisant ce que font les autres et voyant ce qu'ils voient. Je sais que tu sortais d'un café rue du Cherche-Midi et que nous nous sommes parlé. Cet après-midi-là, tout alla mal car mes habitudes argentines m'interdisaient de passer constamment d'un trottoir à l'autre pour regarder des choses insignifiantes dans des vitrines mal éclairées. Je te suivais de mauvaise grâce, te trouvant effrontée et mal élevée, mais tu t'es enfin fatiguée de n'être pas fatiguée et nous sommes entrés dans un café du Boul' Mich' où, entre deux croissants, tu m'as brusquement raconté un grand morceau de ta vie.

Comment aurais-je pu deviner que ce qui avait l'air si faux était vrai, un Figari avec des violets de crépuscule, des visages blêmes et des coups dans les coins. Plus tard je t'ai crue, plus tard il y a eu les évidences, il y a eu Mme Léonie qui, regardant ma main qui avait dormi sur tes seins, répéta presque mot pour mot ce que tu m'avais dit : « Elle souffre quelque part dans la ville. Elle a toujours souffert. Elle est très gaie, elle adore le jaune, son oiseau est le merle, son heure la nuit, son pont le Pont des Arts. » (Une péniche couleur lie-de-vin, Sibylle, pourquoi ne pas être partis avec elle quand il en était encore temps ?)

Remarque, nous nous connaissions à peine et déjà la vie tissait ce qu'il fallait pour nous séparer minutieusement. Comme tu ne savais pas dissimuler, j'ai tout de suite compris que pour te voir comme je le voulais il fallait d'abord fermer les yeux et alors surgissaient des étoiles jaunes, puis les bonds rouges de ton humeur et des heures, lente approche d'un monde sibyllin qui était confusion et maladresses mais aussi fougères, signées de l'araignée Klee, cirques Miro, miroirs de cendre Vieira da Silva, un monde où tu avançais comme un cavalier d'échecs qui eût avancé comme une tour qui eût avancé comme un fou. En ces jours-là, nous allions au ciné-club voir des films du muet parce que moi, n'est-ce pas, pour ma culture, et toi, pauvre gosse, tu ne comprenais rien à cette stridence jaune et convulsée qui datait d'avant ta naissance, à cette émulsion striée où couraient des morts; mais parfois Harold Lloyd passait par là, alors tu secouais l'eau de ton sommeil et tu te persuadais que tout était très bien et que Pabst et que Fritz Lang. Tu m'énervais un peu à la longue avec ta manie de la perfection, tes souliers percés, ton refus d'accepter l'acceptable. Nous mangions des hamburgers au carrefour de l'Odéon et nous allions à bicyclette à Montparnasse dans n'importe quel hôtel, sur n'importe quel oreiller. Mais d'autres fois nous poursuivions jusqu'à la Porte d'Orléans, nous connaissions de mieux en mieux la zone de terrains vagues qui s'étend au-delà du boulevard Jourdan, où parfois vers minuit se réunissaient les amis du Club du Serpent pour s'entretenir avec un voyant aveugle, stimulant paradoxe. Nous laissions nos bicyclettes dans la rue et nous nous avancions dans cette zone vide, nous arrêtant souvent pour regarder le ciel car c'est l'un des rares endroits de Paris où le ciel est plus beau que la terre. Assis sur un tas de gravats, nous fumions un moment tandis que tu caressais mes cheveux ou chantonnais des chansons même pas inventées, mélopées absurdes entrecoupées de soupirs ou de souvenirs. Moi, j'en profitais pour penser à des choses inutiles, méthode que j'avais inaugurée quelques années auparavant dans un hôpital et qui m'apparaissait comme de plus en plus féconde et nécessaire. Au prix d'un énorme effort, après avoir groupé des images auxiliaires, pensé à des odeurs et à des visages, je parvenais à extraire du néant une paire de souliers marron que j'avais portés à Olavarría en 1940. Ils avaient une semelle très fine et quand il pleuvait la pluie me pénétrait jusqu'à l'âme. Avec cette paire de souliers dans les mains du souvenir, le reste venait tout seul, le visage de doña Manuela par exemple, ou le poète Ernesto Morroni. Mais je les chassais car le jeu consistait à ne retrouver que l'insignifiant, le minable, le disparu. Tremblant de ne pouvoir me souvenir, miné par le ver rongeur de l'atermoiement, abruti à force de baiser le temps, je finissais par voir à côté des souliers marron une petite boîte de thé Sol que ma mère m'avait donnée à Buenos Aires. Et la cuillère à thé, la cuillère-souricière où de petites souris noires se brûlaient vives dans l'eau de la tasse en lançant des bulles stridentes. Persuadé que le souvenir conserve tout et pas seulement les Albertines ou les grands éphémérides du cœur et des reins, je m'obstinais à reconstituer le contenu de ma table de travail à Floresta, le visage d'une jeune fille peu mémorable nommée Gekrepten, le nombre de plumes de ronde qu'il y avait dans mon plumier de cinquième, et je finissais par désespérer, je me mettais à trembler (car je n'ai jamais pu me rappeler le nombre de ces plumes de ronde, je sais qu'elles étaient dans le plumier, dans un compartiment spécial, mais je ne peux plus me rappeler combien il y en avait) jusqu'au moment où la Sibylle, m'embrassant et me lançant au visage la fumée de sa cigarette et son haleine chaude, me récupérait, nous nous mettions à rire et nous reprenions notre marche entre les tas d'ordures, à la recherche de ceux du Club. Je savais déjà alors que chercher était mon signe, l'emblème de ceux qui sortent le soir sans but, la justification des tueurs de boussole. Nous parlions pataphysique avec la Sibylle jusqu'à épuisement, car il lui arrivait à elle aussi (et c'était cela notre rencontre et tant d'autres choses obscures comme le phosphore) de tomber sans cesse sur des exceptions, de se voir enfermée dans des cases qui n'étaient pas celles de tout le monde, mais nous ne nous croyions pas pour autant des Maldoror d'occasion ou des Melmoth errants. Je ne pense pas que la luciole tire une particulière suffisance du fait incontestable qu'elle est une des plus stupéfiantes merveilles du cirque de ce monde, et cependant il suffit de lui supposer une conscience pour comprendre que lorsque son petit ventre s'allume elle doit éprouver comme la chatouille d'un privilège. De même la Sibylle était enchantée des situations invraisemblables où, de par l'impuissance des lois naturelles sur sa vie, elle était toujours engagée. Elle était de ceux qui font s'écrouler un pont rien qu'en passant dessus ou qui se rappellent en pleurant à chaudes larmes avoir vu dans un kiosque le dixième de loterie qui vient de gagner les cinq millions. J'étais déjà habitué, pour ma part, à ce qu'il m'arrivât des choses modestement exceptionnelles et je ne trouvais plus trop horrible de sentir gigoter sous ma main quand j'allais prendre un album de disques dans une pièce sombre, un mille-pattes géant venu dormir là. Ça, ou bien trouver dans un paquet de cigarettes de grands duvets gris ou verts, ou alors entendre le sifflement d'une locomotive se fondre parfaitement, au moment voulu et dans le ton nécessaire, dans une symphonie de Beethoven, ou encore entrer dans une pissotière de la rue Médicis où un homme est en train d'uriner avec application, et quand il s'écarte de son box c'est pour me montrer, posé à plat sur sa main comme un objet liturgique et précieux, un membre d'une couleur et d'une dimension incroyables, et je m'aperçois dans le même instant que cet homme ressemble trait pour trait à un autre (mais il n'est pas cet autre) qui, la veille au soir, à la Salle de Géographie, nous a entretenus des totems et des tabous et nous a montré, posés délicatement sur la paume de sa main, des bâtonnets d'ivoire, des plumes d'oiseau-lyre, des monnaies rituelles, des fossiles magiques, des étoiles de mer, des poissons séchés, des photos de concubines royales, des offrandes de chasseurs et d'énormes scarabées embaumés qui faisaient trembler de délice effrayé les inévitables dames de l'assistance.

Bref, il n'est pas facile de parler de la Sibylle qui, à cet instant même, doit déambuler du côté de Belleville ou de Pantin, les yeux rivés au sol pour essayer de trouver un bout de tissu rouge. Si elle ne le trouve pas, elle continuera à chercher toute la nuit, elle fouillera même fébrilement dans les poubelles, persuadée que quelque chose de terrible va lui arriver si elle n'obtient pas ce gage de rachat, ce signe de pardon ou de peine remise. Je sais ce que c'est car j'obéis moi-même à ces sortes de signes, c'est parfois mon tour d'avoir à trouver un chiffon rouge. J'ai l'habitude, depuis l'enfance, de ramasser immédiatement tout ce que je peux laisser tomber, absolument tout, et si je ne le fais pas, un malheur arrivera, non pas à moi mais à quelqu'un que j'aime et dont le nom commence par la première lettre de l'objet tombé. L'ennui c'est que rien ne m'arrête en pareille circonstance et personne d'autre que moi ne peut ramasser l'objet car le maléfice s'accomplirait pareillement. Manie qui m'a valu plusieurs fois de passer pour un fou mais en vérité je suis fou quand cela m'arrive, quand je me précipite pour ramasser un morceau de papier ou un crayon qui m'ont échappé des mains, comme le soir du morceau de sucre dans ce restaurant de la rue Scribe, un restaurant rupin avec des tas d'hommes d'affaires et de putains à renards argentés, sans compter les couples bien établis. J'étais avec Ronald et Etienne, et j'ai laissé tomber par mégarde un morceau de sucre qui est allé atterrir sous une table assez loin de la nôtre. Ce qui m'a tout de suite frappé, c'est la façon dont s'était défilé ce morceau de sucre car les morceaux de sucre en général s'arrêtent à peine touché le sol pour des raisons parallélépipédiques évidentes. Mais celui-là se conduisait comme s'il eût été une boule de naphtaline, ce qui ne fit qu'augmenter mes craintes, et j'en vins à croire qu'on me l'avait véritablement arraché des mains. Ronald, qui me connaît, regarda le coin où il était allé échouer et éclata de rire. Ce qui me mit en colère et décupla ma peur. Un garçon s'approcha, pensant que j'avais laissé tomber un objet précieux, un Parker ou un dentier, mais comme il me gênait plus qu'autre chose, je me suis jeté à quatre pattes sans rien lui demander et je me suis lancé à la poursuite du morceau de sucre entre les pieds des gens, persuadés (non sans raison) qu'il s'agissait d'une chose importante. A cette table-là, il y avait une grosse rousse, une autre moins grosse mais tout aussi putain et deux hommes d'affaires ou quelque chose comme ça. Je constatai tout de suite que le morceau de sucre n'était pas dans les parages et pourtant je l'avais bien vu sauter en direction de ces souliers qui, à présent, s'agitaient fébrilement comme des poules. Pour comble de malheur, il y avait par terre un épais tapis, dégoûtant d'ailleurs, le morceau de sucre avait dû se cacher entre les poils, rien à faire pour le retrouver. Le garçon se mit lui aussi à quatre pattes de l'autre côté de la table et nous étions deux quadrupèdes parmi les souliers-poules qui là-haut commençaient à caqueter comme des folles. Le garçon en tenait toujours pour son Parker ou son louis d'or et quand nous avons été bien engagés sous la table, lui et moi, dans une sorte de pénombre et de grande intimité, il m'a questionné et je lui ai répondu, il a fait alors une de ces têtes, de quoi le vaporiser entièrement de gomina, mais je n'avais pas envie de rire, la peur me tenaillait l'estomac et à la fin, même, j'ai été saisi d'un véritable désespoir (le garçon s'était relevé, furieux) et j'ai empoigné les chaussures des femmes pour voir si le sucre ne se serait pas blotti sous l'arc de la semelle, les poules caquetaient éperdument, les coqs-hommes d'affaires me criblaient le dos de coups de bec, j'entendais les éclats de rire de Ronald et d'Etienne tandis que je passais d'une table à l'autre pour finalement retrouver le morceau de sucre caché derrière un pied second Empire. Tout le monde était furieux et moi aussi avec mon morceau de sucre qui se mettait à fondre dans ma main et se mêlait à ma sueur de façon répugnante en une espèce de vengeance poisseuse, phénomène banal et quotidien.

(-2)

# 2

Ici, cela avait été d'abord comme une saignée, une bastonnade interne, la nécessité de sentir dans sa poche le stupide passeport à couverture bleue, la clef de l'hôtel bien à l'abri sur son tableau. La peur, l'ignorance, l'éblouissement : ceci se demande ainsi, cela s'appelle comme ça, maintenant cette femme va sourire, au bout de cette rue commence le Jardin des Plantes. Paris, une carte postale avec un dessin de Klee au coin d'un miroir sale. La Sibylle était apparue un soir rue du Cherche-Midi, je rapportais toujours une fleur ou une carte de Klee ou de Miro quand je regagnais ma chambre rue de la Tombe-Issoire et, si je n'avais pas d'argent, je ramassais une feuille de platane dans le parc. C'était l'époque où je ramassais aussi des fils de fer et des boîtes vides dans les rues de l'aube pour fabriquer des mobiles, des profils qui se balançaient sur la cheminée, des machines inutiles que la Sibylle m'aidait à peindre. Nous n'étions pas amoureux, nous faisions l'amour avec virtuosité, détachement et esprit critique, mais après nous tombions dans des silences terribles et l'écume de la bière dans nos verres devenait de l'étoupe, tiédissait et rétrécissait, et nous nous regardions en sentant que c'était cela le temps. La Sibylle finissait par se lever et se mettait à tourner sans but précis dans la chambre. Je l'ai vue plus d'une fois admirer son corps dans la glace, prendre ses seins à deux mains comme les statuettes syriennes et promener son regard sur sa peau en une lente caresse. Je n'ai jamais pu résister au désir de l'appeler, de la sentir peu à peu retomber contre moi, se dédoublant à nouveau après avoir été un instant si seule et si éprise en face de l'éternité de son corps.

A cette époque, nous ne parlions guère de Rocamadour, le plaisir était égoïste, il nous heurtait en gémissant de son front étroit, il nous retenait de ses mains pleines de sel. J'en vins à accepter le désordre de la Sibylle comme la condition naturelle de chaque instant, nous passions de l'évocation de Rocamadour à un plat de pâtes réchauffées, mêlant le vin, la bière et la limonade, descendant à fond de train nous faire ouvrir deux douzaines d'huîtres par la vieille du coin, jouant sur le piano désaccordé de Mme Noguet des mélodies de Schubert, des préludes de Bach, ou tolérant *Porgy and Bess* avec des biftecks au gril et des concombres au sel. Le désordre dans lequel nous vivions, c'est-à-dire le désordre qui voulait qu'un bidet se convertît insensiblement et tout naturellement en discothèque et archive des lettres en attente, m'apparaissait comme une discipline nécessaire, mais c'était une chose que je me gardais bien de dire à la Sibylle. J'avais vite compris qu'il ne fallait pas lui présenter la réalité en termes méthodiques, l'éloge du désordre l'aurait tout aussi scandalisée que sa condamnation. Pour elle, il n'y avait pas de désordre, je l'ai compris à l'instant où j'ai vu le contenu de son sac (c'était dans un café de la rue Réaumur, il pleuvait et nous commencions à nous désirer), tandis que moi je l'acceptais et même, après l'avoir identifié, je le favorisais; mes rapports avec les autres étaient faits de ces désavantages et combien de fois, étendu sur un lit que l'on ne faisait pas souvent, écoutant pleurer la Sibylle parce qu'un enfant dans le métro lui avait rappelé Rocamadour, ou la regardant se coiffer après qu'elle eut passé l'après-midi devant un portrait d'Eléonore d'Aquitaine à qui elle mourait d'envie de ressembler, il me venait comme une sorte de rot mental, tout cet ABC de ma vie n'était qu'une pénible stupidité, il ne passait pas d'un simple mouvement dialectique, c'était le choix d'une inconduite plutôt que d'une conduite, d'une modeste indécence plutôt que d'une décence grégaire. La Sibylle se coiffait, se décoiffait, se recoiffait. Elle pensait à Rocamadour, elle chantait (mal) quelque chose d'Hugo Wolf, elle m'embrassait, elle me demandait si sa coiffure..., elle se mettait à dessiner sur un petit papier jaune, et tout cela c'était elle, indissolublement, tandis que moi, là, sur un lit délibérément sale, en train de boire une bière délibérément tiède, c'était toujours moi et ma vie, moi avec ma vie face à la vie des autres Mais tout de même j'étais assez fier d'être un fainéant lucide et, par-dessous des lunes et des lunes, d'innombrables péripéties où la Sibylle, Ronald et Rocamadour et le Club et les rues et mes maladies morales et autres pyorrhées et Berthe Trépat et la faim parfois et le vieux Trouille qui me tirait d'affaire, par-dessous les nuits vomies de musique et de tabac, les menues vilenies et les trocs en tout genre, bien par-dessous ou bien au-dessus de tout cela, je n'avais pas voulu me persuader, comme les bohèmes classiques, que ce chaos de poche était un ordre supérieur de l'esprit et je m'étais pareillement refusé à croire qu'il eût suffi d'un peu de décence (de la décence, jeune homme !) pour sortir de cette mélasse. Et, sur ces entrefaites, j'avais rencontré la Sibylle qui était sans le savoir mon témoin et mon espion, pleine d'admiration pour mes diverses connaissances, y compris celles en littérature et jazz *cool*, pour elle mystères impénétrables. Et c'est à cause de tout cela que je me sentais antagoniquement près de la Sibylle, nous nous aimions en un jeu d'attaque et de défense, de limaille et d'aimant, de balle et de mur. J'ai l'impression que la Sibylle se faisait des illusions sur mon compte, elle devait croire que j'étais libéré de tout préjugé ou que je m'étais rendu aux siens, plus légers et plus poétiques. En pleine fausse trêve, en plein contentement précaire, j'étendis la main et touchai la pelote Paris, sa matière infinie s'enroulant sur elle-même, le magma de l'air, des nuages et des mansardes dessinées dans la fenêtre; à cet instant, il n'y avait pas de désordre; à cet instant, le monde était une chose établie et pétrifiée, un jeu d'éléments tournant sur leurs gonds, un écheveau de rues et d'arbres et de noms et de mois. Il n'y avait pas de désordre qui pût conduire au rachat, il n'y avait que la saleté et la misère, des fonds de bière dans les verres, des bas dans un coin, un lit qui sentait les cheveux et le sexe, une femme qui me passait sa main fine et transparente sur les cuisses, retardant la caresse qui m'arracherait un instant à cette vigilance en plein vide. Toujours trop tard, nous avions beau faire souvent l'amour, le bonheur c'était forcément autre chose, quelque chose de plus triste peut-être que cette paix et ce plaisir, un air d'île ou de licorne, une chute interminable dans l'immobilité. La Sibylle ne savait pas que mes baisers étaient comme des yeux qui s'ouvraient au-delà d'elle et que j'avançais comme hors de moi-même, versé en une autre image du monde, pilote à l'avant noir d'un navire qui fendait les eaux du temps et les abolissait.

En ces jours-là de 1950 et quelque, je commençais à me sentir traqué par la Sibylle et par le sentiment de ce qui aurait dû arriver de différent. Il était stupide de se révolter contre le monde Sibylle et le monde Rocamadour alors que tout me disait que je cesserais de me sentir libre à peine aurais-je retrouvé mon indépendance. Hypocrite comme pas un, cela me gênait, cet espionnage au niveau de ma peau, de mes cuisses, de ma façon de jouir avec la Sibylle, de mes tentatives de perroquet en cage pour lire Kierkegaard à travers les barreaux, ce qui me gênait surtout, je crois, c'était que la Sibylle n'eût pas conscience d'être mon témoin et qu'elle fût au contraire persuadée de ma souveraine autarcie, et puis non, au fond, ce qui m'exaspérait, c'était de savoir que je ne serais jamais aussi près de ma liberté qu'en ces jours où je me sentais traqué par le monde Sibylle et que mon désir de m'en libérer n'était que l'aveu de ma défaite.

Pourquoi ne pas accepter ce qui arrivait sans prétendre l'expliquer, sans établir des notions d'ordre ou de désordre, de liberté et de Rocamadour, comme on dispose des pots de géranium sur le rebord d'une fenêtre ? Peut-être fallait-il tomber au plus profond de la stupidité pour trouver la poignée de la porte des latrines ou celle du Jardin des Oliviers. Pour l'instant, je m'étonnais que la Sibylle ait pu pousser la fantaisie jusqu'à appeler son fils Rocamadour. Au Club, nous avions cherché toutes sortes de raisons à ce baptême, la Sibylle se bornait à dire que son fils s'appelait comme son père mais que, le père disparu, il avait mieux valu l'appeler Rocamadour et le mettre en nourrice à la campagne. Parfois, la Sibylle passait des semaines entières sans parler de Rocamadour et cela coïncidait toujours avec ses espoirs de devenir une chanteuse de lieder. Ronald venait alors s'asseoir au piano avec sa grosse tête rouge de cow-boy et la Sibylle vociférait Hugo Wolf avec une ardeur qui faisait trembler Mme Noguet occupée à enfiler les perles de plastique qu'elle vendait ensuite boulevard Sébastopol. La Sibylle chantant Schumann, cela ne nous déplaisait pas, mais tout dépendait de la lune ou de ce que nous allions faire le soir, et aussi de Rocamadour, à peine la Sibylle se souvenait-elle de Rocamadour qu'elle envoyait le chant au diable, et Ronald, seul au piano, avait tout son temps pour travailler ses idées de be-bop ou nous tuer doucement à force de blues.

Je ne veux rien écrire sur Rocamadour, du moins pas aujourd'hui, j'aurais tellement besoin de m'approcher mieux de moi-même, de laisser tomber tout ce qui me sépare du centre. Je finis toujours par en revenir au centre, sans la moindre garantie de ce que je dis, je cède au piège facile de la géométrie selon laquelle prétend s'ordonner notre vie occidentale : axe, centre, raison d'être, Omphale, noms de la nostalgie indo-européenne. Cette existence même que j'essaie parfois de décrire, ce Paris où je tourne comme une feuille morte ne seraient pas visibles s'il ne battait, derrière, cette angoisse axiale, la rencontre avec le noyau. Que de mots, que de nomenclatures pour un même désarroi ! Je suis parfois convaincu que la stupidité s'appelle triangle et que huit fois huit c'est la folie ou un chien. Enlacé à la Sibylle, cette concrétion de nébuleuse, je pense que cela revient au même de faire une boulette de mie de pain, ou d'écrire le roman que je n'écrirai jamais, ou de donner sa vie pour défendre les idées qui rachètent les peuples. Le pendule accomplit son va-et-vient instantané et je m'installe à nouveau dans les catégories rassurantes : boulette de mie de pain insignifiante, roman transcendant, mort héroïque. Je les mets en rang, du plus petit au plus grand : la boulette, le roman, l'héroïsme. Je pense aux échelles de valeur si bien explorées par Ortega, par Scheler : l'esthétique, l'éthique, le religieux. Le religieux, l'esthétique, l'éthique. L'éthique, le religieux, l'esthétique. La boulette, le roman, la mort, la boulette. La langue de la Sibylle me fait des chatouilles. Rocamadour, l'éthique, la boulette, la Sibylle. La langue, la chatouille, l'éthique.

(-116)

# 3

La troisième cigarette de l'insomnie brûlait aux lèvres d'Horacio Oliveira assis sur le lit; une ou deux fois déjà, il avait passé légèrement sa main sur les cheveux de la Sibylle endormie contre lui. On était au début du lundi, ils avaient laissé passer l'après-midi et la soirée de dimanche à lire et à écouter des disques, se levant alternativement pour réchauffer le café ou faire infuser le maté. La Sibylle s'était endormie à la fin d'un quatuor de Haydn, et Oliveira, qui n'avait plus envie d'écouter, débrancha le tourne-disques sans bouger du lit. Le disque continua de tourner un moment sans qu'aucun son sortît du haut-parleur. Cette inertie stupide lui fit penser — il ne savait pourquoi — aux mouvements apparemment inutiles de certains insectes, de certains enfants. Il ne pouvait pas dormir, il fumait en regardant par la fenêtre ouverte la mansarde où parfois un violoniste bossu étudiait tard dans la nuit. Il ne faisait pas chaud mais le corps de la Sibylle lui chauffait la jambe et le flanc droits ; il s'écarta insensiblement et pensa que la nuit allait être longue.

Il se sentait très bien, comme chaque fois que la Sibylle et lui avaient réussi à aller jusqu'au bout d'une rencontre sans se heurter ni s'exaspérer. La lettre de son frère, péremptoire avocat de Rosario, il s'en fichait un peu; le monsieur avait noirci quatre pages de papier avion sur la nécessité de remplir les devoirs civiques et filiaux qu'Oliveira négligeait. La lettre était un pur chef-d'œuvre et il l'avait collée au mur avec du scotch pour en faire profiter les amis. La seule chose importante était l'annonce d'un envoi d'argent par cette voie illégale que son frère appelait pudiquement le commissionnaire. Oliveira se dit qu'il pourrait acheter les livres dont il avait envie depuis un bout de temps et qu'il donnerait trois mille francs à la Sibylle pour en faire ce qu'elle voudrait, probablement acheter un éléphant de feutre grandeur nature, ou presque, pour la plus grande stupéfaction de Rocamadour. Ce matin, il lui faudrait aller chez le vieux Trouille pour mettre à jour sa correspondance avec l'Amérique latine. Sortir, faire, mettre à jour, voilà des choses qui n'aidaient pas à dormir. Mettre à jour, encore une de ces expressions... Faire, faire quelque chose, faire le bien, faire pipi, faire la sourde oreille, l'action dans toutes ses combinaisons possibles. Mais sous chaque acte vibrait une protestation, tout acte supposait un partir de pour arriver à, un déplacer une chose pour qu'elle fût ici et non pas là, un entrer dans cette maison plutôt que de n'y pas entrer ou entrer dans celle d'à côté, tout acte supposait un manque, une chose non encore accomplie et qui pourrait se faire, la protestation tacite devant l'inachèvement et la pauvreté du présent. Croire que l'action pouvait combler ou que la somme des actions pouvait équivaloir à une vie digne de ce nom était une illusion de moraliste. Il valait mieux renoncer, car le renoncement était la protestation même et non pas seulement son masque. Oliveira alluma une autre cigarette et cet acte minime l'obligea à se sourire ironiquement. Peu lui importaient les analyses superficielles, presque toujours faussées par la distraction et les pièges philologiques. La seule chose sûre, c'était ce poids au creux de l'estomac, le pressentiment physique que quelque chose n'allait pas, n'était presque jamais allé. Ce n'était même pas un problème mais plutôt le fait de s'être très tôt dérobé aux mensonges collectifs ou à la solitude rancunière de celui qui se consacre à l'étude des isotopes radio-actifs ou de la présidence de Lincoln. Si, dès sa jeunesse, il avait voulu quelque chose, c'était bien de ne pas chercher à se faire un rempart d'une culture rapide, fébrilement accumulée, le truc par excellence de la classe moyenne argentine pour se dérober à la réalité nationale et à toutes sortes de réalités et se croire ainsi à l'abri du vide qui l'entourait. Grâce à cette flemme systématique, comme l'appelait son ami Traveler, il avait pu éviter de rallier le parti des pharisiens (dans lequel militaient beaucoup de ses amis, souvent de bonne foi, la chose était possible, il y avait des exemples), qui esquivait le fond des problèmes grâce à une quelconque spécialisation dont l'exercice leur conférait ironiquement les plus hauts titres de noblesse et d'argentinité. Quant au reste, il lui paraissait fallacieux et simpliste de mélanger des problèmes historiques, comme celui d'être argentin ou esquimau, avec d'autres, comme celui de l'action ou du renoncement... Il avait assez observé les choses pour savoir l'importance de celle qui colle au nez de chacun et échappe à la plupart : le poids du sujet dans la notion de l'objet. La Sibylle était de ces rares personnes qui n'oubliaient jamais que la tête d'un type influençait forcément l'idée qu'il pouvait se faire du communisme ou de la civilisation crétoise et que la forme de ses mains n'était pas étrangère à sa façon de comprendre Ghirlandaio ou Dostoïevsky. Ce pourquoi Oliveira penchait à croire que son groupe sanguin, son enfance parmi des oncles solennels, des amours contrariées pendant l'adolescence et une tendance à l'asthénie pouvaient être des facteurs déterminants dans sa façon de voir le monde. Il était petit-bourgeois, portègne[1] de surcroît, école communale, et ce ne sont pas des choses qui s'arrangent si facilement. L'ennui, c'était qu'à force de craindre l'excessive localisation des points de vue, il en était arrivé à trop peser le pour et le contre, et même à accepter le oui et le non de toutes choses. A Paris, tout lui était Buenos Aires et vice versa. Au plus sûr de l'amour, il souffrait et pressentait la rupture et l'oubli. Attitude pernicieusement commode et même facile pour peu qu'elle devienne un reflet et une technique; la lucidité terrible du paralytique, l'aveuglement de l'athlète parfaitement stupide. On se met à aller dans la vie du pas indolent du philosophe et du clochard en ramenant peu à peu tous les gestes vitaux au simple instinct de conservation, à l'exercice d'une conscience plus attentive à ne pas se laisser tromper qu'à appréhender la vérité. Quiétisme laïque, ataraxie moderne, distraction attentive. L'important pour Oliveira, c'était de pouvoir assister infatigablement au spectacle de cet écartèlement à la Tupac-Amaru[2], et de ne pas sombrer dans ce pauvre égocentrisme (chauvicentrisme, banlieucentrisme, culturcentrisme, folklocentrisme) qui se proclamait quotidiennement autour de lui sous toutes les formes possibles. A dix ans, par un après-midi d'oncles et de pontifiantes homélies

1. Habitant de Buenos Aires.
2. Chef inca écartelé et dépecé par les Espagnols.

historico-politiques sous des platanes, il avait timidement manifesté sa première réaction contre le très hispano-italo-argentin « c'est moi qui vous le dis ! » accompagné d'un coup de poing péremptoire. *Glielo dico io !* Et moi je vous dis, nom d'un chien ! Ce *moi* — était parvenu à penser Horacio —, quelle valeur probatoire a-t-il ? Le moi des grandes personnes, quelle omniscience suppose-t-il ? A quinze ans, il avait appris « je sais seulement que je ne sais rien », la ciguë consécutive lui avait paru inévitable, on ne provoque pas ainsi les gens, c'est moi qui vous le dis. Plus tard, cela l'amusa de constater que, dans les formes supérieures de la culture, le poids des autorités et des influences, la confiance que donnent les bonnes lectures et l'intelligence engendraient aussi leur « c'est moi qui vous le dis », habilement dissimulé sous des « j'ai toujours pensé que », « si je suis sûr de quelque chose c'est bien de », « il est évident que », rarement compensé par une vision détachée du point de vue opposé. Comme si l'espèce veillait dans l'individu pour ne pas le laisser trop s'avancer sur le chemin de la tolérance, du doute intelligent, du va-et-vient sentimental. En un point donné naissait le durillon, la sclérose, la définition : noir ou blanc, libéral ou conservateur, homosexuel ou hétérosexuel, abstrait ou figuratif, le Sporting ou le Racing-Club, végétarien ou carnivore, les affaires ou la poésie. Et c'était bien ainsi car l'espèce ne pouvait se fier à des types comme Oliveira, la lettre de son frère était révélatrice de cette répulsion.

« L'ennui de tout cela, pensa Oliveira, c'est qu'on débouche inévitablement sur l'*animula vagula blandula*. Que faire ? C'est avec cette question que j'ai commencé à ne pas dormir. Oblomov, *cosa facciamo* ? Les grands cris de l'Histoire nous poussent à l'action. *Hamlet, revenge !* Nous vengerons-nous, Hamlet, ou, plus simplement, Chippendale, pantoufles et bon feu ? Le Syrien, après tout, a fait scandaleusement l'éloge de Marie. Livreras-tu bataille, Arjuna ? Tu ne peux nier les valeurs établies, roi indécis. La lutte pour la lutte, vivre dangereusement, pense à Marius l'Epicurien, à Richard Hillary, à Kyo, à T. E. Lawrence. Heureux ceux qui choisissent, ceux qui acceptent d'être choisis, les beaux saints, les beaux héros, les parfaits dégonflards.

Peut-être. Pourquoi pas ? A moins que son point de vue ne fût celui du renard regardant les raisins. A moins aussi qu'il n'eût raison mais une triste et pauvre raison, une raison de fourmi contre cigale. Si la lucidité débouche sur l'inaction, ne devient-elle pas douteuse, ne cache-t-elle pas une forme particulièrement diabolique d'aveuglement ? La stupidité du héros militaire qui saute avec le baril de poudre, le petit tambour héroïque, le brave soldat-tout couvert de gloire, cela supposait peut-être une vue d'en haut, l'approche instantanée d'un absolu, en dehors de toute conscience (la conscience, ce n'est pas ce qu'on demande à un soldat) et auprès desquelles la clairvoyance ordinaire, la lucidité en chambre, celle de trois heures du matin, au lit et à moitié cigarette, étaient moins efficaces que celle d'une taupe.

Il fit part de tout cela à la Sibylle qui venait de s'éveiller et se blottissait contre lui en poussant des miaulements endormis. Elle ouvrit un œil et prit un air pensif :

— De toute façon, tu ne pourrais pas, dit-elle. Tu penses trop avant de faire quoi que ce soit.

— Je pars du principe, jeune bécasse, que la réflexion doit précéder l'action.

— Tu pars du principe. Que c'est compliqué ! Toi, tu es comme un témoin, tu es celui qui va au musée et qui regarde les tableaux. Je veux dire, les tableaux sont là et toi tu es dans le musée, près et loin à la fois. Moi, je suis un tableau, Rocamadour est un tableau, Etienne est un tableau, cette pièce est un tableau. Tu crois que tu es dans cette pièce mais ce n'est pas vrai. Toi, tu regardes la pièce, tu n'es pas dans la pièce.

— Cet enfant en remontrerait à saint Thomas soi-même.

— Pourquoi saint Thomas ? Cet idiot qui voulait voir pour croire ?

— Oui, chérie, dit Oliveira, et il pensait qu'au fond la Sibylle avait touché juste.

Bienheureuse celle qui pouvait croire sans voir, qui formait corps avec la durée, avec le flux de la vie. Bienheureuse celle qui était dans la pièce, qui avait droit de cité en tout ce qu'elle touchait et habitait, poisson dans le courant, feuille sur l'arbre, nuage dans le ciel, image dans le poème. Poisson, feuille, ciel, image; exactement cela, à moins que...

(-84)

# 4

C'est ainsi qu'ils avaient commencé à flâner dans un Paris fabuleux, se laissant conduire par les signes de la nuit, saisissant des itinéraires nés de la phrase d'un clochard, d'une mansarde éclairée au fond d'une rue noire, s'arrêtant aux petites places confidentielles pour s'embrasser sur les bancs ou regarder les marelles, rites enfantins du caillou et du saut à cloche-pied pour entrer dans le Ciel. La Sibylle parlait de ses amies de Montevideo, de ses années d'enfance, d'un certain Ledesma, de son père. Oliveira écoutait d'une oreille distraite, désolé de ne pouvoir s'intéresser. Montevideo, c'était la même chose que Buenos Aires et il avait besoin, lui, de consolider une rupture précaire. (Que faisait, en ce moment, Traveler, ce grand fainéant, en quels fantastiques pétrins s'était-il fourré depuis son départ ? Et cette pauvre Gekrepten, et les cafés du centre ?) C'est pour cela qu'il écoutait d'un air réticent tout en faisant des dessins sur le gravier avec une petite branche. La Sibylle racontait, Graciela et Chempe, on pouvait compter sur elles, mais ça lui avait fait de la peine que Luciana ne fût pas venue lui dire au revoir au port. Luciana était une snob et ça, c'était une chose qu'elle ne pouvait pas supporter.

— Qu'entends-tu par snob ? demanda Oliveira, intéressé.

— Bon, répondit la Sibylle en baissant la tête comme quelqu'un qui sent qu'il va dire une bêtise. Je voyageais en troisième classe mais je crois que si j'avais été en seconde, Luciana serait venue.

— La meilleure définition que j'aie jamais entendue, dit Oliveira.

— Et en plus il y avait Rocamadour.

4

C'est ainsi qu'Oliveira avait appris l'existence de Rocamadour qui, à Montevideo, s'appelait modestement Carlos Francisco. La Sibylle n'avait pas l'air décidé à donner beaucoup de détails sur la genèse de Rocamadour, si ce n'est qu'elle n'avait pas voulu se faire avorter et qu'elle commençait à le regretter.

— Mais, au fond, je ne le regrette pas, le problème c'est plutôt comment vivre. Mme Irène coûte cher et il faut que je prenne des leçons de chant, tout ça finit par faire beaucoup.

La Sibylle ne savait pas très bien pourquoi elle était venue à Paris et Oliveira se disait qu'avec un peu plus de confusion dans les agences de tourisme, les départs de bateaux et les visas, elle aurait aussi bien pu aboutir à Singapour ou à Honolulu; la seule chose importante, pour elle, c'était d'avoir quitté Montevideo et d'avoir affronté seule ce qu'elle appelait modestement « la vie ». Le grand avantage de Paris, c'est qu'elle savait pas mal de français (*more* Berlitz) et qu'on pouvait y voir les meilleurs tableaux, les meilleurs films, la Kultur, quoi, sous sa forme la plus illustre. Ce panorama attendrissait Oliveira (bien que Rocamadour eût été un choc désagréable, il ne savait pourquoi) et il pensait à certaines de ses brillantes amies à Buenos Aires, incapables d'aller plus loin que Mar del Plata[1] malgré toutes leurs angoisses métaphysiques à l'échelle planétaire. Cette morveuse, avec un enfant dans les bras par-dessus le marché, s'embarquait en troisième classe et s'en venait étudier le chant à Paris sans un sou en poche. Et comme si cela ne suffisait pas, elle donnait à Oliveira des leçons sur la manière de voir et de regarder. Sans le faire exprès d'ailleurs, simplement sa façon de s'arrêter net dans la rue pour épier une cour où il n'y avait rien, rien qu'un éclat, une clarté verte un peu au-delà, on se glissait furtivement sous la voûte pour ne pas être vus de la concierge et on débouchait dans la grande cour intérieure où l'on trouvait parfois une vieille statue ou une margelle recouverte de lierre, ou bien rien, rien que les vieux pavés arrondis, la mousse sur les murs, une échoppe d'horloger, un vieux qui prenait l'ombre dans un coin, et les chats, toujours les chats, les inévitables minous, miaoumiaou, kitten, kat, gatto, cat,

1. Plage à la mode à 400 kilomètres de Buenos Aires.

le format et la couleur. Il fallait lui situer Flaubert, lui dire que Montesquieu, lui expliquer comment Raymond Radiguet. La Sibylle écoutait en traçant des dessins avec son doigt sur la vitre.

— Mais enfin, tu te rends bien compte que tu n'apprendras jamais rien comme ça, finissait par dire Oliveira. Tu prétends te cultiver dans la rue, c'est impossible, ma chérie, ou alors, abonne-toi au *Reader's Digest*.

— Oh ! non, cette saleté.

Un petit oiseau dans la tête, se disait Oliveira. Pas elle mais lui. Et elle, qu'avait-elle dans la tête ? De l'air ou de la blédine, quelque chose de peu réceptif. Ce n'était pas dans sa tête que se trouvait son centre.

« Elle ferme les yeux et elle atteint la cible. Exactement le système zen pour tirer à l'arc. Mais elle atteint la cible parce qu'elle ne sait pas que c'est cela le bon moyen. Moi par contre... Toc, toc. Et ainsi de suite. »

Quand la Sibylle s'informait par des tas de questions du pourquoi et du comment de la philosophie zen (ce qui pouvait très bien se produire au Club, où l'on parlait toujours de nostalgies, de sagesses si lointaines qu'on pouvait les croire fondamentales, de revers de médailles et de l'autre face de la lune), Gregorovius s'efforçait de lui inculquer les rudiments de la métaphysique tandis qu'Oliveira sirotait son Pernod et s'amusait ferme de les entendre. Il était insensé de vouloir expliquer quelque chose à la Sibylle. Fauconnier avait raison, pour les gens comme elle le mystère commençait précisément avec l'explication. La Sibylle entendait parler d'immanence et de transcendance et elle ouvrait de beaux yeux qui coupaient à Gregorovius toute sa métaphysique. Elle finissait par se convaincre qu'elle avait compris le zen et elle soupirait, fatiguée. Seulement la Sibylle, elle, abordait à tout moment à ces grandes terrasses hors du temps qu'ils recherchaient tous dialectiquement.

— N'apprends pas tous ces détails stupides, lui conseillait Oliveira. Pourquoi mettre des lunettes si tu n'en as pas besoin ?

La Sibylle écoutait d'un air méfiant. Elle admirait énormément Oliveira et Etienne, capables de discuter trois heures sans désemparer. Autour d'Etienne et d'Oliveira, il y avait comme un cercle de craie, elle voulait entrer dans le cercle, comprendre pourquoi le principe d'indétermination était si important en littérature, pourquoi Morelli, dont ils parlaient tant, qu'ils admiraient tant, cherchait à faire de son livre une boule de cristal où le microcosme et le macrocosme se rejoindraient en une vision foudroyante.

— Impossible de t'expliquer, disait Etienne. Ça, c'est le Meccano n° 7 et toi tu en es à peine au numéro 2.

La Sibylle prenait un air triste et ramassait une petite feuille sur le bord du trottoir, elle lui parlait un peu puis elle la promenait sur la paume de sa main, elle l'y couchait sur le dos, sur le ventre, elle la lissait et, à la fin, quand elle lui enlevait sa pulpe, laissant les nervures à vif, un délicat fantôme vert apparaissait peu à peu contre sa peau. Etienne lui arrachait la feuille des mains d'un geste brusque et la tendait vers la lumière. C'est pour des moments comme ça qu'ils l'admiraient, un peu honteux d'avoir été si rudes avec elle, et la Sibylle en profitait pour demander un autre bock avec des frites si possible.

(-71)

## 5

La première fois, ça s'était passé dans un hôtel de la rue Valette, ils flânaient par là, s'arrêtant sous chaque porche. la bruine après le déjeuner est toujours amère, il fallait faire quelque chose contre cette poussière glacée, contre ces imperméables qui sentaient le caoutchouc, soudain la Sibylle se serra contre Oliveira, ils se regardèrent d'un air stupide, HÔTEL, la vieille derrière son bureau galeux les salua, compréhensive, que pouvait-on faire d'autre par ce sale temps ? Elle traînait une jambe, c'était angoissant de la voir monter en s'arrêtant à chaque marche pour hisser la jambe malade beaucoup plus grosse que l'autre et répéter cette manœuvre jusqu'au quatrième étage. Elle sentait la chair molle, la soupe, quelqu'un avait renversé sur le tapis du couloir un liquide bleu qui dessinait comme des ailes. La chambre avait deux fenêtres avec des rideaux rouges tout reprisés et rapiécés; une lumière humide glissait comme un ange jusqu'au lit à couvre-pied jaune.

La Sibylle avait prétendu innocemment faire de la littérature, demeurer près de la fenêtre en faisant semblant de regarder la rue, pendant qu'Oliveira fermait la porte à clef. Elle devait avoir un schéma tout prêt de ces choses-là, ou peut-être se passaient-elles toujours de la même façon, on posait le sac sur la table, on cherchait les cigarettes, on regardait la rue, on fumait en aspirant à fond la fumée, on risquait une réflexion sur la tapisserie et on attendait, selon toute évidence on attendait, on faisait tous les gestes nécessaires pour donner à l'homme le beau rôle, pour lui laisser l'initiative tout le temps qu'il fallait. Au bout d'un moment, pourtant, ils s'étaient mis à rire, c'était trop bête. Jetée contre le

mur, la courtepointe jaune avait l'air d'un pantin informe.
Ils prirent l'habitude de comparer les portes, les lampes, les rideaux, les couvre-lits. Les chambres, dans le Ve, étaient mieux que celles du VIe, et dans le VIIe ils n'avaient jamais de chance, il se passait toujours quelque chose, des coups dans la pièce d'à côté, des bruits lugubres dans les tuyaux, et Oliveira en profitait pour raconter à la Sibylle l'histoire de Troppmann, qu'elle écoutait en se serrant contre lui, il lui faudrait lire le récit de Tourgueniev, c'est incroyable tout ce qu'elle avait à lire d'ici deux ans (pourquoi deux ans ?), un autre jour ce fut Petiot, puis Weidmann, puis Christie, l'hôtel leur donnait régulièrement envie de parler de crimes, mais la Sibylle, parfois, était prise d'accès de gravité, elle demandait, les yeux fixés au plafond, si l'école de Sienne était aussi importante que le disait Etienne, s'il ne faudrait pas faire des économies pour acheter un tourne-disques et les œuvres d'Hugo Wolf qu'elle fredonnait parfois en s'interrompant au beau milieu, furieuse d'avoir oublié la suite. Oliveira aimait faire l'amour avec la Sibylle car il n'y avait rien de plus important pour elle, même si, d'une manière incompréhensible, elle restait comme en deçà de son plaisir, le rejoignant parfois, s'y accrochant, le prolongeant désespérément, c'était alors comme un éveil, comme apprendre son véritable nom, puis elle retombait dans une zone un peu crépusculaire qui enchantait Oliveira car il se méfiait des perfections, mais elle, elle souffrait véritablement quand elle revenait à ses souvenirs, tout ce à quoi, obscurément, elle aurait dû penser et ne pouvait penser, il fallait, à ce moment-là, l'embrasser profond, l'appeler à de nouveaux jeux, alors l'autre, réconciliée, grandissait à nouveau sous lui et l'emportait, elle se donnait avec une frénésie de bête, les yeux perdus, les doigts crispés, mythique et atroce comme une statue roulant la pente d'une montagne, déchirant le temps de ses ongles, de ses sursauts et d'une plainte rauque qui n'en finissait pas. Une nuit, elle lui planta ses dents dans l'épaule et le mordit au sang parce qu'il se laissait aller de côté, un peu perdu déjà, il y eut alors entre eux un pacte silencieux et confus, Oliveira sentit que la Sibylle attendait de lui la mort, un être obscur en elle réclamait l'anéantissement, la lente estocade sur le dos qui fait éclater les étoiles et rend l'espace aux interrogations et aux terreurs. Ce fut l'unique fois où, excentré de lui-même

comme le matador pour qui tuer est rendre le taureau à la mer et la mer au ciel, il maltraita la Sibylle, il la fit Pasiphaé, il la retourna et la prit comme un adolescent, il l'explora et exigea d'elle les servitudes de la plus triste putain, il l'éleva au rang de constellation, il la tint dans ses bras fleurant le sang, il lui fit boire la semence qui glisse dans la bouche comme un défi au Logos, il suça l'ombre de son ventre et de sa croupe et la remonta à son visage pour l'oindre d'elle-même en un acte ultime de connaissance que seul l'homme peut donner à la femme, il l'exaspéra à force de peau, de poils, de baves et de plaintes, il la vida jusqu'à la dernière goutte de sa force et la rejeta enfin sur l'oreiller, pleurant de bonheur contre son visage qu'une nouvelle cigarette rendait à la nuit de la chambre et de l'hôtel.

Après quoi Oliveira eut peur un moment qu'elle ne se crût comblée et que les jeux prétendissent atteindre au sacrifice. Il redoutait surtout la forme la plus subtile de la gratitude qui devient tendresse canine. Il ne voulait pas que la liberté, seule robe qui allât bien à la Sibylle, se perdît en une féminité diligente. Il fut vite tranquillisé car le retour de la Sibylle au monde du café noir et de la visite au bidet fut marqué par une rechute en la pire des confusions. Elle avait été possédée par quelque chose d'absolu, cette nuit-là, ouverte à une porosité d'espace qui bat et se dilate, et il voulait que les premiers mots, quand elle reviendrait de ce côté-ci des choses, la frappent comme des fouets, aussi son retour au bord du lit, sa consternation progressive qui cherchait à se dissimuler sous des sourires et un vague espoir le laissèrent-ils particulièrement satisfait. Du moment qu'il ne l'aimait pas et que le désir cesserait un jour (car il ne l'aimait pas et le désir cesserait un jour), éviter comme la peste toute sacralisation des jeux. Pendant des jours, des semaines, quelques mois, chaque chambre d'hôtel et chaque place, chaque posture amoureuse et chaque aube dans un café près des marchés, cirque féroce, opération subtile, équilibre lucide. Il en vint ainsi à savoir que la Sibylle attendait véritablement qu'il la tue et que cette mort serait celle du phénix, l'admission au conseil des philosophes, c'est-à-dire aux discussions du Club. La Sibylle voulait apprendre, elle voulait s'ins-trui-re. Horacio était exalté, appelé, préposé à la fonction de sacrificateur lustral, et puisqu'ils ne se rejoignaient presque jamais dans le dialogue, ils

## 5

étaient trop différents et occupés de choses trop opposées (et cela, elle le savait, elle le comprenait très bien), la seule façon possible de se rencontrer était qu'Horacio la tue dans l'amour où elle parvenait à le rejoindre; au ciel des chambres d'hôtel, ils s'affrontaient nus et égaux et là pouvait s'accomplir la résurrection du phénix après qu'il l'eut délicieusement étranglée et laissée retomber avec un filet de bave aux lèvres, la regardant d'un air extatique comme s'il commençait à la reconnaître, à la faire sienne pour de bon, à la haler vers lui.

(-81)

# 6

Le chic consistait à se donner un vague rendez-vous dans un certain quartier à une certaine heure. Ils aimaient défier le risque de ne pas se retrouver, de passer la journée seuls, furieux, au fond d'un café ou sur le banc d'une place, lisant-un-livre-de-plus. La théorie du livre de plus était d'Oliveira et la Sibylle l'avait acceptée par simple osmose. En réalité, pour elle, presque tous les livres étaient un livre-de-moins, elle aurait aimé se remplir d'une soif immense et, pendant un temps infini (qui variait de trois à cinq ans), lire toute l'œuvre de Gœthe, d'Homère, de Dylan Thomas, de Faulkner, de Baudelaire, de Roberto Arlt, de saint Augustin et de nombreux autres dont les noms l'arrêtaient dans les discussions du Club. A quoi Oliveira répondait d'un haussement d'épaules dédaigneux et parlait de déformation argentine, d'une race de lecteurs à plein temps, de bibliothèques regorgeant de bas-bleus infidèles au soleil et à l'amour, de maisons où l'odeur de l'imprimerie chassait l'allégresse de l'ail. Il lisait peu à cette époque, trop occupé à regarder les arbres, les ficelles qu'il trouvait par terre, les films jaunis de la Cinémathèque et les femmes du Quartier latin. Ses vagues tendances intellectuelles se résolvaient en méditations sans profit et, lorsque la Sibylle lui demandait de l'aide, une date ou une explication, il les lui donnait à contrecœur comme une chose inutile. « Bien sûr, toi, tu le sais déjà », disait la Sibylle avec rancœur. Alors il prenait la peine de lui montrer la différence entre savoir et connaître et il lui proposait des exercices d'investigation personnelle qu'elle ne suivait pas et qui la désespéraient.

S'étant mis d'accord que sur ce point, ils ne le seraient

jamais, ils se donnaient rendez-vous par ici ou par là et se rencontraient presque toujours. Les rencontres étaient parfois si incroyables qu'Oliveira s'interrogeait une fois de plus sur les probabilités et retournait la chose en tous sens avec méfiance. Cela semblait incroyable que la Sibylle eût décidé de tourner à ce coin de la rue de Vaugirard juste au moment où lui, quelques centaines de mètres plus bas, renonçait à remonter la rue de Buci et se dirigeait vers la rue Monsieur-le-Prince sans raison apparente, se laissant guider jusqu'au moment où, soudain, il l'apercevait, arrêtée devant une vitrine, absorbée dans la contemplation d'un singe empaillé. Après, dans un café, ils reconstruisaient minutieusement leurs itinéraires, les brusques changements, essayant de les expliquer télépathiquement, toujours sans succès, et cependant ils s'étaient rencontrés en plein labyrinthe des rues, ils finissaient presque toujours par se rencontrer et ils riaient alors comme des fous, sûrs d'un pouvoir qui les enrichissait. Oliveira était fasciné par les évidences de la Sibylle, son tranquille mépris pour les calculs les plus élémentaires. Ce qui pour lui avait été analyse des probabilités, choix ou simplement confiance en ces démarches de sourcier, devenait pour elle pure fatalité. « Et si tu ne m'avais pas rencontré ? lui demandait-il. — Je ne sais pas, mais tu es là... » La réponse, inexplicablement, invalidait la question, mettait à nu ses médiocres ressorts logiques. Après quoi, Oliveira se sentait mieux armé pour lutter contre ses préjugés bibliothécaires et la Sibylle, paradoxalement, se révoltait contre le mépris qu'il avait des connaissances scolaires. Et ils poursuivaient leur dialogue, Punch et Judy, s'attirant et se repoussant comme il faut que cela soit si l'on ne veut pas que l'amour tourne au chromo ou à la romance sans paroles. Quant à ce mot, l'amour...

(-7)

# 7

Je touche tes lèvres, je touche d'un doigt le bord de tes lèvres, je dessine ta bouche comme si elle naissait de ma main, comme si elle s'entrouvrait pour la première fois, et il me suffit de fermer les yeux pour tout défaire et tout recommencer, je fais naître chaque fois la bouche que je désire, la bouche que ma main choisit et qu'elle dessine sur ton visage, une bouche choisie entre toutes, choisie par moi avec une souveraine liberté pour la dessiner de ma main sur ton visage et qui, par un hasard que je ne cherche pas à comprendre, coïncide exactement avec ta bouche qui sourit sous la bouche que ma main te dessine.

Tu me regardes, tu me regardes de tout près, tu me regardes de plus en plus près, nous jouons au cyclope, nos yeux grandissent, se rejoignent, se superposent, et les cyclopes se regardent, respirent confondus, les bouches se rencontrent, luttent tièdes avec leurs lèvres, appuyant à peine la langue sur les dents, jouant dans leur enceinte où va et vient un air pesant dans un silence et un parfum ancien. Alors mes mains s'enfoncent dans tes cheveux, caressent lentement la profondeur de tes cheveux, tandis que nous nous embrassons comme si nous avions la bouche pleine de fleurs ou de poissons, de mouvements vivants, de senteur profonde. Et si nous nous mordons, la douleur est douce et si nous sombrons dans nos haleines mêlées en une brève et terrible noyade, cette mort instantanée est belle. Et il y a une seule salive et une seule saveur de fruit mûr, et je te sens trembler contre moi comme une lune dans l'eau.

(-8)

# 8

L'après-midi, nous allions voir les poissons du quai de la Mégisserie, c'était en mars, le mois léopard, le mois tapi, mais déjà, dans son soleil jaune, le rouge s'avivait un peu plus chaque jour. Du trottoir qui longe le fleuve, indifférents aux bouquinistes qui n'allaient rien nous donner sans argent, nous attendions le moment où nous verrions apparaître les aquariums (nous marchions lentement, retardant la rencontre), tous les grands bocaux au soleil et, comme suspendus en l'air, des centaines de poissons rose et noir, oiseaux tranquilles dans leur ciel rond. Une joie absurde nous prenait par la taille et tu chantais en m'entraînant pour traverser la rue, pour entrer dans le monde des poissons suspendus dans les airs.

On sort les aquariums, les grands bocaux, sur le trottoir, et là, parmi les touristes, les enfants pleins de désir et les dames qui collectionnent les espèces exotiques (550 francs pièce), les aquariums reposent au soleil, leurs cubes, leurs sphères d'eau que le soleil mêle à l'air, et les oiseaux rose et noir tournent doucement dans un petit espace d'air, lents oiseaux froids. Nous collions notre nez contre la vitre pour mieux les voir, ce qui mettait en colère les vieilles vendeuses armées de filets à papillons aquatiques, et nous comprenions de moins en moins ce qu'est un poisson et par ce chemin de non-compréhension nous nous rapprochions d'eux qui ne se comprennent pas, nous franchissions la vitre, et nous étions aussi près d'eux que notre amie la vendeuse de la deuxième boutique en venant du Pont-Neuf, celle qui t'avait dit : « C'est l'eau froide qui les tue, c'est triste, l'eau froide... » Et je pensais à la femme de chambre de l'hôtel qui me donnait des conseils pour une fougère : « Ne l'arrosez pas, mettez une assiette avec de l'eau sous le pot, comme ça, quand elle veut boire, elle boit et, si elle ne veut pas, elle ne boit pas... » Et nous pensions tous les deux à cette chose incroyable que nous avions lue, lorsqu'un poisson seul dans son bocal s'ennuie, il suffit de mettre un miroir devant lui pour qu'il retrouve sa gaieté.

Nous entrions aussi dans les boutiques où se trouvaient les variétés les plus fragiles dans des aquariums spéciaux munis de thermomètres et petits vers rouges. Avec des exclamations qui exaspéraient les vendeuses (bien certaines que nous n'achèterions rien à 550 francs pièce), nous découvrions leur comportement, leurs amours, leurs formes. C'était le temps déliquescent, quelque chose comme du chocolat extra-fin ou de la pâte d'orange martiniquaise, le temps où nous nous enivrions de métaphores et d'analogies en cherchant toujours le moyen d'entrer. Et ce poisson qui était absolument Giotto, tu te rappelles, et ces deux autres qui jouaient comme des chiens de jade et celui-là, l'ombre exacte d'un nuage violet... Nous découvrions comment la vie peut s'installer en des formes privées de la troisième dimension qui *disparaissent* s'ils se mettent de profil ou bien laissent à peine une petite raie rose immobile, verticale dans l'eau. Un coup de nageoire et ils apparaissent à nouveau, monstrueusement, avec yeux, moustaches et nageoires et parfois, au ventre, un transparent ruban d'excréments qui flotte, une tare qui soudain les ramène parmi nous, les enlève à leur perfection d'images pures, les engage, pour employer un de ces grands mots dont nous faisions si souvent usage à tout propos et à tout moment.

(-93)

# 9

Laissant la rue de Varenne, ils prirent la rue Vaneau. Il bruinait, la Sibylle se suspendit plus fort au bras d'Oliveira et se serra contre son imperméable qui sentait la soupe froide. Etienne et Perico envisageaient une possible explication du monde par la peinture et la parole. Oliveira, qui s'ennuyait, passa son bras autour de la taille de la Sibylle. Cela aussi pouvait être une explication, un bras serrant une taille fine et chaude; en marchant, on sentait le jeu léger des muscles comme un langage monotone et persistant, je t'aime, je t'ai-me, je t'ai-me. Non pas une explication mais le verbe pur, ai-mer, ai-mer. « Et après le verbe vient la copule », pensa Oliveira grammaticalement. Si la Sibylle avait pu comprendre comme soudain l'obéissance au désir l'exaspérait, si tiède sa taille, ces cheveux mouillés contre sa joue, et cet air Toulouse-Lautrec qu'elle prenait pour marcher blottie contre lui. Au commencement était la copule, violer c'est expliquer, mais le contraire n'est pas toujours vrai. Découvrir la méthode anti-explicative, que ce « je t'ai-me, je t'ai-me » fût l'axe de la roue. Et le Temps ? Tout recommence, il n'y a pas d'absolu. Après il faut manger ou démanger, tout rentre en crise, le désir toutes les *x* heures, jamais très différent et pourtant chaque fois autre chose, piège du temps pour créer les illusions. « Un amour comme le feu, brûler éternellement dans la contemplation du Tout. Mais on tombe tout de suite dans un langage démesuré. »

— Expliquer, expliquer, grognait Etienne. Vous, si vous ne nommez pas les choses, vous ne les voyez même pas. Et ceci s'appelle un chien, et ceci s'appelle une maison, comme disait l'autre de Duino. Perico, il faut montrer, pas expliquer. Je peins donc je suis.

— Montrer quoi ? demanda Perico Romero.

— Les seules choses qui justifient notre existence.

— Cet animal croit qu'il n'y a pas d'autre sens que la vue et ses conséquences, dit Perico.

— La peinture est autre chose qu'un produit visuel, dit Etienne. Je peins avec tout mon corps et en ce sens je ne suis pas tellement différent de ton Cervantes ou de ton Tirso je ne sais quoi. Ce qui me fiche hors de moi, c'est cette manie des explications, le Logos compris exclusivement comme verbe.

— Et cætera, dit Oliveira avec mauvaise humeur. On croirait entendre un dialogue de sourds.

La Sibylle se serra un peu plus contre lui. « Et maintenant, celle-là va encore nous sortir une bêtise, pensa Oliveira. Elle a besoin de se frotter d'abord, de se décider épidermiquement. » Il éprouvait une espèce de tendresse rancunière, quelque chose de si contradictoire que ce devait être la vérité même. « Il faudrait inventer la gifle douce, le coup de pied d'abeille. Mais, en ce bas monde, les synthèses ultimes restent à découvrir. Perico a raison, le grand Logos veille. Dommage, il nous faudrait l'amoricide, par exemple, la véritable lumière noire, l'antimatière qui donne tant à penser à Gregorovius. »

— Dis donc, il vient ce soir, Gregorovius, à la disquerie? demanda Oliveira.

Perico croyait que oui et Etienne croyait que Mondrian.

— Prends le cas de Mondrian, disait Etienne. Devant lui, les signes magiques de Klee disparaissent. Klee jouait avec le hasard, les privilèges de la culture. Mondrian peut satisfaire la sensibilité pure tandis que pour Klee il faut un tas d'autres choses. Un raffiné pour les raffinés. Un Chinois, quoi. Mondrian, lui, peint l'absolu. Tu te mets à poil, tu te plantes devant un Mondrian et alors de deux choses l'une, ou tu vois ou tu ne vois pas. Le plaisir, les chatouilles, les allusions, les terreurs ou les délices sont complètement superflus.

— Tu comprends ce qu'il raconte ? demanda la Sibylle. Moi, il me semble qu'il est injuste avec Klee.

— La justice et l'injustice n'ont rien à voir là-dedans, répondit Oliveira d'un air morne. C'est autre chose qu'il essaie de dire. N'en fais pas tout de suite une question personnelle.

9

— Mais pourquoi dit-il que toutes ces choses si belles ne servent à rien pour Mondrian ?

— Il veut dire qu'au fond une peinture comme celle de Klee exige que tu aies un diplôme *ès lettres* ou tout au moins *ès poésie*, tandis que pour Mondrian il suffit que l'on se mondrianise et rien de plus.

— Ce n'est pas ça, dit Etienne.

— Mais si, c'est ça, dit Oliveira. D'après toi, une toile de Mondrian se suffit à elle-même, donc elle réclame ton innocence plus que ton expérience. Je parle d'innocence édénique, non de stupidité. Tu parles toi-même d'être nu devant le tableau, cela sent son préadamisme. Paradoxalement, Klee est beaucoup plus modeste car il exige la complicité multiple du spectateur, il ne se suffit pas à lui-même. Au fond, Klee est histoire et Mondrian intemporalité. Et toi tu te meurs pour l'absolu. Tu saisis ?

— Non, dit Etienne. Quelle vacherie cette pluie.

— Comme tu dis, *coño*, dit Perico. Et ce Ronald de merde qui habite aux cinq cents diables.

— L'absolu, disait la Sibylle en poussant une petite pierre de flaque en flaque. Horacio, qu'est-ce qu'un absolu ?

— Eh bien, dit Oliveira, ce pourrait être ce moment où une chose atteint sa profondeur maximum, sa portée maximum, son sens maximum, et cesse totalement d'être intéressante.

— Tiens, voilà Wong, dit Perico. Notre Chinois est trempé comme une soupe, d'algues bien entendu.

Au même moment, ils aperçurent Gregorovius qui débouchait au coin de la rue de Babylone, chargé comme toujours d'une serviette bourrée de bouquins. Wong et Gregorovius s'arrêtèrent sous un réverbère (on aurait dit qu'ils prenaient une douche ensemble) et se saluèrent avec une certaine solennité. A la porte de l'immeuble de Ronald, il y eut un intermède de ferme-parapluie comment ça va il faudrait gratter une allumette la minuterie ne marche pas quelle nuit infecte oui c'est un sale coup, puis une ascension assez confuse interrompue au premier étage par un couple assis sur une marche et profondément absorbé dans l'acte du baiser.

— Allez, allez, fit Etienne, c'est pas un endroit pour faire les cons.

— Ta gueule, répondit une voix étouffée. D'ailleurs, montez, ne vous gênez pas. Redonne ta bouche, mon trésor.

— Salaud, va, dit Etienne. C'est Guy Monod, un grand ami à moi.

Au cinquième étage, Ronald et Babs les attendaient, une bougie à la main et fleurant la vodka bon marché. Wong fit un signe, tout le monde s'arrêta dans l'escalier et l'hymne du Club du Serpent jaillit de toutes les poitrines. Après quoi, ils entrèrent en courant dans l'appartement avant que les voisins aient eu le temps de mettre le nez à la porte.

Ronald s'appuya au mur. Rouquinement en chemise à carreaux.

— La maison est entourée de télescopes, *damn it.* A dix heures, le dieu Silence s'installe et malheur à qui le viole. Hier, un inspecteur est monté nous faire la leçon. Babs, que nous a dit ce digne monsieur ?

— Il nous a dit « Plaintes répétées ».

— Et nous, que faisons-nous dans ces cas-là ? demanda Ronald en entrouvrant la porte pour laisser passer Guy Monod.

— Nous faisons ça, dit Babs avec un magistral pied de nez et un violent pet oral.

— Et ta fille ? demanda Ronald.

— Je ne sais pas, elle s'est perdue en route, dit Guy. Je crois qu'elle est partie, nous étions si bien sur une marche et soudain. Plus haut, elle n'y était pas. Bah, ça ne fait rien, elle est suisse.

(-104)

## 10

Les nuages rouges et aplatis sur le Quartier latin, la nuit, l'air humide et les gouttes de pluie qu'un vent incertain jette contre la fenêtre faiblement éclairée, les vitres sales, l'une cassée et barrée de sparadrap rose. Plus haut, sous les gouttières de plomb, doivent dormir les pigeons, de plomb eux aussi, perdus en eux-mêmes, exemplairement antigargouilles. Protégé par la fenêtre, le parallélépipède moisi qui sent la vodka et la bougie, les vêtements mouillés et les restes de nourriture, vague atelier de Babs céramiste et de Ronald musicien, siège du Club, chaises de rotin, chaises longues déteintes, bouts de crayons et fils de fer par terre, une chouette empaillée à la tête mitée, un air banal, mal joué sur un vieux disque avec un âpre bruit de fond, un gratter crisser crépiter incessant, un saxo lamentable qui, un soir, en 28 ou en 29, a joué comme à tâtons sur un mauvais piano. Mais après venait une guitare incisive qui semblait annoncer autre chose et soudain (Ronald les avait avertis en levant un doigt) un cornet se détacha de l'ensemble et laissa tomber les premières notes du thème en s'appuyant sur elles comme sur un tremplin. Bix s'élança et retomba en plein cœur, le clair dessin s'inscrivit dans le silence avec l'éclat d'un coup de griffe. Deux morts se battaient fraternellement, s'enlaçant, puis s'ignorant, Bix et Eddie Lang (qui s'appelait Salvatore Massaro) jouaient à la balle *I'm coming Virginia,* et où était-il enterré Bix, maintenant, pensa Oliveira, et Eddie Lang, à combien de miles l'un de l'autre leurs deux néants qui, en une nuit future de Paris, se battaient guitare contre cornet, gin contre déveine, le jazz.

— On est bien ici. Il fait chaud, il fait sombre.

— Bix, quel fou admirable! Dis, vieux, mets-nous *Jazz me Blues*.

— L'influence de la technique sur l'art, dit Ronald fourrageant dans une pile de disques et regardant distraitement les étiquettes. Ces types d'avant le microsillon, ils avaient moins de trois minutes pour jouer. Maintenant, quand un gars comme Stan Getz se ramène, il peut se planter vingt-cinq minutes devant le micro, se laisser aller à fond, donner le meilleur de lui-même. Le pauvre Bix, lui, il fallait qu'il s'accommode d'un seul tour et encore qu'il dise merci, à peine s'échauffait-il, toc, c'était fini. Ce qu'ils devaient râler quand ils enregistraient.

— Peut-être pas, dit Perico. C'était comme de devoir faire des sonnets plutôt que des odes, et encore, moi, tous ces machins, je n'y comprends rien. Je suis venu parce que j'en avais assez de lire dans ma chambre un essai de Julián Marías qui n'en finit pas.

(-65)

## 11

Gregorovius se laissa remplir un verre de vodka et se mit à boire à petites gorgées. Deux bougies brûlaient sur la cheminée où Babs posait ses bas sales et les bouteilles de bière. A travers le verre, Gregorovius admira la flamme sans passion des bougies, si étrangères à eux, aussi anachroniques que le cornet de Bix qui allait et venait dans un temps différent. Les souliers de Guy Monod, qui dormait ou écoutait les yeux fermés sur le divan, le gênaient un peu. La Sibylle vint s'asseoir par terre, une cigarette aux lèvres. Les flammes des bougies vertes brillaient dans ses yeux et Gregorovius la contempla extasié en se souvenant d'une rue de Morlaix le soir, d'un viaduc très haut, de nuages.

— Cette lumière est tout à fait vous, quelque chose qui va et vient, qui bouge sans cesse.

— Comme l'ombre d'Horacio, dit la Sibylle. Son nez enfle et diminue, c'est extraordinaire.

— Babs est la bergère des ombres, dit Gregorovius. A force de travailler l'argile, ces ombres concrètes... Tout respire ici, un contact perdu se rétablit, la musique y aide et aussi la vodka, l'amitié... Ces ombres sur la corniche, la pièce a des poumons, quelque chose qui palpite. Oui, l'électricité est éléatique, elle a pétrifié les ombres, elles font partie maintenant des meubles et des visages. Ici, en revanche... Regardez cette moulure, la respiration de son ombre, la volute qui monte et qui descend. L'homme vivait alors dans une nuit moelleuse, perméable, en un dialogue perpétuel. Les terreurs, quel luxe pour l'imagination !...

Il joignit les mains en séparant légèrement les pouces : un chien ouvrit sa gueule sur le mur et bougea les oreilles. La

Sibylle rit. Alors Gregorovius lui demanda comment c'était Montevideo et le chien s'évanouit brusquement car Gregorovius n'était pas très sûr qu'elle fût uruguayenne. Lester Young et les Kansas City Six. Chchut !... (Ronald, un doigt sur la bouche.)

— Moi, l'Uruguay cela m'évoque des choses étranges. Montevideo doit être plein de tours, de cloches fondues après les batailles. Ne me dites pas qu'il n'y a pas à Montevideo d'énormes lézards sur les rives du fleuve.

— Il y en a sans doute, dit la Sibylle. Ce sont des choses qu'on va voir en prenant l'autobus à Pocitos.

— Et Lautréamont, est-il connu à Montevideo ?

— Lautréamont ? demanda la Sibylle.

Gregorovius soupira et but encore un peu de vodka. Lester Young, saxo ténor; Dickie Wells, trombone; Joe Bushkin, piano; Bill Coleman, trompette; John Simmons, contrebasse; Jo Jones, batterie. *Four O'clock Drag.* Oui, d'énormes lézards, des trombones sur les rives du fleuve, des blues qui se traînaient, *drag* voulait sans doute dire lézard du temps, quatre heures du matin qui se traînent interminablement. Ou tout à fait autre chose. « Ah, Lautréamont, dit la Sibylle, se rappelant soudain. Oui, je crois qu'il est très connu là-bas. »

— Il était uruguayen, bien qu'il n'y paraisse pas.

— Il n'y paraît pas, en effet, dit la Sibylle pour se réhabiliter.

— En réalité, Lautréamont...

— Mais Ronald se fâche, il a mis une de ses idoles. Il faudrait se taire, dommage.

— Nous allons parler très bas et vous me raconterez Montevideo.

— Ah merde ! dit Etienne en les regardant d'un air furieux. Le vibraphone sondait l'air, amorçait des escaliers équivoques, laissait une marche en blanc puis en sautait cinq d'un coup et réapparaissait au sommet, Lionel Hampton balançait *Save it pretty mamma*, il lâchait la corde et tombait en roulant dans un fracas de vitres, il tournait sur la pointe d'un pied, constellations instantanées, cinq étoiles, trois étoiles, dix étoiles, il les éteignait de la pointe de son soulier verni, il se berçait avec une ombrelle japonaise qui tournait vertigineusement dans sa main, et tout l'orchestre participait à la chute finale, une trompette rauque, la terre, retour au sol, cerf-volant retombé, fini, adieu. Gregorovius écoutait dans un murmure Montevideo via la Sibylle et peut-être allait-il savoir enfin quelque chose de plus d'elle, de son enfance, de son nom véritable, s'appelait-elle Lucie comme Mimi, il était à ce degré de vodka où la nuit commence à devenir magnanime, tout lui jurait fidélité et espérance, Guy Monod avait replié ses jambes et les durs souliers ne meurtrissaient plus son croupion, la Sibylle s'appuyait un peu contre lui, légèrement, il sentait la chaleur de son corps, tous les mouvements qu'elle faisait en parlant ou en suivant la musique. Dans l'entrebâillement de ses paupières, Gregorovius distinguait le coin où Ronald et Wong choisissaient et passaient les disques, Oliveira et Babs assis par terre, le dos appuyé à une couverture esquimaude clouée au mur, Horacio oscillant en cadence dans la fumée, Babs perdue de vodka, de loyer à payer, de couleurs qui ne supportaient pas trois cents degrés, un bleu qui virait à l'orange, un truc insupportable. Derrière la fumée, les lèvres d'Oliveira remuaient en silence, il parlait au-dedans de lui, à quelqu'un d'autre, à autre chose, et ça tordait imperceptiblement les tripes de Gregorovius sans qu'il sût bien pourquoi, peut-être parce que cette absence apparente d'Horacio était une farce, il lui laissait la Sibylle pour jouer un petit moment, mais il était toujours là, remuant les lèvres en silence, parlant avec la Sibylle, derrière la fumée et le jazz, riant à part lui de tant de Lautréamont et tant de Montevideo.

(-136)

# 12

Gregorovius avait toujours aimé ces réunions du Club, car ce n'était pas du tout un Club et il répondait de ce fait à sa plus haute conception du genre. Ronald lui plaisait à cause de son anarchie, à cause de Babs, à cause de la façon dont ils étaient en train de se tuer à petit feu sans y prendre garde, livrés à la lecture de Carson McCullers, de Miller et de Queneau, au jazz comme modeste exercice de libération, à la constatation brutale qu'ils avaient tous les deux échoué dans leur art. Horacio Oliveira lui plaisait aussi, si l'on pouvait dire. Il entretenait avec lui des relations persécutoires. Oliveira exaspérait Gregorovius dès l'instant qu'il le rencontrait et bien qu'il le cherchât sans se l'avouer, et Oliveira, lui, cela le faisait sourire les mystères bon marché dont Ossip entourait sa naissance et sa vie, cela l'amusait l'amour qu'il portait à la Sibylle en croyant qu'Horacio ne le savait pas; ils se toléraient et se repoussaient presque dans le même instant, en un jeu serré de cape et de taureau qui faisait partie, après tout, des multiples exercices qui justifiaient les réunions du Club. Ils jouaient beaucoup entre eux à faire les intelligents, à organiser une série d'allusions qui désespéraient la Sibylle et mettaient Babs en colère, il leur suffisait de mentionner quelque chose en passant, ce qu'était en train de penser Gregorovius, par exemple, qu'il y avait entre Horacio et lui une espèce de persécution désenchantée, pour qu'immédiatement l'un d'eux citât le chien du ciel, *I fled Him*, etc., et tandis que la Sibylle les regardait avec un humble désespoir, l'autre était déjà sur *Volé tan alto tan alto que a la caza le di alcance* et ils finissaient par rire d'eux-mêmes, mais il était trop tard, cela dégoûtait Horacio cet exhibitionnisme de la mémoire associative, et Gregorovius se sentait inclus dans ce dégoût qu'il avait suscité, il s'installait entre eux comme un ressentiment complice mais deux minutes plus tard ils recommençaient et c'était ça, entre autres choses, les réunions du Club.

— J'ai rarement bu ici une vodka aussi mauvaise, dit Gregorovius en remplissant son verre. Lucia, vous alliez me raconter votre enfance. Je n'ai aucune peine à vous imaginer au bord du fleuve avec des tresses et une couleur rose aux joues comme mes compatriotes de Transylvanie avant qu'elles ne pâlissent sous ce maudit climat lutécien.

— Lutécien ? demanda la Sibylle.

Gregorovius se mit à lui expliquer et la Sibylle écouta avec application, chose qu'elle faisait toujours avec une grande intensité jusqu'à ce que la distraction vînt l'en délivrer. Ronald avait mis un vieux disque de Hawkins et la Sibylle avait l'air d'en vouloir à Gregorovius de ces explications qui lui gâchaient la musique et ne répondaient pas à ce qu'elle attendait d'une explication, un frisson à fleur de peau, le besoin de respirer profond comme avait dû respirer Hawkins avant de reprendre le thème, et comme elle respirait parfois quand Horacio daignait lui expliquer pour de bon un vers obscur, lui ajoutant ainsi une autre obscurité fabuleuse au cœur de laquelle si Horacio avait été à la place de Gregorovius pour lui expliquer l'histoire des Lutéciens, tout se serait fondu en une même félicité, la musique de Hawkins, les Lutéciens, la lumière des bougies vertes, le frisson, la profonde respiration qui était sa seule certitude irréfutable, une chose comparable à Rocamadour, à la bouche d'Horacio ou à cet adagio de Mozart qu'on ne pouvait presque plus entendre tant le disque était usé.

— Ne le prenez pas ainsi, dit humblement Gregorovius. Ce que je voulais c'était comprendre un peu mieux votre vie, ce que vous êtes, et il y a tant de facettes.

— Ma vie, dit la Sibylle, même soûle, je ne la raconterais pas. Et vous ne me comprendrez pas mieux quand je vous aurai raconté mon enfance, par exemple. D'ailleurs, je n'ai pas eu d'enfance.

— Moi non plus. En Herzégovine.

— Moi à Montevideo. Je vais vous dire une chose, parfois

je rêve de l'école communale, c'est si horrible que je me réveille en hurlant. Et les quinze ans, je ne sais s'il vous est jamais arrivé d'avoir quinze ans.

— Je crois que oui, dit Gregorovius hésitant.

— Moi oui, dans une maison avec une cour remplie de pots de fleurs où mon papa buvait son maté en lisant des revues cochonnes. Il vous revient parfois votre papa ? Je veux dire son fantôme.

— Non, moi, c'est plutôt ma mère, dit Gregorovius. Celle de Glasgow, surtout. Ma mère de Glasgow revient parfois mais ce n'est pas un fantôme, tout au plus un souvenir trop mouillé. Il s'en va avec de l'alka Seltzer, c'est facile. Mais vous ?...

— Est-ce que je sais, fit la Sibylle avec impatience. C'est cette musique, ces bougies vertes, Horacio là-bas dans son coin comme un Indien. Pourquoi devrais-je vous raconter comment mon père revient ? La semaine dernière, j'étais à la maison, en train d'attendre Horacio, la nuit était tombée, j'étais assise près du lit, dehors il pleuvait, un peu comme dans ce disque. Oui, c'était un peu comme ça, je regardais le lit en attendant Horacio, le matelas devait être placé d'une certaine façon, je ne sais pas, mais soudain j'ai vu mon père couché sur le dos, le visage couvert comme chaque fois qu'il s'endormait ivre. On voyait ses jambes, la forme d'une main sur sa poitrine. J'ai senti la peau de mon crâne se rétracter, j'ai voulu crier, enfin ce qu'on éprouve quand on a peur, vous avez peut-être eu peur déjà... Je voulais m'enfuir en courant mais la porte était si loin, au fond de couloirs et encore de couloirs, la porte de plus en plus loin et l'on voyait monter et descendre la couverture rose, on entendait ronfler mon papa, il allait bientôt ouvrir une main, les yeux, et puis son nez comme un crochet, non, ce n'est vraiment pas la peine que je vous raconte tout ça, à la fin j'ai tellement crié que la voisine d'en dessous est montée et elle m'a fait un thé; quand Horacio est rentré, il m'a traitée d'hystérique.

La Sibylle baissa la tête et Gregorovius lui caressa les cheveux. « Ça y est, pensa Oliveira, renonçant à suivre les acrobaties de Dizzy Gillespie sans filet sur le plus haut trapèze, ça y est, il fallait que ça arrive. Il est fou d'elle et le lui dit, comme ça, avec les dix doigts. Comme les jeux se répètent. Mais c'est moi au fond qui lui caresse les cheveux pendant qu'elle me raconte des sagas sud-américaines et que nous avons pitié d'elle, il va falloir l'emmener chez moi, tous un peu ivres, la coucher doucement en la caressant, la déshabiller doucement, chaque bouton, chaque fermeture Eclair, et elle ne veut pas, veut, ne veut pas, se redresse, se cache le visage, pleure, nous embrasse comme pour nous promettre quelque chose de sublime, nous aide à enlever son slip, fait sauter un soulier d'un coup de pied qui ressemble à une protestation et nous pousse aux derniers assauts, ah, c'est ignoble, ignoble. Il va falloir que je te casse la gueule, Ossip Gregorovius, mon pauvre ami. Sans envie, sans pitié, comme ce qu'est en train de jouer Dizzy, sans pitié, sans envie, aussi absolument sans envie que ce qu'est en train de jouer Dizzy. »

— Parfaitement dégueulasse, dit Oliveira. Enlevez-moi cette saloperie. Je ne viens plus au Club s'il faut écouter ce singe savant.

— Monsieur n'aime pas le bop, dit Ronald sarcastique. Attends un moment, on te mettra quelque chose de Paul Whiteman.

— Solution de compromis, dit Etienne. Pour réunir tous les suffrages, écoutons plutôt Bessie Smith, Ronald de mon âme, la colombe dans la cage de bronze.

Ronald et Babs se mirent à rire, on ne sait trop pourquoi, et Ronald chercha dans la pile des vieux disques. L'aiguille crépita horriblement, quelque chose commença à bouger dans le fond, des épaisseurs de coton entre la voix et les oreilles, Bessie chantant le visage bandé, la tête enfoncée dans une corbeille de linge sale, la voix de plus en plus étouffée, collant sa bouche au linge pour clamer, sans colère ni supplication, *I wanna be somebody's baby doll*, la voix se repliait dans l'attente, une voix de coin de rue et de maison remplie d'aïeules, *to be somebody's baby doll*, plus chaude et plus pressante, puis haletante : *I wanna be somebody's baby doll...*

Oliveira se brûla la bouche d'une grande rasade de vodka, passa un bras autour des épaules de Babs et s'appuya contre son corps confortable. « Les intercesseurs », pensa-t-il en s'enfonçant mollement dans la fumée de tabac. La voix de Bessie s'amenuisait à la fin du disque, Ronald allait retourner le rond de bakélite (si tant est que ce fût de la bakélite) et de ce morceau de matière abîmée renaîtrait une fois de plus *Empty bed Blues*, une nuit des années vingt dans un coin des Etats-Unis. Ronald avait fermé les yeux, ses mains appuyées sur ses genoux scandaient légèrement la musique. Wong et Etienne aussi avaient fermé les yeux, la pièce était presque plongée dans l'obscurité, on entendait grincer l'aiguille sur le vieux disque et Oliveira avait du mal à croire que tout cela fût en train d'arriver. Pourquoi là, pourquoi le Club, toutes ces cérémonies stupides, pourquoi ce blues était-il ainsi quand c'était Bessie qui le chantait ? « Les intercesseurs », pensa-t-il à nouveau en se berçant avec Babs qui était complètement soûle et qui pleurait en silence en écoutant Bessie, frissonnant en mesure ou à contretemps, sanglotant à part elle afin de ne rien perdre du blues du lit vide, le lendemain matin, les souliers qui prennent l'eau, le loyer à payer, la peur de la vieillesse, le reflet cendreux du jour qui se lève dans la glace au pied du lit, les blues, le cafard infini de la vie. « Les intercesseurs, une irréalité qui nous en montre une autre comme les saints des images montrent le ciel du doigt. Ce n'est pas possible que cela existe, que nous soyons réellement ici, que je sois quelqu'un qui s'appelle Horacio. Ce fantôme, là, la voix de cette Noire morte il y a vingt ans dans un accident d'auto : chaînons d'une chaîne inexistante, comment tenons-nous ensemble, comment pouvons-nous être là si ce n'est par un simple jeu d'illusions, de règles acceptées et consenties, un jeu de cartes entre les mains d'un croupier inconcevable ?... »

— Ne pleure pas, dit Oliveira à l'oreille de Babs. Ne pleure pas, rien de tout cela n'est vrai.

— Oh si, oh si c'est vrai, dit Babs en se mouchant. Oh ! que si c'est vrai.

— Peut-être, dit Oliveira en l'embrassant sur la joue, mais ce n'est pas la vérité.

— Comme ces ombres, dit Babs en avalant ses larmes et en agitant la main, et on est triste, Horacio, parce que c'est si beau.

Mais tout cela, le chant de Bessie, le bercement de Coleman Hawkins, n'étaient-ce pas des illusions, n'était-ce pas quelque chose de pire encore, l'illusion d'autres illusions, une chaîne vertigineuse vers l'arrière, vers un singe qui se mire dans l'eau au premier jour du monde ? Mais Babs pleurait, Babs avait dit « Oh si, oh si c'est vrai », et Oliveira, un peu ivre lui aussi, sentait à présent que c'était ça la vérité ! Bessie et Hawkins étaient des illusions mais seules les illusions étaient capables d'entraîner leurs fidèles, les illusions et non pas les vérités. Et il y avait plus encore, il y avait l'intercession, l'accès par les illusions à un plan, à une zone inimaginable qu'il était inutile de penser car toute pensée s'effaçait dès qu'elle tentait de l'approcher. Une main de fumée le prenait par la main et l'entraînait sur une pente, si tant est que ce fût une pente, elle lui montrait un centre, si tant est que ce fût un centre, elle posait au creux de son estomac, où la vodka faisait doucement bouillir bulles et cristaux, quelque chose qu'une autre illusion infiniment belle et désespérée avait une fois appelé immortalité. Fermant les yeux, il parvint à se dire que si un pauvre rituel était capable de l'excentrer au point de lui découvrir un centre, de l'excentrer vers un centre cependant inconcevable, tout n'était peut-être pas perdu et peut-être une autre fois, en d'autres circonstances, après d'autres épreuves, l'accès serait possible. Mais l'accès à quoi, pourquoi ? Il était trop ivre pour poser même une simple hypothèse de travail, pour se faire une idée de la route possible. Mais il n'était pas assez ivre pour ne plus pouvoir penser de façon conséquente et cette pauvre pensée à elle seule suffisait à l'éloigner, l'éloignait de plus en plus d'une chose trop lointaine, trop précieuse pour se laisser voir à travers ces brumes grossièrement propices, la brume vodka, la brume Sibylle, la brume Bessie Smith. Il commença à voir des anneaux verts qui tournaient vertigineusement, il ouvrit les yeux. Généralement, après les disques, il avait envie de vomir.

(-106)

# 13

Ronald, au milieu de la fumée, passait disque après disque sans se soucier des préférences des amis et, de temps en temps, Babs se relevait pour fouiller dans les piles de vieux 78 tours et en choisissait cinq ou six qu'elle posait sur la table à portée de main de Ronald, alors Ronald se penchait en avant et caressait Babs qui se tortillait en riant, puis s'asseyait sur ses genoux, juste un moment, parce qu'il voulait être tranquille pour écouter *Don't play me cheap*

Satchmo chantait :

*Don't you play me cheap*
*because I look so meek*

et Babs se tortillait sur les genoux de Ronald, excitée par la façon dont Satchmo chantait ça — le thème était assez vulgaire pour se permettre des libertés qui eussent été impensables avec *Yellow Dog Blues* par exemple — et par l'haleine que Ronald lui soufflait sur la nuque, un mélange de vodka et de choucroute qui l'inspirait grandement. De sa très haute tour de guet, espèce d'admirable pyramide de fumée, de musique, de vodka, de choucroute, et de mains de Ronald se permettant marches et contremarches, elle condescendait à regarder à terre entre ses yeux mi-clos et elle voyait Oliveira assis à même le sol, le dos appuyé contre la fourrure esquimaude sur le mur, la cigarette aux lèvres et fin soûl, avec un visage sud-américain amer et rancunier, où la bouche souriait parfois entre deux bouffées, la bouche d'Oliveira qu'elle avait parfois désirée (pas maintenant), cette bouche légèrement courbe tandis que le reste du visage avait un air comme absent et lavé. Pour autant qu'il aimât le jazz, Oliveira n'entrerait jamais dans le jeu comme Ronald, pour lui, le jazz était hot ou cool, bon ou mauvais, ancien ou moderne, Chicago ou New Orleans, mais jamais le jazz, jamais ce qu'étaient en ce moment Satchmo, Ronald et Babs, *Baby don't you play me cheap because I look so meek*, et après la flambée de la trompette, le phallus jaune fendant l'air et rythmant la jouissance puis, vers la fin, trois notes ascendantes, hypnotiquement d'or pur, une pause parfaite où tout le swing du monde palpitait en un instant intolérable, enfin l'éjaculation d'un suraigu, jaillissant et retombant comme une fusée dans la nuit sexuelle, la main de Ronald caressant le cou de Babs et le crépitement de l'aiguille sur le disque qui continuait à tourner, alors le silence qu'il y a en toute musique véritable se détachait lentement des murs, sortait de dessous le divan, se dépliait comme des lèvres ou des bourgeons.

— *Ça alors*, dit Etienne.

— Oui, la grande époque d'Armstrong, dit Ronald en examinant les disques qu'avait choisis Babs. Comme la période du gigantisme de Picasso. Tous les deux à présent, liquidés. Et dire que des médecins inventent des pilules rajeunissantes... Tu vas voir que ces deux-là vont nous emmerder pendant vingt ans encore.

— Pas nous, dit Etienne. Nous, on leur a assené le coup de grâce au moment voulu et puisse-t-on me le donner à moi-même à l'heure juste.

— L'heure juste, dit Oliveira en bâillant, un rien que tu demandes là, petit père. Mais c'est vrai, nous on leur a déjà donné le coup de grâce. Avec une rose au lieu d'une balle, si l'on peut dire. Ce qui reste à présent c'est habitude et papier carbone, penser qu'Armstrong vient d'aller pour la première fois à Buenos Aires, tous les milliers de crétins qui vont être persuadés qu'ils écoutent là quelque chose de céleste, et Satchmo, plus rempli de trucs qu'un vieux boxeur, esquivant la difficulté, fatigué et monétisé et se fichant éperdument de ce qu'il fait, et cependant, certains amis que j'estime et qui se bouchaient les oreilles il y a vingt ans quand on leur mettait *Mahogany Hall Stomp* paient à présent les yeux de la tête un fauteuil d'orchestre pour écouter ces archifoutus. Il est vrai que mon pays lui-même est archifoutu,

— Est-il vrai que vous gardez la plus affreuse dans votre portefeuille ?

— Oh non, dit Wong.

— Et que vous l'avez montrée à des femmes dans un café ?

— Elles insistaient tellement, dit Wong. Le pire c'est qu'elles n'ont rien compris.

— Faites voir, dit Oliveira en tendant la main.

Wong regarda la main et sourit. Oliveira était trop ivre pour insister. Il but un peu plus de vodka et changea de position. On lui mit dans la main une feuille de papier pliée en quatre. A la place de Wong il y avait un sourire de chat de Cheshire et une espèce de révérence derrière la fumée. Le poteau devait mesurer environ deux mètres mais il y avait huit poteaux, seulement c'était le même poteau répété huit fois, en quatre séries de deux, qu'on regardait de gauche à droite et de haut en bas, c'était exactement le même poteau à quelques différences de perspective près, les seules variantes étaient le condamné qui y était attaché, les visages des témoins (il y avait une femme à gauche) et la position du bourreau toujours légèrement sur la gauche par courtoisie envers le photographe, quelque ethnologue américain ou danois à la main sûre mais nanti d'un Kodak des années vingt, c'étaient des instantanés passablement mauvais, de sorte que, à l'exception de la deuxième photo, celle où le hasard des couteaux avait décidé de l'oreille droite et où le reste du corps apparaissait avec une parfaite netteté, les autres, entre le sang qui recouvrait le corps et la mauvaise qualité de la pellicule ou du développement, étaient assez décevantes, surtout à partir de la quatrième où le condamné n'était plus qu'une masse noirâtre sur laquelle se détachaient la bouche ouverte et un bras très blanc, les trois dernières photos étaient pratiquement identiques sauf l'attitude du bourreau, sur la sixième il était accroupi près du sac à couteaux qu'il tirait au hasard (il devait certainement tricher car s'ils commençaient par les entailles les plus profondes...), et en regardant mieux on parvenait à voir que le torturé était vivant car un de ses pieds s'échappait vers l'extérieur malgré la pression des cordes et sa tête était rejetée en arrière, la bouche toujours ouverte, par terre le raffinement chinois avait dû accumuler de la sciure en abondance, car la flaque de sang ne grandissait pas, elle formait un ovale presque parfait autour du poteau. « C'est la septième qui est intéressante » (la voix de Wong lui parvenait de très loin à travers la vodka et la fumée), il fallait regarder attentivement, car le sang coulait à flots des deux aréoles des seins tailladés en profondeur (entre la deuxième et la troisième photo), mais on voyait que sur la septième c'était un couteau décisif qui était entré en action car la forme des cuisses légèrement écartées paraissait avoir changé, et si l'on regardait la photo d'assez près on voyait que ce n'était pas les cuisses qui avaient changé, mais bien cet endroit au creux de l'aine où, à la place de la tache boueuse de la première photo, on voyait une sorte de trou ruisselant, une espèce de sexe de fillette violée d'où sortait le sang en filets qui glissaient au long des cuisses. Et si Wong dédaignait la huitième photo, il avait certainement raison car il était impossible que le condamné fût encore en vie : aucun être vivant ne laisse aller ainsi sa tête de côté. « Selon mes informations l'opération complète durait une heure et demie », fit observer Wong d'une voix cérémonieuse. La feuille de papier se replia en quatre et un portefeuille de cuir noir s'ouvrit comme un caïman pour l'avaler. « Pékin n'est évidemment plus ce qu'il était. Je suis désolé de vous avoir montré quelque chose d'assez primitif, mais il y a des documents qu'on ne peut promener dans sa poche, il faut des explications, une initiation... » La voix venait de si loin qu'elle semblait être un prolongement des images, une glose d'érudit cérémonieux. Au-dessus d'eux ou au-dessous, Big Bill Broonzy se mit à psalmodier *See See rider,* comme toujours des choses venues de dimensions inconciliables se rejoignaient, un grotesque collage qu'il fallait ajuster avec de la vodka et des catégories kantiennes, ces tranquillisants contre toute coagulation trop brusque de la réalité. Ou alors, comme toujours, fermer les yeux et revenir en arrière, vers le monde cotonneux d'un autre soir soigneusement choisi dans l'éventail des cartes. *See, see, rider,* chantait Big Bill, un autre mort, *see what you have done.*

(-114)

# 15

Il était normal qu'après cela il se souvînt de la proposition qui lui avait été faite un soir, près du canal Saint-Martin, d'aller voir un film (1 000 francs) chez un médecin suisse. Rien d'extraordinaire, simplement un opérateur de l'Axe s'était arrangé pour filmer une pendaison dans les moindres détails. Deux bobines au total, muet évidemment. Mais une image admirable, on pouvait le lui garantir. Il paierait en sortant, s'il voulait.

Il lui avait fallu une minute pour se résoudre à dire non et se tailler avec la noire amie haïtienne du médecin suisse, mais il avait eu le temps d'imaginer la scène et de se mettre, comme toujours, à la place de la victime. Qu'on pendît un homme, quel qu'il fût, était déjà intolérable, mais penser qu'il avait peut-être su (car le raffinement aurait bien pu consister à le lui dire) qu'une caméra allait enregistrer toutes ses contorsions et grimaces pour la délectation de futurs dilettantes... « Pour autant que je le désire, je ne serai jamais un indifférent comme Etienne, pensa Oliveira. C'est que je m'obstine dans l'idée insensée que l'homme a été créé pour autre chose. Alors, évidemment... Quels pauvres outils pour trouver une issue à ce trou. » Le pire c'est qu'il avait regardé froidement les photos de Wong, uniquement parce que la victime n'était pas son père; sans compter que cette délicate opération pékinoise remontait déjà à quarante ans.

— Ecoute, dit Oliveira à Babs revenue près de lui après s'être disputée avec Ronald qui voulait absolument écouter Ma Rainey et mettait Fats Waller plus bas que terre, c'est incroyable ce qu'on peut être canaille. Que pensait le Christ dans son lit avant de s'endormir, hein ? Soudain, au milieu d'un sourire, ta bouche se change en araignée velue.

— Oh je vois, dit Babs. *Delirium tremens,* et à une heure pareille.

— Tout est superficiel, mignonne, tout est épi-der-mique. Quand j'étais jeune je m'attrapais avec toutes les vieilles de la famille, les sœurs et consœurs, toute la poubelle généalogique, et tu sais pourquoi ? Pour un tas d'idioties, au fond, mais principalement parce que ces dames étaient infiniment plus intéressées par un décès — comme elles disaient — survenu dans la maison d'à côté que par une guerre ou un tremblement de terre qui liquide dix mille types d'un seul coup. On est irrémédiablement crétin, mais crétin à un point dont tu ne te fais pas idée, ma pauvre Babs, car pour cela il faut avoir lu tout Platon, plusieurs Pères de l'Eglise, les classiques sans en oublier un seul et savoir par ailleurs tout ce qu'il faut savoir de tout ce qui est connaissable, moyennant quoi on en arrive à un tel point de crétinisme qu'on est foutu de chercher querelle à sa pauvre mère analphabète et de se fâcher tout rouge parce que la bonne dame est toute peinée de la mort du petit Juif du coin ou de la cousine des gens du troisième. Et alors on lui parle du tremblement de terre de Bab el-Mandeb ou de l'offensive de Vardar Ingh et on exige que la malheureuse compatisse abstraitement à la disparition de trois classes de l'armée iranienne.

— Take it easy, dit Babs. Have a drink, sonny, don't be such a murder to me.

— Et, au fond, tout se ramène au proverbe, loin des yeux... Quel besoin, dis-moi, de casser les pieds à de bonnes vieilles avec notre adolescence puritaine de petits merdeux. Pfft ! j'ai une de ces sbornia, vieux frère, je rentre chez moi.

Mais il lui en coûtait de renoncer à la couverture esquimaude, si tiède, à la contemplation lointaine et presque indifférente de Gregorovius en pleine interview sentimentale avec la Sibylle. Il s'arracha à ce spectacle comme s'il plumait un vieux coq cadavérique se débattant en brave mâle qu'il a été et il soupira soulagé en reconnaissant le thème de *Blue Interlude,* un disque qu'il avait eu jadis à Buenos Aires. Il ne se rappelait plus qui était à l'orchestre si ce n'est Benny Carter et peut-être Chu Berry, et en entendant le solo difficilement simple de Teddy Wilson, il décida qu'il valait mieux rester jusqu'à la fin. Wong avait dit qu'il pleuvait encore, il avait plu toute la journée. Celui-là, ce devait être Chu Berry, à moins que ce ne fût Hawkins en personne, mais non ce n'était pas Hawkins. « C'est incroyable comme nous nous appauvrissons, tous tant que nous sommes », pensa Oliveira en regardant la Sibylle qui regardait Gregorovius qui regardait en l'air. « Nous finirons à la bibliothèque Mazarine et nous remplirons des fiches sur les mandragores, les colliers bantous ou l'histoire comparée des ciseaux à ongles. » Imaginer une liste de choses insignifiantes, l'énorme travail pour faire là-dessus toutes les recherches qui s'imposaient. Histoire des ciseaux à ongles. Deux mille livres dépouillés pour acquérir la certitude qu'il n'en a jamais été fait mention avant 1675. Soudain, à Mayence, quelqu'un trouve la gravure d'une dame se coupant un ongle. Ce n'est pas exactement une paire de ciseaux mais cela y ressemble fort. Au XVIII^e^ siècle, un certain Philip McKinney fait breveter à Baltimore la première paire de ciseaux à ressort : le problème est résolu, les doigts peuvent serrer franchement pour couper les ongles des pieds, incroyablement cornés, et les ciseaux se rouvrent automatiquement. Cinq cents fiches, un an de travail. Si nous passions maintenant à l'invention de la vis ou à l'emploi du mot « gond » dans la littérature pali du VIII^e^ siècle ? Toutes choses plus intéressantes que de deviner le dialogue entre la Sibylle et Gregorovius. Trouver une barricade, n'importe quoi, Benny Carter, les ciseaux à ongles, le verbe « gond », un autre verbe, une cérémonie d'empalement conduite de façon exquise par un bourreau attentif aux moindres détails, ou Champion Jack Duprée, perdu dans les blues, mieux défendu que lui derrière sa barricade parce que (l'aiguille faisait un bruit horrible) :

*Say good-bye, good-bye to whiskey*
*Lordy, so long to gin,*
*Say good-bye, good-bye to whiskey*
*Lordy, so long to gin.*
*I just want my reefers,*
*I just want to feel high again...*

Ronald allait certainement revenir à Big Bill Broonzy, guidé par des associations d'idées qu'Oliveira connaissait et respectait, et Big Bill leur parlerait d'une autre barricade avec cette voix que la Sibylle devait avoir pour raconter à Gregorovius son enfance à Montevideo, une voix sans amertume, très matter of fact.

*They said if you white, you all right,*
*If you brown, stick aroun',*
*But as you black*
*Mm Mm, brother, get back, get back, get back.*

— Je sais bien qu'on n'y gagne rien, dit Gregorovius. Les souvenirs ne peuvent changer que le passé le moins intéressant.

— Non, on n'y gagne rien, dit la Sibylle.

— Et si je vous ai demandé de me parler de Montevideo, c'est simplement parce que vous êtes pour moi comme une reine de jeu de cartes, toute de face mais sans volume.

— Et Montevideo c'est le volume... Bêtises, bêtises, bêtises. Qu'est-ce que vous appelez le passé, vous ? Moi, tout ce qui m'est arrivé, m'est arrivé hier, hier soir au plus tard.

— Parfait, dit Gregorovius. Maintenant vous êtes une reine, mais plus de jeu de cartes.

— Pour moi, *alors* ce n'est pas depuis longtemps. Alors est loin, très loin, mais il n'y a pas très longtemps. Les arcades de la place Independencia, tu les connais, toi aussi, Horacio, cette place si triste avec ses gargotes enfumées. Ses vendeurs de journaux qui crient les nouvelles à tue-tête, il y a sûrement eu un assassinat dans l'après-midi.

— La loterie et les gros lots, dit Horacio.

— La malle sanglante du Salto, la politique, le football...

— Le vapeur Buenos Aires-Montevideo, un petit verre d'Ancap. Peuh, de la couleur locale.

— Ce doit être si exotique, dit Gregorovius en se penchant pour cacher Oliveira à la Sibylle et être plus seul avec elle.

— A Montevideo, il n'y avait pas de temps, dit la Sibylle. Nous habitions tout près du fleuve, dans une très grande maison avec un patio. J'avais toujours treize ans, je me rappelle parfaitement. Un ciel bleu, treize ans, la maîtresse du cours moyen louchait. Un jour, je suis tombée amoureuse d'un garçon blond qui vendait des journaux sur la place. Il avait une façon de crier « 'ournaux » qui me faisait comme un creux ici... Il portait des pantalons longs, mais il n'avait pas plus de douze ans. Mon papa ne travaillait pas, il passait ses après-midi dans le patio à boire du maté. J'avais perdu maman quand j'avais cinq ans et c'était mes tantes qui m'avaient élevée; après, elles étaient reparties à la campagne. Il n'y avait plus à présent que papa et moi à la maison. C'était plutôt d'ailleurs un immeuble qu'une maison. Il y avait un Italien, deux vieilles et un Noir et sa femme qui se disputaient chaque soir, mais après ils jouaient de la guitare et chantaient. Le Noir avait des yeux rouges comme une bouche humide. Il me dégoûtait un peu et je préférais aller jouer dans la rue, mais si mon père me trouvait dans la rue il me faisait rentrer et il me battait. Un jour, pendant qu'il me battait, j'ai vu le Noir qui nous épiait par la porte entrouverte. Au début, je n'ai pas bien compris, j'ai cru qu'il se grattait la jambe, il faisait quelque chose avec la main... Papa, lui, était trop occupé à me battre avec un ceinturon. C'est étrange comme on peut perdre son innocence d'un coup, sans même savoir qu'on est entré dans une autre vie. Ce soir-là, le Noir et sa femme restèrent à chanter très tard dans leur cuisine, moi j'étais dans ma chambre et j'avais tellement pleuré que j'avais une soif horrible mais je ne voulais pas sortir. Papa prenait son maté sur le pas de la porte. Il faisait une chaleur que vous ne pouvez même pas imaginer. Vous venez de pays froids, vous tous. C'est l'humidité surtout, près du fleuve, il paraît qu'à Buenos Aires c'est pis, Horacio dit que c'est bien pis; peut-être. Ce soir-là, ma robe me collait à la peau et les autres n'arrêtaient pas de prendre du maté, je finis par sortir une ou deux fois pour aller boire à un robinet qu'il y avait dans la cour entre des géraniums. Il me semblait que l'eau de ce robinet était plus fraîche. Il n'y avait pas une étoile, les géraniums sentaient très fort, c'est une plante grossière, très belle, avez-vous déjà caressé une feuille de géranium ? Toutes les fenêtres étaient éteintes, Papa avait dû aller au bistrot de Ramos le borgne, alors j'ai rentré le banc, le maté et la bouilloire qu'il laissait toujours dehors et que les voyous du terrain vague auraient bien pu nous voler. Je me rappelle que la lune est sortie entre les nuages au moment où j'ai traversé la cour et je me suis arrêtée pour la regarder, la lune me donne toujours un peu froid, j'ai même renversé la tête en arrière pour que de là-haut on puisse bien me voir, je croyais à ces choses-là, je n'avais que treize ans après tout. Puis j'ai bu encore un peu au robinet et je suis remontée à ma chambre par un escalier de fer où je m'étais foulé la cheville une fois quand j'avais neuf ans. Au moment où j'allais allumer la bougie sur ma table de nuit, une main chaude m'a attrapée par l'épaule, la porte a claqué, une autre main m'a fermé la bouche et j'ai senti une odeur de vieille sueur, le Noir me pelotait à pleines mains, il me disait des choses à l'oreille, il bavait sur mon visage, il arrachait ma robe et moi je ne pouvais rien faire, même pas crier parce que je savais qu'il me tuerait si je criais et je ne voulais pas qu'on me tue, tout plutôt que ça, mourir c'était la pire des offenses, la plus grande bêtise. Pourquoi me regardes-tu comme ça, Horacio ? Je racontais comment j'ai été violée par le Noir de notre immeuble, Gregorovius avait tellement envie de connaître ma vie à Montevideo.

— Raconte-lui la chose en détail, dit Oliveira.

— Oh, une idée générale me suffit, dit Gregorovius.

— Il n'y a pas d'idées générales, dit Oliveira.

(-120)

# 16

— Il faisait presque jour quand il a quitté la chambre et moi je n'avais plus la force de pleurer.
— Le salaud, dit Babs.
— Oh, la Sibylle méritait largement cet hommage, dit Etienne. La seule chose curieuse c'est, comme toujours, le divorce diabolique entre la forme et le contenu. Dans tout ce que tu as raconté, le mécanisme est presque le même qu'entre deux amoureux, à part la moindre résistance et probablement la moindre agressivité.
— Chapitre VIII, § A, dit Oliveira. Presses Universitaires Françaises.
— Ta gueule, dit Etienne.
— En résumé, conclut Ronald, il serait temps d'écouter quelque chose comme *Hot and Bothered.*
— Titre approprié aux souvenirs ci-dessus évoqués, dit Oliveira en remplissant son verre. Le Noir avait du cran, faut bien dire.
— Le sujet se prête peu aux plaisanteries, dit Gregorovius.
— Vous l'avez cherché, mon très cher ami.
— Et vous êtes ivre, Horacio.
— Mais bien sûr. Le grand moment, l'heure lucide. Quant à toi, ma charmante, tu devrais offrir tes services dans une clinique de gérontologie. Regarde Ossip, tes souvenirs amènes l'ont rajeuni de vingt ans.
— C'est sa faute, dit la Sibylle avec humeur. Qu'il ne vienne pas dire maintenant que cela ne lui plaît pas. Donnemoi de la vodka, Horacio.

Mais Oliveira ne paraissait pas disposé à s'immiscer davantage entre la Sibylle et Gregorovius qui bredouillait des explications que l'on n'écoutait guère. On entendit davantage la voix de Wong qui proposait de faire du café. Très fort et très chaud, un secret appris au casino de Menton. Le Club approuva à l'unanimité, applaudissements. Ronald baisa tendrement l'étiquette d'un disque, le posa sur le pick-up, approcha l'aiguille cérémonieusement. La machine Ellington les renversa tous sur son passage avec le fabuleux dialogue entre la trompette et Baby Cox, l'entrée subtile et mine de rien de Johnny Hodges, le crescendo (mais le rythme commençait à se durcir, trente ans déjà, un vieux tigre qui gardait encore du muscle) parmi les riffs à la fois libres et tendus, petit miracle difficile. Je swingue donc je suis. En s'appuyant sur la couverture esquimaude et en regardant brûler les bougies vertes à travers le verre de vodka (nous allions voir les poissons du quai de la Mégisserie), il était presque facile de penser que ce qu'on appelait la réalité méritait la phrase méprisante du cher Duke, *It don't mean a thing if it ain't that swing*, mais pourquoi la main de Gregorovius ne caressait-elle plus les cheveux de la Sibylle, ce pauvre Ossip, il avait l'air trempé comme un phoque, navré jusques au fond du cœur de ce dépucelage plus que passé, cela vous faisait de la peine de le sentir si raide dans cette atmosphère où la musique dénouait toutes les résistances et tissait comme une respiration commune, la paix d'un seul énorme cœur battant pour tous et les assumant tous. Et maintenant une voix cassée, se frayant un passage à travers le disque usé, leur proposant sans le savoir la vieille invitation de la Renaissance, la vieille tristesse d'Anacréon, un *carpe diem* Chicago 1929.

*You so beautiful but you gotta die some day*
*You so beautiful but you gotta die some day*
*All I want's a little lovin' before you pass away.*

Il arrive parfois que les paroles des morts coïncident avec ce que pensent les vivants (si tant est que les uns fussent morts et les autres vivants). You so beautiful. *Je ne veux pas mourir sans avoir compris pourquoi j'avais vécu.* Un blues, René Daumal, Horacio Oliveira, you so beautiful but you gotta die some day, you so beautiful but — C'est pour cela que Gregorovius tenait tant à connaître le passé de la Sibylle, pour qu'elle mourût un peu moins de cette mort en arrière qu'est toute ignorance des choses emportées par le temps, il voulait la fixer dans son temps à lui, you so beautiful but you gotta, afin de ne pas aimer seulement un fantôme qui se laissait caresser les cheveux à la lumière verte des bougies, pauvre Ossip, comme la soirée finissait mal pour lui, tout si incroyable, et ces souliers de Guy Monod, but you gotta die some day, le noir Ireneo (quand la Sibylle se sentira plus en confiance avec lui elle lui racontera Ledesma, les types de la nuit du carnaval, la saga montévidéenne au grand complet). Et soudain, avec une perfection pleine de détachement, Earl Hines leur proposait la première variation de *I ain't got nobody*, et Perico lui-même, perdu dans une lointaine lecture, relevait la tête et écoutait, la Sibylle avait posé sa tête sur la cuisse de Gregorovius et elle regardait le parquet, un morceau de tapis, un fil rouge qui se perdait sous la plinthe, un verre vide près du pied de la table. Elle avait envie de fumer mais elle ne voulait pas demander une cigarette à Gregorovius, sans savoir pourquoi d'ailleurs, et pas davantage à Horacio, mais en sachant pourquoi; elle ne voulait pas le regarder dans les yeux, pour qu'il rie une fois de plus et se venge ainsi de ce qu'elle soit restée toute la soirée près de Gregorovius sans jamais se rapprocher de lui. Parfaitement éveillée et lucide, il lui venait à l'esprit des pensées sublimes, des morceaux de poèmes qu'elle s'appropriait pour se sentir au cœur même de l'artichaut, d'un côté *I ain't got nobody, and nobody cares for me*, ce qui était faux, car deux des personnes présentes au moins étaient de mauvaise humeur à cause d'elle, et en même temps un vers de Saint-John Perse, quelque chose comme *Tu es là mon amour et je n'ai lieu qu'en toi* où la Sibylle se réfugiait en se serrant contre le mot *lieu*, la molle acceptation de la fatalité qui vous faisait fermer les yeux et sentir votre corps comme une offrande, une chose que le premier venu pouvait prendre et souiller et exalter comme Ireneo, et la musique de Hines rythmait la danse des taches rouges et bleues sous ses paupières, deux taches qui s'appelaient Volana et Valéné, à gauche Volana, *and nobody cares for me*, tournant follement, en haut Valéné, suspendue comme une étoile d'un bleu Piero della Francesca, *et je n'ai lieu qu'en toi*, Volana et Valéné, Ronald ne pourra jamais jouer du piano comme Earl Hines, c'est plutôt Horacio et elle qui devraient avoir ce disque pour l'écouter le soir dans le noir, apprendre à s'aimer sur ces phrases, *I ain't got nobody* dans le dos, sur les épaules, les doigts remontant sur le cou, les ongles entrant dans les cheveux et se retirant lentement, un tourbillon final et Volana se fondait en Valéné, *tu es là mon amour and nobody cares for me,* Horacio était là mais personne ne s'occupait d'elle, personne ne lui caressait les cheveux, Valéné et Volana avaient disparu et les paupières lui faisaient mal à force de les serrer; on entendait parler Ronald et alors l'odeur du café, oh ! l'odeur merveilleuse du café, Wong chéri, Wong, Wong, Wong.

Elle se redressa en battant des paupières, regarda Gregorovius qui lui parut flou et comme rapetissé. Quelqu'un lui tendit une tasse.

(-137)

## 17

— Je n'aime pas parler de lui pour le plaisir de parler, dit la Sibylle.

— Parfait, dit Gregorovius. Moi, j'avais simplement posé une question.

— Je peux parler d'autre chose si ce que vous voulez c'est entendre parler.

— Ne soyez pas méchante.

— Horacio est comme la confiture de goyave.

— Qu'est-ce que la confiture de goyave ?

— Horacio est comme un verre d'eau dans la tempête.

— Ah ! dit Gregorovius.

— Il aurait dû naître à l'époque dont parle Mme Léonie quand elle a un peu bu. Un temps où personne n'était inquiet, où les tramways étaient tirés par des chevaux et où les guerres se passaient sur les champs de bataille. Et Mme Léonie ajoute qu'il n'y avait pas alors de remèdes contre l'insomnie.

— Le bel âge d'or, dit Gregorovius. A Odessa aussi, j'ai entendu parler d'une époque pareille. Ma mère, très romantique avec ses cheveux sur ses épaules. On faisait pousser des ananas sur les balcons et la nuit on n'avait pas besoin de pots de chambre, c'était merveilleux. Mais pour ma part je ne vois pas Horacio plongé dans cette gelée royale.

— Moi non plus, mais il serait moins triste. Ici, tout le blesse, tout lui fait mal, même l'aspirine lui fait mal. Je vous assure; hier soir, je lui en ai donné, il avait mal aux dents. Il a pris le cachet, l'a regardé, il ne se décidait pas à l'avaler. Il m'a dit des choses étranges, que c'était infect de prendre des choses qu'en réalité on ne connaissait pas, des choses que d'autres ont inventées pour calmer des choses qu'on ne connaissait pas davantage... Vous savez comment il est quand il commence à faire le tour des choses.

— Vous avez très souvent répété le mot « chose », dit Gregorovius. Ce n'est pas très élégant mais c'est révélateur. Horacio est victime de la chosité, c'est bien évident.

— Qu'est-ce que la chosité ? demanda la Sibylle.

— La chosité c'est avoir le sentiment désagréable que là où finit notre présomption commence notre châtiment. Je regrette d'avoir à employer un langage abstrait et presque allégorique mais je veux dire qu'Oliveira est pathologiquement sensible à ce que lui impose le monde environnant, celui où l'on vit, celui qui lui est échu en partage. En un mot, la circonstance l'assomme. Plus brièvement encore, le monde le blesse. Vous l'avez deviné, Lucia, et avec une innocence délicieuse vous pensez qu'Oliveira serait plus heureux dans une de ces Arcadies de poche que fabriquent les Mme Léonie, sans parler de ma mère, celle d'Odessa. Parce que vous n'avez pas cru l'histoire des ananas, je suppose.

— Ni celle des pots de chambre, dit la Sibylle. C'était difficile à croire.

Etienne et Ronald venaient de se mettre d'accord pour écouter Jelly Roll Morton et Jelly Roll se mettait au piano en marquant doucement la mesure avec son pied faute de mieux, Jelly Roll chantait *Mamie's Blues* en se balançant un peu, les yeux fixés sur une moulure du plafond, ou alors c'était une mouche qui allait et venait ou encore une tache qui allait et venait devant les yeux de Jelly Roll. *Two-nineteen done took my baby away...* c'était ça, la vie, des trains qui s'en allaient, emportant ou amenant des gens, tandis qu'on restait planté au coin de la rue, les pieds dans l'eau, à écouter un piano mécanique et les éclats de rire salissant les vitres jaunes de la salle, alors qu'on n'avait pas toujours l'argent pour entrer. *Two-nineteen done took my baby away...* Babs avait pris tant de trains déjà dans sa vie, elle aimait voyager en train s'il y avait quelqu'un pour l'attendre à l'arrivée, si Ronald lui passait la main sur les hanches, doucement comme maintenant, en lui dessinant la musique sur la peau, *Two-seventeen'll bring her back some day,* sans doute un jour un train la ramènerait au bercail mais Jelly Roll serait-il toujours sur ce quai, à ce piano, à cette heure, où il avait chanté les blues de

Mamie Desdume, la pluie sur une lucarne de Paris à une heure du matin, les pieds mouillés et cette putain qui murmure *If you can't give a dollar, gimme a lousy dime*, Babs avait dit à peu près la même chose à Cincinnati, toutes les femmes, à un moment donné et en un lieu donné, avaient dit la même chose, même dans le lit des rois; Babs se faisait une idée très particulière du lit des rois, mais de toute façon une femme aurait dit à peu près ça : *If you can't give a million, gimme a lousy grand*, question de proportions, et pourquoi le piano de Jelly Roll était-il tellement triste, tellement cette pluie qui faisait pleurer la Sibylle et avait réveillé Guy Monod, et Wong qui n'arrivait pas avec le café qu'il avait promis.

— C'en est trop, dit Etienne en poussant un soupir. Je ne sais pas comment je peux supporter cette ordure. C'est émouvant mais c'est une ordure.

— Ça n'est évidemment pas une médaille de Pisanello, dit Oliveira.

— Ni un opus quelque chose de Schönberg, dit Ronald. Pourquoi alors me l'as-tu demandé ? Tu manques non seulement d'intelligence mais aussi de charité. On voit bien que tu ne t'es jamais trouvé sous la pluie à minuit avec des souliers qui prenaient l'eau. Jelly Roll, lui, oui, ça se sent quand il chante, c'est une chose qui se sait tout de suite, vieux.

— Je peins mieux quand j'ai les pieds secs, dit Etienne. Et ne me bassine pas avec tes arguments style Armée du Salut. Tu ferais mieux de mettre quelque chose de plus intelligent, des solos de Sonny Rollins, par exemple. Les types de la West Coast, eux au moins, font penser à Pollock ou à Tobey, ils ont dépassé l'âge du pianola et de la boîte à aquarelles.

— Il est capable de croire au progrès dans l'art, dit Oliveira. Ne fais pas attention à lui, Ronald, et, de la main qui te reste libre, attrape le petit disque du *Stack O'Lee Blues*, car il y a là un solo de piano qui me paraît plein de mérite.

— Je sais très bien que la notion de progrès dans l'art est une idiotie, dit Etienne. Mais dans le jazz comme dans n'importe quel art il y a toujours des maîtres chanteurs. La musique qui peut se traduire en émotion est une chose et l'émotion qui prétend passer pour de la musique, c'en est une autre. Douleur paternelle en *fa sostenuto*, éclat de rire sarcastique en violet, jaune et noir. Non, mon petit vieux, l'art commence en deçà ou au-delà, mais ce n'est en tout cas pas ça.

Personne ne parut disposé à le contredire, car Wong, avec soin, apparaissait avec le café, et Ronald, haussant les épaules, lâcha brusquement les Waring's Pennsylvanians et le thème qui enchantait Oliveira surgit derrière un grincement terrible, une trompette anonyme, puis le piano, voilés par une brume de vieux phonographe et de très mauvais enregistrement, d'orchestre bon marché et comme antérieur au jazz, mais, après tout, c'était de ces vieux disques, des show-boats et des nuits de Storyville qu'était née la seule musique universelle du siècle, cette chose qui rapprochait les hommes plus et mieux que l'espéranto, l'Unesco ou les lignes aériennes, une musique assez primitive pour être universelle et assez bonne pour faire sa propre histoire avec schismes, reniements et hérésies, son charleston, son black-bottom, son shimmy, son fox-trot, son stomp, ses blues, pour admettre les classifications et les étiquettes, le style ceci et cela, le swing, le be-bop, le cool, va-et-vient du romantisme et du classicisme, hot et jazz cérébral, une musique-homme, une musique avec une histoire, à la différence de la stupide musique animale du bal, polka, valse, samba, une musique qui permet de se reconnaître et de s'estimer, à Copenhague comme à Mendoza ou à Capetown, qui rapproche les adolescents avec leurs disques sous le bras, qui leur donne des noms et des mélodies comme autant de messages chiffrés pour se reconnaître, se mieux connaître et se sentir moins seuls au milieu des chefs de bureau, des familles et des amours infiniment amères, une musique qui accueille toutes les imaginations et tous les goûts, la collection des 78 tours aphones avec Freddie Keppard ou Bunk Johnson, l'exclusivisme réactionnaire du Dixieland, la spécialisation académique chez Bix Beiderbecke ou le saut dans la grande aventure de Thelonius Monk, Horace Silver ou Thad Jones, le mauvais goût d'Erroll Garner ou d'Art Tatum, les repentirs et les abjurations, les préférences pour les petits ensembles, les enregistrements mystérieux avec pseudonymes et dénominations imposées par les maisons de disques ou les caprices du moment, et toute cette franc-maçonnerie du samedi soir dans la chambre d'étudiant ou les caves, avec des filles qui préfèrent danser en écoutant *Star Dust* ou *When your man is going to put you down* et qui exhalent une odeur douce et lente de parfum, de peau et de chaleur, elles se laissent embrasser vers la fin de la soirée, quelqu'un a mis *The blues with a feeling* et l'on danse presque immobile en se balançant seulement, et tout est trouble, sale et canaille, et tous les garçons ont envie d'arracher ces corsages tièdes tandis que les mains caressent une épaule, et toutes les filles ont la bouche entrouverte et elles s'abandonnent à la peur délicieuse et à la nuit et alors se dresse une trompette qui les possède toutes pour tous les hommes qui sont là, qui les prend d'une seule phrase chaude et les laisse retomber comme de l'herbe fauchée entre les bras de leur compagnon, et il y a une course immobile, un saut dans l'air de la nuit au-dessus de la ville, jusqu'à ce qu'un piano minutieux les rende à elles-mêmes, épuisées, réconciliées et toujours vierges, jusqu'au samedi suivant, tout cela en une musique qui effraie les bonnes gens des places d'orchestre pour qui il ne saurait y avoir de vérité sans programme imprimé et ouvreuse, et ainsi va le monde et le jazz est comme un oiseau qui émigre ou immigre ou transmigre, saute-barrière, moque-douanes, quelque chose qui court et se répond, et ce soir Ella Fitzgerald chante à Vienne tandis que Kenny Clarke inaugure une cave à Paris et qu'à Perpignan bondissent les doigts d'Oscar Peterson et que Satchmo est partout avec ce don d'ubiquité que lui a donné le Seigneur, à Birmingham, à Varsovie, à Milan, à Buenos Aires, à Genève, dans le monde entier, c'est inévitable, c'est la pluie et le pain et le sel, cela se fiche éperdument des rites nationaux, des traditions inviolables, de la langue et du folklore, un nuage sans frontières, un espion de l'air et de l'eau, un archétype, une chose d'avant, du plus profond, qui réconcilie les Mexicains avec les Norvégiens, les Russes avec les Espagnols, les réincorpore au sombre feu central oublié, les rend, mal et maladroitement et de façon précaire, à une origine trahie, leur montre qu'il y avait peut-être d'autres chemins et que celui qu'ils ont pris n'était pas l'unique et le meilleur ou peut-être qu'il y avait d'autres chemins et que celui qu'ils ont pris était le meilleur mais aussi peut-être qu'il y avait d'autres chemins doux à prendre et qu'ils ne les ont pas pris ou qu'ils les ont pris à moitié et qu'un homme est toujours un peu plus qu'un homme et un peu moins qu'un homme, plus qu'un homme parce qu'il renferme ce que le jazz pressent, éclaire

17

et même anticipe, et moins qu'un homme parce qu'il a fait de cette liberté un jeu esthétique ou moral, un échiquier où il se réserve d'être la tour ou le cheval, une définition de la liberté que l'on apprend dans les écoles, précisément dans les écoles où l'on n'a jamais appris et où l'on n'apprendra jamais aux enfants la première mesure d'un ragtime et la première phrase d'un blues, etc., etc.

*I could sit right there and think a thousand miles away*
*I could sit right here and think a thousand miles away*
*Since I had the blues this bad, I can't remember the day...*

(-97)

# 18

Cela n'avançait à rien de se demander ce qu'il faisait là, à cette heure et avec ces gens, les chers amis inconnus hier et demain, des gens qui étaient une simple incidence dans le lieu et dans le moment. Babs, Ronald, Ossip, Jelly Roll, Akhenaton, quelle différence ? Les mêmes ombres pour les mêmes bougies vertes. La sbornia à son plus haut point. Vodka suspecte, horriblement forte.

Si seulement il eût été possible d'envisager une extrapolation de tout cela; comprendre le Club, comprendre *Cold Wagon Blues*, comprendre l'amour de la Sibylle, comprendre chaque bout de ficelle sortant des choses et parvenant à ses doigts, chaque marionnette ou chaque saltimbanque comme une épiphanie; les comprendre, non pas comme les symboles d'une autre réalité peut-être inaccessible, mais comme des stimulus (quel langage, quelle impudeur !), les lignes de fuite d'une course où il aurait dû se lancer à l'instant même, se détacher de la couverture esquimaude qui était merveilleusement tiède, presque parfumée et esquimaude à faire peur, sortir sur le palier, descendre, descendre seul, sortir dans la rue, sortir seul, se mettre à marcher, marcher seul, jusqu'au coin de la rue, la rue seule, le café de Max, Max seul, le réverbère de la rue de Bellechasse où... où seul. Et peut-être qu'à partir de ce moment-là.

Mais tout cela sur un plan mé-ta-phy-sique. Parce que Horacio, les mots... C'est-à-dire que les mots pour Horacio... (question déjà longuement mastiquée pendant les heures d'insomnie). Prendre la Sibylle par la main, l'emmener sous la pluie comme si elle était la fumée de sa cigarette, une chose qui fait partie de vous, sous la pluie. Refaire l'amour avec elle mais cette fois un peu pour elle et non plus pour apprendre un détachement trop facile, un renoncement qui recouvre peut-être l'inutilité de l'effort. Si tout cela, le tapioca de l'aube qui commençait à coller à la lucarne, le visage si triste de la Sibylle qui regardait Gregorovius qui regardait la Sibylle qui regardait Gregorovius, *Struttin' with some barbecue*, Babs qui pleurait de nouveau en silence, en cachette de Ronald qui ne pleurait pas, mais qui avait le visage couvert de fumée devenue auréole de saint, Perico, fantôme hispanique perché sur son tabouret de dédain et de beau style, si tout cela pouvait être extrapolable, si tout cela *n'était* pas mais pouvait simplement *être là* pour que quelqu'un (n'importe qui, lui, en l'occurrence, puisque c'était lui qui était en train de le penser, ou qui, du moins, pouvait savoir de façon certaine qu'il était en train de le penser, eh, Descartes, vieil emmerdeur !), plantant la dent et mordant dans tout ce qui était là, mordant et arrachant des lambeaux d'on ne savait quoi mais les arrachant jusqu'à l'os, pût ensuite sauter à une cigale de paix, à un grillon de contentement, pût entrer par une porte dans un jardin, un jardin allégorique pour les autres, comme les mandalas sont allégoriques pour les autres, et que dans ce jardin on pût couper une fleur et que cette fleur fût la Sibylle, ou Babs, mais expliquées expliquant, restituées, hors de leur enveloppe du Club, dépouillées, émergentes, sorties d'elles-mêmes, mais tout ceci n'était peut-être qu'une nostalgie du paradis terrestre, un idéal de pureté, mais voilà que la pureté n'était qu'un produit inévitable de la simplification, un fou s'envole, des tours s'envolent, un cheval saute, des pions tombent, et au milieu de l'échiquier, immenses comme des lions d'anthracite, les rois demeurent, flanqués du plus juste, du plus extrême, du plus pur de l'armée, à l'aube on rompra les lances décisives, on connaîtra l'issue, on signera la paix. Pureté comme celle du coït chez les caïmans et non pas celle des oh ! Jésus, Marie, les pieds sales ; pureté du toit de tuiles où marchent des pigeons qui, naturellement, fientent sur la tête de dames folles de rage, pureté de... Horacio, Horacio, je t'en prie.

Pureté.

Suffit. Va-t'en. Rentre à l'hôtel, prends un bain, lis *Notre-Dame de Paris* ou *Les Louves de Machecoul*, dessoûle-toi. Rien moins qu'une extrapolation.

Pureté. Mot horrible. Pureté, purotin, pus. Tu te rends compte. Le jus, le suc qu'aurait pu en tirer un

Brisset. Et pourquoi pleures-tu ? Mais au fait, qui pleure ?

Entendre le pus comme une épiphanie. Damn the language. *Entendre.* Non pas comprendre, entendre. L'intuition d'un paradis retrouvable : il ne se peut pas que nous soyons ici pour ne pas pouvoir être. Brisset ? L'homme descend des grenouilles... Blind as a bat, drunk as a butterfly, foutu, royalement foutu devant des portes que peut-être... (Un morceau de glace sur la nuque, et aller dormir. Un problème ; Johnny Dodds ou Albert Nicholas ? Dodds, très certainement. Note : s'en assurer auprès de Ronald.) Un mauvais vers qui descend en voletant de la lucarne : « Avant de tomber dans le néant à la dernière diastole. » Une cuite maison. The doors of perception, by Aldley Huxdous. Get yourself a tiny bit of mescalina, brother, the rest is bliss and diarrhoea. Mais soyons sérieux (oui, c'était bien Johnny Dodds, les preuves viennent par voie indirecte : le batteur ne pouvant être que Zutty Singleton, le clarinettiste était Johnny Dodds; jazzologie, science déductive, extrêmement simple après quatre heures du matin. A déconseiller aux messieurs bien et aux prêtres). Soyons sérieux, Horacio, avant de nous relever peu à peu et de mettre le cap sur la rue, demandons-nous, l'âme sur la pointe de la main ou sur la paume de la langue, c'est tout comme — toponomie, anatologie descriptologique, deux tomes il-lus-trés — demandons-nous si cette entreprise il faut l'attaquer par le haut ou par le bas (mais c'est admirable, je pense clair comme de l'eau, la vodka te cloue les mots comme des papillons sur du liège, A est A, a rose is a rose is a rose, April is the cruellest month, chaque chose à sa place et une place pour chaque rose est une rose est une rose...)

Ouf. Beware of the Jabberwocky, my son.

Horacio glissa un peu plus le long du mur et vit très clairement tout ce qu'il voulait voir. Il ne savait pas si c'était une entreprise qu'il fallait attaquer par le haut ou par le bas, en se concentrant de toutes ses forces ou bien, comme à présent, répandu par terre et liquide, ouvert à la lucarne, aux bougies vertes, au visage d'agneau triste de la Sibylle, à Ma Rainey qui chantait *Jelly Beans Blues.* Plutôt ainsi, plutôt répandu et réceptif, spongieux ainsi que sont toutes choses dès qu'on les regarde mieux et avec les yeux véritables. Il n'était pas ivre au point de ne pas sentir qu'il avait démoli sa maison, qu'en lui rien n'était à sa place mais en même temps — c'était certain, c'était merveilleusement certain — il y avait, par terre ou au plafond, sous le lit ou flottant dans la cuvette, des étoiles et des morceaux d'éternité, des poèmes comme des soleils et d'énormes visages de femmes et de chats où brillait l'ardeur de leur race et, sur sa langue où fourmis et scolopendres s'entrelaçaient jour et nuit en de furieux combats, le blasphème cohabitait avec la pure énonciation des essences, l'image claire avec le pire argot. Le désordre triomphait et courait à travers la maison, les cheveux emmêlés et pendants, les yeux vitreux, les mains pleines de jeux de cartes incomplets, de messages sans en-tête et sans signature et, sur les tables, des assiettes de soupe refroidissaient, le sol était jonché de pantalons, de pommes pourries, de bandes tachées. Et tout cela soudain grandissait et c'était une musique atroce, plus atroce encore que le silence feutré des maisons bien cirées de ses irréprochables parents, et alors, au milieu d'une grande confusion où le passé était incapable de retrouver un bouton de chemise et où le présent se rasait avec des morceaux de verre faute de pouvoir retrouver un rasoir enterré dans un pot à fleurs, au milieu d'un temps qui s'ouvrait comme une girouette au premier vent venu, un homme respirait à perdre haleine, se sentait vivre jusqu'au délire dans cet acte même de contempler la confusion qui l'entourait et de se demander si tout cela avait un sens. Tout désordre se justifiait s'il cherchait à sortir de lui-même, par le chemin de la folie on pouvait peut-être atteindre une raison autre que celle dont l'absence est la folie. « Aller du désordre à l'ordre, pensa Oliveira. Oui, mais quel ordre peut bien être celui qui ne ressemble pas au plus néfaste, au plus terrible, au plus incurable des désordres ? L'ordre des dieux s'appelle cyclone ou leucémie, l'ordre du poète s'appelle antimatière, espace dur, fleur de lèvres tremblantes, *mamma mia*, quelle sbornia j'ai, il faut que j'aille au lit, tout de suite. » La Sibylle pleurait, Guy avait disparu, Etienne discutait avec Perico, Gregorovius, Wong et Ronald regardaient un disque qui tournait lentement, trente-trois tours et demi par minute, ni un de plus ni un de moins, et dans ces tours-là, *Oscar's Blues*, par Oscar lui-même au piano, un certain Oscar Peterson, un certain pianiste triste et gros, un type au piano et la pluie sur les vitres, de la littérature, quoi.

(-153)

# 19

— Je crois que je te comprends, dit la Sibylle en lui caressant les cheveux. Tu cherches quelque chose et tu ne sais pas ce que c'est. Moi aussi, et je ne sais pas davantage ce que c'est. Mais ce sont deux choses différentes. Comme ce dont vous parliez l'autre soir... Oui, toi tu es plutôt un Mondrian et moi un Vieira da Silva.

— Ah, dit Oliveira, alors je suis un Mondrian ?

— Oui, Horacio.

— Tu veux dire un esprit plein de rigueur.

— Je dis un Mondrian.

— Et il ne t'est pas arrivé de penser que derrière ce Mondrian peut commencer une réalité Vieira da Silva ?

— Oh ! si, dit la Sibylle. Mais toi, pour le moment, tu n'es pas sorti de la réalité Mondrian. Tu as peur, tu veux être sûr. Je ne sais pas de quoi... Tu es comme un médecin, pas comme un poète.

— Laissons les poètes, dit Oliveira. Et n'outrage pas Mondrian avec la comparaison.

— Mondrian, c'est merveilleux mais ça manque d'air. J'étouffe un peu là-dedans. Et quand tu commences à dire qu'il faudrait trouver l'unité, je vois des choses très belles mais mortes, des fleurs sèches par exemple.

— Voyons un peu, Lucia. Sais-tu bien ce qu'est l'unité ?

— Je m'appelle Lucia mais je ne veux pas que tu m'appelles comme ça, dit la Sibylle. L'unité, bien sûr, je sais ce que c'est. Tu veux que toutes les choses de ta vie se rassemblent et que tu puisses les voir en même temps. C'est cela, n'est-ce pas ?

— Plus ou moins, dit Oliveira. C'est incroyable le mal que

tu as à assimiler les notions abstraites. Unité, pluralité, n'es-tu pas capable de concevoir ces mots sans avoir besoin d'exemples ? Non, tu n'en es pas capable. Enfin, voyons un peu : ta vie, c'est une unité à tes yeux ?

— Non, je ne crois pas. Ce sont des morceaux, des choses qui me sont arrivées.

— Mais toi, de ton côté, tu passais à travers ces choses comme le fil à travers ces pierres vertes. Et puisque nous parlons de pierres, d'où sort ce collier ?

— C'est Ossip qui me l'a donné. Il appartenait à sa mère, celle d'Odessa.

Oliveira se mit à préparer lentement le maté. La Sibylle alla vers le petit lit que leur avait prêté Ronald pour qu'ils puissent prendre Rocamadour chez eux. Avec le lit, plus Rocamadour, plus la colère des voisins, il ne restait guère d'espace pour vivre, mais personne n'aurait pu convaincre la Sibylle que Rocamadour serait mieux soigné à l'hôpital. Il avait fallu l'accompagner à la campagne le jour même où le télégramme de Mme Irène était arrivé, envelopper Rocamadour dans des langes et des couvertures, faire entrer un lit de vive force dans leur chambre, charger la salamandre, supporter les beuglements de Rocamadour quand arrivait l'heure du suppositoire ou du biberon qui sentait le médicament. Oliveira refit un autre maté en lorgnant la couverture d'un *Deutsche Grammophon Gesellschaft* que leur avait prêté Ronald et qu'il pourrait écouter Dieu sait quand. La maladresse de la Sibylle pour langer Rocamadour l'horrifiait, et ses chansons insupportables pour le distraire, l'odeur qui montait parfois du petit lit, les cotons, les hurlements, la stupide certitude de la Sibylle que cela n'était rien, que ce qu'elle faisait pour son fils était ce qu'il fallait faire et que Rocamadour serait guéri dans les trois jours. Et tout était tellement inefficace, tellement trop ou pas assez. Pourquoi diable était-il là ? Un mois plus tôt, ils avaient encore chacun leur chambre et puis ils avaient décidé de vivre ensemble. La Sibylle avait dit que cela représenterait une sérieuse économie, ils achèteraient un seul journal, il n'y aurait pas de restes de pain, elle repasserait le linge d'Horacio, sans compter le chauffage, l'électricité... Oliveira avait été sur le point d'admirer cette brusque attaque de bon sens. Il finit par accepter parce que le vieux Trouille avait des difficultés et qu'il lui devait dans les trente mille balles, et puis, à ce moment-là, ça lui était égal de vivre avec la Sibylle ou seul, il réfléchissait trop et la mauvaise habitude de ruminer longuement chaque chose commençait à lui peser. Il en vint à croire que la continuelle présence de la Sibylle le mettrait à l'abri d'excessives divagations mais naturellement il ne pouvait pas prévoir l'arrivée de Rocamadour. Et même comme ça, il parvenait à s'isoler parfois jusqu'à ce que les cris de Rocamadour le rendissent à une salutaire mauvaise humeur. « Je vais finir comme les personnages de Walter Pater, se disait-il. Soliloque après soliloque, vice pur. Marius l'épicurien, vice pour rien. La seule chose qui me sauve, c'est l'odeur de pipi de cet enfant. »

— J'ai toujours pensé que tu finirais par coucher avec Ossip, dit Oliveira.

— Rocamadour a de la fièvre, dit la Sibylle.

Oliveira remit du maté dans la calebasse. Il fallait économiser le maté, à Paris il valait cinq cents francs le kilo et c'était un maté parfaitement ignoble que la droguerie de la gare Saint-Lazare vendait avec cette superbe étiquette : « Maté sauvage, cueilli par les Indiens, diurétique, antibiotique et émollient. » Heureusement que l'avocat de Rosario — qui n'en était pas moins son frère — lui avait dépêché cinq kilos de « Croix du Sud », mais il n'en restait plus beaucoup. « Si je n'ai plus de maté je suis fichu, pensa Oliveira. Mon seul dialogue véritable, c'est avec ce petit pot vert. » Il étudiait le comportement extraordinaire du maté, la respiration odorante des feuilles soulevées par l'eau et qui, après la succion, descendent et retombent sur elles-mêmes, privées de tout éclat, de tout parfum, à moins qu'un filet d'eau ne vienne les ranimer à nouveau, poumon de secours argentin pour les solitaires et les tristes. Cela faisait un certain temps déjà que les choses sans importance importaient à Oliveira et l'avantage de méditer en fixant son attention sur le petit pot vert c'est que sa perfide intelligence n'avait plus alors la possibilité de se valoir de ces notions que suscitent perversement les montagnes, la lune, l'horizon, une fille pubère, un oiseau ou un cheval. « Peut-être que ce petit maté pourrait, lui aussi, m'indiquer un centre », pensait Oliveira (et l'idée que la Sibylle et Ossip couchaient ensemble s'amenuisait et perdait consistance, l'espace d'un moment le petit pot vert était le plus fort, il offrait son cratère écumeux et un petit panache de fumée dans l'air assez froid de la pièce malgré le poêle qu'il allait falloir charger à neuf heures). « Et ce centre, sans savoir ce qu'il est, ne vaut-il pas comme expression topographique d'une unité ? Je marche dans une immense pièce à sol dallé et l'une de ces dalles est le point exact d'où tout s'ordonne selon une juste perspective. Le point exact », répéta emphatiquement Oliveira, se moquant un peu de lui-même pour s'assurer qu'il n'allait pas se laisser entraîner par les mots. Une peinture anamorphique où il faut trouver l'angle juste (et le sublime de cet exemple c'est que l'hangle est terriblement haigu, il faut avoir le nez presque hadossé à la toile pour que soudain l'hamoncellement incohérent des raies devienne le portrait de François Ier ou la bataille de Sinigaglia, toutes choses hinouïes et hétonnantes). Mais cette unité, la somme des actes qui définit une vie, semblait se refuser à toute manifestation avant que la vie même ne fût achevée, comme un maté délavé; autrement dit, seuls les autres, les biographes, verraient l'unité, chose dont Oliveira se foutait éperdument. Le hic, c'était d'appréhender son unité sans être un héros, sans être un saint, sans être un criminel ou un champion de boxe, un prud'homme ou un pasteur. Appréhender l'unité en pleine pluralité, et que l'unité fût comme l'axe d'un tourbillon et non comme la sédimentation d'un maté épuisé et refroidi.

— Je vais lui donner un quart d'aspirine, dit la Sibylle.

— Si tu arrives à la lui faire boire, tu es plus forte qu'Ambroise Paré, dit Oliveira. Viens prendre un maté, je viens de le faire.

La question de l'unité le préoccupait, car il sentait bien qu'il était très facile de tomber dans les pires pièges. Du temps qu'il était étudiant vers 1930, il avait découvert avec surprise (d'abord) et ironie (ensuite) que des tas de types s'installaient confortablement dans une soi-disant unité de personne qui était une simple unité linguistique et une sclérose prématurée du caractère. Ces gens fabriquaient un système de principes jamais intimement vérifiés et qui n'était rien d'autre qu'une démission au mot, à la notion verbale de forces péremptoirement délogées et remplacées par leur substitut verbal. Et c'est ainsi que le devoir, la morale, l'immoralité et l'amoralité, la justice, la charité, l'Europe et l'Amérique, le jour et la nuit, les épouses, les fiancées et les amies, l'armée et la banque, le drapeau et l'or yankee ou moscovite, l'art abstrait et la bataille de Caseros devenaient comme des dents et des cheveux, c'est-à-dire une chose acceptée et automatiquement incorporée, une chose qu'on ne vit ni analyse parce que *c'est ainsi* et que cela nous intègre, nous complète et nous fortifie. Le viol de l'homme par le mot, la superbe vengeance du verbe contre son père, teintait d'amère méfiance toute méditation d'Horacio, bien obligé d'utiliser l'ennemi lui-même pour se frayer un passage jusqu'à un point d'où il pourrait peut-être le renvoyer et poursuivre — comment, avec quels moyens, en quelle nuit blanche ou en quel jour ténébreux — jusqu'à une réconciliation totale avec soi-même et avec la réalité qu'on habite. Parvenir à la parole sans la parole (que c'était loin et improbable !) et, sans conscience raisonnante, appréhender une unité profonde, quelque chose qui montrât enfin le sens de ce qui, pour le moment, se bornait à être là, un maté entre les doigts, en train de regarder le petit derrière en l'air de Rocamadour et les mains de la Sibylle s'activant malgré les hurlements de son fils qui, de toute évidence, n'aimait pas qu'on se promenât ainsi sur ses fesses.

(-90)

## 20

— J'ai toujours pensé que tu finirais par coucher avec lui, dit Oliveira.

La Sibylle couvrit son fils qui braillait un peu moins maintenant et se frotta les mains avec un coton.

— Je t'en prie, lave-toi les mains comme il faut, dit Oliveira, et enlève toute cette saleté.

— Tout de suite, dit la Sibylle et Oliveira soutint son regard (ce qui lui était toujours assez difficile).

Elle alla chercher un journal, l'ouvrit sur le lit, y mit les cotons, en fit un paquet qu'elle alla jeter dans les waters du palier. Quand elle revint, les mains rouges et brillantes, Oliveira lui tendit un maté. Elle s'assit sur le fauteuil et se mit à tirer avec application sur la pipette. Elle gâchait toujours le maté parce qu'elle tournait la pipette en tous sens comme si elle avait voulu faire de la polenta.

— Enfin, dit Oliveira en rejetant la fumée par le nez. Vous auriez pu me prévenir. Maintenant, je vais m'appuyer six cents francs de taxi pour emporter mes choses ailleurs. Sans compter la chambre à trouver, ce qui n'est pas facile.

— Tu n'as aucune raison de partir, dit la Sibylle. Jusqu'à quand vas-tu imaginer des choses fausses ? Il ne pleure plus, reprit-elle en se tournant vers le lit. Parlons bas, il va bien dormir maintenant avec l'aspirine. Je n'ai absolument pas couché avec Gregorovius.

— Oh ! que si, tu as couché.

— Non, Horacio. Pourquoi ne te le dirais-je pas ? Depuis que je te connais je n'ai pas eu d'autre amant que toi. Tant pis si je le dis mal et si cela te fait rire. Je parle comme je peux, je ne sais pas dire ce que je ressens.

— Bien, bien, dit Oliveira en lui tendant un autre maté. Ton fils t'a changée, alors. Depuis quelques jours, te voilà transformée en ce qu'on appelle une mère.

— Mais Rocamadour est malade.

— Plutôt. Que veux-tu, moi, je croyais que la raison de ces changements était autre. En réalité, nous ne nous supportons plus tellement.

— C'est toi qui ne me supportes plus. C'est toi qui ne supportes pas Rocamadour.

— Ça, c'est vrai, le petit n'entrait pas dans mes prévisions. Trois est un mauvais nombre dans une seule pièce. Penser même qu'avec Ossip nous sommes quatre, c'est insupportable.

— Ossip n'a rien à voir dans tout cela.

— Si tu mettais le pot à chauffer, dit Oliveira.

— Il n'a rien à y voir, répéta la Sibylle. Pourquoi me fais-tu souffrir, grand idiot ? Je sais, tu es fatigué, tu ne m'aimes plus. Tu ne m'as jamais aimée, c'était autre chose, une façon de rêver. Eh bien, pars, Horacio, il n'y a aucune raison pour que tu restes. Et moi, ça m'est arrivé si souvent...

Elle se retourna vers le lit, Rocamadour paraissait dormir.

— Si souvent, dit Oliveira en remettant du maté frais dans le pot. Pour l'autobiographie sentimentale, tu es d'une franchise admirable. Ossip peut en témoigner. A peine te connaît-on, tu racontes l'histoire du Noir.

— Il me faut le dire, tu ne comprends pas.

— Je ne comprends sans doute pas, mais c'est inévitable.

— Je crois qu'il me faut le dire, bien que ce soit fatal. Il est juste de dire à un homme comment on a vécu si on l'aime. Je parle de toi, pas d'Ossip. Toi, tu pouvais ou non me parler de tes amies, mais moi il fallait que je te raconte tout. Tu sais, c'est la seule façon de les chasser avant d'en aimer un autre, la seule façon de les mettre à la porte pour qu'ils nous laissent tous les deux seuls dans la chambre.

— Une espèce de cérémonie expiatoire et peut-être même propitiatoire. D'abord, le Noir.

— Oui, dit la Sibylle en le regardant. D'abord le Noir. Après, Ledesma.

— Ledesma, oui, bien sûr.

— Et les trois de l'impasse, la nuit du carnaval.

— Par-devant, dit Oliveira en rajoutant du maté.

— Et M. Vincent, le frère de l'hôtelier.

— Par-derrière.
— Et un soldat qui pleurait dans un parc.
— Par-devant.
— Et toi.
— Par-derrière. Mais cette façon de m'inclure à la liste, moi encore présent, confirme mes lugubres pressentiments. En réalité, c'est à Gregorovius que tu devrais réciter la liste complète.

La Sibylle remuait la pipette dans le maté. Elle pencha la tête et tous ses cheveux retombèrent sur son visage, effaçant l'expression que Oliveira avait guettée d'un air indifférent :

*Después fuiste la amiguita*
*de un viejo boticario,*
*y el hijo de un comisario*
*todo el vento te sacó...*

Oliveira chantonnait le tango et la Sibylle aspira son maté en haussant les épaules sans le regarder. « Pauvre petite », pensa Oliveira. Il étendit la main et repoussa brutalement les cheveux en arrière comme s'il tirait un rideau. La pipette fit un bruit sec entre les dents de la Sibylle.

— C'est comme si tu m'avais frappée, dit-elle en posant sur sa lèvre deux doigts qui tremblaient. Moi ça m'est égal mais...
— Cela ne t'est pas égal, heureusement. Si tu ne me regardais pas ainsi, je te mépriserais. Tu es merveilleuse, malgré Rocamadour et tout.
— A quoi cela me sert que tu me dises ça ?
— Moi, cela me sert.
— Oui, toi, cela te sert. Tout te sert, toi, pour arriver à tes fins.
— Chérie, dit gentiment Oliveira, les larmes gâchent le goût du maté, c'est connu.
— Cela te sert peut-être aussi que je pleure.
— Oui, dans la mesure où je me reconnais coupable.
— Va-t'en Horacio, il vaut mieux.
— Probablement. Remarque, entre parenthèses, que si je m'en vais maintenant, c'est presque de l'héroïsme, car enfin je te laisse seule, sans argent, avec un enfant malade.
— Oui, dit la Sibylle, souriant homériquement entre ses larmes. C'est presque de l'héroïsme, c'est vrai.

20

— Et comme je suis loin d'être un héros il me semble préférable de rester jusqu'à ce que nous y voyions plus clair, comme dirait mon frère.

— Alors, reste.

— Mais tu comprends, j'espère, pourquoi et comment je renonce à cet héroïsme ?

— Oui, bien sûr.

— Voyons un peu, explique-moi pourquoi je ne pars pas.

— Tu ne pars pas parce que tu es assez bourgeois et que tu as peur de l'opinion de Ronald et de Babs et des autres amis.

— Exact. Il est bon que tu saches que tu n'es pour rien dans ma décision. Je ne reste ni par solidarité ni par pitié, ni parce qu'il faut bien donner à Rocamadour son biberon quotidien. Et encore moins parce que toi et moi nous avons encore quelque chose en commun.

— Que tu es drôle parfois, dit la Sibylle.

— Je n'en doute pas, dit Oliveira. Bob Hope est une merde à côté de moi.

— Quand tu dis que nous n'avons plus rien en commun, tu tords la bouche d'une façon...

— Un peu comme ça, n'est-ce pas ?

— Oui, c'est incroyable.

Ils durent enfoncer leur mouchoir dans la bouche, car ils furent pris d'un fou rire terrible qui aurait pu réveiller Rocamadour. La Sibylle glissait peu à peu de son fauteuil qui avait les pieds de devant plus courts et un coussin en pente et bien qu'Oliveira, mordant son mouchoir et pleurant de rire, fît son possible pour la retenir, elle finit par tomber entre ses jambes.

— Fais voir encore la grimace que je fais quand je dis ça, supplia Oliveira.

— Comme ça, dit la Sibylle, et ils se tordirent de rire à nouveau. Oliveira se pencha en avant en se tenant le ventre et la Sibylle vit son visage contre le sien, les yeux qui la regardaient en brillant entre les larmes. Ils s'embrassèrent à la renverse, ils s'embrassèrent en se mordant un peu parce que leurs bouches ne se reconnaissaient pas, ils embrassaient des bouches différentes, ils se cherchaient avec leurs mains dans un grand emmêlement de cheveux, et le maté qui s'était renversé au bord de la table coulait sur la jupe de la Sibylle.

20

— Dis-moi comment Ossip fait l'amour, murmura Oliveira en pressant ses lèvres contre celles de la Sibylle. Vite, le sang me monte à la tête, je ne pourrai pas rester longtemps comme ça, c'est épouvantable.

— Il le fait très bien, dit la Sybille en lui mordant la lèvre. Bien mieux que toi et plus longtemps.

— Mais est-ce qu'il te rétile la vurte ? Ne me mens pas. Est-ce qu'il te la rétile vraiment ?

— Oh ! oui beaucoup, trop même parfois. C'est une sensation merveilleuse.

— Et te fait-il mettre les pilins entre les argues ?

— Oui, et après, nous nous entretournons les parites jusqu'à ce qu'il crie grâce, et moi, de mon côté, je n'en peux plus et il nous faut nous dépêcher, tu comprends. Mais non, tu ne peux pas comprendre. Toi, tu t'en tiens toujours aux plus faibles joussures.

— Moi et les autres, grogna Oliveira en se redressant. Dis donc, ce maté est une véritable cochonnerie, je vais aller me promener un peu.

— Tu ne veux pas que je continue à te raconter d'Ossip ? dit la Sibylle. En gliglicien.

— Le gliglicien m'ennuie. Et puis tu n'as aucune imagination, tu répètes toujours les mêmes choses. La joussure, tu parles d'une nouveauté. Et puis on ne dit pas « raconter de ».

— Le gliglicien, c'est moi qui l'ai inventé, dit la Sibylle avec humeur. Toi, tu dis n'importe quoi, pour briller, mais ce n'est pas du vrai gliglicien.

— Pour en revenir à Ossip...

— Ne sois pas stupide, Horacio, je te dis que je n'ai pas couché avec lui. Faut-il que je te fasse le grand serment sioux ?

— Non, après tout, il me semble que je vais te croire.

— D'ailleurs, reprit la Sibylle, il est probable que je finirai par coucher avec Ossip, mais c'est toi qui l'auras voulu.

— Mais, sincèrement, ce type-là peut te plaire ?

— Non. Mais il faut payer la pharmacie. De toi, je ne veux pas un sou et je ne peux tout de même pas demander de l'argent à Ossip et le laisser le bec dans l'eau.

— Oui, je sais, dit Oliveira, ton côté samaritain. Le petit soldat du parc, tu ne pouvais pas non plus le laisser pleurer.

— Parfaitement. Tu vois comme nous sommes différents.

— Oui, la pitié n'est pas mon fort. Mais peut-être vais-je

me mettre à pleurer un de ces quatre matins, et alors toi...

— Je ne te vois pas en train de pleurer, dit la Sibylle. Pour toi, ce serait comme du gaspillage.

— Ça m'est arrivé de pleurer.

— De rage seulement. Tu ne sais pas pleurer, Horacio, c'est une des choses que tu ne sais pas faire.

Oliveira attira la Sibylle sur ses genoux. L'odeur de la Sibylle, de la nuque de la Sibylle le rendait triste, à présent. Cette même odeur qui avant... « Chercher à travers les signes, pensa-t-il vaguement. Oui, c'est une des choses que je ne sais pas faire et pas davantage pleurer ou avoir pitié. »

— Nous ne nous sommes jamais aimés, dit-il en embrassant ses cheveux.

— Ne parle pas pour moi, dit la Sibylle en fermant les yeux. Tu ne peux pas savoir si je t'aime ou pas. Cela non plus tu ne peux pas le savoir.

— Tu me crois si aveugle ?

— Au contraire, ça te ferait tellement de bien d'être un peu aveugle.

— Ah ! oui, le toucher pour remplacer les définitions, l'instinct qui va plus loin que l'intelligence. La voie magique, la nuit obscure de l'âme.

— Ça te ferait tellement de bien, répéta la Sibylle obstinément, comme toutes les fois qu'elle ne comprenait pas et voulait faire semblant.

— Ecoute, ce dont je dispose me suffit pour comprendre que chacun de nous peut s'en aller de son côté. Je crois que j'ai besoin d'être seul, Lucia, et je ne sais vraiment pas ce que je vais faire. Je vous traite injustement, toi et Rocamadour qui est en train de se réveiller, je crois bien, et je ne veux pas que cela continue.

— Ne te soucie pas de moi et de Rocamadour.

— Je ne m'en soucie pas, mais nous nous marchons sur les pieds, c'est gênant et peu esthétique. Je ne suis peut-être pas assez aveugle, ma chérie, mais le nerf optique me permet encore de voir que tu te débrouilleras parfaitement sans moi. Aucune de mes amies ne s'est suicidée pour moi, que je sache, bien que mon orgueil saigne en le disant.

— Oui, Horacio.

— C'est-à-dire que si j'arrive à un degré d'héroïsme suffisant pour te plaquer ce soir ou demain matin, ce sera comme s'il ne s'était rien passé.

— Rien, dit la Sibylle.

— Tu emmèneras de nouveau ton fils chez Mme Irène et tu reviendras à Paris vivre ta vie.

— Exactement.

— Tu iras beaucoup au cinéma, tu continueras à lire des romans, tu te promèneras au risque de ta vie dans les pires quartiers et aux pires heures.

— Absolument.

— Tu trouveras un tas de choses étranges dans la rue, tu les rapporteras, tu fabriqueras des objets, Wong t'apprendra à jongler avec des assiettes et Ossip te suivra à deux mètres de distance, l'air humble et les mains jointes.

— Je t'en prie, Horacio, dit la Sibylle en l'entourant de ses bras et en cachant son visage contre son bras.

— Et évidemment nous nous rencontrerons par hasard dans les endroits les plus étranges, comme le soir de la Bastille, tu te rappelles ?

— Rue Daval.

— J'étais pas mal ivre, tu as surgi au coin d'une rue et nous sommes restés là à nous regarder comme deux idiots.

— Parce que je croyais que, ce soir-là, tu devais aller à un concert.

— Et toi tu m'avais dit que tu avais un rendez-vous avec Mme Léonie.

— Tu avais ton pull-over vert et tu t'étais arrêtée pour consoler un pédéraste.

— On l'avait chassé d'un café à coups de poing et il pleurait tant qu'il pouvait.

— Une autre fois, on s'était rencontrés près du quai de Jemmapes.

— Il faisait chaud, dit la Sibylle.

— Je n'ai jamais bien compris ce que tu cherchais quai de Jemmapes.

— Oh ! je ne cherchais rien.

— Tu avais une pièce dans la main.

— Je l'avais trouvée au bord du trottoir, elle brillait tellement.

— De là, nous sommes allés place de la République où il

y avait des baraques foraines et nous avons gagné une boîte de bonbons.

— Affreux.

— Et une autre fois, je sortais du métro Mouton-Duvernet et tu étais assise à un café entre un Noir et un Annamite.

— Et toi, au fond, tu ne m'as jamais dit ce que tu allais faire de ce côté-là.

— J'allais chez une pédicure, dit Oliveira. Elle avait une salle d'attente tapissée dans les tons parme et tango : gondoles, palmiers et des amants embrassés au clair de lune. Imagine-toi ça répété cinq cents fois en format 12 × 18.

— Tu y allais pour ça, pas pour des cors aux pieds.

— Ce n'étaient pas des cors, ma petite. Une authentique verrue plantaire. Manque de vitamines, à ce qu'il paraît.

— Et elle est partie ? demanda la Sibylle en relevant la tête et en regardant Oliveira d'un air très intéressé.

Au premier éclat de rire, Rocamadour se réveilla et se mit à geindre. Oliveira soupira, ça allait recommencer, la Sibylle de dos, penchée sur le lit, ses mains allant et venant. Il mit un maté à infuser, il roula une cigarette. Il ne voulait pas penser. La Sibylle alla se laver les mains et revint. Ils burent un maté en évitant de se regarder.

— Le bon côté de cette histoire, dit Oliveira, c'est qu'elle ne verse pas dans le mélo. Ne me regarde pas comme ça, si tu y réfléchis un peu, tu verras ce que je veux dire.

— Je vois, dit la Sibylle. Mais ce n'est pas pour ça que je te regarde.

— Ah, parce que tu crois que...

— Un peu, oui. Mais il vaut mieux ne pas en reparler.

— Tu as raison. Bon, je crois que je vais faire un petit tour.

— Ne reviens pas, dit la Sibylle.

— N'exagérons tout de même pas, dit Oliveira. Où veux-tu que j'aille dormir ? Les nœuds gordiens à trancher et le petit zéphyr qui souffle dans la rue, ça fait deux, il doit bien faire moins cinq ce soir.

— Il vaut mieux que tu ne reviennes pas, Horacio, dit la Sibylle. A présent, cela m'est facile à dire. Comprends.

— Tout de même, dit Horacio, il me semble que nous nous sommes félicités un peu vite de notre savoir-faire.

— Tu me fais tellement pitié, Horacio.

— Ah ça, non. Doucement, là-dessus.

— Tu sais que je vois parfois. Tout m'apparaît si clairement. Et dire qu'il y a une heure je pensais que le mieux était d'aller me jeter à l'eau.

— L'inconnue de la Seine... Mais, ma pauvre, tu nages comme un cygne.

— Tu me fais pitié, répéta la Sibylle. Je me rends compte à présent. Le soir où nous nous sommes rencontrés derrière Notre-Dame, ce soir-là aussi j'avais vu que... Mais je n'avais pas voulu le croire! Tu portais une si jolie chemise bleue. C'est ce jour-là que nous sommes allés à l'hôtel pour la première fois, n'est-ce pas ?

— Non, mais cela ne fait rien. Et tu m'as appris à parler gliglicien.

— Si je te disais que tout cela je l'ai fait par pitié.

— Allons donc, dit Oliveira en la regardant, surpris.

— Ce soir-là, tu étais en danger. Ça se voyait, c'était comme une sirène au loin... je ne peux pas t'expliquer.

— Les dangers que je cours ne sont que métaphysiques, dit Oliveira. Crois-moi, on ne me retirera pas de l'eau avec des perches, moi. Je crèverai d'une occlusion intestinale, de la grippe asiatique ou d'une 403 Peugeot.

— Je ne sais pas, dit la Sibylle. Moi, je pense parfois à me tuer, mais je vois bien que je ne le ferai pas. Ne crois pas que ce soit simplement à cause de Rocamadour, avant lui c'était la même chose. L'idée de me tuer me fait toujours du bien. Mais toi qui n'y penses pas... Pourquoi parles-tu de dangers métaphysiques ? Il y a aussi des fleuves métaphysiques, Horacio. Et toi, c'est dans un de ces fleuves que tu te jetteras un jour.

— Peut-être, dit Horacio, que ça s'appelle le Tao.

— J'ai cru que je pourrais te protéger. Ne dis rien. Je me suis tout de suite rendu compte que tu n'avais pas besoin de moi. Nous faisions l'amour comme deux musiciens qui se réunissent pour jouer une sonate.

— C'est joli ce que tu dis là.

— Oui, c'était bien ça, le piano jouait de son côté, le violon du sien et de là naissait la sonate, mais, tu vois, au fond, nous ne nous rencontrions pas. Je l'ai tout de suite senti, Horacio, mais les sonates étaient si belles.

— Oui, ma chérie.

— Et le gliglicien.
— Eh oui.
— Tout, le Club, et ce soir-là, quai de Bercy, sous les arbres, où nous avons fait la chasse aux étoiles jusqu'au petit matin, tu as eu soif et nous avons acheté une bouteille de mousseux très chère que nous avons bue au bord de l'eau.
— Un clochard s'est amené et nous avons partagé la bouteille avec lui.
— Il savait une foule de choses, le latin, les philosophes orientaux, vous avez même parlé de...
— D'Averroès, je crois.
— Averroès, oui.
— Et le soir où un soldat m'a caressé les fesses à la foire du Trône. Tu lui as allongé un direct et on nous a tous emmenés au poste.
— Chut ! Rocamadour pourrait entendre, dit Oliveira en riant.
— Rocamadour, heureusement, ne se souviendra pas de toi, il n'a rien encore derrière les yeux. Comme les oiseaux qui mangent les miettes de pain qu'on leur jette. Ils te regardent, ils les mangent, ils s'envolent... Il ne reste rien.
— Non, dit Oliveira, il ne reste rien.
Dans l'escalier, on entendait crier la bonne femme du troisième, soûle comme d'habitude à cette heure-là. Oliveira lança un regard rêveur vers la porte, mais la Sibylle se serra contre lui et glissa jusqu'à ses genoux qu'elle embrassa en pleurant et en tremblant.
— Pourquoi un si grand chagrin ? dit Oliveira. Les fleuves métaphysiques passent tout près de nous, il n'y a pas beaucoup de chemin à faire pour les trouver. Ecoute, petite buse, personne n'a autant de droits que moi à se noyer. Mais je te promets une chose, me souvenir de toi au dernier moment pour que ce me soit encore plus amer. Un véritable feuilleton avec couverture en couleurs.
— Ne t'en va pas, murmura la Sibylle en se serrant contre ses jambes.
— Rien qu'un petit tour dans le quartier.
— Non, ne t'en va pas.
— Laisse-moi. Tu sais très bien que je vais revenir, au moins ce soir.
— Allons-y ensemble. Tu vois, Rocamadour dort, il va res-

ter tranquille jusqu'à l'heure du biberon. Nous avons deux heures devant nous, allons au café du quartier arabe, ce petit café triste où l'on est si bien.

Mais Oliveira voulait sortir seul. Il se libéra peu à peu de l'étreinte de la Sibylle. Il lui caressa les cheveux, passa les doigts sur son collier, l'embrassa sur la nuque, derrière l'oreille en l'écoutant pleurer avec tous ses cheveux sur son visage. « Pas de chantage, pensait-il, pleurons face à face, mais pas ce hoquet bon marché que l'on apprend au cinéma. » Il lui releva le menton, l'obligea à le regarder.

— Le salaud, c'est moi, dit-il. Laisse-moi payer seul. Pleure pour ton fils qui va peut-être mourir, mais ne gaspille pas tes larmes pour moi. Juste ciel, depuis le père Zola, on n'avait pas vu pareille scène. Laisse-moi sortir, je t'en prie.

— Pourquoi ? dit la Sibylle sans se relever et avec un regard de chien battu.

— Pourquoi quoi ?

— Pourquoi ?

— Ah ! tu veux dire pourquoi tout ça. Va-t'en savoir, je crois que ce n'est pas tellement notre faute. Nous ne sommes pas des adultes, Lucia. C'est un mérite, mais il se paie cher. Les enfants se tirent toujours les cheveux après avoir joué. Ce doit être quelque chose comme ça. Il faudrait y repenser.

(-126)

## 21

C'est pareil pour tout le monde, l'effigie de Janus c'est du superflu, *en réalité,* après quarante ans, c'est sur la nuque que nous portons notre véritable visage, regardant désespérément en arrière. Ceci est, très exactement, un *lieu commun.* Rien à faire, on ne peut que le constater avec les mots mêmes qui plissent d'ennui les lèvres des adolescents unifaces. Entouré de garçons en pull-overs et de filles délicieusement crasseuses dans la vapeur des cafés crème de Saint-Germain-des-Prés, de jeunes gens qui lisent Durrell, Beauvoir, Duras, Douassot, Queneau, Sarraute, je suis, moi, un Argentin francisé (horreur, horreur), en marge de la mode adolescente, du *cool,* ayant anachroniquement dans les mains un *Etes-vous fous ?* de René Crevel, dans la mémoire le surréalisme, sur le ventre le signe d'Antonin Artaud, dans les oreilles les *Ionisations* de Varèse et dans les yeux Picasso (bien que je sois un Mondrian, d'après ce qu'on m'a dit).

— *Tu sèmes des syllabes pour récolter des étoiles,* se moque doucement Crevel.

— On fait péniblement ce qu'on peut, lui dis-je.

— Et cette fémina, *n'arrêtera-t-elle donc pas de secouer l'arbre à sanglots ?*

—Tu es injuste, elle pleure à peine, se plaint à peine.

C'est triste d'arriver à un moment de la vie où il est plus facile d'ouvrir un livre à la page 96 et de dialoguer avec son auteur, de café à tombe, de désabusé à suicidé pendant qu'à la table d'à côté on parle de l'Algérie, d'Adenauer, de Brigitte Bardot, de Guy Trébert, de Sidney Bechet, de Michel Butor, de Nabokov, de Zao-Wu-Ki, de Louison Bobet et que, dans mon pays, les jeunes gens parlent, de quoi parlent-ils les jeunes gens dans mon pays ? Je ne le sais déjà plus, je vis si loin, mais ils ne parlent certainement pas de Spilimbergo, de Justo Suárez, ils ne parlent pas du Requin de Quilla, ils ne parlent pas de Bonini, ils ne parlent pas de Leguisamo. *Et c'est bien naturel.* La poisse, c'est que le naturel devienne l'ennemi de la réalité, on ne sait trop pourquoi, il arrive un moment où le naturel sonne effroyablement faux, il arrive un moment où la réalité des vingt ans coudoie la réalité des quarante, et celle des vingt ans porte à chaque coude une lame de rasoir qui taillade notre manche. Je découvre de nouveaux mondes à la fois simultanés et étrangers, j'incline de plus en plus à croire qu'être d'accord c'est la pire des illusions. Pourquoi cette soif d'ubiquité, pourquoi cette lutte contre le temps ? Moi aussi je lis Nathalie Sarraute et je regarde la photo de Guy Trébert avec les menottes mais *ce sont des choses qui m'arrivent* tandis que si c'est moi qui décide c'est presque toujours pour me retourner. Ma main parcourt les rayons de la bibliothèque, elle en tire Crevel, Roberto Arlt, Jarry. Aujourd'hui me passionne mais toujours vu d'hier (me passionne, ai-je dit ?), et c'est ainsi qu'à mon âge le passé devient présent et le présent un étrange et brumeux futur où des garçons en pull-overs et des filles aux cheveux épars boivent leurs cafés crème et se caressent avec une grâce lente de chats ou de plantes.

Il faut lutter contre ça.

Il faut se réinstaller dans le présent.

Il paraît que je suis un Mondrian, donc...

Mais Mondrian peignait son présent il y a quelque quarante ans.

(Une photo de Mondrian, ressemblant comme deux gouttes d'eau à un chef d'orchestre de tangos, cheveux gominés et col dur, un employé de banque dansant avec une môme aguicheuse. Quelle sorte de présent éprouvait Mondrian pendant qu'il dansait ? Ces toiles de lui, cette photo... Habîmes.)

Tu es vieux Horacio. Quintus Horatius Flacus, tu es vieux. Maigre. Tu es maigre et vieux, Oliveira.

— *Il verse son vitriol entre les cuisses des faubourgs*, ricane Crevel.

Qu'y faire ? Au milieu du grand désordre, je me crois encore une girouette; après tant de tours, il faut bien marquer un nord, un sud. Dire de quelqu'un qu'il est une girouette, c'est manquer d'imagination, on voit bien les virevoltes, mais pas l'intention profonde, la pointe de la flèche qui cherche à s'enfoncer et à rester prise dans le fleuve du vent.

*Il y a des fleuves métaphysiques.* Oui, ma chérie, bien sûr. Tu dois être en train de soigner ton fils en pleurant de temps en temps, et ici c'est déjà un autre jour avec un soleil jaune qui ne réchauffe pas. *J'habite à Saint-Germain-des-Prés, et chaque soir j'ai rendez-vous avec Verlaine. Ce gros pierrot n'a pas changé et pour courir le guilledou...* Pour vingt francs mis dans la fente, Léo Ferré te chante ses amours, ou Gilbert Bécaud, ou Guy Béart. Et là-bas, dans mon pays : *Si quieres ver la vida color de rosa / Eche veinte centavos en la ranura...* Tu as peut-être ouvert la radio (la location finit lundi prochain, il faudra que je te le dise) et tu écoutes de la musique de chambre, ou bien tu as mis un disque, très bas, pour ne pas éveiller Rocamadour. J'ai l'impression que tu ne te rends pas compte à quel point Rocamadour est malade, terriblement faible et malade, et qu'il serait bien mieux soigné à l'hôpital. Mais je ne puis plus te parler de ces choses-là, disons que tout est fini entre nous et que j'erre par là, tournant sur moi-même, cherchant le nord, cherchant le sud, si tant est que je les cherche. Mais si je ne les cherche pas, pourquoi tout ça ? O mon amour, tu me manques, tu me fais mal à la peau, à la gorge, chaque fois que je respire c'est comme si le vide entrait dans ma poitrine où tu n'es pas.

— *Toi,* dit Crevel, *toujours prêt à grimper les cinq étages des pythonisses faubouriennes, qui ouvrent grandes les portes du futur...*

Et pourquoi pas, pourquoi ne serais-je pas allé à la recherche de la Sibylle, il m'avait suffi tant de fois de déboucher sous la voûte qui donne quai Conti en venant de la rue de Seine pour voir, dès que la lumière cendre olive au-dessus du fleuve me permettait de distinguer les choses, sa mince silhouette s'inscrire sur le Pont des Arts et nous partions alors à la chasse aux ombres, mangeant des frites faubourg Saint-Denis, nous embrassant près des péniches du canal Saint-Martin. Près d'elle, je sentais grandir un air nouveau, les signes fabuleux du soir ou la façon dont les choses précisaient leurs contours quand nous étions ensemble; aux grilles de la Cour de Rohan, les vagabonds se dressaient vers le royaume peureux et aluné des témoins et des juges... Pourquoi n'aurais-je pas aimé la Sibylle, pourquoi ne l'aurais-je pas possédée sous des dizaines de plafonds à six cents francs la nuit, sur des couvre-lits élimés et sales, puisque sur cette vertigineuse marelle, dans cette course en sac, je me reconnaissais et me nommais, enfin et jusqu'à quand sorti du temps et de ses cages, de ses vitrines Omega Electron Girard Perregaud Vacheron & Constantin marquant les heures et les minutes des obligations castratrices, dans un air où se défaisaient les derniers liens, et le plaisir était miroir de réconciliation, miroir aux alouettes mais miroir tout de même, quelque chose comme un sacrement de corps à corps, de danse autour de l'arche, approche du sommeil bouche contre bouche, parfois sans nous délier, les sexes unis et chauds, les bras comme des rênes végétales, les mains caressant avec application une cuisse, un cou...

— *Tu t'accroches à des histoires,* dit Crevel. *Tu étreins des mots...*

— Non, mon vieux, ça, ça se pratiquerait plutôt de l'autre côté de la mer, un pays que tu ne connais pas. Moi, ça fait un moment déjà que je ne couche plus avec les mots. Je m'en sers, bien sûr, comme toi et comme tout le monde, mais je les brosse avec soin avant de me les mettre.

Crevel se méfie et je le comprends. Entre la Sibylle et moi pousse un roncier de mots, il n'y a que quelques rues et quelques heures qui nous séparent et déjà ma peine *s'appelle* peine, mon amour *s'appelle* mon amour... Je vais de moins en moins les éprouver et de plus en plus me rappeler, mais qu'est-ce que le souvenir sinon le langage des sentiments, un dictionnaire de visages, de jours et de parfums qui reviennent comme les verbes et les adjectifs dans le discours, s'approchant sous cape de la chose en soi, du présent pur, nous instruisant ou nous affligeant par substitution, jusqu'à ce que tout notre être devienne lui-même substitution, le visage qui regarde en arrière ouvre de grands yeux, le vrai visage s'efface comme sur les vieilles photos et Janus est soudain quiconque d'entre nous. Tout ça je le dis à Crevel mais c'est à la Sibylle que je parle, maintenant qu'elle est si loin. Et je ne lui parle pas avec les mots qui n'ont servi qu'à ne pas nous entendre, je commence, maintenant qu'il est trop tard, à en employer d'autres, les siens, ceux colorés de cette chose qu'elle comprend et qui n'a pas de nom, auras et vibrations qui tendent l'air entre deux corps ou qui remplissent de poussière d'or une chambre ou un poème. Mais n'avons-nous pas vécu ainsi tout le temps en nous blessant doucement ? Non, nous n'avons pas vécu ainsi, elle aurait bien voulu, mais moi, une fois de plus, j'ai rétabli l'ordre faux qui dissimule le chaos, j'ai feint de me livrer à une vie plus profonde dont je ne touche l'eau terrible que du bout du pied. Il y a des fleuves métaphysiques, mais c'est elle qui les nage comme cette hirondelle nage en l'air, tournant fascinée autour du clocher, se laissant tomber pour mieux rebondir ensuite avec l'élan. Je décris, je définis et je désire ces fleuves, elle les nage. Je les cherche, je les trouve, je les regarde du haut du pont, elle les nage. Et elle ne le sait pas, comme cette hirondelle. Elle n'a pas besoin de savoir comme moi, elle peut vivre dans le désordre sans qu'aucune conscience d'ordre ne la retienne. Ce désordre qui est son ordre mystérieux, cette bohème du corps et de l'âme qui lui ouvre grandes les portes véritables. Sa vie n'est désordre que pour moi, enterré dans des préjugés que je méprise et que je respecte à la fois. Moi, condamné à être irrémédiablement absous par la Sibylle qui me juge sans le savoir. Ah ! laisse-moi entrer, laisse-moi voir un jour par tes yeux.

Inutile. Condamné à être absous. Rentrez chez vous et lisez Spinoza. La Sibylle ne sait pas qui est Spinoza. La Sibylle lit d'interminables romans russes, allemands, sans compter Pérez Galdós, et elle les oublie aussitôt. Elle ne pensera jamais qu'elle me condamne à lire Spinoza. Juge inouï, juge à cause de ses mains, à cause de sa course en pleine rue, juge à cause d'un seul regard qui me met à nu, juge parce que stupide, malheureuse, égarée, obtuse et moins que rien. A cause de tout ce que je sais avec mon amer savoir, mon écumoire rouillée d'universitaire, d'homme cultivé, à cause de tout cela, juge. Laisse-moi tomber, hirondelle, et avec ces ciseaux effilés qui découpent le ciel de Saint-Germain-des-Prés, arrache ces yeux qui regardent sans voir, je suis condamné sans appel, vite cet échafaud bleu où me hissent les mains de la femme qui soigne son enfant, vite la peine, vite l'ordre mensonger d'être seul et de retrouver l'omniscience, l'égoscience, la conscience. Et avec toute cette science, une envie inutile d'avoir pitié de quelque chose, l'envie qu'il pleuve là-dedans, qu'il se mette enfin à pleuvoir et que ça sente la terre, les choses vivantes, oui, enfin les choses vivantes.

(-79)

# 22

Selon les dires, le vieux avait glissé, l'auto avait brûlé le feu rouge, le vieux avait voulu se suicider, tout allait de plus en plus mal à Paris, la circulation devenait monstrueuse, ce n'était pas la faute du vieux, c'était la faute du vieux, les freins de l'auto ne marchaient pas, le vieux était d'une imprudence folle, la vie était de plus en plus chère, il y avait trop d'étrangers qui ne comprenaient rien aux règlements de la circulation et qui prenaient le travail des Français.

Le vieux n'avait pas l'air trop mal en point. Il souriait vaguement en passant une main sur sa moustache. L'ambulance arriva, on installa le blessé sur le brancard pendant que le conducteur de l'auto continuait à agiter les mains et à expliquer l'accident aux agents et aux curieux.

— Il habite au 32, rue Madame, dit un jeune homme blond qui avait échangé quelques phrases avec Oliveira et les autres badauds. Je le connais, c'est un écrivain, il écrit des livres.

— Le pare-chocs l'a atteint aux jambes mais l'auto avait déjà bien freiné.

— Il l'a atteint à la poitrine, ouais, dit le jeune homme. Le vieux avait glissé sur une merde.

— Il l'a atteint aux jambes, dit Oliveira.

— Ça dépend du point de vue, dit un monsieur extrêmement petit.

— Il l'a frappé à la poitrine, j'vous dis, dit le jeune homme. Je l'ai vu de mes yeux.

— En ce cas... Ne faudrait-il pas avertir sa famille ?

— Il n'a pas de famille, c'est un écrivain.

— Ah ! dit Oliveira.

— Il a un chat et beaucoup de livres. Une fois, je suis

monté lui porter un paquet de la part de la concierge et il m'a fait entrer. Il y avait des livres partout. Ça devait lui arriver, les écrivains sont des gens distraits. Moi, avant qu'une auto m'attrape...

Quelques gouttes de pluie se mirent à tomber et le chœur des témoins se dispersa aussitôt. Oliveira, remontant le col de sa canadienne, mit le nez dans le courant froid du vent et continua à marcher sans but. Il était sûr que le vieux n'avait rien de grave mais il revoyait son visage paisible, plutôt perplexe pendant qu'on l'allongeait sur le brancard avec des paroles de réconfort. « Vous en faites pas, pépère, ça n'est rien », avait dit le brancardier qui devait répéter la même chose à tout le monde. « La non-communion parfaite, pensa Oliveira. Ce n'est pas tant que nous soyons seuls, ça, on le sait et pas moyen d'y couper. Etre seul, en définitive, c'est être seul sur un certain plan où d'autres solitudes pourraient, à la rigueur, établir un contact avec nous. Mais le moindre conflit, un accident de la rue ou une déclaration de guerre, provoque la brutale intersection de plans différents et un homme qui est peut-être une éminence en science ou en sanscrit devient un *pépère* pour le brancardier qui le relève dans la rue. Edgar Poe sur une brouette, Verlaine aux mains de médicastres, Nerval et Artaud chez les psychiatres de quartier. Que pouvait savoir de Keats l'apothicaire italien qui le saignait et le faisait mourir de faim ? Et, comme il est vraisemblable que des hommes comme eux gardent le silence, les autres triomphent aveuglément, sans mauvaise intention d'ailleurs, sans savoir que cet opéré, ce tuberculeux, ce blessé nu sur un lit, est doublement seul entouré d'êtres se mouvant comme derrière une vitre, dans une autre époque... »

Oliveira entra sous un porche pour allumer une cigarette. Le soir tombait. Des groupes de jeunes filles sortaient des magasins, pleines d'envies de rire, de parler fort, de se pousser, de se dilater dans une porosité d'un quart d'heure avant de retomber sur le bifteck et le magazine de la semaine. Oliveira poursuivit son chemin. Sans vouloir dramatiser, la plus modeste objectivité vous donnait un aperçu de l'absurde de Paris, de la vie grégaire. Puisqu'il avait pensé aux poètes, il n'avait qu'à se rappeler tous ceux qui avaient dénoncé la solitude de l'homme près de l'homme, la dérisoire comédie des salutations, le « pardon » quand on se croise dans l'escalier, la place que l'on cède aux dames dans le métro, la « fraternité » de la politique et des sports. Seul un optimisme biologique et sexuel pouvait cacher à certains leur insularité, n'en déplaise à John Donne. Les contacts dans l'action, la race, le métier, le lit ou le stade étaient des contacts de branches et de feuilles qui s'entrelacent et se caressent d'arbre à arbre tandis que les troncs élèvent dédaigneux leurs parallèles inconciliables. « *Au fond*, nous pourrions être comme à la surface, pensa Oliveira, mais il faudrait vivre d'une autre façon. Et qu'est-ce que cela veut dire vivre d'une autre façon ? Peut-être vivre absurdement pour en finir avec l'absurde, se jeter en soi-même avec tant de violence que le saut s'achève dans les bras d'un autre. Oui, peut-être l'amour, mais l'*otherness* nous dure ce que dure une femme et encore seulement pour ce qui touche à cette femme. Allons, il n'y a pas d'*otherness*, tout au plus l'agréable *togetherness*. C'est déjà quelque chose... » Amour, cérémonie ontologisante, donneuse d'être. Et c'est pour cela qu'il lui venait à présent à l'esprit ce qu'il aurait peut-être dû penser dès le début : sans la possession de soi, il n'y a pas possession de l'autre et qui se possédait véritablement ? Qui était vraiment désabusé de soi, de la solitude absolue au point de ne pouvoir compter sur sa propre compagnie et d'être obligé de se jeter au cinéma, au bordel, chez les amis, dans un métier absorbant ou dans le mariage pour être au moins seul-parmi-les-autres ? Ainsi, paradoxalement, le comble de la solitude menait au comble du grégaire, à la grande illusion de la compagnie, à l'homme seul dans la salle des échos et des mircirs. Ainsi, des gens comme lui qui s'acceptaient (ou se refusaient, mais en se connaissant de près) tombaient dans le pire paradoxe, celui d'être peut-être au bord de l'altérité sans pouvoir franchir ce bord. La véritable altérité faite de délicats contacts, de merveilleux ajustements avec le monde, ne pouvait s'accomplir avec un seul terme, à la main tendue devait répondre une autre main venue du dehors, de l'autre.

(-62)

# 23

Arrêté au coin d'une rue, fatigué de l'atmosphère raréfiée de ses réflexions (bien qu'il pensât à tout moment, sans savoir pourquoi, au petit vieux qui devait être maintenant dans un lit d'hôpital, les médecins, les étudiants et les infirmières l'entourant, aimablement impersonnels, lui demandant nom, âge et profession, lui disant que ce n'était rien, lui faisant aussitôt des piqûres et des pansements), Oliveira se mit à regarder ce qui se passait autour de lui et comme un quelconque coin de rue d'une quelconque ville était l'illustration parfaite de ce qu'il pensait, ça lui évitait presque la peine de... Dans un café, à l'abri du froid (ce ne serait pas une mauvaise idée d'entrer boire un verre), un groupe de maçons bavardait avec le patron au comptoir. Deux étudiants lisaient et écrivaient à une table et Oliveira les voyait de temps en temps lever les yeux vers le groupe d'ouvriers, revenir à leur livre, regarder à nouveau. D'une cage de verre à l'autre, se regarder, s'isoler, se regarder : c'était tout. Au-dessus de la terrasse fermée du café, une dame au premier étage semblait coudre ou couper un vêtement devant la fenêtre. Sa haute coiffure bougeait en cadence, Oliveira imaginait le mouvement des ciseaux, les enfants qui allaient bientôt rentrer de l'école, le mari finissant sa journée dans un bureau ou une banque. Les maçons, les étudiants, la dame et maintenant un clochard qui débouchait d'une rue transversale, une bouteille de rouge sortant de sa poche, poussant une voiture d'enfant débordant de vieux journaux, de boîtes de conserves, de vêtements déchirés et crasseux, une poupée sans tête, un paquet d'où sortait un queue de poisson. Les maçons, les étudiants, la dame, le clochard et, dans sa guérite de condamné au pilori, LOTERIE

NATIONALE, une vieille femme aux cheveux rebelles, les mèches dépassant d'une espèce de bonnet gris, les mains protégées de mitaines bleues, TIRAGE MERCREDI, attendant le client sans l'attendre, un brasero à ses pieds, enchâssée dans son cercueil vertical, à demi congelée, offrant la chance et pensant Dieu seul sait quoi, de petits grumeaux d'idées, des répétitions séniles, la maîtresse de son école qui lui donnait des bonbons, un mari mort dans la Somme, un fils voyageur de commerce, le soir la chambre sous les combles, sans eau courante, la soupe de l'avant-veille, le bourguignon moins cher que le bifteck, TIRAGE MERCREDI. Les maçons, les étudiants, le clochard, la vendeuse de billets de loterie, chaque groupe pour soi, chacun dans sa cage de verre, mais qu'un vieux vînt à se faire renverser par une auto et c'était aussitôt une course générale sur le lieu de l'accident, propos divers ou unanimes jusqu'à ce qu'il se mît à pleuvoir et que les maçons s'en retournassent au comptoir, les étudiants à leur table, les X aux X et les Z aux Z.

« Ce n'est qu'en vivant absurdement qu'on pourrait peut-être rompre cet absurde infini, se répéta Oliveira. Eh mais, c'est que je vais être trempé, il faut que j'entre quelque part. » Il aperçut les affiches de la Salle de Géographie et se réfugia dans l'entrée. Une conférence sur l'Australie, continent inconnu. Réunion des disciples du Christ de Montfavet. Concert de piano de Mme Berthe Trépat. Inscription ouverte pour un cours sur les météores. Devenez judoka en cinq mois. Conférence sur le plan d'urbanisme de Lyon. Le concert allait commencer, les places n'étaient pas chères. Oliveira regarda le ciel, haussa les épaules et entra. Il aurait pu aller chez Ronald ou à l'atelier d'Etienne, mais il valait mieux garder ça pour ce soir. Ça l'amusait, il ne savait pourquoi, que la pianiste s'appelât Berthe Trépat. Ça l'amusait aussi de se réfugier dans une salle de concert pour échapper un moment à lui-même, illustration ironique de ce qu'il avait ruminé tout à l'heure en marchant. Il mit cent vingt francs à la hauteur des dents de la vieille enfermée dans sa caisse. Il fut placé au dixième rang, pure méchanceté de la vieille puisque le concert allait commencer et qu'il n'y avait presque personne, quelques vieux messieurs chauves, d'autres barbus, et d'autres à la fois barbus et chauves avec l'air d'être du quartier ou de la famille, deux femmes d'une cinquantaine d'années avec de vieux manteaux et des parapluies ruisselants d'eau, quelques jeunes gens, des couples pour la plupart, qui discutaient avec véhémence, coups de coude, bruits de papier de bonbon et grincements de chaises. Au total une vingtaine de personnes. Ça sentait l'après-midi de pluie, la grande salle était glacée et humide, on entendait vaguement parler derrière le rideau de scène. Un vieux monsieur avait sorti sa pipe, Oliveira s'empressa d'allumer une Gauloise. Il ne se sentait pas très bien, un de ses souliers prenait l'eau, l'odeur de moisi et de vêtement mouillé le dégoûtait un peu. Il tira avec application sur sa cigarette jusqu'à ce qu'il l'eût un peu réchauffée. Une sonnette bégayante retentit au-dehors et un des jeunes gens applaudit bruyamment. La vieille ouvreuse, le béret de travers et un maquillage avec lequel elle avait dû dormir, écarta le rideau de l'entrée. C'est alors qu'Oliveira se souvint qu'on lui avait donné un programme. C'était une feuille mal ronéotypée où l'on déchiffrait avec peine que Mme Berthe Trépat, médaille d'or, allait jouer les *Trois Mouvements discontinus* de Rose Bob (première audition), *Pavane pour le général Leclerc* de Alix Alix (première audition civile) et la *Synthèse Delibes-Saint-Saëns* de Delibes, Saint-Saëns et Berthe Trépat.

« Merde, pensa Oliveira, en voilà un programme. »

Sorti d'on ne sait où, un monsieur à cheveux blancs et vaste double menton apparut derrière le piano. Il était vêtu de noir et caressait d'une main rose la chaîne qui barrait son gilet. Un gilet assez crasseux, sembla-t-il à Oliveira. Quelques applaudissements secs, en provenance d'une demoiselle en imperméable violet et lunettes à monture d'or. Le vieux monsieur à double menton, d'une voix extraordinairement semblable à celle d'un perroquet, se mit en devoir d'expliquer au public, en guise d'introduction au concert, que Rose Bob était une ancienne élève de Mme Berthe Trépat, que la *Pavane* de Alix Alix avait été composée par un éminent officier de carrière qui se cachait sous ce modeste pseudonyme et que ces deux œuvres utilisaient avec circonspection les procédés d'écriture musicale les plus modernes. Quant à la *Synthèse Delibes-Saint-Saëns* (et ici le vieux monsieur leva les yeux au ciel d'un air extasié), elle représentait dans la musique contemporaine une des plus profondes innovations que l'auteur lui-même, Mme Trépat, avait qualifiée de « syncrétisme fatidique ». Le mot était juste, dans la mesure où le génie musical de Delibes et de Saint-Saëns, tendant à l'osmose, à la fusion, à l'interphonie, serait resté cependant paralysé par l'individualisme excessif de l'Occident et condamné à ne pas fusionner en une création supérieure et synthétique s'il n'avait rencontré la géniale intuition de Mme Trépat. En effet, sa sensibilité avait capté des affinités qui échappaient au commun des auditeurs et assumé la noble bien que difficile entreprise de devenir ce pont médiumnique grâce auquel pouvait s'accomplir la rencontre de ces deux grands fils de France. Il lui fallait enfin signaler que Mme Berthe Trépat, en marge de son activité de professeur de musique, allait bientôt célébrer ses noces d'argent avec la composition musicale. L'orateur ne voulait pas se permettre, dans une simple introduction à un concert qui, il le voyait bien, était attendu du public avec une vive impatience, il ne voulait pas se permettre de développer, comme il eût été nécessaire, l'analyse de l'œuvre musicale de Mme Trépat. De toute façon, et à simple fin de fournir une portée mentale à tous ceux qui allaient écouter pour la première fois les œuvres de Rose Bob et de Mme Trépat, il pouvait résumer leur esthétique en la ramenant aux constructions antistructurales, c'est-à-dire à des cellules sonores autonomes, fruit de l'inspiration pure, reliées simplement à l'idée générale de l'œuvre mais totalement libre des modèles classiques, dodécaphoniques ou atonaux (il répéta ces deux derniers mots avec emphase). Ainsi, par exemple, les *Trois Mouvements discontinus* de Rose Bob, disciple préférée de Mme Trépat, étaient nés de la réaction provoquée sur la sensibilité de l'artiste par le bruit d'une porte violemment refermée, et les trente-deux accords qui constituaient le premier mouvement étaient autant de répercussions sur le plan esthétique de ce bruit; le présentateur ne croyait pas violer un secret en confiant à son auditoire averti que la technique de composition de la *Synthèse Delibes-Saint-Saëns* prenait sa source aux forces les plus primitives et ésotériques de la création. Il n'oublierait jamais avoir eu le privilège d'assister à une phase de cette synthèse où il vit Mme Trépat promener un pendule sur les partitions afin de vérifier si les passages qui avaient retenu sa stupéfiante intuition étaient bien ceux qui influençaient le pendule. Et bien qu'il eût pu leur en dire encore long là-dessus, il préférait se retirer non sans avoir salué en Mme Berthe Trépat un des phares de l'esprit français et un exemple pathétique de la méconnaissance du génie par le grand public.

Quarante mains battirent bruyamment, plusieurs allumettes perdirent la tête, Oliveira s'étira du mieux qu'il put sur sa chaise et se sentit mieux. Le vieil homme de l'accident devait se sentir mieux lui aussi dans son lit d'hôpital, plongé à présent dans la somnolence qui succède au choc, interrègne heureux où l'on renonce à être maître de soi et où le lit est comme un bateau, des congés payés, n'importe quelle coupure dans la vie ordinaire. « J'ai presque envie d'aller le voir un de ces jours, se dit Oliveira. Mais peut-être lui gâcherais-je son île déserte, je serais la trace du pied sur le sable. Dis donc, qu'est-ce que je deviens délicat ! »

Les applaudissements lui firent ouvrir les yeux et assister à la pénible révérence par laquelle Mme Berthe Trépat prétendait exprimer sa reconnaissance. Avant de voir son visage, ses souliers l'hypnotisèrent, des souliers si masculins qu'aucune jupe ne pouvait les faire oublier. Carrés, sans talons, avec des rubans inutilement féminins. Ce qui suivait était à la fois rigide et vaste, une grosse femme fourrée dans un corset implacable. Et pourtant, Berthe Trépat n'était pas grosse, à peine pouvait-on la qualifier de robuste. Elle devait avoir une sciatique ou un lumbago, quelque chose qui l'obligeait à se déplacer d'un seul bloc, d'abord de face pour saluer, ensuite de profil pour se glisser entre le piano et le tabouret et pour s'asseoir en se pliant géométriquement. Une fois là, l'artiste tourna brusquement la tête et salua de nouveau, bien que personne n'applaudît plus. « Il doit y avoir quelqu'un là-haut qui tire les fils », pensa Oliveira. Il aimait les marionnettes et les automates et il attendait merveille du « syncrétisme fatidique ». Berthe Trépat regarda encore le public, son rond visage enfariné prit sur lui tous les péchés de la pleine lune et sa bouche en cerise, violemment vermillonnée, s'allongea en barque égyptienne. A nouveau de profil, son petit nez en bec de perroquet considéra un moment le clavier pendant que les mains se posaient sur l'octave comme deux petits sacs de daim fripé. Et les trente-deux accords du premier mouvement discontinu retentirent. Entre le premier et le second, cinq secondes s'écoulèrent, entre le second et le troisième, quinze secondes. Arrivée au quinzième accord, Rose

Bob avait décrété une pause de vingt-cinq secondes. Oliveira, qui avait apprécié au début le bon usage webernien que Rose Bob faisait des silences, dut vite s'avouer que la répétition leur nuisait considérablement. Entre le septième et le huitième accord, des gens toussèrent, entre le douzième et le treizième quelqu'un frotta une allumette, entre le quatorzième et le quinzième on put entendre nettement le « ah ! merde à la fin ! » proféré par une petite blonde. Au vingtième accord, une des vétustes dames, véritable pickle virginal, empoigna énergiquement son parapluie et ouvrit la bouche pour dire quelque chose que le vingt et unième accord écrasa miséricordieusement. Oliveira, qui s'amusait, regarda Berthe Trépat; il avait l'impression qu'elle les surveillait du coin de l'œil. De l'œil droit, le petit profil réduit de Berthe Trépat laissait filtrer un regard gris céleste et Oliveira pensa que la malheureuse faisait peut-être le compte des places vendues. Au vingt-troisième accord, un monsieur totalement chauve se dressa, indigné, et, après avoir soufflé par le nez, sortit de la salle en faisant sonner ses talons dans le silence de huit secondes imposé par Rose Bob. A partir du vingt-quatrième accord, les pauses se firent plus rares, et du vingt-huitième au trente-deuxième parvint à s'établir un rythme de marche funèbre qui ne manquait pas de charme. Berthe Trépat retira ses souliers des pédales, posa la main gauche dans son giron et attaqua le deuxième mouvement. Ce mouvement n'avait que quatre mesures, chacune d'elles comprenant trois notes de même valeur. Le troisième mouvement consistait à partir de chaque extrémité du clavier pour revenir chromatiquement au centre, et vice versa du centre vers les extrémités. A un moment que rien ne laissait présager, la pianiste s'arrêta et se leva brusquement pour saluer la salle d'un air de défi où Oliveira crut cependant discerner une incertitude et même de la peur. Un couple applaudit rageusement, Oliveira se retrouva lui-même en train d'applaudir, sans savoir pourquoi (et quand il sut pourquoi ça le mit en rogne et il s'arrêta). Berthe Trépat récupéra presque instantanément son profil et promena sur le clavier un doigt indifférent, attendant que le silence se fît. Puis elle commença à jouer la *Pavane du général Leclerc*.

Pendant les premières mesures, Oliveira partagea son attention entre l'infâme sauce que Berthe Trépat expédiait à toute vapeur et la façon discrète ou spectaculaire dont la plupart des gens, jeunes et vieux, se défilaient. Mélange de Liszt et de Rachmaninov, la *Pavane* répétait inlassablement deux ou trois thèmes et se perdait ensuite dans d'infinies variations, morceaux de bravoure (fort mal joués, avec des trous et des rapiéçages un peu partout), solennités de cercueils montés sur affûts de canon coupées de brusques pyrotechnies auxquelles le mystérieux Alix Alix semblait se livrer avec délices. Une ou deux fois, Oliveira se demanda si la haute coiffure à la Salammbô de Berthe Trépat n'allait pas crouler mais un nombre formidable d'épingles devait la maintenir ancrée au milieu du vacarme et des secousses de la *Pavane*. Vinrent enfin les arpèges orgiastiques qui annonçaient le finale, les trois thèmes furent fidèlement répétés (l'un d'eux sortait tout droit du *Don Juan* de Strauss), et Berthe Trépat fit pleuvoir sur le clavier une averse d'accords dont le dernier sonna nettement faux du côté de la main droite, mais c'est une chose qui peut arriver à n'importe qui et Oliveira, sincèrement amusé, applaudit chaleureusement.

La pianiste se mit de face avec un de ses étranges mouvements à ressort et salua le public. Elle mesura même la salle du regard et elle dut bien s'apercevoir qu'il ne restait que huit ou neuf personnes. Très digne, cependant, elle sortit par la gauche, l'ouvreuse tira le rideau et vint offrir des bonbons.

En un sens, il aurait mieux valu partir, mais il y avait dans tout ce concert une atmosphère qui enchantait Oliveira. Après tout, la pauvre Trépat avait essayé de présenter des œuvres en première audition, ce qui est toujours très méritoire en ce monde de grande polonaise, clair de lune et danse du feu. Il y avait quelque chose d'émouvant dans ce visage de poupée de son, de tortue en peluche, de Bécassine vivant dans un monde de théières ébréchées, de vieilles dames qui avaient entendu jouer Risler, de réunions d'art et de poésie dans des salles fanées, de budget de quarante mille francs avec emprunts discrets aux amis pour arriver à la fin du mois, de culte à l'art véritable style Akademia Raymond Duncan, et il n'était pas difficile d'imaginer l'allure de Rose Bob et d'Alix Alix, les calculs sordides avant de louer la salle pour le concert, le programme ronéotypé par un élève complaisant, les envois infructueux d'invitations, le désespoir dans les coulisses à voir la salle à moitié vide et devoir jouer quand même, médaille d'argent et devoir jouer quand même. C'était presque un chapitre pour Céline, et Oliveira se savait incapable d'imaginer au-delà de l'atmosphère générale, de la survivance inutile et minable de ces activités artistiques à l'adresse de groupes également minables et inutiles. « Naturellement, ça ne pouvait arriver qu'à moi de tomber sur ce machin mité, pensa Oliveira avec humeur. Un vieux sous une auto et maintenant la Trépat. Et ne parlons pas du temps de cochon qu'il fait dehors, ni de moi. Surtout, ne parlons pas de moi. »

Il restait quatre personnes dans la salle et Oliveira pensa qu'il se devait d'aller s'asseoir au premier rang pour mieux soutenir la pianiste. Cette espèce de solidarité le fit ricaner mais il s'installa quand même au premier rang et attendit en fumant. Inexplicablement, une dame décida de partir au moment même où réapparaissait Berthe Trépat; l'artiste la regarda fixement avant de se plier avec effort pour saluer la salle presque déserte. Oliveira pensa que la dame qui venait de partir ainsi méritait un grand coup de pied au cul. Il comprit soudain que toutes ses réactions venaient d'une certaine sympathie pour Berthe Trépat, malgré la *Pavane* et Rose Bob. « Il y avait longtemps que ça ne m'était pas arrivé, pensa-t-il. Me ramollirais-je avec les années ? » Beaucoup de fleuves métaphysiques et soudain il se surprenait avec l'envie d'aller voir un petit vieux à l'hôpital et d'applaudir cette folle encorsetée. Etrange. Ce devait être le froid, les pieds mouillés.

La *Synthèse Delibes-Saint-Saëns* durait déjà depuis trois minutes lorsque le couple qui constituait le principal de l'arrière-garde se leva et s'en alla ostensiblement. Oliveira crut à nouveau surprendre un regard furtif de Berthe Trépat et ce fut soudain comme si on lui avait ligoté les mains, elle jouait penchée sur le piano, au prix d'un énorme effort, profitant de la moindre pause pour jeter un coup d'œil à la salle où seuls Oliveira et un monsieur à l'air placide écoutaient à présent avec toutes les marques d'une attention recueillie. Le syncrétisme fatidique ne tarda pas à révéler ses secrets même à un novice comme Oliveira : quatre mesures des *Filles de Cadix* succédaient à quatre mesures du *Rouet d'Omphale*, puis tandis que la main droite proférait *Mon cœur s'ouvre à ta voix*, la gauche intercalait subrepticement l'air des clochettes de *Lakmé*, après quoi elles se promenaient toutes les deux ensemble à travers la *Danse macabre* et *Coppélia* jusqu'à ce que d'autres thèmes que le programme attribuait à l'*Hymne à Victor Hugo* et à *Sur les bords du Nil* vinssent prendre courageusement la relève; pour être fatidique, c'était fatidique, presque fatal, on ne pouvait rien imaginer de plus réussi, aussi lorsque le monsieur à l'air placide se mit à rire tout bas en cachant poliment sa bouche derrière un gant, Oliveira fut obligé de reconnaître que le bonhomme avait pleinement raison, on ne pouvait lui intimer l'ordre de se taire et Berthe Trépat devait penser de même elle aussi car elle multipliait les fausses notes, on eût dit que ses mains se paralysaient, elle secouait ses avant-bras et sortait les coudes avec l'air d'une poule qui s'installe dans son nid. *Mon cœur s'ouvre à ta voix,* de nouveau *Où va la jeune Hindoue ?* deux accords syncrétiques, un arpège tronqué, *Les Filles de Cadix* tra-la-la-la comme un hoquet, plusieurs notes accolées à la (étonnamment) Pierre Boulez, le monsieur à l'air placide lâcha une espèce de braiment et partit en courant, les gants collés à sa bouche, juste au moment où Berthe Trépat abaissait ses mains en regardant fixement le clavier et il s'écoulait une longue seconde, une seconde sans fin, un temps désespérément vide entre Oliveira et Berthe Trépat seuls dans la salle.

— Bravo ! dit Oliveira qui comprit que l'applaudissement eût été déplacé. Bravo, madame.

Sans se lever, Berthe Trépat tourna un peu sur son tabouret et posa son coude sur un *la* naturel. Ils se regardèrent. Oliveira se leva et s'approcha du bord de la scène.

— Très intéressant, dit-il. Croyez-moi, madame, j'ai écouté votre concert avec un véritable intérêt.

Salaud.

Berthe Trépat regardait la salle vide. Une de ses paupières tremblotait. Elle semblait se demander quelque chose, attendre quelque chose. Oliveira sentit qu'il devait parler.

— Une artiste comme vous ne doit que trop connaître l'incompréhension et le snobisme du public. Au fond, je sais que vous ne jouez que pour vous-même.

— Pour moi-même, répéta Berthe Trépat avec une voix de perroquet qui ressemblait étonnamment à celle du vieux monsieur qui l'avait présentée.

— Et pour qui d'autre, sinon ? demanda Oliveira en grimpant sur la scène avec l'aisance d'un homme qui rêve. Un artiste ne doit compter que sur les étoiles, comme dit Nietzsche.

— Qui êtes-vous, monsieur ? demanda Berthe Trépat avec un petit sursaut.

— Oh ! quelqu'un qui s'intéresse aux manifestations...

On pouvait continuer à enfiler les mots, la petite histoire classique. Si quelque chose avait de l'importance c'était simplement d'être là, de tenir un instant compagnie à quelqu'un. Sans bien savoir pourquoi.

Berthe Trépat écoutait, d'un air encore absent. Elle se redressa avec difficulté, regarda la salle, les coulisses.

— Oui, dit-elle, il se fait tard, il faut que je rentre chez moi.

Elle avait dit cela pour elle-même et comme si c'était une punition.

— Pourrais-je avoir le plaisir de vous accompagner ? dit Oliveira en s'inclinant. Je veux dire s'il n'y a personne qui vous attende dans votre loge ou à la sortie.

— Il n'y a sûrement personne. Valentin est parti tout de suite après la présentation. Comment avez-vous trouvé la présentation ?

— Intéressante, dit Oliveira, de plus en plus persuadé qu'il rêvait et que le rêve ne lui déplaisait pas.

— Valentin peut faire bien mieux, dit Berthe Trépat. Et je trouve dégoûtant de sa part, oui, dégoûtant, de me laisser tomber comme une vieille chaussette.

— Il a parlé de vous et de votre œuvre avec une grande admiration.

— Pour quinze cents francs il est capable de parler avec admiration d'un poisson crevé. Quinze cents francs ! répéta Berthe Trépat, l'air rêveur.

« Je suis en train de faire le con », se dit Oliveira. S'il saluait et s'en retournait à sa place, peut-être l'artiste ne se souviendrait-elle pas de son offre. Mais l'artiste s'était mise à le regarder et Oliveira vit qu'elle pleurait.

— Valentin est une canaille. Tous... il y avait plus de deux cents personnes, vous les avez vues vous-même, plus de deux cents, pour un concert de premières auditions, c'est extraordinaire, n'est-ce pas ? Et tout le monde avait payé sa place, ne croyez pas que nous ayons envoyé des billets gratuits. Plus de deux cents, et à présent il ne reste plus que vous, Valentin est parti, et moi...

— Il y a des absences qui sont un véritable triomphe, émit Oliveira qui n'en crut pas ses oreilles.

— Mais pourquoi sont-ils partis ? Vous les avez vus s'en aller ? Plus de deux cents et des personnes importantes, je suis sûre d'avoir reconnu Mme de Roche, le docteur Lacour, Montellier, le professeur du dernier grand prix de violon... Je crois que la *Pavane* ne leur a pas beaucoup plu et qu'ils sont partis à cause de ça, ne croyez-vous pas ? Car ils sont partis avant ma *Synthèse,* je l'ai bien vu.

— Evidemment, dit Oliveira, il faut bien dire que la *Pavane...*

— Ce n'est absolument pas une pavane, dit Berthe Trépat, c'est une pure merde. C'est la faute de Valentin, on m'avait prévenue que Valentin couchait avec Alix Alix. Et pourquoi suis-je obligée de payer pour un pédéraste, dites-moi, jeune homme ? Moi, médaille d'or, je vous montrerai mes critiques, des triomphes, à Grenoble, au Puy...

Les larmes coulaient dans son cou, se perdaient entre le col de dentelle défraîchie et la peau grise. Elle saisit Oliveira par le bras, le secoua. Elle allait avoir sous peu une crise nerveuse.

— Pourquoi n'allez-vous pas chercher votre manteau, nous partirions tout de suite, dit Oliveira précipitamment, l'air frais vous fera du bien, nous pourrions même aller boire quelque chose, ce serait pour moi un véritable...

— Boire quelque chose, répéta Berthe Trépat. Et moi qui suis médaille d'or.

— Ce que vous voudrez, dit Oliveira à contretemps.

Il fit un mouvement pour se dégager mais l'artiste s'agrippa à son bras et se rapprocha. Oliveira respira la sueur du concert mêlée à une vague odeur de naphtaline et de benjoin (et aussi de lotion bon marché et de pipi). Décidément, d'abord Rocamadour, maintenant Berthe Trépat... « Médaille d'or », répétait l'artiste en pleurant et hoquetant. Soudain, un grand sanglot la secoua comme si elle eût plaqué un accord dans les airs. « C'est toujours la même chose... », parvint à saisir Oliveira qui essayait en vain d'échapper aux sensations personnelles et de se réfugier en quelque fleuve, métaphysique naturellement. Sans plus résister, Berthe Trépat se laissa conduire vers les coulisses d'où l'ouvreuse les surveillait, lampe en main et chapeau à plumes.

— Cette dame ne se sent pas bien ?

— C'est l'émotion, dit Oliveira. Ça va passer. Où est son manteau ?

Entre de vagues montants de décor, des tables bancales, une harpe et un portemanteau, il y avait une chaise où était affalé un imperméable vert. Oliveira aida Berthe Trépat à le mettre ; elle avait baissé la tête mais ne pleurait plus. Par une petite porte et un couloir ténébreux ils sortirent dans la nuit du boulevard. Il bruinait.

— Cela va être difficile de trouver un taxi, dit Oliveira, qui n'avait que trois cents francs. Vous habitez loin ?

— Non, près du Panthéon, et je préfère marcher.

— Oui, il vaut mieux.

Berthe Trépat avançait lentement, secouant la tête de droite et de gauche. Avec le capuchon de son imperméable, elle avait un air mi-guerrier, mi-Ubu. Oliveira remonta le plus haut possible le col de sa canadienne. L'air était coupant et il commençait à avoir faim.

— Vous êtes trop aimable, dit l'artiste. Vous ne devriez pas vous déranger ainsi. Comment avez-vous trouvé ma *Synthèse ?*

— Madame, je ne suis qu'un simple amateur; moi, la musique, à vrai dire...

— Vous n'avez pas aimé, dit Berthe Trépat.

— Une première audition...

— Nous avons travaillé des mois, Valentin et moi. Nuit et jour pour chercher à concilier ces deux génies.

— Vous admettrez tout de même que Delibes...

— Un génie, répéta Berthe Trépat. Erik Satie l'affirma un jour en ma présence. Et bien que le docteur Lacour prétende que Satie me... comment dire ? Vous savez sans doute comment il était sur ses vieux jours... Mais je sais lire dans les cœurs, jeune homme, et je sais très bien que Satie était persuadé du génie de Delibes, oui, persuadé. De quel pays êtes-vous, jeune homme ?

— D'Argentine, madame, et je ne suis pas jeune du tout, soit dit en passant.

— Ah l'Argentine, les pampas... Et vous croyez que là-bas on s'intéresserait à mon œuvre ?

— J'en suis sûr, madame.

— Vous pourriez peut-être m'obtenir un rendez-vous avec

l'ambassadeur. Si Thibaud allait en Argentine et à Montevideo, pourquoi pas moi qui joue ma propre musique ? Vous avez remarqué, j'espère, cette chose fondamentale : ma propre musique.

— Vous composez beaucoup ? demanda Oliveira, qui se sentait comme une vomissure.

— J'en suis à l'opus 84... non, voyons... J'y pense soudain, j'aurais dû voir Mme Nolet avant de partir. Une question d'argent à régler, naturellement. Deux cents personnes, cela fait...

Sa voix se perdit dans un murmure et Oliveira se demanda s'il ne serait pas plus charitable de lui dire la vérité, mais elle la savait, la vérité, bien sûr qu'elle la savait.

— C'est un scandale, dit Berthe Trépat. J'ai joué il y a deux ans dans la même salle, Poulenc lui-même avait promis de venir. Vous vous rendez compte, Poulenc, rien que ça. J'étais très inspirée ce soir-là, dommage qu'un empêchement de dernière heure ne lui ait pas permis... mais vous savez ce qu'est la vie des musiciens à la mode... Et cette fois-là, la Nolet m'avait demandé moitié moins cher. Exactement moitié moins, répéta-t-elle rageusement. Quoique évidemment, si on calcule, avec deux cents personnes.

— Vous savez, madame, dit Oliveira en la prenant doucement par le coude pour la faire tourner rue de Seine, la salle était très sombre et vous n'avez peut-être pas très bien pu évaluer le nombre...

— Oh non, dit Berthe Trépat, je suis sûre de ne pas me tromper. Mais vous m'avez fait perdre le compte. Attendez, il faut que je calcule.

Elle se perdit dans un murmure appliqué, remuant sans cesse lèvres et doigts, ne se rendant absolument pas compte du chemin que lui faisait suivre Oliveira ni même peut-être de sa présence. Tout ce qu'elle disait à haute voix, elle eût pu se le dire à voix basse, Paris était plein de gens qui parlaient seuls dans la rue. Oliveira n'était pas une exception, ce qui était exceptionnel c'était d'être en train de faire le crétin aux côtés de la vieille, d'accompagner chez elle cette poupée déteinte, cette pauvre baudruche gonflée où la bêtise et la folie dansaient la véritable pavane de ce soir. « Elle est répugnante, il faudrait la jeter par terre, lui mettre le pied sur la figure et l'écraser comme une punaise, la faire éclater comme un piano qui tombe du dixième étage. La véritable charité ce serait de la supprimer, de l'empêcher de souffrir comme un chien avec ses illusions auxquelles elle ne croit même plus, qu'elle fabrique pour ne pas sentir l'eau dans ses souliers, la maison vide ou avec ce vieux immonde à double menton. Elle me dégoûte, je me défile au prochain coin de rue, elle ne s'en rendra même pas compte. Quelle journée, crénom, quelle journée ! »

S'il pouvait se sauver par la rue Lobineau, on pourrait toujours lui courir après, la vieille, après tout, saurait bien rentrer toute seule chez elle. Oliveira lança un coup d'œil derrière lui et attendit le moment en secouant un peu son bras, quelque chose le gênait, comme un poids suspendu à son coude. Mais le poids se précisa, c'était la main de Berthe Trépat pendue au bras d'Oliveira, Oliveira qui regardait la rue Lobineau et qui aidait l'artiste à traverser la chaussée pour remonter avec elle vers la rue de Tournon.

— Il aura certainement allumé du feu, dit Berthe Trépat. Ce n'est pas qu'il fasse tellement froid, mais le feu est l'ami des artistes, n'est-ce pas ? Vous monterez bien boire quelque chose avec moi et Valentin ?

— Oh non, madame, dit Oliveira. En aucune façon, j'aurai déjà eu l'honneur de vous raccompagner. Et d'autre part...

— Ne soyez pas si modeste, jeune homme. Car vous êtes jeune, n'est-ce pas ? On voit que vous êtes jeune, à votre bras, par exemple... — Les doigts s'enfonçaient un peu plus dans la toile de la canadienne. — Moi, je parais plus âgée que je ne le suis, la vie d'artiste, n'est-ce pas...

— Mais pas du tout, madame, dit Oliveira. Quant à moi, j'ai passé quarante ans, vous voyez que vous me flattez.

Les phrases sortaient toutes seules, il n'y pouvait rien, c'était vraiment un comble. Suspendue à son bras, Berthe Trépat parlait de temps passés, parfois elle s'arrêtait au beau milieu d'une phrase et semblait refaire un calcul. Parfois aussi elle se mettait un doigt dans le nez, furtivement, et en regardant Oliveira du coin de l'œil; pour ce faire, elle enlevait rapidement un gant, faisait semblant d'avoir une démangeaison au creux de la main dégantée, se grattait avec l'autre main (qu'elle avait retirée délicatement du bras d'Oliveira), puis l'élevait, d'un mouvement joliment pianistique, jusqu'à son nez pour fourrager une fraction de seconde dans une narine.

Oliveira faisait celui qui regardait ailleurs et, quand il retournait la tête, le gant était remis et Berthe Trépat à nouveau pendue à son bras. Ainsi allaient-ils sous la pluie en parlant de choses et d'autres. En longeant le Luxembourg ils commentaient la vie à Paris, de plus en plus difficile, la rivalité sans merci de jeunes gens aussi insolents qu'inexpérimentés, le public incurablement snob, le prix du bifteck Marché Saint-Germain ou rue de Buci, lieux d'élection pour trouver un bon bifteck à des prix raisonnables. Deux ou trois fois, Berthe Trépat avait questionné aimablement Oliveira sur sa profession, ses espoirs et surtout ses échecs, mais avant qu'il ait pu répondre, tout revenait brusquement à l'inexplicable disparition de Valentin, à l'erreur qu'elle avait commise en jouant la *Pavane,* tout ça par faiblesse vis-à-vis de Valentin, mais cela ne se renouvellerait plus. « Un pédéraste », murmurait Berthe Trépat, et Oliveira sentait sa main se crisper sur sa manche. « Que je sois obligée, moi, de jouer à cause de cet ignoble individu, une merde qui n'a ni queue ni tête alors qu'une quinzaine de mes œuvres attendent encore de voir le jour... » Après quoi elle s'arrêtait sous la pluie, imperturbable sous son capuchon (mais l'eau commençait à glisser sous le col de la canadienne d'Oliveira, le col en peau de lapin sentait horriblement la cage de zoo, c'était ainsi chaque fois qu'il pleuvait, rien à faire), et elle regardait Oliveira comme si elle attendait une réponse. Oliveira lui souriait aimablement et tirait un peu sur son bras pour l'entraîner rue Médicis.

— Vous êtes trop modeste, trop réservé, disait Berthe Trépat. Voyons un peu, parlez-moi de vous. Vous devez être poète, n'est-ce pas ? Ah, Valentin aussi, quand nous étions jeunes... *L'Ode crépusculaire,* un succès au Mercure de France... une lettre de Thibaudet, je me le rappelle comme si elle était arrivée ce matin. Valentin pleurait dans le lit, pour pleurer il se mettait toujours à plat ventre, c'était attendrissant.

Oliveira essayait de s'imaginer Valentin pleurant à plat ventre dans son lit, mais tout ce qu'il parvenait à voir c'était un Valentin petit et rouge comme une écrevisse, c'était Rocamadour qui pleurait à plat ventre dans son lit quand la Sibylle essayait de lui mettre un suppositoire, et Rocamadour résistait, s'arc-boutait, et son petit derrière se dérobait aux mains maladroites de la Sibylle. On avait dû lui mettre aussi un suppositoire, à l'hôpital, au vieux de l'accident, incroyable à quel point ils étaient à la mode, il faudrait analyser cette surprenante revendication de l'anus élevé au rang d'une seconde bouche, d'un organe qui ne se limite pas à excréter et qui *veut* absorber, déglutir les petits obus parfumés, roses, verts et blancs. Mais Berthe Trépat ne lui laissait pas le temps de réfléchir, elle l'interrogeait à nouveau sur sa vie, elle serrait son bras, parfois à deux mains, et elle se retournait à demi vers lui avec un geste de jeune fille qui, même en pleine nuit, l'horrifiait. Eh bien, il était un Argentin qui vivait depuis un certain temps à Paris en essayant de... Voyons, qu'essayait-il, au fond, de... ? C'était difficile à expliquer ainsi de but en blanc. Ce qu'il cherchait, c'était...

— La beauté, l'exaltation, le rameau d'or, dit Berthe Trépat. Ne me dites rien, je devine parfaitement. Moi aussi, il y a quelques années, j'ai quitté Pau pour venir à Paris, à la recherche du rameau d'or. Mais j'ai été faible, jeune homme, j'ai été... Mais comment vous appelez-vous ?

— Oliveira, dit Oliveira.

— Oliveira... les olives... la Méditerranée... Moi aussi je suis du Sud. Nous sommes paniques, jeune homme, nous sommes paniques tous les deux. Non pas comme Valentin qui est de Lille. Ceux du Nord sont froids comme des poissons, totalement mercuriens. Vous croyez à la Grande Œuvre ? Fulcanelli, vous me comprenez... Ne dites rien, on voit que vous êtes un initié. Peut-être n'avez-vous pas encore atteint les réalisations qui comptent véritablement, tandis que moi... Prenez la *Synthèse*, par exemple. Ce qu'a dit Valentin est vrai, la radiesthésie m'a montré le chemin des âmes sœurs et je crois que cela se sent dans mon œuvre, non ?

— Oh si.

— Vous avez un lourd *karma*, cela se voit tout de suite... La main serrait son bras avec force, l'artiste atteignait à la méditation et elle avait besoin pour cela de se serrer contre Oliveira qui résistait à peine et essayait simplement de lui faire traverser la place pour remonter la rue Soufflot. « Si Etienne ou Wong me voit, je n'ai pas fini d'en entendre », pensait Oliveira. Mais qu'est-ce que cela pouvait bien lui faire ce que pensait Etienne ou Wong, comme si après tous ces fleuves métaphysiques charriant tant de cotons sales, le futur pouvait avoir une quelconque importance. « C'est comme si je n'étais plus à Paris et je suis pourtant stupidement attentif à ce qui m'arrive, cela m'ennuie que cette pauvre vieille se mette à me faire le coup de la tristesse, du noyé qui s'accroche à vous, après la *Pavane* et le zéro pointé du concert. Et moi, je ne suis qu'un torchon sale, au fond, je n'ai rien à voir avec moi-même. » Car il lui restait ceci à éprouver, en ce moment, sous la pluie et collé à Berthe Trépat, il lui restait à éprouver, comme une dernière lumière qui s'éteint dans une immense maison où toutes les lumières se sont éteintes une à une, il lui restait la notion qu'il n'était pas cela, qu'en un lieu de lui-même il était comme en train de s'attendre, que celui qui traînait derrière lui, à travers le Quartier latin, une vieille hystérique, peut-être nymphomane, était à peine un *doppelgänger*, et pendant ce temps, l'autre, l'autre... « Es-tu resté là-bas dans ton quartier d'Almagro ? Ou as-tu fait naufrage pendant la traversée, dans le lit des putains, les expériences mémorables, le fameux désordre nécessaire ? Tout prend figure de consolation, c'est commode de se croire récupérable alors qu'on n'y croit au fond presque plus, le type qu'on va pendre doit espérer jusqu'au bout qu'il va se passer quelque chose, un tremblement de terre, la corde qui casse par deux fois et il faut bien le gracier, le coup de téléphone du président, l'émeute qui le libérera. Et maintenant, il s'en faut de peu que la vieille ne me touche la braguette. »

Mais Berthe Trépat se perdait en circonvolutions et périphrases, elle s'était mise à raconter avec enthousiasme sa rencontre avec Germaine Tailleferre à la gare de Lyon et comment Tailleferre lui avait dit que son *Prélude pour losanges orangés* était extrêmement intéressant, qu'elle en parlerait à Marguerite Long, qui le jouerait peut-être.

— Ç'aurait été un grand succès, monsieur Oliveira, une consécration. Mais les imprésarios, vous savez quelle engeance, la tyrannie la plus éhontée, même les plus grands interprètes sont victimes... Valentin pense qu'un jeune pianiste, plus audacieux, pourrait peut-être. Mais ils ne valent pas plus cher au fond que les vieux.

— Peut-être vous-même, lors d'un prochain concert...

— Je ne veux plus jouer, dit Berthe Trépat en détournant la tête, bien qu'Oliveira prît soin de ne pas la regarder. C'est une honte, à mon âge, être obligée de me produire pour jouer ma musique, alors que je devrais être la muse, vous entendez, l'inspiratrice des musiciens, ils devraient tous venir me demander de leur permettre de jouer mes œuvres, ils devraient même me supplier, oui, me supplier. Et j'y consentirais, car mon œuvre, je crois, est une étincelle capable de faire flamber la sensibilité de tous les publics, ici comme aux Etats-Unis ou en Hongrie... Oui, j'y consentirais, mais auparavant, il faudrait qu'ils viennent me supplier.

Elle serra avec véhémence le bras d'Oliveira qui avait opté pour la rue Saint-Jacques et qui entraînait fermement la pianiste à sa suite. Un vent glacial les frappait au visage, leur lançait des paquets de pluie dans les yeux, dans la bouche, mais Berthe Trépat semblait insensible à toute perturbation atmosphérique, pendue au bras d'Oliveira, elle marmonnait de confuses paroles qu'elle ponctuait de temps en temps d'un hoquet ou d'un bref ricanement. Non, elle n'habitait pas rue Saint-Jacques. Peu importait d'ailleurs où elle habitait. Elle pouvait continuer à marcher toute la nuit, aucune importance, plus de deux cents personnes pour la première de la *Synthèse*.

— Valentin va s'inquiéter si vous ne rentrez pas, dit Oliveira qui se creusait la cervelle pour trouver quelque chose, une perche pour pousser cette boule corsetée qui se déplaçait comme un hérisson sous la pluie et le vent. D'un long discours entrecoupé, il put tirer que Berthe Trépat habitait rue de l'Estrapade. Ne sachant plus très bien où il était, Oliveira essuya ses yeux de sa main libre et prit le vent comme un héros de Conrad à la proue de son navire. Il avait soudain une sacrée envie de rire (et son estomac vide lui faisait mal, tout raidi de crampes, c'était extraordinaire et pénible, quand il allait raconter ça à Wong, Wong aurait du mal à le croire). Pas de Berthe Trépat d'ailleurs, qui dressait un tableau des succès remportés à Pau et à Montpellier, en rappelant de temps à autre la médaille d'or. Ni d'avoir eu l'idiotie de lui offrir de la raccompagner. Il ne savait pas très bien d'où lui venait cette envie de rire, de plus loin en tout cas, de quelque chose d'antérieur, d'avant même le concert qui avait été pourtant la chose la plus ridicule du monde. Joie, quelque chose comme une forme physique de la joie. Et bien qu'il eût du mal à le croire, joie. Il en aurait ri de contentement, de pur et délicieux et inexplicable contentement. « Je deviens fou, pensa-t-il. Cette cinglée à mon bras, ce doit être contagieux. » Il n'avait vraiment aucune raison d'être gai, l'eau entrait dans ses souliers, dans son cou, Berthe Trépat se suspendait à son bras, emportée de temps en temps par un grand sanglot, chaque fois qu'elle parlait de Valentin elle frissonnait et sanglotait, c'était une espèce de réflexe conditionné qui n'aurait fait rire personne, même pas un fou. Et pourtant Oliveira aurait voulu rire aux éclats, il soutenait Berthe Trépat avec grand soin et l'emmenait lentement vers la rue de l'Estrapade, vers le numéro 4, et même s'il n'y avait aucune raison de le penser et encore moins de le comprendre, tout était bien ainsi, il emmenait Berthe Trépat au 4, rue de l'Estrapade en l'empêchant, dans la mesure du possible, de mettre les pieds dans les flaques ou de passer sous les cataractes d'eau que vomissaient les gouttières au coin de la rue Clotilde. La lointaine invitation à monter boire un verre (avec Valentin) lui plaisait assez, il faudrait évidemment s'appuyer cinq ou six étages en remorquant l'artiste, entrer dans une pièce où Valentin n'aurait sans doute pas allumé de feu (mais si, il y aurait une merveilleuse salamandre, une bouteille de cognac, il pourrait enlever ses chaussures et approcher ses pieds du feu, parler d'art, de la médaille d'or). Et peut-être même pourrait-il revenir un autre soir chez Berthe Trépat et Valentin, en apportant une bouteille de vin, leur tenir un moment compagnie, leur remonter le moral. Un peu comme d'aller voir le vieux à l'hôpital, faire une chose qu'avant il n'aurait jamais eu l'idée de faire, aller à l'hôpital ou rue de l'Estrapade. Avant cette joie, avant cette chose qui lui tordait l'estomac, une main qui se crispait sous sa peau, une torture délicieuse (il faudrait demander ça à Wong, une main glissée sous la peau).

— Le 4, n'est-ce pas ?

— Oui, cette maison avec le balcon, dit Berthe Trépat. Un hôtel du XVIII^e^ siècle. Valentin dit même que Ninon de Lenclos y habita. Mais il ment tellement. Ninon de Lenclos... Oh ! mais si, Valentin ment sans arrêt. Il ne pleut presque plus, n'est-ce pas?

— Il pleut un peu moins, admit Oliveira. Traversons, si vous voulez.

— Les voisins, dit Berthe Trépat en regardant le café du coin. Naturellement, la vieille du 8 est encore là. Vous ne pouvez pas vous imaginer ce qu'elle boit. Vous la voyez, là, à la table du coin. Elle nous regarde, vous verrez demain les racontars...

— Attention, madame, dit Oliveira. Faites attention à la flaque.

— Oh, je la connais, et le patron aussi. C'est la faute de Valentin s'ils me détestent. Valentin, il faut dire, leur a joué de ces tours... Il ne peut pas souffrir la vieille du 8 et, un soir qu'il était rentré assez ivre il est allé barbouiller sa porte avec du caca de chat, il avait même fait des dessins... Je n'oublierai jamais, un de ces scandales... Valentin plongé dans son bain pour se nettoyer car il s'était lui aussi barbouillé de caca, dans un enthousiasme artistique, et moi, obligée de tenir tête à la police, à la vieille, à tout le quartier... Vous ne pouvez pas savoir ce que j'ai enduré, moi qui ai une réputation à... Valentin est aussi terrible qu'un enfant.

Oliveira revoyait le monsieur à cheveux blancs, le double menton, la chaîne d'or.

C'était comme un chemin qui s'ouvrait brusquement dans le mur, il suffisait d'avancer une épaule et d'entrer, de se frayer un passage dans la pierre, de traverser son épaisseur, de déboucher sur autre chose. La main lui serrait l'estomac jusqu'à la nausée. Il était inimaginablement heureux.

— Et si, avant de monter, je prenais une fine à l'eau ? dit Berthe Trépat en s'arrêtant devant la porte et en le regardant. Cette agréable promenade m'a donné un peu froid, et aussi cette pluie...

— Avec plaisir, dit Oliveira, déçu. Mais il vaudrait peut-être mieux que vous montiez d'abord enlever vos chaussures, vous êtes trempée jusqu'aux chevilles.

— Oh, le café est bien chauffé, dit Berthe Trépat. Et puis je ne sais pas si Valentin est rentré, il est capable d'être parti à la recherche de ses petits amis. Ces soirs-là, il s'entiche du premier venu, un vrai chien, croyez-moi.

— Il est certainement revenu et il a dû allumer le poêle, proposa Oliveira. Un bon grog, des bas de laine... Il faut prendre soin de vous, madame.

— Oh, je suis solide comme un roc. Ce qui m'ennuie, c'est que je n'ai pas d'argent sur moi. Il faudra que je retourne demain à la salle de concert pour prendre mon cachet... ce n'est pas prudent de se promener le soir avec de l'argent sur soi, ce quartier, malheureusement...

— Je serais très heureux de vous offrir quelque chose à boire, dit Oliveira.

Il avait réussi à la pousser dans l'entrée et il venait du couloir un air tiède et humide qui sentait un peu le moisi et peut-être aussi la sauce aux champignons. Son contentement l'abandonnait peu à peu, comme s'il s'en allait seul au long de la rue au lieu de rester avec lui dans l'entrée.

La joie n'aurait duré qu'un moment, mais elle avait été si neuve, si autre chose, et cette impression étrange qu'il avait eue à l'annonce de Valentin enduit de caca de chat et plongé dans sa baignoire, l'impression de pouvoir faire un pas en avant, un pas véritable, sans pieds ni jambes, un pas au travers d'un mur de pierre, pouvoir se mettre là-dedans, avancer et fuir ce côté-ci, fuir la pluie dans les souliers et sur le visage. Impossible de comprendre tout ça, comme chaque fois qu'il eût été si nécessaire de comprendre. Une joie, une main sous la peau serrant son estomac, un espoir — si un mot pareil pouvait se penser, s'il était possible qu'une chose insaisissable et confuse puisse se rassembler en une notion d'espoir —, c'était trop bête, c'était incroyablement beau et déjà cela s'en allait, s'éloignait sous la pluie parce que Berthe Trépat ne l'invitait pas à monter chez elle, le renvoyait au café du coin, à l'Ordre du Jour, à tout ce qui était arrivé au cours de la journée, Crevel, les quais de la Seine, l'envie de s'enfuir n'importe où, le vieux sur le brancard, le programme ronéotypé, Rose Bob, les souliers qui prennent l'eau. D'un geste très lent comme si une montagne pesait sur ses épaules, Oliveira montra du doigt les deux cafés qui trouaient l'obscurité au coin de la rue. Mais Berthe Trépat ne semblait pas avoir de préférence, elle avait même oublié les cafés, toujours agrippée au bras d'Oliveira, elle murmurait quelque chose et lançait des coups d'œil furtifs vers le couloir plongé dans l'ombre.

— Il est revenu, dit-elle brusquement en fixant sur Oliveira des yeux qui brillaient de larmes. Il est là-haut, je le sens. Et il est avec quelqu'un, j'en suis sûre, chaque fois qu'il me présente à un concert, il court ensuite coucher avec un de ses petits amis.

Elle haletait, elle enfonçait ses doigts dans le bras d'Oliveira et se retournait à tout instant pour scruter l'ombre du couloir. On entendit un miaulement étouffé, une course feutrée le long de l'escalier en colimaçon. Oliveira ne savait que dire, il sortit une cigarette, l'alluma non sans mal et attendit.

— Je n'ai pas la clef, dit Berthe Trépat d'une voix si basse qu'il l'entendit à peine. Il ne me laisse jamais la clef quand il ramène quelqu'un.

— Mais il vous faut vous reposer, madame.

— Qu'est-ce que ça peut lui fiche que je me repose ou que je crève ? Ils ont dû allumer du feu avec le peu de charbon que m'avait fait porter le docteur Lemoine. Et ils sont certainement nus. Oui, sur mon lit, tout nus, les cochons. Et demain c'est moi qui aurai à remettre tout en ordre, Valentin aura vomi sur le dessus de lit, c'est toujours pareil... Et demain, comme d'habitude. Demain, moi...

— N'avez-vous pas des amis dans le quartier, quelqu'un chez qui vous pourriez passer la nuit ? demanda Oliveira.

— Non, dit Berthe Trépat en le regardant du coin de l'œil. Voyez-vous, jeune homme, la plupart de mes amis habitent Neuilly. Ici, il n'y a que ces vieilles immondes, les Algériens du 8, rien que la pègre.

— Si vous voulez, je peux aller demander à Valentin de vous ouvrir, dit Oliveira. Vous irez m'attendre au café et tout va peut-être s'arranger.

— Vous parlez, que tout va s'arranger... dit Berthe Trépat d'une voix traînante, comme si elle avait bu. Il n'ouvrira pas, je le connais, allez. Ils resteront tous les deux dans le noir, sans répondre. Ils n'ont pas besoin de lumière, d'ailleurs. Ils allumeront plus tard, quand Valentin sera sûr que je suis repartie passer la nuit dans un hôtel ou à un café.

— Si je frappe fort à la porte, ils auront peur, peut-être. Je crois que Valentin n'aimerait pas qu'on fasse un scandale.

— Il s'en fiche, quand il est dans cet état, il se fiche de tout. Il serait capable de mettre ma robe et d'entrer au commissariat du coin en chantant *La Marseillaise.* Une fois, c'est ce qu'il a fait, heureusement, Robert, celui du magasin, l'a rattrapé à temps et l'a ramené à la maison. Robert était un brave type, lui aussi avait eu des fantaisies et il comprenait.

— Laissez-moi monter, répéta Oliveira, et allez m'attendre au café du coin. Je me charge d'arranger les choses, vous ne pouvez pas rester toute la nuit comme ça.

Berthe Trépat allait répondre avec violence quand la lumière du couloir s'alluma, elle sursauta et sortit dans la rue, s'éloignant ostensiblement d'Oliveira qui resta là sans savoir que faire. Un couple descendait en trombe, passa à côté de lui sans le regarder et s'en fut du côté de la rue Thouin. Après avoir lancé un coup d'œil nerveux derrière elle, Berthe Trépat revint sous le porche. Il pleuvait des cordes.

Sans grande envie à présent mais en se disant que c'était la seule chose qu'il pouvait faire, Oliveira fit quelques pas dans la direction de l'escalier. Mais Berthe Trépat le saisit aussitôt par le bras et le tira vers la porte. Elle bredouillait des ordres, des supplications, des refus, dans une espèce de caquettement où se mêlaient les mots et les interjections. Oliveira se laissa entraîner, s'abandonnant à tout ce qui pouvait arriver. La lumière s'était éteinte, mais elle se ralluma aussitôt et on entendit des gens qui se disaient au revoir au deuxième ou au troisième étage. Berthe Trépat lâcha Oliveira et s'appuya contre la porte en faisant semblant de boutonner son imperméable comme pour sortir. Deux hommes passèrent à côté d'elle après avoir lancé un coup d'œil indifférent à Oliveira et murmuré le *pardon* d'usage dans tous les croisements. Oliveira pensa une seconde monter quatre à quatre les marches mais il ne savait plus à quel étage habitait l'artiste. Il se mit à fumer rageusement, à nouveau plongé dans l'obscurité, attendant qu'il se passe quelque chose ou qu'il ne se passe rien. Malgré le bruit de la pluie, les sanglots de Berthe Trépat lui parvenaient distinctement. Il s'approcha d'elle, lui mit la main sur l'épaule.

— Je vous en prie, madame Trépat, ne vous désolez pas ainsi. Dites-moi ce que nous pouvons faire, il doit bien y avoir une solution.

— Laissez-moi, laissez-moi, murmura l'artiste.

— Vous êtes épuisée, il vous faut dormir. Allons chercher un hôtel, moi non plus je n'ai pas d'argent mais je m'arrangerai avec le patron, je le paierai demain. Je connais un hôtel rue Valette, pas loin d'ici.

— Un hôtel, dit Berthe Trépat en se retournant et en le regardant.

— Il n'est pas fameux mais pour une nuit...

23

— Et vous prétendez m'emmener à l'hôtel.

— Madame, je vous accompagnerai à l'hôtel et je demanderai au patron une chambre pour vous.

— Un hôtel, et vous prétendez m'emmener à l'hôtel.

— Je ne prétends rien du tout, dit Oliveira en perdant patience. Je ne peux vous offrir ma maison pour la bonne raison que je n'en ai pas. Et vous ne voulez pas me laisser monter pour demander à Valentin de vous ouvrir. Préférez-vous que je m'en aille ? En ce cas, bonsoir.

Mais tout cela, l'avait-il dit ou seulement pensé ? Il ne s'était jamais senti aussi loin de ces mots qui, d'habitude, lui seraient venus tout de suite aux lèvres. Ce n'était pas ainsi qu'il devait agir. Il ne savait comment faire, mais sûrement pas ainsi. Et Berthe Trépat le regardait, adossée à la porte. Non, il n'avait rien dit, il était resté immobile près d'elle et, pour aussi incroyable que ce fût, il avait encore envie de l'aider, envie de faire quelque chose pour Berthe Trépat qui le regardait durement en élevant lentement sa main et l'abattait soudain sur la joue d'Oliveira qui reculait stupéfait non sans avoir senti le coup de fouet de doigts très fins, le coup de griffe instantané des ongles.

— Un hôtel, répéta Berthe Trépat. Non, mais vous avez entendu ce qu'il me propose ?

Elle regardait le couloir plongé dans l'ombre en roulant des yeux, sa bouche violemment peinte bougeant comme une chose douée d'une vie propre, indépendante, son attention fixée sur un auditoire invisible dans l'ombre du couloir, son absurde coiffure oscillant aux mouvements saccadés de la tête.

— Je vous en prie, murmura Oliveira, en passant une main sur l'égratignure qui saignait un peu. Comment pouvez-vous croire une chose pareille ?

Eh bien si, elle pouvait croire une chose pareille parce que (elle criait de toutes ses forces et la lumière du couloir s'alluma à nouveau) elle ne connaissait que trop bien le genre de petits voyous qui la suivaient dans la rue, elle et toutes les femmes comme il faut, mais elle ne permettrait pas (la porte de la concierge s'ouvrit à demi et Oliveira vit apparaître un visage de rat géant, de petits yeux qui regardaient avec avidité) qu'un monstre, un satyre baveux l'attaque à la porte même de sa maison, à quoi servaient alors la police et la justice (quelqu'un descendait à toute vitesse, un garçon aux cheveux bouclés, à l'air gitan, s'accouda à la rampe pour regarder et écouter tout à son aise), et si ses voisins ne la protégeaient pas elle était très capable de se faire respecter, ce n'était pas la première fois qu'un vicieux, qu'un immonde exhibitionniste...

Au coin de la rue Tournefort, Oliveira s'aperçut qu'il avait encore sa cigarette entre les doigts mais éteinte et toute trempée de pluie. Il s'appuya contre un réverbère et leva son visage vers la pluie. Comme ça, personne ne s'apercevrait de rien, une fois son visage mouillé de pluie, personne ne s'apercevrait de rien. Il se remit à marcher lentement, tête basse, le col de sa canadienne serré contre son menton. Comme toujours son col de fourrure sentait férocement la pourriture, la tannerie. Il ne pensait à rien, il se sentait marcher comme il eût regardé un grand chien noir sous la pluie, traînant un peu les pattes, le poil collé, pendant, et s'en allant sous la pluie. De temps en temps, il levait une main et la passait sur son visage. Mais à la fin il se laissa pleuvoir. De temps en temps, simplement, il avançait sa lèvre et buvait quelque chose de salé qui coulait sur ses joues. Lorsque beaucoup plus tard, et près du Jardin des Plantes, il revint au souvenir de ce jour, à un recensement appliqué et minutieux de tous les instants de ces heures, il se dit que finalement il n'avait pas été si fou de se sentir heureux en accompagnant la vieille chez elle. Mais, comme d'habitude, il avait dû payer pour ce moment de joie. Et maintenant, il allait se le reprocher, il allait le démonter pièce par pièce jusqu'à ce qu'il n'en restât rien, comme d'habitude, rien d'autre qu'un trou par où soufflait le temps, un continuum sans bords précis. « Ne faisons pas de littérature, pensa-t-il en cherchant une cigarette et en séchant un peu ses mains à la chaleur de ses poches. Ne commençons pas à flatter ces chiennes de paroles, ces proxénètes luisantes. Les choses se sont passées ainsi, n'en parlons plus. Berthe Trépat... C'est trop bête, ç'aurait été si bien de monter boire un verre avec elle et Valentin, de se sécher les pieds au coin du feu. Au fond, ce qui me rendait si heureux c'était surtout l'idée d'enlever mes souliers et de faire sécher mes chaussettes. Raté, mon vieux, tant pis, c'est comme ça. Laissons les choses au point où elles en sont et allons dormir. Il n'y avait aucune autre raison, il ne pouvait pas y en avoir. Si je m'écoute, je suis capable de revenir à la chambre et de passer la nuit à faire le garde-malade. » Du Jardin des Plantes à la rue du Sommerard, il en avait bien pour vingt minutes sous la pluie, il valait mieux s'arrêter dans le premier hôtel et dormir. Impossible de faire prendre ses dernières allumettes. De quoi se marrer.

(-124)

# 24

— Je ne sais pas m'exprimer, dit la Sibylle en essuyant la cuillère avec un chiffon pas très propre. D'autres pourraient peut-être expliquer ça mieux, mais moi cela m'est beaucoup plus facile de parler des choses tristes que des gaies.

— Une loi, dit Gregorovius. Enoncé parfait, vérité profonde. Mis sur le plan de l'astuce littéraire cela donne l'histoire des bons sentiments qui font la mauvaise littérature. Le bonheur ne s'explique pas, Lucie, probablement parce que c'est l'instant le plus accompli du voile de Maya.

La Sybille le regarda d'un air perplexe. Gregorovius soupira.

— Le voile de Maya, répéta-t-il, mais ne mélangeons pas tout. Vous avez très bien vu que le malheur est, disons, plus tangible, peut-être parce qu'il engendre le dédoublement en sujet et objet; c'est pour cela qu'il se fixe si bien sur le souvenir, c'est pour cela que l'on peut raconter si facilement les catastrophes.

— On dirait, dit la Sibylle en remuant le lait sur le réchaud, que seul le bonheur n'est qu'à soi tandis que le malheur semble être à tout le monde.

— On ne peut plus juste corollaire, dit Gregorovius. Je vous fais remarquer en passant que je ne suis pas curieux. L'autre soir, à la réunion du Club... Bon, c'est parce que Ronald a une vodka qui délie un peu trop les langues. Ne me prenez pas pour une espèce de diable boiteux, j'aimerais seulement mieux comprendre mes amis. Vous et Horacio... vous avez quelque chose d'inexplicable, un mystère central. Ronald et Babs disent que vous êtes le couple parfait, que vous vous complétez. Je ne trouve pas, moi, que vous vous complétiez tellement.

— Et qu'est-ce que ça peut faire ?

— Rien, en effet, mais c'est vous qui me disiez qu'Horacio est parti.

— Ça n'a rien à voir, dit la Sibylle. Je ne sais pas parler du bonheur, mais ça ne veut pas dire que je n'ai pas été heureuse. Si vous voulez, je peux vous raconter pourquoi Horacio est parti, pourquoi j'aurais pu partir moi-même s'il n'y avait pas Rocamadour. — Elle eut un geste vague vers les valises, l'énorme désordre de papiers, d'ustensiles et de disques qui remplissait la pièce. — Il faudra mettre tout ça quelque part et, en attendant, il faut que je trouve un endroit où aller... Je ne veux pas rester ici, c'est trop triste.

— Etienne pourra vous procurer une chambre, bien ensoleillée. Quand Rocamadour sera reparti à la campagne. Un loyer de sept mille francs par mois. Et si vous n'y voyez pas d'inconvénient, je prendrai cette chambre, moi. Elle me plaît, elle a du fluide. On est bien ici, on peut penser.

— N'y comptez pas trop, dit la Sibylle. Dès sept heures du matin, la fille d'en dessous commence à chanter *Les Amants du Havre*. C'est une jolie chanson, mais à la longue...

*Puisque la terre est ronde*
*Mon amour t'en fais pas*
*Mon amour t'en fais pas*

— Très joli, dit Gregorovius avec indifférence.

— Oui, c'est plein de philosophie, comme aurait dit Ledesma. Non, vous ne l'avez pas connu. C'était avant Horacio, en Uruguay.

— Le Noir ?

— Non, le Noir s'appelait Ireneo.

— Alors, l'histoire du Noir, c'était vrai ?

La Sibylle le regarda, étonnée. Vraiment, Gregorovius était stupide. A part Horacio (et encore...), tous ceux qui l'avaient désirée se conduisaient toujours stupidement. Tout en remuant le lait, elle se dirigea vers le lit et essaya d'en faire boire quelques gorgées à Rocamadour. Rocamadour se mit à pleurer et détourna la tête, le lait lui coulait dans le cou. « Minetminetminou », dit la Sibylle, « Minetminetminou » en essayant d'introduire la cuillère dans la bouche de Rocamadour qui était tout rouge et ne voulait rien boire, puis soudain il cédait, sans qu'on sût pourquoi et il se mettait à avaler plusieurs cuillerées à la file, à l'immense satisfaction de Gregorovius qui bourrait sa pipe et se sentait un peu père.

— Dodo, dit la Sibylle en posant la casserole près du lit et en bordant Rocamadour qui s'assoupissait rapidement. Quelle fièvre il a encore, presque quarante !

— Vous ne prenez pas sa température ?

— C'est très difficile, et après il pleure pendant vingt minutes, Horacio ne peut pas supporter ça. Je me fie à la chaleur du front. Il doit avoir près de quarante. Je ne comprends pas pourquoi la fièvre ne baisse pas.

— Méthodes trop empiriques, j'ai bien peur, dit Gregorovius. Cela ne risque pas de lui faire mal, tout ce lait avec tant de fièvre ?

— Ce n'est pas tant que ça pour un enfant, dit la Sibylle en allumant une Gauloise. Il vaudrait mieux éteindre la lumière pour qu'il se rendorme tout de suite. Là, près de la porte.

Une lueur venait du poêle, qui s'aviva lorsqu'ils se furent assis l'un en face de l'autre. Ils fumèrent un moment sans rien dire, Gregorovius voyait monter et descendre la cigarette de la Sibylle, pendant une seconde son visage curieusement serein s'illuminait comme une braise, ses yeux brillaient quand elle le regardait, puis tout retournait à la pénombre où s'espaçaient peu à peu les gémissements de Rocamadour, ils cessèrent bientôt complètement et il n'y eut plus qu'un léger hoquet qui revenait de temps en temps. Une pendule sonna onze heures.

— Il ne rentrera pas, dit la Sibylle. Evidemment, il lui faudra bien revenir prendre ses affaires, mais ça n'a rien à voir. C'est fini, *kaputt*.

— Je me demande, dit Gregorovius prudemment. Horacio est si sensible, il se déplace avec tant de difficulté dans Paris. Il croit qu'il fait ce qu'il veut ici, qu'il est très libre, mais il se cogne sans arrêt contre les murs. Il n'y a qu'à le voir dans la rue, une fois je l'ai suivi un moment, de loin.

— Espion, dit la Sibylle presque aimablement.

— Disons observateur.

— En réalité, c'est moi que vous suiviez, même si je n'étais pas avec lui.

— C'est possible, ça ne m'est pas venu à l'esprit sur le moment. La façon dont se conduisent mes amis m'intéresse beaucoup, c'est toujours beaucoup plus passionnant que les problèmes d'échecs. J'ai ainsi découvert que Wong se masturbait et que Babs pratiquait une espèce de charité janséniste, le visage tourné vers le mur tandis que la main donne un morceau de pain. Il fut un temps où je me consacrais à étudier ma mère. C'était en Herzégovine, il y a longtemps. Agdalle me fascinait, elle s'obstinait à porter une perruque blonde alors que je savais très bien qu'elle était brune. Personne ne le savait dans le château, nous nous étions installés là après la mort du comte Rossler. Quand je la questionnais (j'avais dix ans à peine, c'était un temps bien heureux), elle riait et me faisait jurer de ne jamais révéler la vérité. Cela m'exaspérait cette vérité qu'il fallait cacher et qui était pourtant plus simple et plus belle que la perruque blonde. Cette perruque était une œuvre d'art, ma mère pouvait se peigner tout naturellement devant sa femme de chambre sans que celle-ci pût rien soupçonner. Mais, sans savoir pourquoi, j'aurais bien voulu me cacher sous un sofa ou derrière les tentures violettes quand ma mère restait seule. Je résolus de faire un trou dans le mur de la bibliothèque qui donnait sur son cabinet de toilette, j'y travaillais la nuit quand on me croyait endormi. Je pus ainsi voir Agdalle enlever sa perruque blonde, déployer ses cheveux noirs qui la rendaient si différente, si belle, et puis enlever sa deuxième perruque et dévoiler à mes regards un crâne nu comme une boule de billard, quelque chose de si répugnant que je vomis cette nuit-là une bonne partie du goulasch sur mon oreiller.

— Votre enfance ressemble un peu au prisonnier de Zenda, dit pensivement la Sibylle.

— C'était un monde de perruques, dit Gregorovius. Je me demande ce qu'aurait fait Horacio à ma place. Nous allions parler d'Horacio en réalité, vous vouliez me dire quelque chose.

— C'est étrange ce hoquet, dit la Sibylle en regardant le lit de Rocamadour. C'est la première fois qu'il l'a.

— Ce doit être la digestion.

— Pourquoi insiste-t-on tellement pour que je l'envoie à l'hôpital ? De nouveau, cet après-midi, le médecin, avec sa sale tête de fourmi. Mais je ne veux pas qu'on l'emmène, il n'aime pas ça et moi, je fais tout ce qu'il y a à faire. Babs est venue ce matin et m'a dit que ce n'était pas si grave. Horacio non plus ne croyait pas que ce fût grave.

— Horacio ne va pas revenir ?
— Non. Il doit être en train de se promener par là, en quête de je ne sais quoi.
— Ne pleurez pas, Lucie.
— Je me mouche. Tiens, le hoquet lui a passé.
— Racontez-moi, Lucie, si cela peut vous faire du bien.
— Je ne me souviens de rien, ça n'en vaut pas la peine. Si, je me souviens. A quoi bon ? Quel nom étrange, Agdalle.
— Oui, qui sait si c'était son nom véritable ? On m'a dit...
— Comme la perruque blonde et la perruque brune, dit la Sibylle.
— Comme tout, dit Gregorovius. C'est vrai, son hoquet est passé. Maintenant, il va dormir jusqu'à demain matin. Quand vous êtes-vous connus, Horacio et vous ?

(-134)

# 25

Il eût mieux valu que Gregorovius se tût ou qu'il parlât seulement d'Agdalle en la laissant fumer tranquillement dans l'obscurité, loin des formes de la chambre, des disques et des livres qu'il allait falloir emballer pour qu'Horacio les emporte quand il aurait trouvé un logement. Mais non, il se tairait un moment en attendant qu'elle dise quelque chose et puis il finirait par poser des questions, ils avaient tous quelque chose à lui demander, on eût dit que cela les ennuyait qu'elle préférât, plutôt que de parler, chanter *Mon p'tit voyou* ou faire des dessins avec des allumettes, ou caresser les chats les plus galeux de la rue du Sommerard, ou encore donner le biberon à Rocamadour.

— *Alors, mon p'tit voyou,* chantonna la Sibylle, *la vie qu'est-ce qu'on s'en fout...*

— Moi aussi, j'adorais les aquariums, dit pensivement Gregorovius, mais ils ont cessé de me plaire du jour où je me suis initié aux œuvres propres à mon sexe. A Dubrovnik, une maison de passe où m'emmena un marin danois qui était alors l'amant de ma mère, celle d'Odessa. Au pied du lit, il y avait un aquarium merveilleux, et le lit lui aussi avait quelque chose d'un aquarium, avec son dessus de lit bleu ciel un peu irisé que la grosse rousse enleva soigneusement avant de m'attraper par les oreilles comme un lapin. Vous ne pouvez pas imaginer la peur, Lucia, la terreur, en de pareils moments. Nous étions étendus sur le dos l'un à côté de l'autre et elle me caressait machinalement, moi j'avais froid et elle n'arrêtait pas de parler, la bagarre qui venait d'éclater au bar, les orages de mars... Les poissons passaient et repassaient devant la vitre, il y en avait un, noir, énorme, beaucoup plus grand que les autres. Il passait et repassait comme la main de la rousse sur mes jambes, montant, descendant, montant... C'était cela alors pour moi, faire l'amour, un poisson noir passant et repassant, obstinément. Une comparaison qui en vaut une autre, et assez juste par ailleurs. La répétition à l'infini d'un désir de fuite, l'envie de traverser la paroi de verre et d'entrer dans autre chose.

— Qui sait, dit la Sibylle. J'ai l'impression, moi, que les poissons n'ont pas tellement envie de sortir de l'aquarium, ils ne touchent presque jamais la vitre de leur nez.

Gregorovius se rappela que Chestov avait parlé quelque part d'aquariums à paroi mobile que l'on pouvait, à un moment donné, retirer sans que le poisson, habitué à son espace, s'avisât jamais de passer dans l'eau libre. Parvenir jusqu'à un certain point de l'eau, tourner, s'en revenir, sans savoir qu'il n'y a plus d'obstacle, qu'il suffirait d'avancer...

— Mais l'amour aussi pourrait être cela, dit Gregorovius. Quelle merveille ce serait, admirer des poissons dans leur aquarium et soudain les voir passer à l'air libre, s'en aller comme des colombes. Un espoir idiot, bien sûr. Nous reculons tous, de peur de nous cogner le nez contre quelque chose de désagréable. Du nez comme limite du monde, thème de dissertation. Vous savez comment on apprend à un chat à devenir propre ? Technique du frottement judicieux. Vous savez comment l'on apprend aux porcs à ne pas manger la truffe qu'ils trouvent ? Un coup sur le nez, c'est horrible. Je crois que Pascal était plus expert en nez que ne le laisserait supposer sa fameuse réflexion « égyptienne ».

— Pascal ? dit la Sibylle, quelle réflexion égyptienne ?

Gregorovius soupira. Ils soupiraient tous quand elle posait une question. Horacio aussi et surtout Etienne car Etienne non seulement soupirait mais il soufflait, râlait et la traitait de stupide. « Et c'est si violet d'être ignorant », pensa la Sibylle avec rancœur. Chaque fois que quelqu'un s'impatientait de ses questions, une sensation violette, une masse violette l'enveloppait un instant. Il lui fallait respirer profondément et alors le violet se défaisait, s'en allait comme les poissons, se divisait en une multitude de losanges violets, les cerfs-volants dans les terrains vagues de Pocitos, l'été sur les plages, des taches violettes contre le soleil et le soleil s'appelait Râ et il était égyptien lui aussi comme Pascal. Ça lui était bien égal

## 25

les soupirs de Gregorovius; après Horacio, les soupirs des autres, ça lui était bien égal et cependant la tache violette restait là un moment, une envie de pleurer, quelque chose qui durait le temps de secouer par terre les cendres de sa cigarette d'un geste fatal pour les tapis, à supposer qu'il y en eût.

(-141)

# 26

— Au fond, dit Gregorovius, Paris est une énorme métaphore.

Il tapa sur sa pipe, tassa un peu le tabac. La Sibylle avait allumé une autre Gauloise et chantonnait. Elle était si fatiguée que cela ne la vexa même pas de ne pas comprendre la phrase. Comme elle ne posait pas précipitamment une question, selon son habitude, Gregorovius se décida à expliquer. La Sybille écoutait comme de loin, protégée par l'obscurité de la pièce et la cigarette. Elle entendait des choses isolées, le nom d'Horacio qui revenait, le désarroi d'Horacio, le vagabondage stérile des amis du Club, les bonnes raisons qu'ils se donnaient pour croire que tout cela pouvait avoir un sens. De temps en temps, une phrase de Gregorovius se dessinait dans l'ombre, verte ou blanche, parfois c'était un Atlan, parfois un Estève, puis un son, au hasard, tournait sur lui-même, s'épaississait, enflait comme un Manessier, comme un Wilfredo Lam, comme un Etienne, comme un Max Ernst. C'était amusant, Gregorovius disait : « ... Ils sont tous occupés à regarder ces routes babyloniennes, si je puis dire, et... » et la Sibylle voyait naître un Deyrolles resplendissant, un Bissière, mais déjà Gregorovius parlait de l'inutilité d'une ontologie empirique et c'était soudain un Friedlander, un Villon délicat qui réticulait la pénombre et la faisait vibrer, *ontologie empirique*, des bleus de fumée, des roses, *empirique*, un jaune clair, un creux où tremblaient des étoiles blanc pâle.

— Rocamadour s'est endormi, dit la Sibylle en secouant sa cigarette. Moi aussi, il faudrait que je dorme un peu.

— Horacio ne reviendra pas cette nuit, je suppose.

— Je n'en sais rien. Horacio est comme un chat, il est

peut-être assis par terre sur le palier ou bien il a pris le train pour Marseille.

— Je peux rester, dit Gregorovius. Dormez, je veillerai Rocamadour.

— Mais c'est que je n'ai pas sommeil. Je vois tout le temps des choses dans l'air quand vous parlez. Vous avez dit « Paris est une énorme métaphore » et il y a eu comme un de ces signes de Sugai avec beaucoup de rouge et de noir.

— Moi, je pensais à Horacio, dit Gregorovius. C'est curieux comme il a changé, Horacio, depuis quelques mois que je le connais. Vous ne vous en êtes pas aperçue, je suppose, trop près de lui et responsable de ce changement.

— Pourquoi une énorme métaphore ?

— Il se promène dans Paris comme d'autres se font initier à quelque fuite, le vaudou ou la marijuana, Pierre Boulez ou les machines à peindre de Tinguely. Il pressent qu'en un certain lieu de Paris, en un certain jour, une certaine mort ou une certaine rencontre, il y a une clef et il la cherche comme un fou. Remarquez que je dis comme un fou. C'est-à-dire qu'en réalité il n'a pas conscience de chercher une clef ni que cette clef existe. Il devine ses apparences, ses déguisements, c'est pour cela que je parle de métaphore.

— Pourquoi dites-vous qu'Horacio a changé ?

— Question pertinente, Lucie. Quand j'ai connu Horacio, je l'ai classé parmi les intellectuels amateurs, c'est-à-dire sans rigueur. Vous êtes un peu comme ça par là-bas, n'est-ce pas ? Dans le Matto Grosso et autres savanes ?

— Le Matto Grosso est au Brésil.

— Le Parana alors. Très intelligents et très vifs d'esprit, très au fait de toutes choses. Bien plus que nous. Littérature italienne, par exemple, ou anglaise. Et tout le Siècle d'Or espagnol, et les lettres françaises sur le bout du doigt, naturellement. Horacio était assez comme ça, ça se remarquait trop. Cela me paraît admirable qu'en si peu de temps il ait changé de cette façon. Il est devenu une véritable brute, il n'y a qu'à le voir. Enfin, il n'est pas encore tout à fait une brute mais il fait de son mieux.

— Ne dites pas de bêtises, grogna la Sibylle.

— Comprenez-moi, je veux dire qu'il cherche la lumière noire, la clef, et qu'il commence à se rendre compte que ces choses-là ne se trouvent pas dans une bibliothèque. C'est vous, en réalité, qui le lui avez appris et, s'il s'en va, c'est parce qu'il ne vous le pardonnera jamais.

— Ce n'est pas pour ça qu'il s'en va.

— Là aussi, il y a un symbole. Il ne sait pas, lui, pourquoi il s'en va, et vous, à cause de qui il s'en va, vous ne pouvez pas le savoir non plus, à moins que vous ne vous décidiez à me croire.

— Je ne le crois pas, dit la Sibylle en se laissant glisser de son fauteuil et en se couchant par terre. Et en plus je n'y comprends rien. Et ne prononcez pas le nom de Pola. Je ne veux pas parler de Pola.

— Continuez à regarder ce qui apparaît dans l'obscurité, dit aimablement Gregorovius. Nous pouvons évidemment parler d'autres choses. Saviez-vous que les Indiens Chirkin, à force de demander des ciseaux aux missionnaires, en ont réuni des collections telles qu'aucun groupe humain, comparativement, n'en possède autant ? Je l'ai lu dans un article d'Alfred Métraux. Le monde est plein de choses extraordinaires.

— Mais pourquoi Paris est-il comme une énorme métaphore ?

— Quand j'étais enfant, dit Gregorovius, nos nourrices faisaient l'amour avec les uhlans qui étaient en garnison dans la zone de Bozsok. Quand je les gênais pour ce faire, elles m'envoyaient jouer dans un immense salon plein de tapis et de tapisseries qui eussent enchanté Malte Laurids Brigge. Un des tapis représentait le plan de la ville d'Ophir tel qu'il est parvenu à l'Occident par la voie de la légende. A genoux, je poussais du nez ou de la main une balle jaune, et je suivais le cours du fleuve Shan-Ten, je traversais des murailles gardées par des guerriers noirs armés de lances et, après bien des périls et des bosses faites aux pieds de la table en acajou, je parvenais aux appartements de la reine de Saba et je m'endormais comme une chenille sur le dessin d'un triclinium. Oui, Paris est une métaphore. Tiens, mais j'y pense, vous aussi vous êtes couchée sur un tapis. Que représente-t-il ? Ah ! enfance perdue, si proche du réel. Je suis venu vingt fois dans cette chambre et je suis incapable de dire ce qu'il y a sur ce tapis.

— Il est si crasseux qu'on n'y voit plus grand-chose. Mais je crois que ce sont des paons qui se becquettent. Dans les tons verts.

Ils se turent en entendant les pas de quelqu'un qui montait.

(-109)

# 27

— Oh ! Pola, j'en sais plus long sur elle qu'Horacio.

— Sans l'avoir jamais vue, Lucie ?

— Mais je l'ai vue, je l'ai vue tant et plus, dit la Sibylle avec impatience. Horacio en était imprégné, il la rapportait dans ses cheveux, dans son pardessus, il tremblait d'elle, il se lavait d'elle.

— Etienne et Wong m'ont parlé de cette femme, dit Gregorovius. Ils les ont vus un jour à la terrasse d'un café, à Saint-Cloud. Les astres seuls savent ce que tous ces gens pouvaient faire à Saint-Cloud, mais c'est ainsi. Horacio, à ce qu'il paraît, la regardait comme on regarde une fourmilière. Wong en profita, plus tard, pour édifier une théorie compliquée sur les saturations sexuelles; d'après lui, on pourrait avancer dans la connaissance à condition d'atteindre, à un moment donné, un coefficient d'amour tel que l'esprit cristallise brusquement sur un autre plan, s'installe dans une surréalité. Vous croyez, Lucie ?

— Ce doit être une chose comme ça que nous cherchons tous, mais presque toujours on nous vole ou nous nous volons nous-mêmes. Paris est un grand amour à l'aveuglette, nous sommes tous éperdument amoureux, mais il y a quelque chose de vert, une espèce de mousse, je ne sais pas au juste. A Montevideo, c'était pareil, on ne pouvait jamais aimer vraiment. quelqu'un, il y avait aussitôt d'étranges choses, des histoires de draps ou de poils et, pour une femme, tant d'autres ennuis, Ossip, les avortements par exemple.

— Amour, sexualité, parlons-nous bien de la même chose ?

— Oui, dit la Sibylle. Si nous parlons d'amour, nous parlons de sexualité. Le contraire, en revanche, est moins vrai.

Mais la sexualité est autre chose que le sexe, il me semble.

— Au diable les théories, dit Ossip de façon inattendue. Ces dichotomies comme ces syncrétismes... Horacio cherchait probablement en Pola quelque chose que vous ne lui donniez pas. Pour ramener la conversation sur un terrain pratique, dirons-nous.

— Horacio cherche toujours un tas de choses, dit la Sibylle. Il se lasse de moi parce que je ne sais pas penser, c'est tout. Pola, j'imagine, pense tout le temps.

— Pauvre amour que celui qui se nourrit de pensées, cita Ossip.

— Il faut être juste, dit la Sibylle. Pola est très belle, je le sais à cause de la façon dont me regardait Horacio quand il revenait de chez elle, il était alors comme une allumette qu'on enflamme, toute sa chevelure se dresse soudain, ça dure à peine une seconde mais c'est merveilleux, un craquement, une odeur de soufre très forte et cette flamme dense qui décline vite. Il revenait un peu dans cet état-là et c'était parce que Pola le remplissait de beauté. Je le lui disais, Ossip, et il était juste que je le lui dise. Nous étions déjà un peu éloignés l'un de l'autre bien que nous aimant encore. Ces choses-là n'arrivent jamais d'un coup, Pola est venue insensiblement, comme le soleil par la fenêtre, il me faut penser des choses comme ça pour savoir que je dis la vérité. Elle est entrée peu à peu, chassant mon ombre, et Horacio se dorait au soleil comme sur le pont d'un bateau, il se rôtissait, il était si heureux.

— Je n'aurais jamais cru. Il me semblait que vous... Enfin, que Pola passerait comme quelques autres. Françoise par exemple.

— Ça n'a rien à voir, dit la Sibylle en secouant la cendre de sa cigarette par terre. C'est comme si moi je citais des types comme Ledesma. Il est vrai que vous se savez rien de tout cela. Et que vous ne savez pas non plus comment ça s'est terminé avec Pola.

— Non.

— Pola va mourir, dit la Sibylle. Pas à cause des aiguilles. Ça n'était qu'une blague, bien que je l'aie fait sérieusement, très sérieusement croyez-moi. Elle va mourir d'un cancer au sein.

— Et Horacio...

— Ne soyez pas sordide, Ossip. Horacio ne savait rien quand il a quitté Pola.

— Je vous en prie, Lucia. Moi...

— Ossip, vous savez très bien ce que vous dites et ce que vous recherchez ici ce soir. Ne soyez pas malhonnête. N'insinuez pas même cela.

— Mais quoi, s'il vous plaît ?

— Qu'Horacio savait avant de la quitter.

— S'il vous plaît, répéta Gregorovius, je n'ai même pas...

— Ne soyez pas dégoûtant, dit la Sibylle d'une voix monocorde. Pourquoi cet acharnement à salir Horacio ? Ne savez-vous pas que nous nous sommes quittés, qu'il est parti d'ici, par cette pluie ?

— Je ne prétends rien, dit Ossip comme tassé sur son tabouret. Je ne suis pas comme cela, Lucia, vous passez votre temps à me comprendre de travers. Je devrais me mettre à genoux comme devant le capitaine du *Graffin* et vous supplier de me croire, et de...

— Laissez-moi tranquille, dit la Sibylle. Pola d'abord, vous ensuite. Toutes ces taches sur les murs, et cette nuit qui n'en finit pas. Vous seriez capable de croire que c'est moi qui suis en train de tuer Pola.

— Une pareille idée ne me viendrait jamais.

— Suffit. Horacio ne me le pardonnera jamais, encore qu'il ne soit pas amoureux de Pola. C'était pour rire, une petite poupée de rien du tout, faite dans la cire d'une bougie de Noël, une très belle cire verte, je me souviens.

— Lucia, il m'en coûte de croire que vous avez pu...

— Il ne me le pardonnera jamais, bien que nous n'en parlions pas. Il le sait parce qu'il a vu la poupée, qu'il a vu les aiguilles. Il l'a jetée par terre et l'a écrasée. Il ne se rendait pas compte que c'était encore pire et qu'ainsi le danger devenait plus grand. Pola habite rue Dauphine. Lui, il allait la voir presque tous les après-midi. Est-ce qu'il lui aura parlé de la poupée verte, Ossip ?

— Très probablement, dit Ossip amer. Vous êtes tous complètement cinglés.

— Horacio parlait d'un nouvel ordre, de la possibilité de trouver une autre vie. Il se référait toujours à la mort quand il parlait de la vie, c'était inévitable et on en riait beaucoup. Il me dit aussi qu'il couchait avec Pola et je compris immédiatement qu'il ne voyait pas la nécessité que je me fâche ou que je fasse une scène. Au fond, Ossip, je n'étais pas très fâchée, moi aussi je pourrais coucher avec vous, en ce moment même si j'en avais envie. C'est très difficile à expliquer, il ne s'agit pas de trahisons ou de trucs comme ça; Horacio, le mot trahison ou tromper le mettait hors de lui. Je dois reconnaître qu'il m'a dit, dès le début, qu'il ne se considérait pas du tout comme engagé envers moi. J'ai fait la statuette parce que Pola avait envahi ma chambre, c'en était trop, je la savais capable de voler mon linge, de mettre mes bas, d'employer mon rouge, de donner le biberon à Rocamadour.

— Mais vous avez dit que vous ne la connaissiez pas.

— Elle était en Horacio, stupide ! Stupide, stupide Ossip. Pauvre Ossip, tellement stupide. Dans sa canadienne, dans la fourrure de son col, Pola était là dès qu'il entrait, elle était dans sa façon de regarder et quand il se déshabillait, là, dans ce coin, et qu'il se baignait debout dans ce tub, là, alors Pola sortait lentement de sa peau, je la voyais comme un ectoplasme et je retenais mes larmes en pensant que moi je ne serais jamais ainsi dans la maison de Pola, jamais Pola ne me pressentirait dans les cheveux, dans les yeux ou dans les poils d'Horacio. Je ne sais pas pourquoi, car au fond nous nous sommes bien aimés. Je ne sais pas pourquoi. Parce que je ne sais pas penser, sans doute, et qu'il me méprise, pour des choses comme ça.

(-28)

## 28

On marchait dans l'escalier.

— C'est peut-être Horacio, dit Gregorovius.

— Peut-être, dit la Sibylle. Mais on dirait plutôt l'horloger du sixième, il rentre toujours tard. Vous n'aimeriez pas écouter un peu de musique ?

— A cette heure ? Ça va réveiller l'enfant.

— Non, on mettra un disque très bas, ce sera parfait pour écouter un quatuor. On peut régler le pick-up si bas que nous seuls l'entendrons, vous allez voir.

— Ce n'était pas Horacio, dit Gregorovius.

— Pas sûr, dit la Sibylle en craquant une allumette et en regardant les disques empilés dans un coin. Il s'est peut-être assis sur le palier, ça le prend parfois. Il arrive jusque devant la porte et puis il change d'idée. Allumez le tourne-disque, ce bouton blanc près de la cheminée.

Il y avait par terre comme une boîte à chaussures, et la Sibylle, à genoux, posa le disque dessus, à tâtons dans l'ombre; la boîte à chaussures bourdonna légèrement, un accord lointain s'installa dans l'air à portée de main. Gregorovius, un peu scandalisé, se mit à bourrer sa pipe. Il n'aimait pas Schönberg, mais ça c'était une autre histoire, non, l'heure plutôt, l'enfant malade, une espèce de transgression. Oui, c'est cela, une transgression. C'était idiot d'ailleurs. Mais il y avait parfois des instants où un ordre, quel qu'il fût, se vengeait de l'oubli où on le tenait. Couchée par terre, la tête collée à la boîte à chaussures, la Sibylle semblait dormir.

De temps en temps, on entendait un léger ronflement de Rocamadour, mais Gregorovius se perdit bientôt dans la musique, il découvrit qu'il pouvait céder et se laisser entraîner sans protester, qu'il pouvait s'en remettre un moment à ce Viennois mort et enterré. La Sibylle fumait, couchée par terre, son visage émergeait de temps en temps de l'ombre avec ses yeux fermés et ses cheveux sur le front, les joues brillantes comme si elle pleurait, mais elle ne pleurait sans doute pas, c'était stupide d'imaginer qu'elle pouvait pleurer, elle serrait plutôt rageusement les lèvres en entendant le premier coup sec au plafond, le second coup, le troisième. Gregorovius sursauta et faillit crier en sentant une main qui lui serrait la cheville.

— Ne faites pas attention, c'est le vieux d'en dessus.

— Mais nous entendons à peine nous-mêmes.

— Ce sont les tuyaux, dit mystérieusement la Sibylle. Tout passe par là, ça nous est déjà arrivé.

— L'acoustique est une science surprenante, dit Gregorovius.

— Il se fatiguera plus vite que moi, dit la Sibylle. L'imbécile.

Là-haut, on continuait à frapper. La Sibylle se redressa, furieuse, et baissa un peu plus le son du haut-parleur. Le temps de huit ou neuf accords, un pizzicato, et à nouveau les coups.

— C'est incroyable, dit Gregorovius. Impossible que ce type entende quoi que ce soit.

— Il entend mieux que nous, c'est ça l'embêtant.

— Cette maison est comme l'oreille de Denys.

— De qui ? Le misérable, juste pendant l'adagio. Et s'il continue à frapper, il va réveiller Rocamadour.

— Il vaudrait peut-être mieux...

— Non, je ne veux pas... qu'il démolisse le plafond. Je vais lui mettre un disque de Mario del Monaco pour lui faire voir, dommage que je n'en aie pas. Crétin, vieux con rassis.

— Lucie, rima doucement Gregorovius, il est plus de minuit.

— Toujours l'heure, grogna la Sibylle. Impossible de mettre le disque plus bas, on n'entend déjà plus rien. Attendez, on va réécouter le dernier mouvement.

Les coups s'arrêtèrent et le quatuor se déroula jusqu'à la fin sans qu'on entendît même les ronflements espacés de Rocamadour. La Sibylle soupira, l'oreille collée au haut-parleur. On recommença à frapper.

— Quel imbécile, dit la Sibylle. Et tout est comme ça, toujours.
— Ne vous obstinez pas, Lucie.
— Et vous, ne soyez pas idiot. J'en ai marre, je les enverrais tous promener. Et si j'ai envie, moi, d'écouter Schönberg, si, pour une fois...
Elle se mit à pleurer en arrêtant le pick-up d'un revers de main et, comme elle était debout près du fauteuil, il fut facile à Gregorovius de la prendre par la taille et de l'asseoir sur ses genoux. Il se mit à lui caresser les cheveux, à écarter les cheveux de son visage. La Sibylle pleurait convulsivement, toussait et lui envoyait au visage une haleine lourde de tabac.
— Pauvre, pauvre petite, dit Gregorovius, joignant la parole au geste. Tout le monde est si méchant avec elle.
— Idiot, dit la Sibylle en avalant ses larmes avec beaucoup de délectation. Je pleure parce que je veux bien et surtout pour qu'on ne me console pas. Dieu de ma vie, quels genoux pointus vous avez ! ils coupent comme un couteau.
— Restez un peu là, supplia Gregorovius.
— Pas envie, dit la Sibylle. Et pourquoi est-ce qu'il continue à frapper, cet autre idiot ?
— N'y faites pas attention, Lucie. Pauvre petite fille...
— Mais je vous dis qu'il continue à frapper, c'est incroyable.
— Laissez-le frapper, conseilla inopinément Gregorovius.
La Sibylle éclata de rire.
— Mais c'est vous que ça gênait tout à l'heure !
— Je vous en prie, si vous saviez...
— Oh ! je sais, mais restez tranquille. Ossip, dit soudain la Sibylle qui venait de comprendre, le type ne tape pas à cause du disque. Nous pouvons en mettre un autre si nous voulons.
— Juste ciel, non.
— Mais vous n'entendez pas qu'il continue à frapper ?
— Je vais monter lui casser la gueule.
— Tout de suite, dit la Sibylle en se levant d'un bond et en s'écartant pour lui laisser le passage. Dites-lui que ce ne sont pas des façons de réveiller les gens à une heure du matin. Allez, montez, c'est la porte de gauche, celle avec le soulier cloué.
— Un soulier cloué sur la porte ?

— Oui, le vieux est complètement cinglé. Il y a un soulier et un morceau d'accordéon. Pourquoi ne montez-vous pas ?

— Je ne crois pas que cela vaille la peine, dit Gregorovius d'un ton las. Tout est si différent, si inutile. Lucie, vous n'avez pas compris que... Tout de même, cet individu pourrait s'arrêter de frapper.

La Sibylle se dirigea vers un coin de la pièce, décrocha quelque chose dans l'ombre qui ressemblait à un balai et en assena un coup terrible au plafond. Le silence se fit instantanément là-haut.

— Maintenant, nous pourrons écouter tout ce qui nous plaira, dit la Sibylle.

« Je me demande », pensa Gregorovius, de plus en plus fatigué.

— Par exemple, dit la Sibylle, une sonate de Brahms. Quelle merveille, il s'est fatigué de frapper. Attendez que je trouve le disque, il doit être par là. On n'y voit rien.

« Horacio est là dehors, pensa Gregorovius. Assis sur le palier, le dos appuyé contre la porte, et il entend tout. Comme une figure de tarot, quelque chose qui va se résoudre, un polyèdre dont chaque arête, chaque face a un sens immédiat, le faux, jusqu'à ce qu'il trouve son sens second, la révélation. Ainsi, Brahms, moi, les coups au plafond, Horacio : une chose qui s'achemine lentement vers son explication. Tout à fait inutile, d'ailleurs. » Il se demanda ce qui arriverait s'il essayait à nouveau de prendre la Sibylle dans ses bras. « Mais il est là, lui, en train d'écouter. Et ça le ferait peut-être jouir de nous entendre, il est répugnant parfois. » Sans compter que Gregorovius avait peur de lui, mais ça, il lui en coûtait de le reconnaître.

— Ce doit être celui-là, dit la Sibylle. Oui, l'étiquette argentée avec deux petits oiseaux. Qui parle là dehors ?

« Un polyèdre, une chose qui se cristallise peu à peu dans l'obscurité, pensa Gregorovius. Maintenant, elle va dire ceci et dehors il va arriver cela et moi... Mais je ne sais pas ce qu'est ceci et cela... »

— C'est Horacio, dit la Sibylle.

— Horacio et une femme.

— Non, c'est sûrement le vieux d'en dessus.

— Celui du soulier sur la porte ?

— Oui, il a une voix de vieille femme, une vraie pie. Et il a toujours un bonnet d'astrakan sur la tête.

— Il vaut mieux ne pas mettre le disque, conseilla Gregorovius. Attendons de voir ce qui arrive.

— Et après, on ne pourra plus écouter la sonate de Brahms, dit la Sibylle, furieuse.

« Ridicule renversement des valeurs, pensa Gregorovius. Ils sont à deux doigts d'en venir aux coups, là, sur le palier, et elle, elle ne pense qu'à la sonate qu'elle ne pourra pas écouter. »

Mais la Sibylle avait raison, elle était comme toujours la seule qui eût raison. « J'ai plus de préjugés que je ne pensais, se dit Gregorovius. Parce qu'on mène une vie d'affranchi, qu'on accepte les parasitismes matériels et spirituels de Lutèce, on se croit revenu à une innocence édénique. Pauvre idiot, va. »

— The rest is silence, dit Gregorovius en soupirant.

— Silence my foot, dit la Sibylle qui savait pas mal d'anglais. Vous allez voir qu'ils vont remettre ça. Et le premier qui parlera, ce sera le vieux. Là qu'est-ce que je vous disais ? Mais qu'est-ce que vous foutez là ? singea la Sibylle d'une voix nasillarde. Voir un peu ce que lui répond Horacio. Il me semble qu'il rit tout bas et quand il rit il ne trouve plus ses mots, c'est incroyable. Je vais voir.

— Nous étions si bien, murmura Gregorovius comme s'il voyait s'avancer l'ange vengeur. Gérard David, Van der Weiden, le Maître de Flemalle, les anges soudain étaient tous flamands, il ne savait pourquoi, avec des visages gras et stupides mais damassés et resplendissants, et bourgeoisement réprobateurs. (Daddy-ordered-it-so-you-better-beat-it-you-lousy-sinners.) Toute la chambre pleine d'anges, I looked up to heaven and what did I see / A band of angels comin' after me, le dénouement habituel, les anges policiers, les anges caissiers, anges anges. Pourriture des pourritures, et cet air glacé qui montait dans ses pantalons, les voix furieuses sur le palier, la silhouette de la Sibylle dans l'encadrement de la porte.

— C'est pas des façons, ça, disait le vieux, empêcher les gens de dormir à une heure pareille. Je porterai plainte à la police, moi, et puis qu'est-ce que vous foutez là, planqué contre la porte ? J'aurais pu me casser la gueule, merde alors.

— Va dormir, va, petit père, dit Horacio commodément installé par terre.

— Moi, dormir, avec le bordel que fait votre bonne femme ? Ça alors comme culot ! Mais je vous préviens, ça ne se passera pas comme ça, vous aurez de mes nouvelles.

— *Mais de mon frère le Poète on a eu des nouvelles,* psalmodia Horacio. Quel type, je te jure.

— Un idiot, dit la Sibylle. On met un disque tout bas et il frappe. On arrête le disque, il frappe encore. Qu'est-ce qu'il veut alors ?

— Bah ! c'est l'histoire du type qui ne laisse tomber qu'un soulier.

— Je ne la connais pas, dit la Sibylle.

— C'était à prévoir, dit Oliveira. Les vieillards m'inspirent d'habitude un respect mitigé mais celui-là je lui achèterais volontiers un bocal de formol pour qu'il se foute dedans et cesse de nous emmerder.

— Et en plus, ça m'insulte dans son charabia de sales métèques, continua le vieux. On est en France, ici. On devrait vous mettre à la porte, c'est une honte. Qu'est-ce qu'il fait le gouvernement ? Je vous le demande. Des Arabes, tous des fripouilles, des tueurs.

— Tu m'amuses avec tes sales métèques, si tu pouvais voir la bande d'Auvergnats qui ramasse du fric en Argentine, dit Oliveira. Et à propos, qu'étiez-vous en train d'écouter ? J'arrive juste et je suis trempé.

— Un quatuor de Schönberg. Et maintenant, j'aurais voulu écouter très bas une sonate de Brahms.

— Il vaudra mieux attendre demain, proposa Oliveira d'une voix conciliante et en se dressant sur un coude pour allumer une Gauloise. Rentrez chez vous, monsieur, on ne vous emmerdera plus pour ce soir.

— Des fainéants, des tueurs, tous.

A la lueur de l'allumette, on voyait le bonnet d'astrakan, la robe de chambre graisseuse, les petits yeux rageurs. Le bonnet projetait des ombres gigantesques dans la cage d'escalier, la Sibylle était fascinée. Oliveira se leva, souffla sur l'allumette et entra dans la chambre en refermant doucement la porte derrière lui.

— Salut, dit Oliveira, on n'y voit rien là-dedans.

— Salut, dit Gregorovius. Heureusement que tu as pu t'en décoller.

— Per modo di dire. Au fond, le vieux a raison et de plus, il est vieux.

— Etre vieux ce n'est pas une excuse, dit la Sibylle.

— Peut-être pas une excuse mais un sauf-conduit.

— Tu as dit un jour que le drame de l'Argentine c'est qu'elle était dirigée par des vieux.

— Le rideau est déjà tombé sur ce drame, dit Oliveira. Depuis Peron, c'est le contraire, ceux qui ont la parole, ce sont des jeunes et c'est presque pire qu'avant, qu'est-ce qu'on peut y faire ? Les raisons d'âge, de génération, de titres et de classe, c'est une blague incommensurable. Je suppose que si nous chuchotons d'une manière aussi incommode c'est parce que Rocamadour dort du sommeil du juste.

— Oui, il s'est endormi avant que nous écoutions les disques. Mais tu es trempé comme une soupe, Horacio.

— Je suis allé à un récital de piano, expliqua Oliveira.

— Ah ! dit la Sibylle. Bon, enlève ta canadienne, je vais te préparer un maté bien chaud.

— Avec un verre de *caña*. Il doit en rester une demi-bouteille par là.

— Qu'est-ce que c'est, la *caña* ? demanda Gregorovius. C'est la même chose que la *grapa* ?

— Non, eau-de-vie de canne à sucre, ça ressemble plutôt au barak. Excellent après les concerts, surtout quand il y a eu des premières auditions et d'inénarrables conséquences. Si nous allumions une toute petite lumière faible et timide qui ne gênerait pas Rocamadour ?

La Sibylle alluma une lampe et la posa par terre, faisant surgir une espèce de Rembrandt qu'Oliveira trouva de circonstance. Retour de l'enfant prodigue, image de la rentrée au bercail bien que momentanée et fugitive, bien qu'il ne sût pas pourquoi il était revenu, pourquoi il avait monté petit à petit l'escalier et s'était laissé tomber devant la porte pour entendre de loin la fin du quatuor et les murmures de la Sibylle et d'Ossip. « Ils doivent avoir fait l'amour comme des chats », pensa-t-il en les regardant. Mais non, impossible qu'ils aient prévu son retour dans la nuit, qu'ils soient si habillés, que Rocamadour soit bien installé dans le grand lit. Si Rocamadour avait été couché entre deux chaises, si Gregorovius avait été en chaussettes et en chemise... Et puis, qu'est-ce que ça pouvait bien lui foutre puisque celui qui était de trop ici c'était lui, dégoulinant de pluie et crotté ?

— L'acoustique, dit Gregorovius. N'est-ce pas extraordinaire, le son s'insinue dans la matière, grimpe d'étage en étage, passe d'un mur à la tête d'un lit, c'est à peine croyable. Vous êtes-vous jamais plongés entièrement dans une baignoire ?

— Ça m'est arrivé, dit Oliveira.

— On peut entendre tout ce que disent les voisins d'en dessous, il suffit de mettre la tête sous l'eau et d'écouter. Les sons se transmettent par les tuyaux, je suppose. C'est ainsi qu'à Glasgow, j'ai appris que mes voisins étaient trotskystes.

— Glasgow, ça évoque le mauvais temps, un port plein de gens tristes, dit la Sibylle.

— Trop de cinéma, dit Oliveira. Mais ce maté est comme une grâce, quelque chose d'incroyablement favorable. Sainte Mère, que d'eau dans mes souliers ! Un maté, tu vois, c'est comme un point à la ligne. On le prend et on peut commencer un nouveau paragraphe.

— J'ignorerai toujours ces délices de la pampa, dit Gregorovius. Mais il me semble qu'on avait parlé d'autre chose à boire.

— Apporte la caña, demanda Oliveira. Je crois qu'il en reste une bonne demi-bouteille.

— Vous l'achetez ici ? demanda Gregorovius.

« Pourquoi diable parle-t-il au pluriel ? pensa Oliveira. Ils se sont sûrement vautrés ensemble toute la soirée, c'est un signe qui ne trompe pas. Enfin. »

— Non, c'est mon frère qui me l'envoie. J'ai un frère rosarien — comme qui dirait bordelais — et ce frère est une merveille. Caña et sermons, tout arrive à flots.

Il tendit sa tasse vide à la Sibylle qui s'était pelotonnée à ses pieds avec la bouilloire entre ses genoux. Il commençait à se sentir revivre. La Sibylle posa une main sur sa cheville, défit les lacets de la chaussure; il se la laissa retirer avec un soupir. La Sibylle enleva aussi sa chaussette trempée et enveloppa son pied dans une feuille double du *Figaro littéraire*. Le maté était très chaud et très amer.

Gregorovius trouva la caña excellente, ce n'était pas tout à fait comme le barak, mais ça y ressemblait. Il y eut une énumération minutieuse de boissons hongroises et tchèques, quelques nostalgies. On entendait pleuvoir tout bas, comme ils étaient bien, surtout Rocamadour qui se taisait depuis plus d'une heure. Gregorovius parlait de Transylvanie, des aventures qui lui étaient arrivées à Salonique. Oliveira se souvint qu'il y avait des Gauloises et des pantoufles dans la table de nuit. Il s'approcha du lit à tâtons. « A Paris, si on parle d'une ville située au-delà de Vienne, cela fait tout de suite littérature », disait Gregorovius d'une voix qui avait l'air de s'excuser. Horacio trouva les cigarettes, ouvrit la porte de la table de nuit pour prendre les pantoufles. Il voyait vaguement dans la pénombre le profil de Rocamadour couché sur le dos. Sans trop savoir pourquoi il lui effleura le front d'un doigt. « Ma mère n'osait pas prononcer le mot de Transylvanie, à cause des histoires de vampire, comme si cela... Et puis le tokay, vous savez bien... » A genoux près du lit, Horacio regarda plus attentivement. « Imaginez-vous, à Montevideo, disait la Sybille, on croit que l'humanité est une seule et même chose mais, quand on vit là-bas, si loin... Le tokay, c'est un oiseau ? — En un certain sens, oui. » La réaction normale en pareil cas. Voyons, d'abord... « Qu'est-ce que ça veut dire "en un certain sens" ? C'est un oiseau ou ce n'est pas un oiseau ? » Mais il n'y avait qu'à passer un doigt sur les lèvres, le manque de réaction. « Je me suis permis, Lucie, une comparaison peu originale. En tout bon vin dort un oiseau. » La respiration artificielle, une idiotie. Et une autre idiotie que ses mains tremblent pareillement, il est vrai qu'il était pieds nus, avec des vêtements mouillés (il faudrait le frictionner énergiquement, avec de l'alcool, peut-être qu'en faisant vite). « *Un soir l'âme du vin chantait dans les bouteilles*, scandait Ossip. Déjà, Anacréonte, je crois bien... » On pouvait presque palper le silence rancunier de la Sibylle, sa remarque mentale : « Anacréonte, auteur grec jamais lu. Tout le monde le connaît sauf moi. Et de qui est ce vers *un soir l'âme du vin ?* » Horacio glissa sa main sous les draps, il lui fallut faire un terrible effort sur lui-même pour toucher le petit ventre de Rocamadour, les cuisses froides, plus haut il semblait y avoir un reste de chaleur mais non, le même froid partout. « Faire comme tout le monde, pensa Horacio. Crier, allumer la lumière, sacrifier au tapage normal et obligatoire. Pourquoi ? » Mais c'est que peut-être il reste encore... « Alors, cela veut dire que cet instinct ne me sert à rien, cette chose que je sais au fond de moi. Si je pousse un cri c'est de nouveau Berthe Trépat, de nouveau la stupide tentative, la pitié. Suivre le sentier battu, faire ce que l'on doit faire en pareil cas. Ah non, ça suffit. Pourquoi allumer la lumière et crier puisque je sais que cela ne sert à rien ? Comédien, parfait saligaud de comédien. La seule chose qu'on puisse faire c'est... » On entendait tinter le verre de Gregorovius contre la bouteille de caña. Sa Gauloise à la bouche, Horacio frotta une allumette et regarda fixement Rocamadour. « Tu vas le réveiller », dit la Sibylle, qui remettait du maté dans le pot. Horacio souffla brutalement l'allumette. Il est bien connu que si les pupilles soumises à un rayon lumineux, etc. « C'est un peu moins parfumé que le barak », disait Ossip.

— Le vieux se remet à frapper, dit la Sibylle.

— C'est peut-être un volet, dit Gregorovius.

— Il n'y a pas de volet dans cette maison, dit la Sibylle. Non, le vieux est devenu fou, sûrement.

Oliveira mit ses pantoufles et revint s'asseoir. Le maté était vraiment excellent, très chaud et très amer. On frappa deux coups en haut, sans conviction.

— Il tue les cafards, suggéra Gregorovius.

— Non, il nous garde un chien de sa chienne et il ne veut pas nous laisser dormir. Monte lui dire quelque chose, Horacio.

— Monte, toi. Je ne sais pas pourquoi mais il a plus peur de toi que de moi. Du moins ça ne réveille pas sa xénophobie, les *apartheid* et autres ségrégations.

— Si je monte, je lui en dirai tant qu'il appellera la police.

— Il pleut trop. Prends-le par les sentiments, félicite-le pour les décorations de sa porte, parle de ton cœur de mère, tous ces trucs-là. Allez, fais ce que je te dis.

— J'en ai si peu envie, dit la Sibylle.

— Va, ma jolie, dit Oliveira à voix basse.

— Mais pourquoi veux-tu que ce soit moi qui y aille ?

— Pour me faire plaisir et parce que tu t'en tireras très bien.

On frappa deux coups puis un autre. La Sibylle se leva et sortit. Horacio la suivit jusqu'à la porte et, quand il entendit qu'elle montait l'escalier, il alluma la lumière et regarda

Gregorovius. Du doigt il lui montra le lit. Quand Gregorovius revint s'asseoir il éteignit la lumière.

— C'est incroyable, murmura Ossip en attrapant la bouteille de caña dans l'obscurité.

— Sans doute. Incroyable, inéluctable, tout ce qu'on voudra. Pas de nécrologies, je t'en prie. Il a suffi que je m'absente un jour pour qu'il se passe ici les choses les plus extrêmes. Enfin, l'une la consolera de l'autre.

— Je ne comprends pas, dit Gregorovius.

— Tu me comprends parfaitement. Ça va. Ça va. Tu ne peux pas savoir à quel point je m'en fous.

Gregorovius se rendait compte qu'Horacio le tutoyait et que cela changeait bien des choses, comme si l'on pouvait encore... Il parla de Croix-Rouge, de pharmacies de garde.

— Fais ce que tu veux, moi ça m'est égal, dit Oliveira. Parce que aujourd'hui... Quelle journée, vieux frère !

S'il avait pu se jeter sur le lit, s'endormir pour un an ou deux. « Poule mouillée », pensa-t-il. Son immobilisme avait gagné Gregorovius qui essayait péniblement d'allumer une pipe. On entendait parler très loin, la voix de la Sibylle à travers la pluie, le vieux qui lui répondait en piaillant. A un autre étage une porte claqua, des gens sortirent pour protester contre le bruit.

— Au fond, tu as raison, reconnut Gregorovius. Mais il y a une responsabilité juridique, je crois.

— Oh, de toute façon, on est dans le pétrin, dit Oliveira. Surtout vous deux, moi, je peux toujours prouver que je suis arrivé plus tard. Mère laisse mourir nourrisson pour s'ébattre avec amant sur tapis.

— Si tu veux dire par là que...

— Ça n'a aucune importance, je t'assure...

— Mais c'est que ce n'est pas vrai, Horacio.

— Ça m'est égal, la consommation est un fait accessoire. D'ailleurs je n'ai plus rien à voir avec tout ça, je suis revenu parce que j'étais trempé et que je voulais boire un maté. Dis donc, il y a des gens qui montent.

— Il faudrait appeler Police-Secours, dit Gregorovius.

— Fais, je t'en prie. On dirait la voix de Ronald, non ?

— Moi, je ne reste pas ici, dit Gregorovius en se levant. Il faut faire quelque chose, je te dis qu'il faut faire quelque chose.

— Mais j'en suis convaincu, mon vieux. L'action, toujours l'action. *Die Tätigkeit.* Eh bien, voilà ce qui s'appelle arriver comme marée en carême. Dites donc, parlez plus bas, vous allez réveiller le petit.

— Salut, dit Ronald.

— Hello, dit Babs en essayant de faire passer son parapluie par la porte.

— Parlez bas, dit la Sibylle qui arrivait derrière eux. Pourquoi ne fermes-tu pas ton parapluie pour entrer ?

— Tu as raison, dit Babs. Je n'y pense jamais. Ne fais pas de bruit, Ronald. Nous sommes venus juste pour vous raconter ce qui est arrivé à Guy, c'est incroyable. Les plombs ont sauté ?

— Non, c'est à cause de Rocamadour.

— Parle bas, dit Ronald. Et mets dans un coin ce parapluie de merde.

— C'est qu'il est difficile à fermer, dit Babs. Et dire qu'on l'ouvre si facilement.

— Le vieux m'a menacée d'appeler la police, dit la Sibylle en fermant la porte. J'ai cru qu'il allait me frapper, il criait comme un putois. Ossip, j'aimerais que vous voyiez tout ce qu'il y a dans sa chambre, de l'escalier on en aperçoit un coin. Une table pleine de bouteilles vides et, au milieu, un moulin à vent si grand qu'il semble presque grandeur nature, comme ceux qu'on voit dans les champs en Uruguay. Et le moulin s'est mis à tourner avec le courant d'air, je ne pouvais m'empêcher de lancer des coups d'œil par l'entrebâillement de la porte, le vieux en bavait de rage.

— Je ne peux pas le fermer, dit Babs. Tant pis, je le laisse dans ce coin.

— On dirait une chauve-souris, dit la Sibylle. Donne, je vais le fermer, moi. Tu vois, c'est facile.

— Elle lui a cassé deux baleines, dit Babs à Ronald.

— Et toi ne nous casse plus les pieds, dit Ronald. D'ailleurs on s'en va tout de suite, c'était seulement pour vous dire que Guy avait avalé un tube de gardénal.

— Pauvre ange, dit Oliveira qui ne l'aimait pas.

— Etienne l'a trouvé à moitié mort. Babs et moi on était allés à un vernissage (il faut que je t'en parle, sensationnel), Guy est monté chez nous et il s'est empoisonné dans notre lit, tu te rends compte.

— He has no manners at all, dit Oliveira. C'est très regrettable.

— Et Etienne est passé nous chercher, poursuivit Babs, heureusement que tout le monde a la clef. Il a entendu quelqu'un vomir, il est entré et c'était Guy. Le pauvre vieux n'en avait plus pour longtemps, Etienne est sorti ventre à terre chercher du secours. Maintenant Guy est à l'hôpital mais c'est très grave. Et avec un temps pareil, conclut Babs, consternée.

— Asseyez-vous, dit la Sibylle. Non, pas là, Ronald, il manque un pied. Il fait tellement sombre mais c'est à cause de Rocamadour. Parlez bas.

— Prépare-leur un peu de café, dit Oliveira. Qu'est ce qu'il vase !

— Il faudrait que je parte, dit Gregorovius. Je me demande où j'ai mis mon imperméable. Non, pas là. Lucie...

— Buvez d'abord un peu de café, dit la Sibylle. De toute façon, il n'y a plus de métro, et on est tellement bien ici. Tu devrais moudre du café, Horacio.

— Ça sent le renfermé, dit Babs.

— Toujours en train de regretter l'oxygène de la rue, dit Ronald, furieux. C'est un vrai cheval, cette femme, elle n'aime que les choses pures et sans mélange. Les couleurs élémentaires, les gammes de sept notes. Elle n'est pas humaine, je vous assure.

— L'humanité est un idéal, dit Oliveira qui tâtonnait à la recherche du moulin à café. L'air aussi a son histoire, faut pas croire. Passer de la rue mouillée et bien oxygénée, comme tu dis, à une atmosphère dont la température et la qualité ont été préparées pendant cinquante siècles... Babs est une espèce de Rip van Winkle de la respiration.

— Oh, Rip van Winkle, dit Babs, ravie. Ma grand-mère me le racontait.

— Dans l'Idaho, on sait, dit Ronald. Bon, c'est pas tout. Etienne nous a téléphoné il y a une demi-heure au bar du coin pour nous conseiller de passer la nuit dehors, au moins jusqu'à ce qu'on sache si Guy s'en tirera. Si les flics rappliquaient, ça ferait très mauvais effet qu'ils nous trouvent, d'autant qu'ils sont plutôt forts pour ce qui est l'association d'idées et qu'ils en avaient un peu marre du Club, ces derniers temps.

— Qu'est-ce qu'il a de mal, le Club ? dit la Sibylle en train d'essuyer des tasses avec un torchon.

— Rien et c'est bien pour ça qu'on est sans défense. Les voisins se sont tellement plaints du bruit, des disqueries, de nos allées et venues à toute heure... Et en plus, Babs s'est disputée avec le concierge et toutes les bonnes femmes de l'immeuble.

— They are awful, dit Babs en mastiquant un bonbon qu'elle avait sorti de son sac. Elles flairent la marijuana même quand on est en train de préparer un goulasch.

Oliveira, fatigué de moudre le café, avait passé le moulin à Ronald. La Sibylle et Babs s'étaient mises à discuter à voix très basse du suicide de Guy. Après avoir emmerdé tout le monde pour trouver son imperméable, Gregorovius s'était affalé dans son fauteuil et ne bougeait plus, sa pipe éteinte entre les lèvres. On entendait pleuvoir sur la fenêtre. « Schönberg et Brahms, pensa Oliveira en prenant une Gauloise. Ce n'est pas mal; bien que, généralement, en ces cas-là, on fasse plutôt appel à Chopin ou à la « Todesmusik » de *Siegfried*. Le cyclone d'hier a tué deux à trois mille personnes au Japon. Statistiquement parlant... » Mais la statistique n'enlevait pas le goût d'oignon qu'il trouvait à sa cigarette. Il l'examina avec attention en grattant une autre allumette. C'était une Gauloise parfaite, bien blanche, avec ses lettres fines et ses brins de rude tabac noir s'échappant par le bout un peu mouillé. « Quand je pense à l'histoire de Rose Bob... Oui, ç'a été une journée drôlement chargée, sans compter ce qui nous attend. » Il fallait apprendre la chose à Ronald pour que Ronald la transmît à Babs par un de leurs systèmes quasiment télépathiques qui étonnaient tellement Perico Romero. Théorie de la communication, un de ces thèmes fascinants que la littérature n'avait pas encore pris à son compte. Ronald s'était joint à présent au murmure de Babs et de la Sibylle et le moulin tournait au ralenti, le café ne serait pas prêt de sitôt. Oliveira quitta son horrible chaise art nouveau et s'installa commodément par terre, la tête appuyée sur une pile de journaux. Il y avait au plafond une curieuse phosphorescence qui persistait quand il fermait les yeux, elle fut chassée par de grandes sphères violettes qui explosaient l'une après l'autre, vouf ! vouf ! chaque sphère devait certainement correspondre à une systole ou une diastole, va-t'en savoir. Et quelque part dans la maison, au troisième étage sans doute, le téléphone sonnait. Chose extraordinaire, à cette heure et à Paris. « Une autre mort, pensa Oliveira. On ne téléphone pas pour une autre raison dans cette ville respectueuse du sommeil. » Il se rappela la fois où un ami argentin frais débarqué avait trouvé tout naturel de lui téléphoner un soir à dix heures et demie. La gueule de son logeur, en robe de chambre, venant frapper à sa chambre l'air glacial, quelqu'un vous demande au téléphone, Oliveira confus enfilant un pull-over, descendant au quatrième étage pour trouver une dame franchement agacée, pour apprendre que le gars Hermida était à Paris, alors quand est-ce qu'on se voit, je t'apporte des nouvelles de tout le monde, de Traveler et des copains du Bidu, et la dame cachait mal son irritation puisque Oliveira ne se mettait pas à pleurer, qu'il n'avait pas appris la mort d'une personne chère, et Oliveira ne savait plus où se mettre, vraiment, madame, je suis tellement confus, c'est un ami qui vient d'arriver de Buenos Aires, il ne connaît pas les usages, vous comprenez. O Argentine, horaires généreux, maisons ouvertes, temps qu'on pouvait jeter par la fenêtre, tout l'avenir devant vous, tout, tout l'avenir, vouf ! vouf ! mais dans les yeux de ce qui était là, à trois mètres de lui, il n'y avait rien, il ne pouvait rien y avoir, vouf ! vouf ! toute la théorie de la communication foutue, ni maman ni papa, ni petit papa ni pipi ni vouf ! vouf ! ni rien du tout, rien que la *rigor mortis* et les gens qui l'entouraient n'étaient même pas corses ou mexicains pour préparer la veillée funèbre du petit ange, pour continuer à écouter de la musique, pour savoir saisir le fil à un bout de la pelote, des gens qui n'étaient plus assez primitifs pour surmonter ce scandale par l'acceptation ou l'identification ni assez évolués pour nier tout scandale et ajouter one little casualty, par exemple, aux trois mille morts balayés par le typhon. « Mais tout ça, c'est de l'anthropologie bon marché », pensa Oliveira, ressentant comme un froid à l'estomac qui lui donnait des crampes. Et pour finir, toujours le plexus. « C'est ça, les vrais communications, les avertissements sous la peau. Et pour ça, il n'existe pas de dictionnaire. » Qui avait éteint la lampe Rembrandt ? Il ne se rappelait plus, il y avait eu, quelques minutes auparavant, comme une poussière vieil or au ras du sol et, à un moment donné, la Sibylle (car ce devait être la Sibylle), ou peut-être Gregorovius, avait éteint la lampe.

— Comment vas-tu faire le café dans le noir ?

— Je ne sais pas, dit la Sibylle en déplaçant des tasses. Avant, il y avait un peu de lumière.

— Allume, Ronald, dit Oliveira. Sous ta chaise. Presse sur le bouton, le système classique.

— Tout ça est idiot, dit Ronald sans qu'on pût savoir à quoi il en voulait au juste.

La lumière emporta avec elle les sphères violettes et Oliveira commença à trouver meilleur goût à sa cigarette. Maintenant oui, on était réellement bien, il faisait chaud, on allait prendre du café.

— Mets-toi là, près de moi, dit Oliveira à Ronald. Tu seras mieux que sur cette chaise, elle a une espèce de pointe au milieu du siège qui vous perce le cul. Wong la joindrait à sa collection chinoise, je suis sûr.

— Je suis très bien là, dit Ronald. Bien que cela puisse prêter à confusion.

— Tu es très mal, viens ici. Et ce café, mesdames, c'est pour aujourd'hui ?

— Monsieur joue les seigneurs et maîtres, dit Babs. Il est toujours comme ça avec toi ?

— Presque toujours, dit la Sibylle sans le regarder. Aide-moi à essuyer ce plateau.

Ronald abandonna sa chaise et alla s'asseoir en tailleur à côté d'Oliveira qui attendit que Babs se fût lancée dans les commentaires imaginables sur l'obligation de faire du café, pour glisser un mot à l'oreille de Ronald. Gregorovius, qui les épiait, intervint aussitôt dans la conversation sur le café et l'exclamation de Ronald se perdit dans l'éloge du moka et la décadence que subissait l'art de le préparer. Après quoi, Ronald remonta sur sa chaise à temps pour recevoir la tasse que lui tendait la Sibylle. On recommençait à frapper doucement au plafond, deux fois, trois fois. Gregorovius frissonna et avala son café d'un trait. Oliveira se retenait pour ne pas éclater d'un rire qui aurait peut-être soulagé sa crampe. La Sibylle avait un air comme surpris, elle les regardait tous à tour de rôle dans la pénombre, puis elle chercha, à tâtons, une cigarette sur la table, comme si elle voulait sortir de quelque chose qu'elle ne comprenait pas, une sorte de rêve.

— J'entends des pas, dit Babs d'une voix à la Blavatsky. Ce vieux doit être fou, il faut faire attention. Une fois, à Kansas City... Non, c'est quelqu'un qui monte.

— L'escalier se dessine dans mon oreille, dit la Sibylle. Les sourds me font grand-pitié. En ce moment c'est comme si j'avais une main dans l'escalier et que je la passais sur les marches, une par une. Quand j'étais gosse j'ai attrapé dix sur dix à une dissertation en écrivant l'histoire d'un petit bruit. C'était un petit bruit sympathique, qui allait et venait, il lui arrivait des choses...

— Moi, par contre..., dit Babs. O.K., ce n'est pas la peine de me pincer

— Chère âme, dit Ronald, tais-toi un peu pour que nous puissions identifier ces pas. Oui, c'est le roi des pigments, c'est Etienne, c'est la grande bête apocalyptique

« Il a bien encaissé le coup, pensa Oliveira. La cuillerée de remède est pour deux heures, je crois bien. Nous avons encore plus d'une heure devant nous. » Il ne comprenait pas ni ne voulait comprendre ce sursis, cette espèce de négation d'une chose connue. Négation, négatif... « Oui, c'est comme le négatif de la réalité telle-qu'elle-devrait-être, c'est-à-dire... Mais ne fais pas de métaphysique, Horacio. Alas, poor Yorick, ça suffit comme ça. Je ne peux pas m'en empêcher, il me semble que cela vaut mieux que d'allumer la lumière et de lâcher la nouvelle comme un pigeon. Un négatif. L'inversion totale... Le plus probable, d'ailleurs, c'est qu'il est lui, vivant, et nous autres, morts. Proposition plus modeste : il nous a tués puisque nous sommes coupables de sa mort. Coupables, c'est-à-dire fautifs d'un état de choses... Ah, mon pauvre vieux, où t'emmènes-tu comme ça, tu es l'âne avec la carotte devant le nez. Ainsi, c'était bien Etienne, c'était la grande bête apocalyptique. »

— Il est sauvé, dit Etienne. Ce fils de putain, il a autant de vies que César Borgia. Mais pour ce qui est de dégueuler, ça, on peut dire...

— Explique, explique, dit Babs.

— Lavage d'estomac, lavements de je ne sais quoi, piqûres dans tous les sens, lit avec ressorts pour le maintenir tête en bas. Il a vomi tout le menu du restaurant Orestias où il avait apparemment déjeuné. Des montagnes de choses et jusqu'à des feuilles de vigne farcies. Non, mais vise un peu comme je suis trempé.

— Il y a du café chaud, dit Ronald, et une eau-de-vie qui s'appelle de la *caña* et qui est immonde.

Etienne souffla et s'ébroua, posa son imperméable dans un coin et s'approcha du poêle.

— Comment va le petit, Lucia ?

— Il dort, dit la Sibylle. Il dort très profondément, heureusement.

— Parlons bas, dit Babs.

— Vers onze heures du soir, il a repris connaissance, expliqua Etienne avec une espèce de tendresse. Il était évidemment dans un fichu état. Le médecin m'a laissé approcher du lit et Guy m'a reconnu. " Espèce de crétin, lui ai-je dit. — Va te faire foutre ", m'a-t-il répondu. Le médecin m'a dit à l'oreille que c'était très bon signe. Il y avait d'autres types dans la salle et j'ai passé un assez bon moment et pourtant, moi, les hôpitaux...

— Tu es revenu à la maison ? demanda Babs. Tu as été obligé d'aller au commissariat ?

— Non, tout s'est bien arrangé. Mais de toute façon, il est plus prudent que vous passiez la nuit ici, si vous aviez vu la tête de la concierge quand on a descendu Guy...

— The lousy bastard, dit Babs.

— J'ai pris un air vertueux et, en passant devant elle, j'ai levé la main et je lui ai dit : « Madame, la mort est toujours respectable. Ce jeune homme s'est suicidé par chagrin d'amour de Kreisler. » Elle en est restée comme deux ronds de flan. Et juste au moment où le brancard passait la porte, Guy s'est redressé, a appuyé sur son front une main pâle, comme dans les sarcophages étrusques, et t'a balancé à la concierge un vomissement vert, juste sur le paillasson d'entrée. Les brancardiers se tordaient de rire, c'était impayable.

— Encore un peu de café, demanda Ronald. Et toi, assieds-toi ici, par terre, c'est l'endroit le plus chaud de la chambre. Un café bien tassé pour le pauvre Etienne.

— On n'y voit rien, dit Etienne. Et pourquoi faut-il que je m'asseye par terre ?

— Pour nous tenir compagnie, à Horacio et à moi, dans notre veillée d'armes, dit Ronald.

— Ne dis pas de bêtises, dit Oliveira.

— Ecoute-moi, assieds-toi là et tu apprendras des choses que Wong lui-même ne sait pas. Traités de science fulgurale, les hauts lieux de la magie. Ce matin justement je me suis bien amusé à lire le *Bardo*. Les Tibétains sont des types extraordinaires.

— Et qui t'a initié ? demanda Etienne en s'étalant par terre entre Horacio et Ronald et en avalant son café d'un trait. A boire, réclama-t-il aussitôt en tendant impérativement sa tasse vers la Sibylle qui lui mit la bouteille de *caña* dans les mains. Dégueulasse, dit Etienne après avoir avalé une gorgée. Un produit argentin, je suppose. Quel pays, Dieu de ma vie !

— Fiche la paix à ma patrie, dit Oliveira. Tu me fais penser au vieux d'en dessus.

— Wong m'a soumis à plusieurs tests, expliquait Ronald. Il dit que j'ai suffisamment d'intelligence pour pouvoir la détruire avantageusement. Nous avons décidé que je lirais le *Bardo* avec attention et que, de là, nous passerions aux aspects fondamentaux du bouddhisme. Tu crois qu'il y a vraiment un corps subtil, Horacio ? Il paraît que lorsqu'on meurt... Une sorte de corps mental, tu comprends ?

Mais Horacio parlait à l'oreille d'Etienne qui grognait et s'agitait en dégageant une odeur d'hôpital, de rue mouillée et de potée de choux. Babs expliquait à Gregorovius, perdu au loin, les vices innombrables de sa concierge. Regorgeant d'érudition toute fraîche, Ronald avait besoin d'expliquer le *Bardo* à quelqu'un, aussi s'en prit-il à la Sibylle qui se découpait comme un Henry Moore dans l'ombre, une géante, vue du sol, d'abord les genoux affleurant la masse noire de la jupe, puis un torse qui montait jusqu'au plafond et, au sommet, la tache des cheveux plus noirs encore que l'obscurité, et dans toute cette ombre parmi les ombres, la lumière de la lampe par terre faisait briller les yeux de la Sibylle enfoncée dans son fauteuil, sans compter qu'elle était obligée de se remonter de temps en temps pour ne pas tomber, à cause des pieds de devant plus courts que ceux de derrière.

— Foutue affaire, dit Etienne en se versant un autre verre.

— Tu peux t'en aller, si tu veux, dit Oliveira, mais je ne crois pas que ça fasse d'histoires dans ce quartier, ce genre d'événement est monnaie courante.

— Je reste, dit Etienne. Comment as-tu dit qu'il s'appelait, ce liquide ? Il n'est pas si mauvais, après tout. Il sent le fruit.

— Wong dit que Jung était emballé par le *Bardo*, dit Ronald. On le comprend et les existentialistes aussi devraient le lire à fond. Ecoute ça, au moment où on juge le mort, le Roi lui tend un miroir mais ce miroir c'est le Karma. La somme des actes du mort, tu te rends compte. Et le mort y voit reflétées toutes ses actions, les bonnes et les mauvaises, mais ce reflet ne correspond à aucune réalité, il n'est que la projection d'images mentales... Tu comprends qu'il y avait de quoi laisser baba le vieux Jung. Le Roi des morts regarde le miroir mais en fait c'est dans ta mémoire qu'il regarde. Peut-on imaginer meilleure description de la psychanalyse ? Et il y a quelque chose de plus extraordinaire encore, ma chérie, c'est que le jugement que prononce le Roi n'est pas le sien mais le tien propre. Tu te juges toi-même sans le savoir. Tu ne trouves pas qu'au fond Sartre devrait aller vivre à Lhassa ?

— C'est incroyable, dit la Sibylle. Mais ce livre, c'est un livre de philosophie ?

— C'est un livre pour les morts, dit Oliveira.

Ils restèrent un moment silencieux, écoutant pleuvoir. Gregorovius eut pitié de la Sibylle, il sentait bien qu'elle attendait une autre explication mais qu'elle n'osait pas demander davantage.

— Les lamas révèlent certaines choses aux moribonds, lui dit-il. Pour les guider dans l'au-delà, pour les aider à sauver leur âme. Par exemple...

Etienne avait appuyé son épaule contre celle d'Oliveira. Ronald, assis en tailleur, chantonnait *Big Lip Blues* en pensant à Jelly Roll qui était son mort préféré. Oliveira alluma une Gauloise et, comme dans La Tour, la flamme colora pendant une seconde le visage des amis, arracha Gregorovius de l'ombre, reliant le murmure de sa voix à des lèvres qui bougeaient, installa brutalement la Sibylle dans son fauteuil, dans son visage toujours avide à l'heure de l'ignorance et des explications, baigna doucement Babs la placide, Ronald le musicien perdu dans ses improvisations plaintives. Et juste au moment où s'éteignait l'allumette, on entendit un coup au plafond.

« *Il faut tenter de vivre*, se rappela Oliveira. Pourquoi ? »

Le vers avait jailli de sa mémoire comme les visages à la lumière de l'allumette, instantanément et sans doute gratuitement.

L'épaule d'Etienne lui tenait chaud, lui communiquait une présence trompeuse, une proximité que la mort, cette allumette qui s'éteint, anéantirait à son tour, comme à présent les visages, les formes, comme le silence qui se refermait après le coup frappé là-haut.

— Et c'est ainsi, concluait Gregorovius, sentencieux, que le *Bardo* nous rend à la vie, à la nécessité d'une vie pure, précisément quand il n'y a plus d'échappatoire, quand nous sommes cloués dans un lit, avec un cancer pour oreiller.

— Ah, dit la Sibylle en soupirant. Elle en avait assez compris, certaines pièces du puzzle s'étaient mises en place, mais ça n'atteindrait jamais, évidemment, la perfection du kaléidoscope, où chaque cristal, chaque brindille, chaque grain de sable se veut parfait, symétrique, terriblement ennuyeux mais sans problème.

— Dichotomies occidentales, dit Oliveira. Vie et mort, ici-bas et au-delà. Ce n'est pas ça qu'enseigne ton *Bardo*, Ossip, bien que personnellement je n'aie pas la moindre idée de ce qu'il peut enseigner, ton *Bardo*. Mais c'est certainement quelque chose de plus plastique, de moins catégorique.

— Ecoute, dit Etienne qui se sentait merveilleusement bien, même si les nouvelles que lui avait transmises Oliveira se promenaient dans ses tripes comme des crabes. Ecoute, Argentin de mes deux, l'Orient n'est pas si différent que le prétendent les orientalistes. A peine t'engages-tu un peu à fond dans leurs textes que tu retrouves l'éternelle histoire, l'inexplicable tentation de suicide de l'intelligence par la voie même de l'intelligence. Le scorpion s'enfonçant son dard sous la peau parce qu'il en a marre d'être un scorpion, mais il est bien obligé d'en passer par la scorpionité s'il veut en finir avec le scorpion. A Madras ou à Heidelberg, le fond de la question est le même : il y a une espèce d'erreur ineffable au principe des principes d'où résulte ce phénomène qui vous parle en ce moment et vous-mêmes qui l'écoutez. Toute tentative pour l'expliquer échoue pour une raison bien simple, et c'est que pour définir et comprendre il faudrait être en dehors du défini et du compréhensible. Donc, Madras et Heidelberg se consolent en fabriquant des interprétations, les unes à base discursive, les autres à base intuitive, bien qu'entre le discours et l'intuition les frontières soient loin d'être nettes, comme le sait tout bachelier. Et c'est ainsi que l'homme ne parait sûr de lui qu'en ces activités qui ne le concernent pas à fond : le jeu, la conquête, les laborieux échafaudages historiques à bases éthiques, ou lorsqu'il règle son compte au mystère central par le truchement d'une quelconque révélation. Et par-dessus et par-dessous, la curieuse impression que l'outil principal, le logos qui nous arrache vertigineusement à l'échelle zoologique, n'est qu'une immense blague. Et, corollaire inévitable, le refuge dans le nébuleux et le balbutiement, la nuit obscure de l'âme, les visions esthétiques et métaphysiques. Madras et Heidelberg sont des dosages différents de la même recette, parfois c'est le Yin qui domine, et parfois le Yang, mais aux deux bouts de la balançoire il y a deux *homo sapiens,* également inexpliqués, et qui donnent chacun de grands coups de pied par terre pour s'élever dans les airs aux dépens l'un de l'autre.

— C'est étrange tout ça, dit Ronald. Mais de toute façon, ce serait stupide de nier une réalité sous le prétexte que nous ne savons pas ce que c'est. L'axe de la balançoire, mettons. Comment se peut-il que cet axe n'ait pas encore servi à comprendre ce qui se passe aux deux bouts ? Depuis l'homme du Neandertal...

— Ce sont des mots, ça, dit Oliveira en s'appuyant plus confortablement contre l'épaule d'Etienne. Et les mots adorent qu'on les sorte de la penderie et qu'on leur fasse faire un petit tour dans la chambre. Réalité, homme du Neandertal, regarde comme ils jouent, comme ils entrent dans nos oreilles et se lancent sur des toboggans.

— C'est vrai, dit Etienne d'un air renfrogné. C'est pour ça que je préfère mes pigments. C'est plus sûr.

— Qu'est-ce qui est sûr ?

— Leur effet.

— Leur effet sur toi peut-être mais pas sur la concierge de Ronald. Tes couleurs ne sont pas plus sûres que mes mots, mon pauvre vieux.

— Mes couleurs, du moins, ne prétendent rien expliquer.

— Et ça te satisfait, toi, qu'il n'y ait pas d'explication ?

— Non, dit Etienne, mais ces choses que je fais m'enlèvent

un peu, en même temps, le goût du vide. Et c'est, au fond, la meilleure définition de l'*homo sapiens.*

— Ce n'est pas une définition, tout au plus une consolation, soupira Gregorovius. Nous sommes, au fond, semblables à des comédies vues par des spectateurs arrivés au deuxième acte. Tout ça est très joli, mais on n'y comprend rien. Les acteurs parlent et gesticulent, on ne sait pourquoi. Nous projetons sur eux notre propre ignorance et on croit voir des fous qui entrent et sortent d'un air résolu. Shakespeare l'a déjà dit, d'ailleurs, et s'il ne l'a pas dit, il aurait dû le dire.

— Mais je crois qu'il l'a dit, dit la Sybille.

— Bien sûr qu'il l'a dit, dit Babs.

— Tu vois, dit la Sibylle.

— Il a aussi parlé des mots, dit Gregorovius, et Horacio ne fait que poser le problème sous sa forme dialectique, pour ainsi dire. A la manière d'un Wittgenstein, que j'admire beaucoup.

— Je ne le connais pas, dit Ronald, mais vous m'accorderez que le problème de la réalité ne se résout pas avec des soupirs.

— Qui sait, dit Gregorovius, qui sait, Ronald ?

— Oh écoute, laisse la poésie de côté pour une fois. Je suis d'accord avec toi, il ne faut pas se fier aux mots mais, après tout, les mots ne font que fixer ce fait, que nous voilà réunis ici cette nuit, assis autour de cette lampe.

— Parle plus bas, dit la Sibylle.

— Sans avoir besoin de mots, je sens, je sais que je suis ici, reprit Ronald. C'est cela que j'appelle la réalité. Même si ce n'est que cela.

— Parfait, dit Oliveira. Seulement cette réalité ne présente aucune garantie ni pour toi ni pour personne, à moins que tu ne la transformes en concept et de là en convention, en schéma utile. Le seul fait que tu es, toi, à ma gauche et que je suis, moi, à ta droite, transforme la réalité en deux réalités au moins, et encore je ne vais pas au fond des choses, je ne dis pas que nous sommes toi et moi deux entités absolument isolées qui ne peuvent communiquer que par le moyen des sens et de la parole, choses auxquelles on ne peut se fier, si l'on est un peu sérieux.

— Nous sommes tous les deux là, répéta Ronald. A la

droite ou à la gauche, peu importe. Nous voyons tous les deux Babs, nous entendons tous ce que je dis.

— Mais ces exemples-là sont bons pour des enfants au berceau, gémit Gregorovius. Horacio a raison, tu ne peux accepter ainsi, sans autre forme de procès, ce que tu crois être la réalité. Ce que tu peux dire tout au plus c'est que tu es, cela, on ne peut le nier sans un évident scandale. Ce qui manque c'est le *donc,* et ce qui suit le donc, c'est bien connu.

— N'en fais pas une question d'école, dit Oliveira. Restons-en à ce bavardage d'amateurs puisque c'est ce que nous sommes. Restons-en à ce que Ronald appelle de façon si touchante la réalité et qu'il tient pour seule et unique. Tu la crois toujours seule et unique, Ronald ?

— Oui. J'admets que ma façon de l'éprouver ou de la comprendre est différente de celle de Babs et que la réalité de Babs diffère de celle d'Ossip et ainsi de suite. Mais c'est comme les opinions diverses sur la Joconde ou sur la salade de pissenlits. La réalité est là et nous sommes en elle, la comprenant chacun à notre façon mais en elle.

— La seule chose qui compte, dit Oliveira, c'est le fait de la comprendre chacun à notre façon. Tu crois, toi, qu'il y a une réalité postulable parce que toi et moi sommes en train de parler dans cette pièce cette nuit, et parce que nous savons, toi et moi, que d'ici une heure il va se passer ici une chose déterminée. Tout cela te donne une grande sécurité ontologique, tu te sens bien certain en toi-même, bien planté sur toi-même et sur ce qui t'entoure. Mais si tu pouvais affronter cette réalité à la fois de mon point de vue et de celui de Babs, s'il t'était donné une sorte d'ubiquité, tu comprends, si tu pouvais voir en un même moment cette même chambre, à la fois de là où je suis et avec ce que j'ai été, et aussi avec tout ce qu'est et qu'a été Babs, tu comprendrais peut-être que ton égocentrisme bon marché ne te donne aucune réalité valable. Il te donne seulement une croyance fondée sur la terreur, une nécessité d'affirmer ce qui t'entoure pour ne pas tomber dans l'entonnoir et ressortir de l'autre côté, Dieu sait où.

— Je sais bien que nous sommes très différents, dit Ronald. Mais nous nous rencontrons en des points extérieurs à nous-mêmes. Toi et moi regardons cette lampe, nous ne voyons peut-être pas la même chose, mais nous ne pouvons pas davantage être sûrs que nous ne voyons pas la même chose. Il y a une lampe, là, que diable.

— Ne crie pas, dit la Sibylle. Je vais vous refaire du café.

— Je crois bien, dit Oliveira, que nous foulons les sentiers battus. Ecoliers médiocres, nous ressortons des arguments poussiéreux et peu intéressants. Et tout ça, cher Ronald, parce que nous parlons dialectiquement. Disons : toi, moi, la lampe, la réalité. Fais un pas en arrière, je t'en prie. Un peu de courage, ce n'est pas si difficile. Les mots disparaissent. Cette lampe est un stimulant sensoriel, rien de plus. Et à présent recule encore un peu. Ce que tu appelles ta vue et ce stimulant sensoriel deviennent une relation inexplicable car, pour l'expliquer, il faudrait à nouveau faire un pas en avant et ça flanquerait tout par terre.

— Mais ces pas en arrière, ça revient à rebrousser chemin, le long chemin de l'espèce, protesta Gregorovius.

— Oui, dit Oliveira, et c'est là le grand problème, savoir si ce que tu appelles l'espèce est allé de l'avant ou si, comme le croyait Klages, il me semble, elle a dévié à un moment donné.

— Sans langage, il n'y a pas d'homme. Sans histoire, il n'y a pas d'homme.

— Sans crime il n'y a pas d'assassin. Rien ne te prouve que l'homme n'aurait pas pu être différent.

— Ça ne nous a pas si mal réussi, dit Ronald.

— Et quel point de comparaison as-tu pour croire que cela nous a réussi ? Pourquoi nous a-t-il fallu inventer l'Eden, vivre dans la nostalgie du paradis perdu, fabriquer des utopies, nous proposer un futur ? Si un ver de terre pouvait penser il penserait lui aussi que ça ne va pas si mal. L'homme s'accroche à la science comme à ce truc qu'on appelle une planche de salut, je n'ai jamais bien su ce que c'était. La raison découpe à travers le langage une architecture satisfaisante, comme la belle et rythmique composition des tableaux de la Renaissance, et elle nous plante au milieu. Et malgré toute sa curiosité et son insatisfaction, la science, c'est-à-dire la raison, commence d'abord par nous tranquilliser. “ Tu es là, dans cette pièce, avec tes amis, devant cette lampe. N'aie pas peur, tout va très bien. Maintenant, voyons : quelle peut bien être la nature de ce phénomène lumineux ? Tu sais ce que c'est l'uranium enrichi ? Tu aimes les isotopes, tu savais que nous pouvons déjà transmuer le plomb en or ? ” Tout ça est très vertigineux, mais toujours à partir du fauteuil où nous sommes confortablement assis.

— Moi je suis assis par terre, dit Ronald, et pas du tout confortablement, à vrai dire. Ecoute, Horacio : nier cette réalité n'a aucun sens. Elle est là, nous la partageons. La nuit passe pour tous les deux, dehors il pleut pour tous les deux. Que sais-je, bien sûr, de la nuit, du temps et de la pluie, mais enfin ils sont là et hors de moi, ce sont des choses qui m'arrivent, on n'y peut rien.

— Mais bien sûr, dit Oliveira, personne ne dit le contraire. Ce que nous ne comprenons pas c'est pourquoi cela doit se passer ainsi, pourquoi nous sommes ici et pourquoi il pleut dehors. L'absurde ce ne sont pas les choses, l'absurde c'est que les choses soient là et que nous les éprouvions comme absurdes. Que veux-tu, la relation entre moi et ce qui m'arrive en ce moment m'échappe. Je ne te dis pas que cela ne m'arrive pas. Tu parles que ça m'arrive. Et c'est ça l'absurde.

— Ce n'est pas très clair, dit Etienne.

— Ça ne peut pas être clair, si ça l'était ce serait faux, ce serait vrai scientifiquement peut-être, mais faux comme absolu. La clarté est une exigence intellectuelle et rien de plus. Si seulement nous pouvions savoir clairement, comprendre clairement en marge de la science et de la raison. Et quand je dis “ si seulement ”, va-t'en savoir si je ne dis pas une idiotie. Il est probable que notre seule planche de salut est la science, l'uranium 235 ou autres trucs. Mais cependant il faut vivre.

— Oui, dit la Sibylle en servant le café, cependant il faut vivre.

— Comprends, Ronald, dit Oliveira en posant la main sur le genou de son ami. Tu es beaucoup plus que ton intelligence, c'est bien connu. Cette nuit, par exemple, ce qui nous arrive maintenant, ici, c'est comme un de ces tableaux de Rembrandt où brille à peine un peu de lumière dans un coin, et ce n'est pas une lumière physique, ce n'est pas cette chose que tu appelles tranquillement lampe et que tu situes en tant que telle, avec ses watts et ses ampères. L'absurde c'est de croire que nous pouvons appréhender la totalité de ce qui nous constitue en ce moment, ou en tout autre moment, et le percevoir comme une chose cohérente, acceptable, si tu veux. Chaque fois que nous sommes en crise c'est l'absurde total, comprends donc que la dialectique ne peut mettre les armoires en ordre que dans les moments de calme. Tu sais très bien qu'au point culminant d'une crise nous procédons toujours par coups de tête, à l'encontre du prévisible, faisant toujours la bêtise la plus inattendue. Et l'on pourrait dire qu'à ce moment-là, précisément, il y a eu comme une saturation de réalité, tu ne crois pas ? La réalité se précipite, se montre dans toute sa force, et notre seule façon de l'affronter alors, c'est de renoncer à la dialectique, c'est l'instant où nous tirons un coup de revolver sur quelqu'un, où nous enjambons le garde-fou, où nous prenons un tube de gardénal comme Guy, où nous détachons la chaîne du chien, où nous avons pour tout carte blanche. La raison ne nous sert qu'à disséquer la réalité dans le calme ou à analyser ses futures tempêtes, mais jamais à résoudre une crise sur l'instant. Mais ces crises sont comme des manifestations métaphysiques, tu saisis, un état qui serait peut-être, si nous n'avions pas pris le chemin de la raison, l'état naturel et courant du pithécanthrope debout.

— Il est très chaud, fais attention, dit la Sibylle.

— Et ces crises que la majorité des gens trouvent scandaleuses ou absurdes, j'ai l'impression, moi, qu'elles servent à nous montrer le véritable absurde, celui d'un monde calme et ordonné, avec une pièce où plusieurs types prennent du café à deux heures du matin, sans que rien de tout cela ait le moindre sens si ce n'est celui du plaisir; ah! que nous sommes bien près de ce petit poêle qui tire si méritoirement. Les miracles ne m'ont jamais paru absurdes, l'absurde c'est ce qui les précède et ce qui les suit.

— Et cependant, dit Gregorovius en s'étirant, *il faut tenter de vivre.*

« Et voilà, pensa Oliveira, une autre preuve que je me garderai de signaler. Parmi les milliers de vers possibles il choisit celui auquel j'avais pensé il y a dix minutes. Ce que les gens appellent une coïncidence. »

— Oh, dit Etienne d'une voix endormie, ce n'est pas qu'il faille tenter de vivre, puisque la vie nous est fatalement donnée. Ça *fait* un moment que pas mal de gens se demandent si la vie et les êtres vivants ne sont pas deux choses à part. La vie se vit elle-même, que ça nous plaise ou non. Guy a essayé de donner un démenti à cette théorie, mais, statistiquement parlant, c'est indéniable. Je n'en veux pour preuve que les camps de concentration et les tortures. Sans doute, de tous nos sentiments, le seul qui ne nous appartienne pas véritablement, c'est l'espoir. L'espoir appartient à la vie, c'est la vie même qui se défend. Etc. Et là-dessus, j'irais bien me coucher, car les histoires de Guy m'ont lessivé. Ronald, il faut que tu passes à l'atelier, je viens d'achever une nature morte qui te laissera sec.

— Horacio ne m'a pas convaincu, dit Ronald. Je reconnais que beaucoup de choses de ce qui m'entoure sont absurdes, mais nous appelons probablement ainsi ce que nous ne comprenons pas encore et que nous finirons bien par savoir.

— Charmant optimisme, dit Oliveira. Nous pourrions peut-être mettre aussi l'optimisme au compte de la vie pure. Ce qui fait ta force c'est que pour toi il n'y a pas de futur, comme il est logique pour la plupart des agnostiques. Tu es toujours vivant, tu es toujours au présent, tout s'ordonne pour toi de façon satisfaisante comme dans les tableaux de Van Eyck. Mais s'il t'arrivait cette chose horrible de ne pas avoir la foi et en même temps de te projeter vers la mort, vers le scandale des scandales, ton miroir ne serait plus si clair que ça.

— Allons, Ronald, dit Babs. Il est très tard, j'ai sommeil.

— Attends, attends. Je pensais justement à la mort de mon père, oui, il y a du vrai dans ce que tu dis. Ce petit morceau-là, je n'ai jamais pu l'encastrer dans le puzzle, c'est quelque chose de si inexplicable. Un homme jeune et heureux en Alabama. Il marchait dans la rue, un arbre lui est tombé dessus. J'avais quinze ans, on est venu me chercher au collège. Mais il y a tant d'autres choses absurdes, Horacio, tant de morts ou d'erreurs... Ce n'est pas une question de nombre, je pense. Ce n'est pas un absurde total comme tu le crois.

— L'absurde c'est que cela ne paraisse point absurde, dit Oliveira, sibyllin. L'absurde c'est de trouver devant ta porte le matin la bouteille de lait et ça te laisse froid parce que tu en as déjà trouvé une hier et que tu en trouveras une autre demain. C'est ce croupissement, le c'est ainsi, la douteuse carence d'exceptions. Je ne sais pas, il faudrait essayer un autre chemin.

— En renonçant à l'intelligence ? dit Gregorovius, méfiant.

— Je ne sais pas, peut-être. En l'employant d'une autre façon. Est-il vraiment prouvé que les principes logiques ne font qu'un avec notre intelligence ? Puisqu'il y a des peuples capables de survivre à l'intérieur d'un ordre magique. Il est vrai, les pauvres, qu'ils mangent des vers crus, mais ceci est une question d'appréciation.

— Des vers, quelle horreur ! dit Babs. Ronald, chéri, il est affreusement tard.

— Au fond, toi, ce qui t'ennuie, dit Ronald, c'est la légalité sous toutes ses formes. Dès qu'une chose commence à bien fonctionner, tu te sens emprisonné. Mais nous sommes tous un peu comme ça, une bande de ce qu'on appelle des ratés parce que nous n'avons pas suivi une carrière, obtenu des titres et *tutti quanti*. Et c'est pour ça qu'on est à Paris, vieux frère, et ton fameux absurde se réduit en fin de compte à une espèce de vague idéal anarchique que tu n'arrives pas à préciser.

— T'as raison, ô combien ! dit Oliveira. Ce serait tellement mieux d'aller coller des affiches en faveur de l'Algérie indépendante, sans compter tout ce qui reste à faire pour la classe ouvrière.

— L'action peut servir à donner un sens à la vie, dit Ronald. T'as sûrement déjà lu ça dans Malraux, non ?

— Editions N.R.F., dit Oliveira.

— Et au lieu de ça, tu restes là à te masturber comme un singe et à faire le tour de faux problèmes en attendant on ne sait quoi. Si tout cela est absurde il faut faire quelque chose pour que ça change.

— Tu causes bien, dit Oliveira. Dès que tu vois la discussion s'orienter vers quelque chose de plus concret, comme ta fameuse action, tu deviens éloquent. Tu ne veux pas te rendre compte que l'action, comme l'inaction, il faut la mériter. Comment agir sans une attitude centrale préalable, une sorte d'acquiescement à ce que nous trouvons bon et véritable ? Tes notions sur la vérité et la bonté sont purement historiques, elles se fondent sur une éthique héritée de toutes pièces... Mais l'histoire et l'éthique me paraissent, à moi, hautement douteuses.

— J'aimerais — dit Etienne en se redressant —, j'aimerais un de ces jours t'entendre développer ce beau thème de l'attitude centrale. Et si, au centre même, il y avait un beau trou ?

— J'y ai pensé, t'en fais pas, dit Oliveira. Mais pour des raisons esthétiques que tu es tout à fait à même d'apprécier, tu admettras qu'entre se situer en un centre ou voleter à sa périphérie il y a une différence qualitative qui donne à penser.

— Horacio fait grand usage, dit Gregorovius, de ces mots qu'il nous avait emphatiquement déconseillés il y a un moment. C'est un homme à qui il ne faut pas demander de beaux raisonnements mais plutôt des choses brumeuses et inexplicables comme rêves, coïncidences, révélations et surtout de l'humour noir.

— Le type d'en dessus se remet à frapper, dit Babs.

— Non, c'est la pluie, dit la Sibylle. Et il est l'heure de donner son remède à Rocamadour.

— Tu as encore le temps, dit Babs en se penchant précipitamment vers la lampe pour regarder sa montre-bracelet. Trois heures moins dix. Partons, Ronald, il est si tard.

— Nous partirons à trois heures cinq, dit Ronald.

— Et pourquoi à trois heures cinq ? dit la Sibylle.

— Parce que le premier quart d'heure est toujours faste, expliqua Gregorovius.

— Donne-moi un autre coup de gnole, demanda Etienne. Merde, il n'y en a plus.

Oliveira éteignit sa cigarette. « La veillée d'armes, pensa-t-il avec reconnaissance. Ce sont tous de vrais amis, même Ossip, le pauvre. Maintenant nous en avons pour un quart d'heure de réactions en chaîne que personne au monde ne peut éviter, personne, même pas en pensant que l'an prochain, à la même heure, le plus précis des souvenirs ne pourra en rien altérer la production d'adrénaline ou de salive, la sueur dans la paume de la main. Voilà des raisons que Ronald ne voudra jamais comprendre. Qu'ai-je fait cette nuit ? Légèrement monstrueux, *a priori*. On aurait peut-être pu essayer le ballon d'oxygène ou un autre truc dans le genre. Idiot, en réalité, on lui aurait prolongé la vie à la M. Valdemar. »

— Il faudrait la préparer, lui dit Ronald à l'oreille.

— Ne dis pas de bêtises, je t'en prie. Tu ne sens pas qu'elle est déjà préparée, que l'odeur flotte dans l'air ?

— Vous vous mettez à chuchoter quand ça n'a plus d'importance, dit la Sibylle.

« Tu parles », pensa Oliveira.

— L'odeur ? murmurait Ronald. Je ne sens rien du tout.

— Bon, il va être trois heures, dit Etienne en se secouant comme s'il avait froid. Ronald, fais un effort, Horacio n'est peut-être pas un génie mais on peut tout de même comprendre ce qu'il veut dire. La seule chose que nous puissions faire c'est de rester encore un peu et d'encaisser ce qui arrivera. Et toi, Horacio, j'y pense à l'instant, ce que tu as dit tout à l'heure à propos du tableau de Rembrandt, ce n'était pas si mal. Il y a une métapeinture comme il y a une métamusique et le père Rembrandt en connaissait un bout. Il n'y a que les aveugles de la logique et des bonnes mœurs qui peuvent se planter devant un Rembrandt et ne pas sentir qu'il a là une fenêtre ouverte sur autre chose, un signe... Très dangereux pour la peinture, mais par ailleurs...

— La peinture est un genre comme un autre, dit Oliveira. Il ne faut pas en faire un domaine protégé en tant que genre. D'autre part, pour chaque Rembrandt il y a cent peintres tout court, de sorte que la peinture est parfaitement saine et sauve.

— Heureusement, dit Etienne.

— Heureusement, admit Oliveira. Heureusement tout va pour le mieux dans le meilleur des mondes. Allume la grande lumière, Babs, le bouton est derrière ta chaise.

— Où peut-il bien y avoir une cuillère propre ? dit la Sibylle en se levant.

Oliveira dut faire un effort qui lui parut répugnant pour ne pas regarder dans la direction du lit. La Sibylle se frottait les yeux, éblouie, et Babs, Ossip et les autres regardaient à la dérobée, détournaient la tête, regardaient encore. Babs avait amorcé le geste de saisir la Sibylle par le bras, mais quelque chose sur le visage de Ronald l'arrêta. Lentement, Etienne se releva, tirant sur son pantalon encore humide. Ossip s'extirpait de son fauteuil, parlait de la difficulté à trouver son imperméable. « Maintenant, on devrait frapper au plafond, pensa Oliveira en fermant les yeux, plusieurs coups rapprochés puis trois coups solennels. Mais tout est à l'envers. Au lieu d'éteindre les lumières, nous les allumons, la scène est vraiment de ce côté-ci, on n'y peut rien. » Il se leva à son tour, sentant dans ses os la longue marche de la journée, toutes les choses survenues ce jour. La Sibylle avait trouvé une cuillère sur la cheminée derrière une pile de disques et de livres. Elle se mit à l'essuyer avec le bas de son pull-over et l'examina sous la lampe. « Maintenant elle va verser le remède dans la cuillère et puis elle en laissera tomber la moitié en allant vers le lit », se dit Oliveira en s'appuyant contre le mur. Ils étaient tellement silencieux, tous, que la Sibylle les regarda comme étonnée, mais elle était trop occupée à déboucher le flacon, Babs voulait l'aider, tenir la cuillère, mais son visage était crispé comme si ce que faisait la Sibylle était une chose horrible, enfin la Sibylle versa le liquide dans la cuillère, reposa distraitement le flacon au bord de la table entre les piles de papiers et de cahiers, et soutenant la cuillère comme Blondin sa perche, comme un ange le saint qui tombe dans un précipice, elle se mit en route en traînant les pieds, flanquée de Babs qui faisait des grimaces et se retenait de regarder, ne regarder pas et finalement regardait Ronald et les autres qui s'approchaient aussi derrière elle, Oliveira fermant la marche avec sa cigarette éteinte au coin des lèvres.

— J'en laisse toujours tomber en..., dit la Sibylle en s'arrêtant au bord du lit.

— Lucia, dit Babs en tendant les deux mains vers elle mais sans la toucher.

Le liquide tomba sur la couverture et la cuillère avec. La Sibylle se mit à hurler et se jeta sur le lit, à plat ventre, puis de côté, le visage et les mains collés à un petit pantin indifférent, couleur de cendre, qui tremblait et bougeait sans conviction, inutilement maltraité et caressé.

— Putain de putain, dit Ronald, on aurait dû la préparer. C'est infâme ce qu'on a fait là. Tout le monde en train de dégoiser des conneries et...

— Pas d'hystérie, s'il te plaît, lui dit Etienne d'un ton brusque. Tu ferais mieux d'imiter Ossip qui ne perd pas la tête. Cherche plutôt de l'eau de Cologne ou quelque chose qui y ressemble. Ecoute, le vieux d'en dessus recommence.

— Il faut dire qu'il y a de quoi, dit Oliveira en regardant Babs qui essayait d'arracher la Sibylle du lit. La nuit qu'on lui fait passer, à ce pauvre vieux.

— Qu'il aille se faire foutre, dit Ronald. Je m'en vais lui

casser la gueule si ça continue. S'il ne respecte pas la douleur des autres, je...

— Take it easy, dit Oliveira. Voilà ton eau de Cologne et prends aussi mon mouchoir bien que sa blancheur laisse à désirer. Bon, et maintenant il va falloir aller au commissariat.

— Je peux y aller, dit Gregorovius qui avait déjà son imperméable sur le bras.

— Mais certainement, dit Oliveira, tu es de famille, toi.

— Si seulement tu pouvais pleurer, disait Babs en caressant le front de la Sibylle qui avait appuyé sa tête contre l'oreiller et regardait fixement Rocamadour. Un mouchoir avec de l'alcool, vite, quelque chose pour la faire réagir.

Etienne et Ronald s'affairèrent autour du lit. Les coups au plafond se répétaient en cadence et, chaque fois, Ronald levait la tête, une fois même, il agita frénétiquement le poing. Oliveira était revenu près du poêle et, de là, il écoutait et regardait. La fatigue l'envahissait, le tirait vers le fond, il avait du mal à respirer, à bouger. Il alluma une autre cigarette, la dernière du paquet. Les choses commençaient à prendre un peu meilleure tournure, Babs avait fabriqué, dans un coin de la chambre, une espèce de berceau avec deux chaises et une couverture, elle chuchotait quelque chose à Ronald (c'était étrange de voir ses gestes au-dessus de la Sibylle perdue dans un délire froid, dans un monologue véhément mais à sec et spasmodique) puis, à un moment donné, ils avaient mis un mouchoir sur les yeux de la Sibylle (« si c'est celui avec de l'eau de Cologne, ils vont la rendre aveugle », se dit Oliveira) et, avec une rapidité extraordinaire, ils aidaient Etienne à transporter Rocamadour sur le lit improvisé, tiraient la couverture de dessous la Sibylle et l'en recouvraient en lui parlant à voix basse, en la caressant, en lui faisant respirer le mouchoir. Gregorovius était allé jusqu'à la porte et il restait là, sans se décider à sortir, lançant des regards furtifs vers le lit puis vers Oliveira qui lui tournait le dos mais sentait qu'il le regardait. Quand il se décida à sortir, il se trouva nez à nez avec le vieux qui était sur le palier armé d'un bâton, il fit un saut en arrière et le bâton s'abattit contre la porte. « Et ça pourrait continuer encore longtemps comme ça », se dit Oliveira. Ronald, qui avait deviné, se précipita, furieux, et Babs lui cria quelque chose en anglais. Gregorovius voulut l'en empêcher mais c'était trop tard. Ronald, Ossip et Babs sortirent sur le palier, suivis d'Etienne qui regarda Oliveira comme s'il était le seul à avoir conservé quelque bon sens.

— Va surveiller qu'ils ne fassent pas des conneries, lui dit Oliveira. Le vieux a au moins quatre-vingts ans et il est fou.

— Tous des ordures ! criait le vieux dehors. Bande de tueurs, si vous croyez que ça va se passer comme ça ! Fripouilles, fainéants ! Tas d'enculés !

Curieusement, il ne criait pas trop fort. Par la porte entrouverte, la voix d'Etienne répliqua : « Ta gueule, pépère. » Gregorovius avait saisi Ronald par le bras, mais Ronald s'était déjà rendu compte, à la lumière qui passait par la porte, que le vieux était réellement très vieux et il se bornait à lui mettre sous le nez un poing de moins en moins convaincu. Oliveira jeta un ou deux regards vers le lit où la Sibylle reposait bien sagement à présent. Elle pleurait spasmodiquement, la bouche contre l'oreiller, exactement à la place où s'était posée la tête de Rocamadour. « Faudrait quand même laisser dormir les gens, disait le vieux. Qu'est-ce que ça peut me fiche à moi, un gosse qu'a claqué ? C'est pas une façon d'agir, quand même, on est à Paris ici, pas chez les sauvages. » La voix d'Etienne monta, couvrant l'autre, la persuadant. Oliveira se dit qu'il ne serait pas si difficile de s'approcher du lit, de se pencher pour dire quelques mots à l'oreille de la Sibylle. « Mais si je le faisais, je le ferais pour moi. Elle est au-delà de tout ce qu'on peut dire. C'est plutôt moi, après, qui dormirais mieux, encore que ce soit une façon de parler. Moi, moi, moi. Moi, je dormirais mieux après l'avoir embrassée et consolée, et répété tout ce que les autres lui ont déjà dit. »

— Eh bien, moi, messieurs, je respecte la douleur d'une mère, dit la voix du vieux. Allez, bonsoir, messieurs-dames.

La pluie cinglait la fenêtre, Paris devait être comme une énorme bulle grisâtre où l'aube allait bientôt se lever. Oliveira alla prendre sa canadienne qui ressemblait dans un coin à un torse d'homme dépecé. Il la mit lentement, les yeux fixés sur le lit comme s'il attendait quelque chose. Il pensait au bras de Berthe Trépat sur son bras, à la promenade sous la pluie. « De quoi te servit l'été, ô rossignol sous la neige ? cita-t-il ironiquement. Pestiféré, absolument pestiféré. Et je n'ai plus de tabac, quelle poisse. » Il lui faudrait aller au café de Bébert, car après tout l'aube ne serait pas plus répugnante là qu'ailleurs.

— Quel vieil idiot ! dit Ronald en refermant la porte.

— Il est remonté chez lui, annonça Etienne. Je crois que Gregorovius est allé avertir la police. Tu restes ici, toi ?

— Non, à quoi bon, dit Oliveira. Ça ne plairait guère aux flics de trouver tant de gens réunis si tard. Il vaut mieux que ce soit Babs qui reste, deux femmes sont toujours un bon argument dans ces cas-là. C'est plus intime, tu comprends ?

Etienne le regarda :

— J'aimerais savoir pourquoi ta bouche tremble tellement, dit-il.

— Un tic nerveux, répondit Oliveira.

— Les tics et l'air cynique ne vont pas bien ensemble. Je t'accompagne, allons.

— Allons.

Il savait que la Sibylle venait de se dresser sur son lit et qu'elle le regardait. Il enfonça les mains dans les poches de sa canadienne et marcha vers la porte. Etienne fit un geste comme pour le retenir et après le suivit. Ronald les regarda sortir et haussa les épaules d'un air rageur. « Que tout ça est absurde ! » pensa-t-il. L'idée que tout pouvait être absurde le fit se sentir mal à l'aise sans savoir pourquoi. Il se mit à aider Babs, à être utile, à renouveler les compresses. Les coups recommencèrent au plafond.

(-130)

# 29

— Tiens, dit Oliveira.

Gregorovius était collé au poêle, enveloppé dans une robe de chambre noire et lisant. Il avait fixé une ampoule au mur avec un clou et un abat-jour de papier journal lui ménageait une lumière affaiblie.

— Je ne savais pas que tu avais une clef.

— Survivances, dit Oliveira en jetant sa canadienne dans le coin habituel. Je te la remettrai puisque tu es le maître de la maison.

— Pour un temps seulement. Il fait trop froid ici et puis il faut déguster le vieux d'en dessus. Ce matin, il a frappé cinq minutes durant, on ne sait pas pourquoi.

— Force d'inertie. Tout dure toujours un peu plus qu'il ne faudrait. Moi, par exemple, avoir monté ces étages, avoir sorti la clef, avoir ouvert... Ça sent le renfermé ici.

— Un froid épouvantable, dit Gregorovius. Il a fallu laisser la fenêtre ouverte pendant quarante-huit heures après la désinfection.

— Et tu es resté là tout le temps ? *Caritas.* Quel type.

— Ce n'était pas pour ça, mais j'avais peur que quelqu'un de la maison ne profite de la situation pour prendre possession des lieux. Lucie m'avait dit que la propriétaire est une vieille folle et que plusieurs locataires ne paient rien depuis des années. J'étais grand lecteur du Code civil à Budapest, ce sont des choses qui restent.

— Moyennant quoi tu t'es installé là comme un coucou. Chapeau, mon vieux. J'espère qu'on n'a pas jeté mon maté à la poubelle.

— Oh ! non, il est là dans la table de nuit avec les paires de bas. Il y a beaucoup de place libre à présent.

— On dirait, dit Oliveira. La Sibylle a eu une attaque d'ordre, on ne voit plus un disque ni un roman. Ah ! mais suis-je bête !...

— Elle a tout emporté, dit Gregorovius.

Oliveira ouvrit le tiroir de la table de nuit et prit le maté et la calebasse. Il se mit à le préparer, lentement, en regardant de droite et de gauche. Les paroles du tango *La Nuit triste* lui trottaient dans la tête. Il compta sur ses doigts. Jeudi, vendredi, samedi. Non, lundi, mardi, mercredi. Non, le mardi soir, Berthe Trépat, *Tu m'as laissé tomber, au meilleur de ma vie,* mercredi (une cuite peu commune. N. B : ne pas mélanger la vodka et le vin rouge) *mon âme est blessée, j'ai une épine dans le cœur,* jeudi, vendredi, Ronald va voir Guy Monod vide comme un sac, *et tu savais que je t'aimais / que tu étais ma joie, mon espoir et mon illusion,* samedi, où, mais où donc ? quelque part du côté de Marly-le-Roi, cinq jours au total, non six, une semaine de plus ou de moins en fin de compte, et la pièce était encore glacée malgré le poêle. Un malin, cet Ossip, le roi des opportunistes.

— Ainsi, elle est partie, dit Oliveira en se renversant dans le fauteuil, la calebasse en main.

Gregorovius approuva de la tête. Son livre était ouvert sur ses genoux et il donnait l'impression de vouloir (poliment) continuer à lire.

— Et elle te laisse la chambre.

— Elle savait que je traversais un moment difficile, dit Gregorovius. Ma grand-mère n'envoie plus ma pension, elle est sans doute morte. Miss Babington garde le silence mais, étant donné la situation à Chypre... Et l'on sait qu'il y en a toujours des répercussions à Malte : censure et tous ces machins-là. Lucie m'a offert de partager sa chambre après que tu as annoncé ton départ. Je ne savais pas si je devais accepter mais elle a insisté.

— Curieux alors qu'elle soit partie.

— Mais tout ça se passait avant.

— Avant les fumigations ?

— Exactement.

— T'as tiré le gros lot, Ossip.

— C'est très triste, dit Gregorovius. Tout aurait pu être si différent

— Ne te plains pas, mon vieux. Une pièce de trois mètres cinquante sur quatre avec l'eau courante pour cinq mille francs par mois.

— Je voudrais, dit Gregorovius, que la situation soit claire entre nous. Cette chambre...

— N'est pas à moi, dors tranquille. Et la Sibylle est partie.

— De toute façon...

— Et où ?

— Elle a parlé de Montevideo.

— Mais elle n'a pas un sou.

— Elle a parlé aussi de Pérugia.

— Tu veux dire de Lucca. Depuis qu'elle a lu *Sparkenbroke*, elle en meurt d'envie. Dis-moi sérieusement où elle est.

— Je n'en ai pas la moindre idée, Horacio. Vendredi, elle a rempli une valise de livres et de vêtements, elle a fait des tas de paquets et puis deux Noirs sont venus chercher tout ça. Elle m'a dit que je pouvais rester ici et, comme elle pleurait sans arrêt, il n'était pas facile de parler.

— J'ai envie de te casser la gueule, dit Oliveira en se versant un autre maté.

— En quoi est-ce de ma faute ?

— Ce n'est pas une question de faute. Tu es dostoïevskiennement dégoûtant et sympathique à la fois, une espèce de lèche-cul métaphysique. Quand tu souris comme ça, on comprend qu'il n'y a rien à faire.

— Oh ! moi, tu sais, je suis un peu revenu de tout. La mécanique du *challenge and response* est bonne pour les bourgeois. Et toi, tu es comme moi, c'est pour cela que tu ne cogneras pas. Ne me regarde pas comme ça, je ne sais rien de Lucie. Un des Noirs qui l'accompagnaient va souvent au café Bonaparte, je l'y ai vu. Il pourra peut-être t'éclairer. Mais pourquoi la cherches-tu maintenant ?

— Explique-moi ce « maintenant ».

Gregorovius haussa les épaules.

— Ce fut une veillée très digne, dit-il. Surtout après qu'on se fut débarrassé de la police. Socialement parlant, ton absence a provoqué des commentaires contradictoires. Le Club te défendait, mais les voisins et le vieux d'en dessus...

— Tu ne vas pas me dire que le vieux est venu à la veillée funèbre ?

— Ce ne fut pas vraiment une veillée; on nous avait permis

de garder le corps jusqu'à midi, après quoi est arrivé le service municipal. Efficace et rapide, il faut dire.

— Je m'imagine la scène, dit Oliveira. Mais ce n'est pas une raison pour que la Sibylle parte sans tambour ni trompette.

— Elle s'était imaginé que tu étais avec Pola.

— Ça alors ! dit Oliveira.

— Des idées que se font les gens. Maintenant que nous nous tutoyons, par ta faute, cela m'est plus difficile de te dire certaines choses. Cela semble paradoxal mais c'est ainsi. Probablement parce que c'est un tutoiement complètement factice. C'est toi qui l'as provoqué l'autre soir.

— On peut tout de même tutoyer le type qui a couché avec votre femme.

— Je suis fatigué de te dire que ce n'est pas vrai, tu vois bien qu'il n'y a aucune raison pour que nous nous tutoyions. S'il était certain que la Sibylle se fût noyée, je comprendrais que, sous l'effet de la douleur, parmi les embrassades et les consolations... Mais ce n'est pas le cas, du moins il ne semble pas.

— Tu as lu quelque chose dans le journal, dit Oliveira.

— Je te dis que le signalement ne correspond absolument pas. Nous pouvons continuer à nous vouvoyer. Il est là, sur la cheminée.

En effet, le signalement ne correspondait pas. Oliveira jeta le journal par terre et se versa un autre maté. Lucca, Montevideo, *la guitare pour toujours enfermée dans l'armoire*... Et quand on met tout dans une valise et qu'on fait des paquets, on peut en déduire que (attention : toute déduction n'est pas preuve), *personne n'en joue plus, / aucun chant ne fait vibrer ses cordes*. Ne fait vibrer ses cordes.

— Bon, je finirai bien par la retrouver. Elle ne doit pas être très loin.

— Elle sera toujours ici chez elle, dit Gregorovius, même si Agdalle vient passer le printemps avec moi.

— Ta mère ?

— Oui. Un télégramme émouvant, avec mention du tétragramme. Et je suis justement en train de lire le *Sefer Yetzirah*, en essayant d'y démêler les influences néo-platoniciennes. Agdalle est très forte sur la Cabale; il va y avoir des discussions terribles.

— La Sibylle a-t-elle fait quelque allusion à un suicide possible ?

— Oh ! les femmes, tu sais.

— Précise.

— Je ne crois pas, dit Gregorovius. Elle parlait plutôt de Montevideo.

— C'est idiot, elle n'a pas un sou.

— De Montevideo et de la poupée de cire.

— Ah ! la poupée. Et elle croyait...

— Elle en était sûre. Cela va beaucoup intéresser Agdalle, cette histoire. Ce que tu appelles coïncidence... Lucie ne croyait pas, elle, que ce fût une coïncidence. Ni toi non plus au fond. Lucie m'a dit que, lorsque tu avais découvert la poupée verte, tu l'avais lancée par terre et piétinée.

— J'ai horreur de la stupidité, dit Oliveira vertueusement.

— Elle avait planté toutes les aiguilles dans le sein et une seule dans le sexe. Saviez-vous déjà que Pola était malade quand tu as piétiné la poupée verte ?

— Oui.

— Cela va vraiment intéresser beaucoup Agdalle. Tu connais le système du portrait empoisonné ? On mêle le poison aux couleurs et on attend la lune favorable pour peindre le portrait. Agdalle l'a essayé avec son père mais il y a eu des interférences... Le vieux est quand même mort trois ans après d'une espèce de diphtérie. Il était seul au château, nous avions un château à cette époque-là, et quand il a senti qu'il s'asphyxiait, il a voulu tenter sur lui-même une trachéotomie devant un miroir, en se plantant le bout d'une plume d'oie dans la gorge. On l'a trouvé au pied de l'escalier, mais je ne sais pas pourquoi je te raconte ça.

— Parce que tu sais que cela m'est égal, je pense.

— Oui, peut-être, dit Gregorovius. Nous allons faire du café, on commence à sentir la nuit à cette heure, bien qu'on ne la voie pas.

Oliveira reprit le journal. Pendant qu'Ossip posait la casserole sur le poêle, il relut le fait divers. Blonde, quarante-deux ans environ. Quelle bêtise de penser que... Bien qu'après tout. *Les travaux du grand barrage d'Assouan ont commencé. Avant cinq ans, la vallée moyenne du Nil sera transformée en un immense lac. Des édifices prodigieux qui comptent parmi les plus admirables de la planète...*

(-107)

## 30

— Un malentendu parmi tant d'autres, que veux-tu. Mais le café est digne de l'occasion. Tu as bu toute la provision de *caña* ?

— Tu sais, la veillée...

— Une mort aussi touchante, évidemment.

— Ronald a bu comme un trou. Il avait vraiment de la peine, personne ne sait pourquoi. Babs, jalouse. Lucie elle-même en était surprise. Mais l'horloger du sixième a apporté une bouteille d'eau-de-vie, ce qui fait qu'il y en a eu pour tout le monde.

— Il est venu beaucoup de gens ?

— Attends, tous ceux du Club sauf toi (« Sauf moi, en effet »), l'horloger du sixième, la concierge et sa fille, une bonne femme qui ressemblait à une mite, et le facteur qui est resté un moment, plus ceux de la police qui flairaient l'infanticide.

— Cela m'étonne qu'ils n'aient pas parlé d'autopsie.

— Ils en ont parlé. Babs a fait une de ces sérénades et Lucie... Alors une femme est venue, elle a regardé, palpé... On ne tenait plus dans l'escalier, on avait flanqué tout le monde dehors, il faisait un de ces froids. Ils firent je ne sais quoi et finalement nous laissèrent tranquilles. Je ne sais pas comment le permis d'inhumer a fini par échouer dans mon portefeuille, si tu veux le voir.

— Non, continue. Je t'écoute même s'il n'y paraît pas. Vas-y, mon vieux. Je suis très ému. Ça ne se voit pas, mais tu peux me croire. Je t'écoute, vas-y. Je me représente parfaitement la scène. Je parie que c'est Ronald qui a aidé à le descendre.

— Oui, lui, Perico et l'horloger. Moi je soutenais Lucie.
— Par-devant.
— Et Babs fermait la marche avec Etienne.
— Par-derrière.
— Entre le quatrième et le troisième étage, on a entendu un coup terrible. Ronald a dit que c'était le vieux du cinquième qui se vengeait. Quand Maman sera là, je vais lui demander d'entrer en relation avec lui.
— Ta maman ? Agdalle ?
— C'est ma mère, enfin, celle d'Herzégovine. Cette maison va lui plaire, elle qui est si profondément réceptive, et ici il s'est passé tant de choses... Je ne pense pas qu'à la poupée verte.
— Voyons, explique pourquoi ta maman est réceptive ou pourquoi la maison l'est. Parlons, après tout, il faut bien rembourrer les oreillers. Fais passer la plume.

(-57)

# 31

Cela faisait longtemps que Gregorovius avait renoncé à l'illusion de comprendre, mais de toute façon il aimait que les malentendus gardent une apparence d'ordre, de raison. Pour autant que l'on batte les cartes du tarot, les aligner est toujours une opération suivie que l'on mène à bien dans le rectangle d'une table ou sur un dessus de lit. Obtenir du buveur de breuvages argentins qu'il révèle le sens de ses déambulations. Au pis-aller, qu'il l'invente sur le moment même; après, il lui sera difficile d'échapper à sa propre toile d'araignée. Entre deux matés, Oliveira condescendait à rappeler un moment du passé ou à répondre à des questions. Il questionnait à son tour, portant un intérêt ironique aux détails de l'enterrement, à la conduite des gens. Il ne faisait pas souvent d'allusion directe à la Sibylle, mais on voyait qu'il soupçonnait Gregorovius de lui mentir. Montevideo, Lucca, quelque coin de Paris. Gregorovius se dit qu'Oliveira serait parti en courant s'il avait cru savoir où était Lucie; il semblait être spécialiste des causes perdues. Les perdre d'abord, puis se lancer comme un fou à leur poursuite.

— Agdalle va savourer son séjour à Paris, dit Oliveira en remettant du maté dans la calebasse. Si elle cherche une voie d'accès aux enfers, tu n'as qu'à lui montrer quelques-unes de ces choses. Sur un plan modeste, bien entendu, mais l'enfer s'est dévalué lui aussi. Les *nekias* de maintenant : un voyage dans le métro à six heures du soir, ou aller faire la queue au commissariat pour renouveler la carte de séjour.

— Tandis que toi, tu aurais bien voulu trouver la grande entrée, hein ? Dialogue avec Ajax, Jacques Clément, Keitel ou Troppmann.

— Oui, mais jusqu'à présent le plus grand trou que j'aie trouvé, c'est celui du lavabo. Chose que Traveler lui-même ne comprend pas, ce qui prouve que ce n'est pas beaucoup. Traveler est un ami que tu ne connais pas.

— Toi, dit Gregorovius en regardant par terre, tu caches ton jeu.

— Mais encore ?

— Je ne sais pas, un pressentiment. Depuis que je te connais, je te vois toujours en train de chercher, mais on a l'impression que tu as déjà en poche ce que tu cherches.

— Les mystiques ont parlé de ça, sans mentionner les poches, toutefois.

— Et, chemin faisant, tu gâches la vie à pas mal de personnes.

— Elles sont consentantes, mon vieux, elles sont consentantes. Il ne leur manquait qu'un petit coup de pouce, je passe et ça y est. Aucune mauvaise intention.

— Mais qu'est-ce que tu cherches avec ça, Horacio ?

— Droit de cité.

— Ici ?

— C'est une métaphore. Et comme Paris en est une autre (je te l'ai entendu dire quelquefois) il me semble naturel d'être venu ici pour cela.

— Mais Lucie ? Et Pola ?

— Quantités hétérogènes, dit Oliveira. Tu crois, toi, que tu peux les additionner dans la même colonne parce que ce sont des femmes. Mais elles, ne recherchent-elles pas aussi leur propre satisfaction ? Et toi, si puritain tout à coup, ne t'es-tu pas glissé ici à la faveur d'une méningite ou quoi que ce soit d'autre qu'on ait trouvé au gosse ? Et heureusement que ni l'un ni l'autre n'avons des réactions de petits-bourgeois, sinon l'un de nous sortirait d'ici mort et l'autre avec les menottes. Une histoire à la Cholokhov. Mais nous ne nous détestons même pas. On est si bien à l'abri dans cette pièce.

— Toi, dit Gregorovius en regardant à nouveau par terre, tu caches ton jeu.

— Explique, vieux frère, tu me rendras service.

— Toi, répéta Gregorovius, il y a une idée fixe qui te mène par le bout du nez. Ton droit de cité ? Une mainmise sur la cité. Ton ressentiment : une ambition mal guérie. Tu es venu ici dans l'espoir de trouver ta statue déjà dressée au coin de la place Dauphine. Ce que je ne comprends pas, c'est ta technique. L'ambition, pourquoi pas ? Tu es assez extraordinaire par certains côtés. Mais, jusqu'à présent, tu as fait exactement le contraire de ce qu'auraient fait d'autres ambitieux. Etienne, par exemple, et ne parlons pas de Perico.

— Ah ! dit Oliveira, les yeux te servent à quelque chose, semble-t-il.

— Tu as fait exactement le contraire, répéta Ossip, mais sans renoncer à l'ambition. Et ça, je ne me l'explique pas.

— Oh ! tu sais, les explications... Tout est très confus, vieux frère. Mettons que ce que tu appelles l'ambition ne peut porter ses fruits que dans le renoncement. La formule te plaît ? Ce n'est pas ça, d'ailleurs, mais ce que je voudrais te dire me paraît justement indicible. Il faut tourner autour comme un chien qui cherche à attraper sa queue. Avec ça et ce que je t'ai dit sur le droit de cité, ça devrait te suffire, espèce de Monténégrin.

— Je comprends obscurément. Ainsi tu... N'est-ce pas une voie comme le védanta ou quelque chose comme ça ? Attends un peu.

— Non, non.

— Un renoncement laïque, pour ainsi dire ?

— Non plus. Je ne renonce à rien, simplement je fais tout mon possible pour que les choses renoncent à moi. Tu ne savais pas que, pour creuser un petit trou, il faut enlever la terre et la jeter au loin ?

— Mais le droit de cité, alors ?

— D'accord, là, tu brûles. Rappelle-toi le dit : *nous ne sommes pas au monde*. Et maintenant, aiguise-le, tout doucement.

— L'ambition de faire table rase et de recommencer ?

— Un tout petit peu, un soupçon de ça, quelques gouttes à peine, une larme, ô Transylvanien opiniâtre, voleur de femmes en détresse, fils de trois nécromanciennes.

— Toi et les autres... murmura Gregorovius en cherchant sa pipe. Quel micmac, Dieu de ma vie ! Voleurs d'éternité, passoires de l'éther, mâtins du ciel, chasseurs de nuages. Heureusement qu'on est cultivé et qu'on peut en énumérer quelques-uns. Porcs astraux.

— C'est trop d'honneur, dit Oliveira. Mais c'est la preuve que tu commences à comprendre.

— Bah ! moi je préfère respirer l'oxygène et l'azote dans les proportions données par le Bon Dieu. Mes alchimies sont beaucoup moins subtiles que les vôtres. La seule chose qui m'intéresse, moi, c'est la pierre philosophale. Une bagatelle à côté de tes passoires, de tes lavabos et de tes soustractions ontologiques.

— Ça faisait longtemps que nous n'avions pas eu une bonne conversation métaphysique, hein ? Cela ne se fait plus entre amis, ça a l'air snob. Ronald, par exemple, en a horreur. Et Etienne ne sort pas du spectre solaire. On est bien ici avec toi.

— Au fond, nous aurions pu être amis, dit Gregorovius, s'il y avait quelque chose d'humain en toi. Je suppose que Lucie a dû te le dire plusieurs fois.

— Toutes les cinq minutes exactement. Il faut voir le jus que les gens peuvent faire rendre au mot humain. Mais la Sibylle, pourquoi n'est-elle pas restée avec toi qui resplendis d'humanité ?

— Parce qu'elle ne m'aime pas. Il faut de tout pour faire un monde.

— Et maintenant, elle va retourner à Montevideo et retomber dans cette vie de...

— Elle est peut-être partie à Luca. Où qu'elle soit, elle y sera mieux qu'avec toi. Et de même pour Pola, moi et les autres. Pardonne ma franchise.

— Mais je t'en prie, Ossip Ossipovitch. Pourquoi nous raconterions-nous des histoires ? On ne peut pas vivre auprès d'un jongleur d'ombres, d'un dompteur de papillons. On ne peut pas accepter un type qui passe sa journée à dessiner avec les anneaux irisés que fait le mazout sur l'eau de la Seine. Moi, avec mes cadenas et mes clefs d'air, moi qui écris avec de la fumée. Je t'évite une réplique parce que je la vois venir : rien de plus mortel que ces substances qui se glissent un peu partout, que l'on respire sans le savoir, dans les mots, dans l'amour ou dans l'amitié. Il est grand temps qu'on me laisse seul, tout seul. Tu avoueras que je ne me pends pas aux basques. Arrière, fils de Bosnie ! La prochaine fois que tu me rencontres dans la rue, tu ne me connais pas.

— Tu es fou, Horacio. Tu es stupidement fou et par entêtement.

Oliveira sortit de sa poche un petit morceau de journal

qui y traînait depuis Dieu sait quand; une liste de pharmacies de garde. Qui seront ouvertes de lundi 8 heures à mardi 8 heures.

— 446, rue de la Reconquête (31-54-88), 366, rue de Cordoue (32-88-45), 599, rue Esmeralda (31-17-00), 581, rue Sarmiento (32-20-21).

— Qu'est-ce que c'est que ça ?

— Paliers du réel. Je t'explique : la Reconquête, on a bouté les Anglais hors du Rio de la Plata. Cordoue, ville universitaire. Esmeralda, gitane victime de la jalousie d'un archidiacre. Sarmiento, il a fait un pet, autant en emporte le vent. Deuxième couplet : rue de la Reconquête, rue de tripots et de restaurants libanais. Cordoue, touron délicieux. Esmeralda, un fleuve de Colombie. Sarmiento, il a quand même écrit l'épopée du gaucho. Troisième couplet : Reconquête, une pharmacie, Esmeralda, une autre pharmacie, Sarmiento, une troisième pharmacie. Quatrième couplet...

— Et si je répète que tu es fou, c'est parce que je ne vois pas la sortie à ton fameux renoncement.

— 620, rue Florida (31-22-00).

— Tu as peut-être renoncé à beaucoup de choses, mais tu n'es pas allé à l'enterrement parce que tu n'es pas encore capable de regarder tes amis en face.

— 749, rue Yrigoyen (34-09-36).

— Et Lucie est mieux au fond de l'eau que dans ton lit.

— 800, rue Bolivar. Le téléphone est à moitié effacé. Si les gens du quartier ont un enfant malade, ils ne pourront pas se procurer de la terramycine.

— Au fond de l'eau, parfaitement.

— 1117, rue Corrientes (35-14-18).

— Ou à Lucca ou à Montevideo.

— Ou 1301, rue Rivadavia (38-78-41).

— Garde cette liste pour Pola, dit Gregorovius en se levant. Moi, je m'en vais, toi fais ce que tu veux. Tu n'es pas chez toi ici, mais comme rien n'a de réalité et qu'il faut partir *ex nihilo*, etc. Dispose à ton gré de toutes ces illusions. Je descends acheter une bouteille d'eau-de-vie.

Oliveira le rejoignit près de la porte et posa sa main ouverte sur son épaule.

— 2099, rue Lavalle, dit-il en le regardant bien en face et en souriant. 1501, rue Cangallo. 53, rue Pueyrredón.

— Il manque le téléphone, dit Gregorovius.

— Tu commences à comprendre, dit Oliveira en retirant sa main. Tu te rends compte, au fond, que je ne peux plus rien te dire, ni à toi, ni à personne.

A la hauteur du deuxième étage, les pas s'arrêtèrent. « Il va revenir, pensa Oliveira. Il a peur que je brûle le lit ou que je déchire ses draps. Pauvre Ossip. » Mais, après un moment, les pas se remirent à descendre.

Assis sur le lit, il regarda les papiers du tiroir de la table de nuit. Un roman de Perez Galdos, une facture de la pharmacie. C'était le soir des pharmacies. Plusieurs feuilles écrites au crayon. La Sybille avait tout emporté, il restait une odeur d'avant, la tapisserie sur les murs, le lit avec son dessus à raies. Un roman de Galdos, quelle idée. Quand ce n'était pas Vicki Baum, c'était Roger Martin du Gard, et de là, parfois, un saut inexplicable à Tristan l'Hermite, des heures entières à répéter à propos de n'importe quoi « les rêves de l'eau qui songe », ou une plaquette de pantouns, ou les récits de Schwitters, une sorte de rachat, de pénitence dans le plus exquis et le plus secret, après quoi elle sombrait à nouveau dans Dos Passos et passait cinq jours à avaler d'énormes rations de lettres imprimées.

Les feuilles écrites au crayon étaient une sorte de lettre.

(-32)

# 32

Bébé Rocamadour, bébé, mon bébé. Rocamadour.

Rocamadour, je sais que c'est comme un miroir. Tu es en train de dormir ou de regarder tes pieds. Et moi ici, je tiens un miroir et je crois que c'est toi. Mais je ne le crois pas, je t'écris parce que tu ne sais pas lire. Si tu savais lire, je ne t'écrirais pas ou je t'écrirais des choses importantes. Un jour viendra où je serai obligée de t'écrire d'être sage et de bien te couvrir. Cela me paraît incroyable, Rocamadour, qu'un jour. Cette fois, je t'écris simplement sur le miroir, de temps en temps, il faut que j'essuie mon doigt parce qu'il se mouille de larmes. Pourquoi, Rocamadour ? Je ne suis pas triste, pourtant. Ta maman est une bécasse, j'ai laissé déborder le borsch que j'avais fait pour Horacio; tu sais qui est Horacio, Rocamadour, le monsieur qui t'a apporté dimanche le petit lapin en velours et qui s'ennuyait beaucoup parce que toi et moi on avait des tas de choses à se dire et lui il voulait revenir à Paris; et quand tu t'es mis à pleurer, il t'a montré comment le petit lapin remuait ses oreilles; il était beau à ce moment-là; Horacio, je veux dire; un jour, tu comprendras, Rocamadour.

Rocamadour, c'est idiot de pleurer comme ça parce que le borsch a débordé. La chambre est pleine de betterave, Rocamadour, tu rirais si tu voyais les petits morceaux de betterave et la crème, tout ça par terre. Ne t'en fais pas, lorsque Horacio rentrera, j'aurais tout nettoyé, mais il fallait d'abord que je t'écrive, c'est tellement bête de pleurer comme ça, les casseroles deviennent floues, on voit comme des halos aux fenêtres et on n'entend plus chanter la fille d'en dessus qui chante toute la journée *Les Amants du Havre*. Quand tu seras avec moi, je te la chanterai, tu verras. *Puisque la terre est ronde, mon amour, t'en fais pas, mon amour, t'en fais pas...* Horacio le siffle le soir quand il écrit ou quand il dessine. Elle te plairait à toi, Rocamadour.

Tu sais, Mme Irène n'est pas contente que tu sois si beau, si gai, si brailleur, si pisseur. Elle dit que tout va très bien et que tu es un enfant délicieux mais tout en parlant elle cache ses mains dans les poches de son tablier comme font certains animaux méchants et ça, ça me fait peur, Rocamadour. Quand je l'ai dit à Horacio, il a beaucoup ri, mais il ne peut pas savoir ce que je ressens, et bien qu'il n'y ait pas d'animal méchant qui cache ses mains, je sens que, je ne sais pas ce que je sens, je ne peux pas l'expliquer. Rocamadour, si seulement je pouvais lire dans tes petits yeux tout ce qui s'est passé pendant ces quinze jours, heure par heure. Je crois que je vais chercher une autre nourrice, même si ça doit rendre Horacio furieux et s'il doit me traiter de... mais ça ne t'intéresse pas ce qu'il peut dire de moi. Une autre nourrice qui parle moins, ça me serait égal qu'elle dise que tu es vilain, que tu pleures la nuit, que tu ne veux pas manger, cela me serait égal si je sens, quand elle me le dit, qu'elle n'est pas méchante, qu'elle ne dit pas quelque chose qui puisse te faire du mal. Tout est bien étrange, Rocamadour; moi, par exemple, j'aime dire ton nom, et l'écrire, il me semble chaque fois que je touche le bout de ton nez et que tu ris, Mme Irène par contre ne t'appelle jamais par ton nom, elle dit toujours l'enfant, tu te rends compte, elle ne dit même pas le gosse, elle dit l'enfant, c'est comme si elle mettait des gants de caoutchouc pour parler, elle en a, peut-être, et c'est pour cela qu'elle cache ses mains dans ses poches et qu'elle dit que tu es si beau et si sage.

Il y a une chose, Rocamadour, qui s'appelle le temps, c'est comme une bête qui marche et qui marche, je ne peux pas t'expliquer parce que tu es trop petit mais je veux dire qu'Horacio va arriver bientôt. Est-ce que je lui laisse lire ma lettre pour qu'il te dise quelque chose, lui aussi ? Non, moi non plus, je ne voulais pas que quelqu'un d'autre lise une lettre qui n'était que pour moi. Un secret entre nous deux, Rocamadour. Je ne pleure plus, je suis contente, mais c'est si difficile de comprendre les choses, j'ai besoin de tant de temps pour comprendre un peu ce qu'Horacio et les autres comprennent tout de suite, mais eux qui comprennent tout si bien, ils ne peuvent pas nous comprendre toi et moi, ils ne comprennent pas que je ne peux pas te garder avec moi, te donner à manger, changer tes langes, te faire dormir ou jouer, ils ne comprennent pas et au fond, peu leur importe et moi, à qui cela importe tellement, je sais seulement que je ne peux pas t'avoir avec moi, que c'est mauvais pour tous les deux, qu'il me faut être seule avec Horacio, vivre avec Horacio, en l'aidant, pour combien de temps, à chercher ce qu'il cherche, et que tu chercheras, toi aussi, Rocamadour, parce que tu seras un homme et que tu chercheras aussi comme un grand idiot.

C'est ainsi, Rocamadour : à Paris, nous sommes comme des champignons, nous poussons sur les rampes des escaliers, dans des chambres obscures qui sentent la graisse et où l'on fait l'amour tout le temps, après, on fait cuire des œufs et on met des disques de Vivaldi, on allume des cigarettes et on parle comme Horacio et comme Gregorovius, comme Wong et comme moi, Rocamadour, et aussi comme Perico et Ronald et Babs, nous faisons tous l'amour et nous faisons cuire des œufs et nous fumons, ah ! tu ne peux pas savoir tout ce qu'on fume, tout ce qu'on fait l'amour, debout, couchés, à genoux, avec les mains, avec la bouche, pleurant ou chantant, et dehors il y a de tout, les fenêtres donnent sur l'air libre et ça commence avec un moineau ou une gouttière, il pleut énormément ici, Rocamadour, beaucoup plus qu'à la campagne, et les choses se rouillent, les tuyaux, les pattes des pigeons, les fils de fer avec lesquels Horacio fait des sculptures. Nous n'avons presque pas de vêtements, mais on se débrouille avec si peu, un bon manteau, des chaussures qui ne prennent pas l'eau, nous sommes très sales, tout le monde est très sale et très beau à Paris, Rocamadour, les lits sentent la nuit et le sommeil pesant, dessous il y a des flocons de poussière et des livres, Horacio s'endort et le livre tombe dans la ruelle, il y a des discussions terribles parce qu'on ne retrouve pas les livres et Horacio croit que c'est Ossip qui les lui a pris, et puis ils réapparaissent un beau jour et on se met à rire, il ne reste plus de place nulle part, même pas pour une paire de chaussures, Rocamadour, et pour poser une cuvette par terre il faut enlever le tourne-disque mais où le mettre si la table est pleine de livres ? Je ne pourrais

# 34

En septembre 80, peu après le décès de mon père, je déci-
Et les choses qu'elle lit, un roman mal écrit, dans une édi-
dai de me retirer des affaires et de passer la main à une
tion infecte par-dessus le marché, on se demande comment
autre maison productrice de Jerez, aussi renommée que la
une chose pareille pouvait l'intéresser. Penser qu'elle a passé
mienne; je réalisai tous les fonds que je pus, je louai les
des heures à avaler cette panade, sans compter tant d'autres
terres, je vendis les caves et le fonds et je m'en allai vivre à
lectures effarantes, les *Elle* et *France-Soir,* tristes magazines
Madrid. Mon oncle, cousin germain de mon père, don Ra-
que lui prêtait Babs. *Et je m'en allai vivre à Madrid,* j'ima-
fael Bueno de Guzmán y Ataide, voulut me loger chez lui,
gine qu'après avoir avalé cinq ou six pages de ce genre, on
mais je refusai pour sauvegarder mon indépendance. J'en vins
ne peut s'empêcher de continuer par une sorte de force d'iner-
cependant à adopter un *modus vivendi* qui me permettait de
tie, tout comme on ne peut s'empêcher de dormir ou de pisser,
concilier mon légitime désir de liberté avec le caractère hospi-
servitudes, contraintes et baves. *J'en vins cependant à adop-*
talier de mon parent, louant un pied-à-terre dans son immeu-
*ter* une langue de phrases toutes faites pour transmettre des
ble; je fus ainsi à même d'être seul quand il me plaisait
idées archifaites, monnaies passant de main en main, de géné-
de l'être et de profiter de la chaleur d'un foyer quand besoin
ration en dégénération, *te voilà en pleine écholalie. La cha-*
s'en faisait sentir. Ce brave homme habitait, je veux dire
*leur d'un foyer,* elle est bien bonne, celle-là, foyer mon cul.
nous habitions, les maisons construites sur l'ancien emplace-





pas t'avoir ici Rocamadour, tu ne tiendrais nulle part, bien que tu sois tout petit, tu te cognerais aux murs. Quand je pense à ça, je me mets à pleurer, Horacio ne comprend pas, il croit que je suis mauvaise, que je fais mal de ne pas te prendre avec moi, bien que je sache que je ne te supporterais pas longtemps. Personne ne se supporte longtemps ici, même pas toi et moi, il faut vivre en se combattant, c'est la loi, la seule façon qui vaille la peine mais ça fait mal, Rocamadour, et c'est sale et amer, tu n'aimerais pas ça, toi, toi qui vois parfois les petits agneaux dans les prés ou qui entends les oiseaux perchés sur la girouette de la maison. Horacio me traite de sentimentale, me traite de matérialiste, me traite de tout parce que je ne t'amène pas ou parce que je veux t'amener, parce que j'y renonce, parce que je veux aller te voir, parce que je comprends soudain que je ne peux pas y aller, parce que je suis capable de marcher une heure sous la pluie pour aller voir *Le Cuirassé Potemkine* dans un quartier que je ne connais pas, et je n'y renoncerais pour rien au monde, Rocamadour, parce que le monde n'a plus d'importance si on n'a pas la force de choisir soudain une chose qui vaille la peine, si on est rangé comme un tiroir de commode, si on te met toi d'un côté, le dimanche de l'autre, l'amour maternel, le jouet neuf, la gare Montparnasse, le train, la visite qu'il faut faire. Je n'ai pas envie d'y aller, Rocamadour, et tu sais que c'est bien ainsi et tu n'es pas triste. Horacio a raison, je ne pense plus du tout à toi, parfois, et je crois que tu m'en seras reconnaissant un jour quand tu comprendras, quand tu verras que ça valait la peine que je sois comme je suis. Mais je pleure quand même, Rocamadour, et je t'écris cette lettre parce que je ne sais pas, parce que je me trompe peut-être, parce que je suis peut-être mauvaise ou peut-être malade ou un peu idiote, pas beaucoup, un peu seulement mais c'est terrible ça, la seule idée me donne la colique, me fait rentrer la tête dans les épaules, je vais éclater si je ne me lève pas, et je t'aime tant, Rocamadour, bébé Rocamadour, petite dent, grain de riz, je t'aime tant, nez en sucre, petit arbre, petit cheval de bois...

(-132)

## 33

« Il m'a laissé seul exprès, pensa Oliveira en ouvrant et en refermant le tiroir de la table de nuit. Par délicatesse ou pour me jouer un tour de cochon, ça dépend comment on considère la chose. Il est peut-être d'ailleurs dans l'escalier, en train d'écouter, comme un sadique à la petite semaine. Il attend la grande crise karamazovienne, l'attaque célinesque. Ou bien alors, il est en pleine déliquescence herzégovienne et, au deuxième verre de kirsch chez Bébert, il monte un tarot mental et projette des tas de cérémonies pour l'arrivée d'Agdalle. Le supplice de l'espoir : Montevideo, la Seine ou Lucca. Variantes : la Marne, Perugia. Mais en ce cas, toi... »

Il alluma une autre Gauloise au mégot de la première, regarda encore une fois le tiroir, en sortit le roman en pensant vaguement à la pitié comme sujet de thèse. La pitié de soi, plutôt. « Je ne me suis jamais proposé le bonheur, pensa-t-il en tournant distraitement les pages. Ce n'est ni une excuse ni une justification. *Nous ne sommes pas au monde. Donc, ergo, dunque...* Pourquoi aurais-je pitié d'elle ? Parce que je viens de trouver une lettre à son fils qui est en réalité une lettre pour moi ? Moi, auteur des lettres complètes à Rocamadour. Aucune raison d'avoir pitié. Où qu'elle soit, ses cheveux flambent comme une tour et me brûlent de loin, elle me tue par sa seule absence. Et patati et patata. Elle s'arrangera parfaitement sans moi et sans Rocamadour. Une mouche bleue, très jolie, qui vole dans le soleil, soudain elle se cogne contre une vitre, paf ! le nez saigne, une tragédie. Deux minutes après, comme si de rien n'était, elle achète un découpage dans une papeterie et court l'envoyer à l'une de ses vagues amies au nom nordique éparpillées dans les pays



les plus incroyables. Comment pourrait-on avo[illegible]
chatte ou d'une lionne ? Machines de vie, éclair[illegible]
Ma seule faute, c'est de n'avoir pas été assez [illegible]
pour qu'elle puisse se chauffer à loisir les mains [illegible]
Elle m'a pris pour un buisson ardent et je n'ai [illegible]
pot d'eau froide dans son cou. Nom d'un chien, [illegible]
gosse. »

Ah ! Sibylle, comment pouvais-tu avaler de pareilles salades, ment de la Halle aux Grains. L'appartement de mon oncle que d'heures passées à lire cette pâte de guimauve, tout en était un entresol de dix-huit mille réaux, fort beau et gai, étant persuadée sans doute que c'était la vie même, et tu bien qu'un peu exigu pour une si nombreuse famille. Je pris avais raison, c'est la vie même, ce pourquoi il faut en finir le rez-de-chaussée, à peine moins grand que l'entresol et lar- au plus vite avec tout ça. Certains après-midi où j'avais par- gement suffisant pour moi seul; je le décorai luxueusement et couru, vitrine après vitrine, toute la section égyptienne du y fis placer toutes les commodités auxquelles j'étais habitué. Louvre et que je revenais, assoiffé de maté et de tartines de Ma fortune, grâce à Dieu, me le permettait amplement. Mes confiture, je te trouvais, serrée contre la fenêtre, un roman- premières impressions quant à l'aspect de Madrid, furent une fleuve entre les mains et parfois même en larmes, si, je t'as- agréable surprise. Je n'y étais pas revenu depuis l'époque de sure, en larmes, parce qu'on venait de guillotiner quelqu'un, Gonzalez Brabo. Je ne cessais de m'émerveiller de la beauté et tu te jetais dans mes bras et tu voulais savoir où j'étais et de l'ampleur des nouveaux quartiers, des moyens de com- allé mais je ne te le disais pas, tu aurais été un fameux poids munication rapides, de l'évidente amélioration des façades, des mort, au Louvre, on ne pouvait y aller avec toi, ma pauvre rues et même des gens; les ravissants jardins plantés sur les petite, ton ignorance est de celles qui gâchent tout plaisir petites places autrefois poussiéreuses, les superbes demeures esthétique, et, au fond, c'était ma faute si tu lisais des ro- des riches, les magasins divers et magnifiques et pouvant sou- mans-fleuves, la faute de mon égoïsme, *petites places poussié- tenir la comparaison avec Londres et Paris, enfin les nom- reuses*, ça, c'est mieux, je pense aux petites places de villages breux et élégants théâtres pour tous les goûts, toutes les bour- ou aux rues de la Rioja en 42, les montagnes violettes, à la ses et toutes les classes. Tout cela et plusieurs autres choses tombée du jour, ce bonheur d'être seul à une pointe du monde, qu'il me fut donné d'observer par la suite en société, me fit *et d'élégants théâtres*, mais de quoi parle-t-il donc, ce type ? prendre conscience des brusques progrès que notre capitale D'abord, Londres et Paris, puis les goûts et les fortunes, tu

avait faits depuis 1868, progrès ressemblant davantage à des
vois, Sibylle, tu vois, mes yeux à présent se posent avec iro-
bonds capricieux qu'à la démarche ferme et sûre de ceux qui
nie là où tu avançais tout émue, persuadée que tu te cultivais
savent où ils vont, mais progrès qui n'en étaient pas moins
parce que tu lisais un romancier espagnol qui avait sa photo
réels. En un mot, il me montait au nez un certain fumet de
sur la couverture, et, tiens, justement, le type parle de « fu-
culture européenne, de bien-être et même de richesse et de
met de culture européenne », tu étais persuadée que ces lec-
travail.
tures te permettraient de comprendre le micro et le macro-
Mon oncle est un homme d'affaires très connu à Madrid.
cosme, il suffisait que j'arrive pour que tu sortes du tiroir
Il avait même autrefois occupé des postes très importants
de ta table — parce que tu avais une table de travail... je
dans l'administration; il fut d'abord consul puis attaché d'am-
n'ai jamais su, d'ailleurs, quelle sorte de travail tu pouvais
bassade; par la suite, son mariage l'obligea à se fixer à Ma-
y faire — pour que tu sortes de ce tiroir la plaquette des
drid; il fut même pendant quelque temps au ministère des
poèmes de Tristan l'Hermite ou une dissertation de Boris de
Finances, protégé et encouragé par Bravo Murillo, mais bien-
Schloezer, et tu me les montrais, de l'air à la fois fier et
tôt les besoins de sa famille le poussèrent à troquer la mes-
indécis de qui vient d'acheter de grandes choses et va se mettre
quine sécurité d'un salaire fixe contre les hasards et les for-
à les lire sans tarder. Impossible de te faire comprendre
tunes du travail libre. Il avait une ambition modérée, de l'hon-
qu'ainsi tu n'arriverais jamais à rien, que, pour certaines cho-
nêteté, il était actif, intelligent, il avait, de surcroît, beaucoup
ses, il était trop tard, et, pour d'autres, trop tôt, et tu étais
de relations; il consacra ses soins à faire aboutir diverses
toujours tellement au bord du désespoir, même au cœur de la
affaires et il ne fut pas long à se féliciter d'avoir abandonné
joie et de la crânerie, il y avait tant de brume dans ton cœur
ses dossiers. Il vivait d'eux, cependant, réveillant ceux qui dor-
déconcerté. *Poussant ceux qui s'entassaient sur les tables*, non,
maient dans les archives, poussant en bonne place ceux qui
avec moi tu ne pouvais pas compter là-dessus, ta table était
s'entassaient sur les tables, remettant de son mieux dans le

34

ta table, et ni je ne t'y poussais, ni je ne t'en enlevais, je te
droit chemin ceux qui s'étaient un peu égarés. Ses relations
regardais simplement lire tes romans et examiner les couver-
avec des gens de l'un et l'autre bord lui étaient fort. utiles
tures et les illustrations de tes plaquettes, et toi, tu attendais
ainsi que l'autorité dont il jouissait dans tous les ministères.
que je m'asseye à côté de toi, que je t'explique, que je t'en-
Il n'y avait pas de portes fermées pour lui. On aurait pu
courage, que je fasse ce que toute femme attend d'un homme,
croire que tous les portiers lui devaient leur place, car ils le
qu'il lui enroule doucement une corde autour de la taille et
saluaient tous avec une véritable affection filiale et lui ou-
la lance, vlan ! et la fasse tourner comme une toupie, qu'il
vraient toutes grandes les portes, le considérant comme de la
lui donne l'élan nécessaire pour l'arracher au tricot ou à sa ma-
maison. J'ai entendu dire qu'à une certaine époque, il avait
nie de parler, parler, parler interminablement des innombrables
gagné beaucoup d'argent, en mettant activement la main à cer-
matières du néant. Tu vois comme je suis monstrueux, qu'ai-
taines affaires de mines et de chemins de fer; mais qu'à d'au-
je donc, moi, dont je puisse me vanter, je ne t'ai même plus,
tres moments, aussi, sa scrupuleuse honnêteté lui avait été
toi, puisqu'il était écrit qu'il me fallait te perdre (et même
défavorable. Lorsque je m'établis à Madrid, sa situation devait
pas te perdre, car pour cela il eût fallu, auparavant, te ga-
être, d'après les apparences, aisée, sans plus. Il ne manquait
gner), *ce qui, à la vérité, était peu flatteur...* Flatteur, depuis
de rien mais il n'avait pas d'économies, ce qui, en vérité,
combien de temps n'avais-je pas entendu ce mot, comme notre
était peu flatteur pour un homme qui, après avoir tant
langage s'appauvrit, à nous, Américains; quand j'étais enfant,
travaillé, approchait du déclin de sa vie, et n'avait plus le
je connaissais beaucoup plus de mots, je lisais ces mêmes ro-
temps, déjà, de regagner le terrain perdu.
mans, j'emmagasinais un immense vocabulaire, parfaitement
C'était alors un homme paraissant plus que son âge mais
inutile d'ailleurs, mais *très soigné et très distingué*, ça oui.
toujours habillé comme un dandy, très soigné et très distingué
Je me demande si, au fond, tu entrais vraiment dans le monde
dans sa mise. Il se rasait tout le visage comme il avait été
de ces romans ou s'ils te servaient simplement de tremplin

de mode pour sa génération. Sa bonne humeur et son esprit,
pour gagner tes pays mystérieux que je t'enviais vainement
toujours maintenus en parfait équilibre, ne tombaient jamais
tandis que tu enviais, toi, mes visites au Louvre (que tu devi-
ni dans la familiarité déplacée ni dans l'insolence. Il savait
nais même si tu n'en disais rien). Et nous approchions ainsi,
être un très brillant causeur mais malheureusement il le savait
peu à peu, de ce qui allait nous arriver lorsque tu aurais tout
et il cédait souvent à la démangeaison de délayer intermina-
à fait compris que je ne te donnerais jamais qu'une partie de
blement ses discours. Quand il remontait au déluge et nous
mon temps et de ma vie, *et de délayer interminablement ses*
noyait sous un flot de détails puérils, nous étions obligés de le
*discours*, c'est exactement ça, je deviens vite ennuyeux, même
supplier au nom du ciel d'abréger. Lorsqu'il relatait quelque
quand je me souviens. Mais que tu étais belle à la fenêtre
partie de chasse (exercice pour lequel il avait une grande
avec le gris du ciel posé contre ta joue, tes mains serrant le
passion), il se passait un si long temps de l'exorde au pre-
livre, la bouche un peu avide, les yeux indécis. Il y avait
mier coup de fusil que son interlocuteur fatigué qui rêvait à
tant de temps perdu en toi, tu étais si absolument le moule
autre chose ne pouvait s'empêcher de sursauter en entendant
de ce que tu aurais pu être sous d'autres étoiles que te pren-
exploser des pan ! pan ! pan ! Je ne sais si je dois porter au
dre dans mes bras et te faire l'amour devenait un devoir trop
nombre de ses défauts physiques une irritation chronique des
tendre, trop proche de l'acte charitable, et là, je me leurrais,
glandes lacrymales qui parfois, et principalement l'hiver, ren-
je succombais à l'orgueil imbécile de l'intellectuel qui se croit
dait ses yeux si rouges et si larmoyants qu'on eût dit qu'il
équipé pour comprendre, « à chaudes morves », mais c'est
venait de « pleurer à chaudes morves ». Je n'ai pas connu
littéralement répugnant cette expression ibérique. Equipé pour
d'homme qui eût un plus grand ni un plus riche assortiment
comprendre, non, mais tu entends ça, ma pauvre Sibylle.
de mouchoirs de fil. Et à cause de son habitude de déployer
Ecoute, Sibylle, ceci pour toi seule, ne le répète à personne,
à deux mains et à tout moment ce carré blanc, un de mes
le moule creux, c'était moi, toi, tu palpitais, libre et pure
amis, andalou et moqueur, dont je reparlerai par la suite,

comme une flamme, comme un ruisseau de mercure, comme l'avait surnommé La Véronique.
le premier chant de l'oiseau qui brise l'aube, et il m'est doux
Il me témoignait une affection sincère et les premiers jours de te le dire avec les mots qui te fascinaient car tu croyais de mon installation à Madrid, il ne me quitta pas d'une semelle qu'ils n'existaient pas en dehors des poèmes et qu'on n'avait pour m'aider dans mon installation et me faciliter mille chopas le droit de les employer. Où es-tu, où sommes-nous, à ses. Lorsque nous parlions de la famille et que j'évoquais des partir d'aujourd'hui, deux points dans un univers inexplicable, souvenirs d'enfance ou rappelais des mots de mon père, mon près ou loin l'un de l'autre, deux points qui engendrent une brave oncle faisait preuve d'un enthousiasme extrême pour les ligne, deux points qui se rapprochent ou s'éloignent arbitraigrands hommes qui avaient donné son lustre au nom de Bueno rement *(les grands hommes qui donnèrent son lustre au nom* de Guzmán et, sortant son mouchoir, il me racontait d'inter-*de Bueno de Guzmán*, non mais quel m'as-tu-vu, ce type, minables histoires. Il voyait en moi le dernier représentant comment pouvais-tu, Sibylle, dépasser la troisième page...), masculin d'une race féconde en caractères peu communs, et il mais je ne vais pas t'expliquer ce qu'on appelle un mouveme flattait et me gâtait comme un enfant malgré mes trentement brownien, et pourtant, nous deux, Sibylle, nous composix ans bien sonnés. Pauvre oncle ! Au cours de ces démonssons une figure, toi un point ici, moi, un autre là, nous détrations de tendresse qui augmentaient considérablement le déplaçant, toi peut-être à présent rue de la Huchette, moi découbit de ses glandes lacrymales, je découvris une peine aiguë vrant dans ta chambre vide ce roman, toi demain gare de Lyon et secrète, une épine plantée dans le cœur de cet excellent (si tu vas à Lucca, mon amour) et moi dans la rue du Chehomme. Je ne sais comment je vins à faire cette découverte min-Vert où j'ai trouvé un petit vin extraordinaire, et, peu mais j'étais aussi sûr de l'existence de cette peine cachée que à peu, Sibylle nous composons une figure absurde, nous traçons si je l'eusse touchée du doigt. C'était un regret profond, accaavec nos va-et-vient une figure semblable à celle que dessinent blant, la douleur de ne pas me voir marié avec l'une de ses les mouches volant dans une pièce, de-ci, de-là, puis brusque

**trois filles; contrariété irrémédiable car ses trois filles, hélas ! volte-face et à nouveau de-ci de-là, c'est ce qu'on appelle un hélas ! étaient déjà mariées.**
**mouvement brownien, tu comprends maintenant, un angle droit, une ligne qui monte, par ici, par là, d'arrière en avant, vers le haut, vers le bas, par mouvements spasmodiques, freinant sec et démarrant aussitôt dans une autre direction, et tout cela tisse un ensemble, une figure, une chose aussi inexistante que toi et moi, que ces deux points perdus dans Paris qui vont de-ci de-là, traçant leurs lignes, dansant pour personne, et même pas pour eux, une interminable figure sans queue ni tête.**

**(-87)**

# 35

Oui, Babs, oui. Oui, Babs, oui. Oui, Babs, éteignons la lumière, darling, à demain matin, sleep well, compte les moutons, c'est passé, mon bébé, c'est passé. Tous très méchants avec la pauvre Babs, on va démissionner du Club pour leur apprendre. Tous si méchants avec la pauvre petite Babs, Etienne méchant, Perico méchant, Oliveira méchant, Oliveira le plus méchant de tous, cet inquisiteur comme le lui a si bien dit la jolie, jolie Babs. Oui, Babs, oui. Rock a bye, baby. Dodo, dodo. Oui, Babs, oui. De toute façon, il fallait que quelque chose arrive, on ne peut pas vivre impunément avec ce genre de personnes. Chut ! Baby, chut ! Là, comme ça, tout endormie. C'est fini le Club, tu peux en être sûre. Nous ne verrons jamais plus Horacio, Horacio le pervers. Le Club a sauté cette nuit comme une crêpe qu'on lance en l'air et qui reste collée au plafond. Tu peux mettre la poêle au clou, Babs, tu ne la décrocheras plus jamais. Cht ! darling, ne pleure plus, quelle cuite elle a cette fille, elle sent le cognac jusqu'au fond de son âme.

Ronald glissa un peu, se cala contre Babs et s'assoupit. Le club, Ossip, Perico, récapitulons : tout avait commencé parce que tout devait finir, les dieux jaloux, l'œuf au plat combiné à Oliveira, c'était la faute au fond de ce putain d'œuf au plat, Etienne avait prétendu qu'il n'y avait aucune raison de le jeter à la poubelle, cette merveille avec des verts métalliques, alors Babs était devenue houleuse à la Hokusaï : l'œuf dégageait une odeur de charnier, on ne pouvait prétendre faire siéger le club près de ça, et soudain elle avait fondu en larmes, le cognac lui sortait par les oreilles et Ronald avait compris que, pendant qu'ils discutaient de choses immortelles, Babs avait bu à elle seule la moitié de la bouteille de cognac et l'histoire de l'œuf n'était qu'une façon de l'exsuder, aussi personne ne s'étonna et Oliveira moins que quiconque lorsque Babs passa insensiblement de l'œuf à l'enterrement, au bébé, à tout ce qu'elle avait sur l'estomac. Wong déployait en pure perte entre Babs et Oliveira un paravent de sourires, de propos élogieux sur cet ouvrage de S. Escoffier appelé *La Rencontre de la langue d'oïl, de la langue d'oc et du franco-provençal entre Loire et Allier*, un livre du plus grand intérêt, insistait Wong, poussant Babs à petits coups feutrés vers le couloir mais rien ne pouvait empêcher Oliveira d'entendre l'accusation d'inquisiteur et de hausser les sourcils, mi-perplexe, mi-étonné, faisant un signe au passage à Gregorovius comme s'il eût pu l'éclairer là-dessus. Le Club savait que Babs lancée c'était Babs catapultée, ce n'était pas la première fois; unique solution : faire cercle autour de la rédactrice des actes et responsable du buffet, et attendre que le temps accomplisse son œuvre, aucun pleur n'est éternel, les veuves se remarient. Rien à faire, Babs ivre ondulait entre les manteaux et les écharpes du Club, revenait du fond du couloir, voulait régler son compte à Oliveira, lui jetait à la figure Inquisiteur, affirmait torrentiellement que de toute sa chienne de vie elle n'avait connu quelqu'un de plus infâme, sans cœur, fils du putain, sadique, malsain, bourreau, raciste, incapable de la moindre pudeur, ordure, pourri, tas de merde, salaud et syphilitique. Injures accueillies avec d'infinies délices par Perico et Etienne et avec plus de réserve par le reste des auditeurs, le destinataire y compris. C'était le cyclone Babs, la tornade du sixième arrondissement, les maisons en purée. Le Club baissait la tête, s'enfermait dans ses gabardines, s'agrippait de toutes ses forces à ses cigarettes. Quand Oliveira put enfin placer un mot, il se fit un grand silence théâtral. Il dit que le petit tableau de Nicolas de Staël était en effet très beau, et que Wong au lieu de les faire chier avec l'œuvre d'Escoffier devrait plutôt la lire pour la leur résumer à une autre séance du Club. Babs le traita à nouveau d'inquisiteur et Oliveira dut penser à quelque chose d'amusant car il sourit. La main de Babs s'abattit sur sa joue. Le Club prit de rapides mesures et Babs, délicatement retenue par Wong qui s'interposait entre elle et Ronald furieux, se mit à pleurer à grands sanglots. Le Club encercla Oliveira de façon à mettre Babs hors du circuit, Babs qui avait accepté : *a*) de s'asseoir dans un fauteuil; *b*) le mouchoir de Perico. Les précisions à propos de la rue Monge avaient dû se situer à ce moment-là et aussi l'histoire de la Sybille samaritaine, Ronald croyait bien se rappeler — il voyait de grands phosphènes verts, demi-rêve récapitulateur de la soirée — qu'Oliveira avait demandé à Wong s'il était vrai que la Sybille vivait dans un meublé de la rue Monge et Wong avait répondu qu'il ne savait pas ou oui que c'était vrai et quelqu'un, Babs, sans doute, du fond de son fauteuil et de ses grands sanglots, avait jeté à la figure d'Oliveira l'abnégation de la Sibylle, alors Oliveira s'était mis à rire en cherchant Gregorovius du regard et il avait demandé des précisions sur l'abnégation de la Sibylle garde-malade, était-il vrai qu'elle habitât rue Monge, quel numéro, détails cadastraux inévitables. Maintenant, Ronald étendait sa main et la glissait entre les jambes de Babs qui grognait doucement, comme de loin, il aimait dormir les doigts perdus dans ce vague territoire tiède, Babs agent provocateur précipitant la dissolution du Club, il faudrait la réprimander demain matin : ce-sont-des-choses-qui-ne-se-font-pas. Mais il était vrai aussi que le Club tout entier avait entouré Oliveira d'une certaine façon, comme pour une mise en accusation, et Oliveira s'en était aperçu le premier, au centre du cercle il s'était mis à rire, sa cigarette au coin des lèvres et les mains au fond de ses poches, après quoi il avait demandé (sans regarder personne en particulier, le regard perdu un peu au-delà du cercle des têtes) si le Club attendait qu'il fît amende honorable, et le Club n'avait pas compris tout d'abord ou n'avait pas voulu comprendre, sauf Babs qui, du fond du fauteuil où Ronald la maintenait, s'était remise à crier inquisiteur. Alors Oliveira avait cessé de sourire et, comme s'il acceptait brusquement le jugement (bien que personne ne le jugeât, ce n'était pas dans les habitudes du Club), il avait jeté sa cigarette par terre, l'avait écrasée du bout du pied et, après un certain temps, avec un imperceptible mouvement d'épaule pour éviter la main d'Etienne qui se tendait hésitante, il avait annoncé, à voix très basse, qu'il démissionnait du Club et que ledit Club, en commençant par lui et en continuant par les autres, pouvait aller se faire foutre. *Dont acte.*

(-121)

# 36

La rue Dauphine n'était pas loin, pourquoi ne pas aller voir si Babs avait dit vrai ? Gregorovius, lui, avait deviné dès le premier instant que la Sibylle, folle comme à son habitude, irait voir Pola. Caritas. La Sibylle samaritaine. Lisez « Le Croisé ». Ne laissez pas passer la journée sans faire votre bonne action. Très drôle. Qu'est-ce qui n'était pas drôle, d'ailleurs ? Il n'y avait, peut-être, au fond, qu'un grand éclat de rire et ça s'appelait l'Histoire. Arriver rue Dauphine, frapper doucement à une porte du dernier étage et voir apparaître la Sibylle, ou plutôt Nurse Lucia, non, vraiment, ça passait les bornes. Avec un bassin à la main, ou une seringue. On ne peut pas voir notre chère malade, il est trop tard, elle dort. *Vade retro,* Asmodée. Ou bien, on le laissait entrer et on lui faisait du café, non, ce serait pire encore car l'une des deux se mettrait sûrement à pleurer et comme ce doit être contagieux ce machin-là, ils en viendraient à pleurer tous les trois, ils se pardonneraient en pleurant et alors, Dieu sait ce qui pouvait arriver, les femmes déshydratées sont terribles. Ou bien on lui ferait compter vingt gouttes de belladone une par une.

— Au fond, il faudrait que j'y aille, dit Oliveira à un chat noir de la rue Danton. Une certaine obligation esthétique, compléter la figure. Trois, le chiffre par excellence. Mais il ne faut pas oublier Orphée. Peut-être qu'en me rasant le crâne, en me couvrant de cendres et une sébile à la main... Je ne suis plus celui que vous avez connu, ô femmes ! Histrion. Pitre. Nuit de goules, vouivres, ombres malignes, fin du grand jeu. Comme il est fatigant d'être toujours soi-même. Irrémédiablement. Je ne les verrai plus, c'est écrit. *Dis, qu'as-*

*tu fait, toi que voilà, de ta jeunesse ?* Un inquisiteur, vraiment cette fille, elle avait de ces mots... En tout cas un auto-inquisiteur, et encore... Epitaphe possible : *Trop mou.* Mais l'inquisition molle peut être terrible : tortures de semoule, bûchers de tapioca, sables mouvants, la méduse se collant sournoisement. La méduse se coulant sur-moi-aisément. Trop de pitié, au fond, et moi qui me croyais impitoyable. On ne peut pas vouloir ce que je veux et de la façon dont je le veux, et par-dessus le marché partager gratis la vie des autres. Il faudrait savoir vivre seul et laisser ce que je veux faire son œuvre, que cela me sauve ou me tue, mais sans la rue Dauphine, sans le gosse mort, sans le Club et tout le reste. Tu ne crois pas, dis ?

Le chat ne répondit rien.

Il faisait moins froid près de la Seine, Oliveira remonta le col de sa canadienne et s'en alla regarder le fleuve. Comme il n'était pas de ceux qui se jettent à l'eau, il chercha un pont pour s'y abriter et penser un peu au kibboutz, cela faisait un moment que l'idée du kibboutz lui trottait par la tête, un kibboutz du désir. Etrange qu'il vous vienne soudain à l'esprit une expression privée de sens comme kibboutz du désir et que peu à peu elle s'éclaire jusqu'à ce que l'on sente que ce n'était pas une expression absurde, tandis qu'une phrase comme « L'espérance, cette grosse Palmyre », en revanche, est complètement stupide, un borborygme sonore, mais le kibboutz du désir, lui, n'a rien d'absurde, c'est un résumé, évidemment assez hermétique, de tous mes vagabondages par ici, d'errance en errance. Kibboutz, colonie, settlement, base, lieu d'élection pour planter la dernière tente, pour sortir à l'air de la nuit, le visage lavé par le temps et s'unir au monde, à la Grande Folie, à l'Immense Farce, s'ouvrir à la cristallisation du désir, à la rencontre. « Hattention, Horacio », hannota Holiveira en s'asseyant sur le parapet parmi les ronflements des clochards sous leurs tas de sacs et de journaux.

Pour une fois, cela ne lui était pas pénible de s'abandonner à la mélancolie. Parmi les ronflements qui semblaient venir du fond de la terre, après avoir allumé une autre cigarette pour lui tenir chaud, il consentit à déplorer la distance infranchissable qui le séparait de son kibboutz. Puisque l'espérance n'était qu'une grosse Palmyre, aucune raison de se faire des illusions. Mais plutôt profiter de la réfrigération nocturne pour éprouver lucidement, avec la précision désincarnée des systèmes stellaires au-dessus de sa tête, que sa quête incertaine était un échec et que peut-être la victoire résidait en cela. D'abord parce que cette quête était digne de lui (Oliveira avait, à ses heures, une assez bonne opinion de lui-même en tant que spécimen humain) dans la mesure où c'était la quête d'un kibboutz désespérément lointain, citadelle que seules pouvaient atteindre des armes fabuleuses, et certainement pas l'âme d'Occident, ni l'esprit, puissances émoussées par leur propre mensonge, contraintes pesant sur l'animal homme engagé dans une voie irréversible. Kibboutz du désir, non pas de l'âme ni de l'esprit. Et bien que ce désir fût aussi une définition vague de forces incompréhensibles, il le sentait présent et actif, présent en chaque erreur et aussi en chaque saut en avant, c'était cela être homme, non pas un corps plus une âme mais cette totalité inséparable, cette butée incessante contre les manques et les échecs, contre tout ce qu'on avait volé au poète, la nostalgie véhémente d'un lieu où la vie pourrait s'amorcer à partir d'autres boussoles et d'autres noms. Bien que la mort fût au coin de la rue avec son balai levé, bien que l'espérance ne fût qu'une grosse Palmyre. Et un ronflement, et de temps en temps, un pet.

Se tromper alors n'était pas aussi grave que s'il était parti à la recherche de son kibboutz muni de cartes de l'Institut géographique, de boussoles certifiées exactes, le nord au nord et l'ouest à l'ouest; il suffisait tout juste de comprendre, d'entrevoir brièvement qu'après tout son kibboutz n'était pas plus impossible par ce froid, à cette heure et après tous ces jours que s'il l'eût poursuivi avec l'accord de la tribu, méritoirement et sans s'attirer la ronflante épithète d'inquisiteur, sans femmes en larmes, sans mauvaise conscience et sans l'envie de tout envoyer au diable et de s'en retourner à l'abri d'un quelconque emploi spirituel ou temporel. Il mourrait sans avoir atteint son kibboutz mais son kibboutz était là, loin mais présent et il savait qu'il était présent parce qu'il était fils de son désir, il était son désir comme lui-même était son propre désir, comme le monde ou la représentation du monde étaient désir, étaient son désir ou le désir, peu importait à cette heure du jour. Alors il pouvait mettre sa tête dans ses mains en laissant juste entre elles la place de la cigarette, et rester là près du fleuve, parmi les vagabonds, à penser à son kibboutz.

La clocharde se réveilla d'un rêve où quelqu'un lui avait dit soudain : « Ça suffit, connasse », et elle comprit que Célestin était parti au milieu de la nuit en emportant la poussette pleine de boîtes de sardines cabossées qu'on leur avait données l'après-midi, dans le ghetto du Marais. Toto et Lafleur dormaient comme des taupes sous leurs sacs et le nouveau fumait, assis sur le parapet. Le jour se levait.

La clocharde retira délicatement les successives éditions de *France-Soir* qui la recouvraient et se gratta un moment la tête. A six heures, il y avait une soupe chaude rue du Jour. Célestin y serait certainement et elle pourrait lui reprendre les boîtes de sardines s'il ne les avait pas déjà vendues à Pipon ou à La Vase.

— Merde, dit la clocharde en amorçant la pénible opération de se relever. Le froid, c'est la merde.

Elle serra autour d'elle un pardessus noir qui lui arrivait jusqu'aux chevilles et s'approcha du nouveau. Le nouveau était d'accord, le froid c'était presque pire que la police. Lorsqu'il lui tendit une cigarette et la lui alluma, la clocharde se dit qu'elle l'avait déjà vu quelque part. Le nouveau lui aussi l'avait déjà rencontrée et ils furent ravis de se reconnaître comme ça dans le petit jour. La clocharde s'assit sur une borne à côté de lui et ajouta qu'il était encore trop tôt pour aller à la soupe. Ils discutèrent soupe un moment, bien qu'en réalité le nouveau venu n'y connût rien, il fallait lui expliquer où étaient les meilleures gamelles, c'était vraiment un nouveau mais il s'intéressait beaucoup à tout et peut-être même l'aiderait-il à reprendre les boîtes de sardines à Célestin. Ils parlèrent des sardines et le nouveau promit de les réclamer à Célestin dès qu'il le verrait.

— Il sortira son croc de boucher, prévint la clocharde. Faut être rapide et lui donner un coup sur la tête avec n'importe quoi. Tonio, on a dû lui mettre cinq agrafes, il gueulait qu'on l'entendait d'ici Pontoise. C'est con, Pontoise, dit la clocharde en s'abandonnant à la mélancolie.

Le nouveau regardait le jour se lever à la pointe du Vert Galant, les fines araignées du saule pleureur émergeant peu à peu de la brume. Quand la clocharde lui demanda pourquoi il tremblait avec une pareille canadienne, il haussa les épaules et lui offrit une autre cigarette. Ils n'en finissaient pas de fumer, de parler, de se regarder avec sympathie. La clocharde lui expliquait les habitudes de Célestin et le nouveau se souvenait des après-midi où ils l'avaient vue s'embrasser avec Célestin sur tous les bancs du quai et aux rambardes du Pont des Arts, au coin du Louvre contre les platanes à peau de tigre, sous les arcades de Saint-Germain-l'Auxerrois, et une nuit, rue Gît-le-Cœur, où ils s'embrassaient et se repoussaient tour à tour, soûls comme des grives, Célestin en blouse de peintre et la clocharde avec quatre ou cinq robes l'une par-dessus l'autre plus quelques gabardines, portant un ballot d'étoffe rouge d'où sortait un harmonica cabossé, si amoureuse de Célestin qu'elle en était admirable, lui barbouillant le visage de rouge et de gras, tous deux effroyablement perdus dans leur idylle publique et lorsqu'ils avaient disparu dans la rue de Nevers, la Sibylle avait dit : « C'est elle qui est amoureuse; lui, il s'en fiche », et elle avait regardé la clocharde un instant avant de se baisser pour ramasser un petit bout de ficelle qu'elle enroula autour de son doigt.

— C'est pas maintenant qu'on sent le froid, dit la clocharde pour lui redonner courage. Je vais voir s'il reste un peu de vin à Lafleur. Le vin, ça tasse la nuit. Célestin a emporté mes deux litres avec les sardines. Non, il ne lui reste rien. Vous qui êtes bien habillé, vous pourriez aller chez Habib. Et du pain, si vous pouvez.

Il avait une tête qui lui revenait le nouveau, bien qu'au fond ce ne fût pas un nouveau, il était bien habillé et il pouvait aller s'accouder, s'il le voulait au comptoir de Habib pour boire un pernod sans que les autres protestent à cause de l'odeur et autres trucs. Le nouveau continuait à fumer en approuvant vaguement, la tête penchée de l'autre côté. Une tête connue. Célestin aurait trouvé tout de suite parce que Célestin, côté mémoire... « C'est à neuf heures qu'il commence à faire froid pour de bon. Ça monte de la vase, du fond. Mais nous pourrons aller à la soupe, elle n'est pas mauvaise. »

(Et alors qu'on ne les voyait presque plus au fond de la rue de Nevers, alors qu'ils avaient peut-être atteint l'endroit où un camion écrasa Pierre Curie (« Pierre Curie ? » avait demandé la Sibylle, tout étonnée et désireuse d'apprendre), ils s'étaient retournés lentement et étaient allés s'appuyer contre la boîte d'un bouquiniste sur le quai (Oliveira les trouvait sinistres, de nuit, ces boîtes, file de cercueils de secours posés sur le parapet et, une nuit de neige, ils s'étaient amusés à écrire RIP sur toutes les caisses de fer-blanc, un agent n'avait pas apprécié la plaisanterie et le leur avait dit avec remarques appropriées sur le respect et le tourisme — on se demandait ce que le tourisme venait faire là-dedans.)

A cette époque, tout était encore kibboutz ou du moins possibilité de kibboutz, et écrire RIP sur les boîtes des bouquinistes ou admirer la clocharde amoureuse, cela faisait partie d'une confuse liste d'exercices à rebrousse-poil qu'il fallait faire, réussir, dépasser.

Oui, et maintenant il faisait froid, et il n'y avait pas de kibboutz. Rien que le leurre d'aller acheter un litre de rouge chez Habib et de se fabriquer un kibboutz pareil à celui de Kubla Khan, compte tenu de la distance qu'il y a de l'opium au pinard.

*In Xanadu did Kubla Khan*
*A stately pleasure-dome decree.*

— Etranger, dit la clocharde avec un peu moins de sympathie pour le nouveau. Espagnol, hein. Italien.

— Un mélange, dit Oliveira en faisant un effort viril pour supporter l'odeur.

— Mais vous travaillez, ça se voit, dit la clocharde sur un ton de reproche.

— Oh ! non. Enfin, je tenais les comptes d'un vieux mais ça fait un moment que je ne le vois plus.

— Y a rien de mal à ça, du moment qu'on en abuse pas. Moi, quand j'étais jeune...

— Emmanuèle, dit Oliveira, en posant sa main sur le pardessus, à l'endroit où, très loin en dessous, devait se trouver une épaule. — La clocharde sursauta en entendant son nom, le regarda du coin de l'œil et sortit un petit miroir de sa poche pour se regarder la bouche. Oliveira se demanda par quel inconcevable enchaînement de circonstances la clocharde pouvait avoir les cheveux oxygénés. Elle était très occupée à s'enduire la bouche avec un fond de rouge à lèvres. Il avait tout son temps pour se traiter, une fois de plus, d'imbécile. La main sur l'épaule après l'histoire de Berthe Trépat ! Et des résultats qui étaient du domaine public. Un autocoup de pied au cul, oui. Cretinaccio, furfante, con définitif. RIP, RIP. Malgré le tourisme.

— Comment savez-vous que je m'appelle Emmanuèle ?

— Je ne me rappelle plus. Quelqu'un a dû me le dire.

Emmanuèle ouvrit une boîte de pastilles Valda pleine de poudre rose et se mit à en passer sur ses joues. Si Célestin avait été là, sûrement que. Infatigable, Célestin. Des douzaines de boîtes de sardines, le salaud. Soudain, elle se rappela.

— Ah, dit-elle.

— Probablement, dit Oliveira en s'environnant de fumée.

— Je vous ai souvent vus ensemble, dit Emmanuèle.

— On se promenait par là.

— Mais elle ne venait me parler que lorsqu'elle était seule. Une bonne fille, un peu folle.

« Tu parles », pensa Oliveira. Il écoutait Emmanuèle qui se souvenait de plus en plus, un sac de pralines, un pull-over blanc encore bon, une très chic fille, qui ne travaillait pas et ne perdait pas son temps à courir après des diplômes, pas mal folle à ses heures et gaspillant son argent à nourrir les pigeons de l'île Saint-Louis, parfois si triste et parfois morte de rire. Parfois méchante aussi.

— On s'est disputées, dit Emmanuèle, parce qu'elle m'a conseillé de fiche la paix à Célestin. Elle n'est plus jamais revenue mais je l'aimais bien.

— Elle venait très souvent bavarder avec vous ?

— Ça vous déplaît, hein ?

— Ce n'est pas ça, dit Oliveira en regardant l'autre rive. Mais si, c'était ça, la Sibylle ne lui avait confié que fort peu de chose sur ses relations avec la clocharde et une généralisation élémentaire l'amenait à... etc. Jalousies rétrospectives, voir Proust, torture subtile and so on. Il allait sans doute pleuvoir, le saule était comme suspendu dans l'air humide. Comme ça il ferait moins froid, un peu moins froid. Peut-être avait-il ajouté à haute voix quelque chose comme « Elle ne m'a jamais beaucoup parlé de vous », car Emmanuèle eut un petit rire méchant et satisfait et elle continua à se passer de la poudre sur les joues du bout de son doigt noirâtre; de temps en temps, elle levait la main et donnait un coup sec sur ses cheveux en broussaille coiffés d'un turban de laine à raies rouges et vertes qui était en réalité une écharpe ramassée dans une poubelle. Enfin, il fallait partir, remonter vers la ville, toute proche, là, six mètres plus haut, commençant exactement de l'autre côté des parapets de la Seine, derrière les caisses de fer-blanc RIP où dialoguaient les pigeons gonflant leurs plumes dans l'attente du premier soleil mou et sans force, la pâle semoule de huit heures et demie qui descend d'un ciel épuisé, qui ne descendrait pas, car il allait pleuvoir comme tous les jours.

Il s'en allait déjà lorsque Emmanuèle lui cria quelque chose. Il se retourna pour l'attendre et ils montèrent ensemble l'escalier. Chez Habib ils achetèrent deux litres de rouge et par la rue de l'Hirondelle ils allèrent s'abriter sous le passage couvert. Emmanuèle condescendit à extraire d'entre ses manteaux un paquet de journaux et ils se firent un bon tapis dans un coin qu'Oliveira explora d'une allumette soupçonneuse. De l'autre côté des arcades leur parvenait un ronflement d'ail et chou-fleur et d'oubli bon marché. Oliveira se mordit les lèvres et glissa le long du mur pour s'asseoir tout contre Emmanuèle qui buvait déjà à la bouteille et soufflait de satisfaction entre chaque gorgée. Déséducation des sens, ouvrir à fond la bouche et le nez et accepter la pire des odeurs, celle de la crasse humaine. Pendant une minute, puis deux, puis trois, chaque fois plus facile, comme tout apprentissage. Oliveira réprima une nausée et saisit la bouteille, il savait, sans le voir, que le goulot était enduit de rouge et de salive, l'obscurité lui affinait l'odorat. Fermant les yeux pour se protéger d'il ne savait quoi, il but d'un trait un quart de vin rouge. Après quoi, ils se mirent à fumer, épaule contre épaule, satisfaits. La nausée reculait, non pas vaincue mais humiliée, attendant tête basse, et on pouvait commencer à penser à autre chose. Emmanuèle parlait sans arrêt, elle s'adressait de solennels discours entrecoupés de hoquets, admonestant gravement un Célestin fantôme, faisant le compte des sardines, son visage s'éclairant à chaque bouffée de cigarette et Oliveira voyait les plaques de crasse sur le front, les grosses lèvres tachées de vin, le turban triomphal de déesse syrienne piétinée par une armée ennemie, la tête chryséléphantine traînée dans la poussière, avec des plaques de sang et de crasse mais conservant le diadème éternel à franges rouges et vertes, la Grande Mère jetée à terre et piétinée par des soldats ivres qui s'amusaient à pisser contre ses seins mutilés, le plus barbare d'entre eux enfin s'agenouillait sur elle au milieu des acclamations et, le phallus dressé contre la déesse déchue, se masturbait contre le marbre, laissant le sperme couler dans les yeux que les mains des officiers avaient déjà dépouillés de leurs pierres précieuses, dans la bouche entrouverte qui acceptait l'humiliation comme une ultime offrande avant de rouler dans l'oubli. Et c'était tout naturel que la main d'Emmanuèle cherchât son bras à tâtons dans l'ombre et s'y posât, confiante, tandis que l'autre main saisissait la bouteille et l'on entendait le glou-glou et le soupir satisfait, tout naturel que tout fût ainsi pile et face, le signe contraire comme possible forme de survie. Et bien qu'Holiveira se méfiât de l'hivresse, habile complice du Grand Leurre, quelque chose lui disait que là aussi il y avait un kibboutz, que par-delà, toujours par-delà, il y avait espoir de kibboutz. Non pas une certitude méthodique, oh non, cher vieux, ça, pour rien au monde, ni un in vino veritas, ni une dialectique à la Fichte ou autres lapidaires spinoziens, mais une simple acceptation de la nausée, Héraclite s'était fait enterrer dans un tas de fumier pour se guérir de l'hydropisie, quelqu'un l'avait dit hier soir, quelqu'un qui semblait appartenir déjà à une autre vie, quelqu'un comme Pola ou Wong, des gens qu'il avait blessés rien que pour avoir voulu établir le contact du bon côté, réinventer l'amour comme la seule façon d'entrer un jour dans son kibboutz. Dans la merde jusqu'au cou, Héraclite l'Obscur, exactement comme Emmanuèle et lui mais sans le vin et avec l'hydropisie en plus. Au fond, c'était peut-être ça, être dans la merde jusqu'au cou et attendre, car Héraclite avait dû certainement rester plusieurs jours dans la merde, et Oliveira se rappela qu'il avait dit aussi si l'on n'espère pas on ne trouvera jamais l'inespéré, tordez le cou au cygne, avait-il dit encore, mais non, Héraclite n'avait pu dire une chose pareille et tandis qu'Oliveira buvait un autre grand coup et qu'Emmanuèle riait dans la pénombre en entendant le glou-glou et qu'elle lui caressait le bras comme pour lui montrer qu'elle appréciait sa compagnie et la promesse d'aller reprendre les sardines à Célestin, Oliveira sentait monter en lui comme un rot et il avait une immense envie de rire avec Emmanuèle, mais il lui rendait sans rien dire la bouteille presque vide et Emmanuèle se mit à chanter d'une voix déchirante *Les Amants du Havre*, une chanson que la Sibylle chantait quand elle était triste, mais Emmanuèle la débitait sur un ton traînant et tragique, souvent faux et sans connaître la moitié des paroles tout en caressant Oliveira qui continuait à penser, seul celui qui espère trouvera l'inespéré et, fermant les yeux pour ne pas accepter la vague lumière qui montait des arcades, il imaginait, très loin (de l'autre côté de la mer, était-ce une attaque de patriotisme ?), le paysage, limpide au point de disparaître, de son kibboutz. Bien sûr qu'il fallait tordre le cou au cygne même si ce n'était pas Héraclite qui l'avait dit. Il devenait sentimental *puisque la terre est ronde, mon amour t'en fais pas, mon amour, t'en fais pas,* le vin et cette voix pâteuse ça le rendait sentimental, tout allait finir dans les pleurs et l'autocommisération, comme Babs, pauvre petit Horacio, échoué à Paris, comme elles doivent avoir changé tes rues Corrientes, Suipacha, Esmeralda, et le vieux quartier. Et bien qu'il s'appliquât avec rage à allumer une autre Gauloise, très loin au fond de ses yeux il continuait à voir son kibboutz, non pas de l'autre côté de la mer, ou peut-être bien de l'autre côté de la mer, mais là, dehors, rue Galande, ou à Puteaux, ou rue de la Tombe-Issoire, de toute façon son kibboutz était toujours là et ce n'était pas un mirage.

— Ce n'est pas un mirage, Emmanuèle.

— Ta gueule, mon pote, dit Emmanuèle en farfouillant dans ses innombrables jupes pour y trouver la deuxième bouteille.

Puis, à nouveau, ils se perdirent en d'autres choses. Emmanuèle lui raconta une noyée que Célestin avait vue à la hauteur du pont de Grenelle et Oliveira voulut savoir de quelle couleur étaient ses cheveux mais Célestin n'avait vu que les jambes qui sortaient de l'eau à ce moment-là et il s'était vite taillé avant que la police n'arrive avec sa foutue manie d'interroger tout le monde. Après qu'ils eurent bu presque toute la deuxième bouteille, ils se sentirent plus heureux que jamais, Emmanuèle récita un passage de *La Mort du Loup* et Oliveira l'initia rudement aux sextines de *Martín Fierro.* Il passait parfois un camion sur la place, on commençait à entendre les rumeurs que Delius avait aimées. Mais il eût été vain de parler de Delius à Emmanuèle bien qu'elle fût une femme sensible qui ne se contentait pas de la poésie et s'exprimait manuellement, se frottant contre Oliveira pour se réchauffer un peu, lui caressant le bras, ronronnant des passages d'opéras et des obscénités contre Célestin. Oliveira l'écoutait en serrant si fort sa cigarette entre ses lèvres qu'elle lui semblait faire partie de sa bouche, il la laissait se presser contre lui, se répétant froidement qu'il ne valait pas plus cher qu'elle et qu'en mettant les choses au pire il pourrait toujours faire comme Héraclite, peut-être le message le plus pénétrant de l'Obscur était-il celui qu'il n'avait pas écrit, laissant à l'anecdote, à la voix de ses disciples, le soin de le transmettre dans l'espoir qu'un jour une oreille sensible l'entendrait. Ça l'amusait que la main d'Emmanuèle, amicalement et tout ce qu'il y a de plus *matter of fact*, se mit en devoir de le déboutonner, et ça ne l'empêchait pas de penser en même temps que l'Obscur s'était peut-être plongé dans la merde sans être malade pour autant, sans avoir aucune sorte d'hydropisie mais simplement pour dessiner une figure que son monde ne lui aurait pas pardonnée sous forme de sentence ou d'admonestation et qui, ainsi, avait franchi en contrebande la ligne du temps et nous était parvenue, mêlée à la théorie, à peine un détail désagréable et pénible à côté du diamant bouleversant de la πανταρεί, une thérapeutique barbare qu'Hippocrate eût déjà condamnée, comme il eût également condamné, pour des raisons d'hygiène élémentaire, qu'Emmanuèle se couchât peu à peu sur son ami et, d'une langue tachée de tanin, lui léchât humblement la pine, soutenant de la main son compréhensible abandon et murmurant les mots que suscitent les chats et les enfants à la mamelle, complètement indifférente à la méditation qui avait lieu un peu plus haut, acharnée à une besogne qui lui était de peu de profit, poussée par quelque obscure commisération et voulant que le nouveau fût content de sa première nuit de clochard, peut-être même qu'il devînt un peu amoureux d'elle pour punir Célestin et qu'il oublie les choses bizarres qu'il marmonnait dans son patois de sauvage, il se laissait glisser contre le mur en poussant un soupir et il passait sa main dans les cheveux d'Emmanuèle en croyant, l'espace d'une seconde (mais cette seconde devait être l'enfer), que c'étaient les cheveux de Pola, que Pola encore une fois s'était couchée sur lui parmi les ponchos mexicains, les reproductions de Klee et le Quartett de Durell pour lui donner un plaisir qui la laissait lointaine, attentive, critique, avant de réclamer sa part et de s'allonger contre lui en tremblant, lui demandant de la prendre et de la meurtrir, d'une bouche salie comme celle de la déesse syrienne, comme celle d'Emmanuèle qui se relevait malmenée par l'agent de police et qui s'asseyait brusquement en disant Ben quoi on fait rien de mal et Oliveira ouvrait les yeux dans la grisaille qui avait soudain envahi les arcades et il voyait les jambes du flic contre les siennes, son pantalon ridiculement déboutonné, une bouteille vide qui roulait sous le coup de pied de l'agent, le second coup de pied en pleine cuisse, la gifle à toute volée sur la tête d'Emmanuèle qui se baissait et gémissait et le voilà, lui, sans savoir comment, à genoux, seule position logique pour remettre au plus tôt dans le pantalon le corps du délit qui, avec un grand esprit de collaboration, diminuait à vue d'œil, et c'était vrai qu'il ne s'était rien passé mais comment l'expliquer à l'agent qui les traînait jusqu'au car de police arrêté sur la place, comment expliquer à Babs que l'Inquisition c'était autre chose, et comment expliquer à Ossip, surtout à Ossip, comment lui expliquer que tout était encore à faire et que le mieux était de reculer pour prendre son élan, se laisser tomber pour pouvoir peut-être ensuite se relever, Emmanuèle, pour pouvoir ensuite...

— Laissez-la partir, demanda Oliveira au flic. Elle est plus soûle que moi, la pauvre.

Il baissa la tête à temps pour esquiver le coup. Un autre agent l'attrapa par la ceinture et l'expédia d'un trait dans le panier à salade. On jeta Emmanuèle sur lui, Emmanuèle qui chantait *Le Temps des cerises* ou quelque chose comme ça. On les laissa seuls, et Oliveira, frottant sa cuisse qui lui faisait atrocement mal, unit sa voix à celle d'Emmanuèle pour chanter *Le Temps des cerises,* si c'était le temps des cerises. Le fourgon démarra comme si on l'eût catapulté.

— *Et tous nos amours,* vociféra Emmanuèle.

— Et tous nos amours, répéta Oliveira en se laissant tomber sur le banc et en cherchant une cigarette. Ça, ma vieille, Héraclite ne l'avait pas prévu.

— Tu me fais chier, dit Emmanuèle en se mettant à pleurer bruyamment. *Et tous nos amours,* reprit-elle entre deux sanglots. Oliveira entendit rire les agents qui les regardaient à travers la grille. « Eh bien si tu voulais de la tranquillité, tu vas être servi. Il faut en profiter, dis donc, pas question de faire ce que tu pensais tout à l'heure. » Téléphoner pour raconter un rêve amusant, ça allait bien une fois mais il ne fallait pas en abuser. Chacun pour soi, l'hydropisie se guérit avec de la patience, de la merde et de la solitude. Par ailleurs, le Club était liquidé, tout était heureusement liquidé et ce qui restait encore à liquider n'était plus qu'une question de temps. Le car freina au coin d'une rue et l'un des agents ouvrit le guichet pour leur prédire que s'ils ne se taisaient pas il leur défoncerait la gueule à coups de pied. Emmanuèle se coucha sur le plancher à plat ventre en sanglotant, Oliveira mit ses pieds sur ses fesses et s'installa commodément. La marelle se joue avec un caillou qu'on pousse de la pointe du soulier. Eléments : un trottoir, un caillou, un soulier et un beau dessin à la craie, de préférence en couleurs. Tout en haut, il y a le Ciel et tout en bas, la Terre; il est très difficile d'atteindre le Ciel avec le caillou, on vise toujours mal et le caillou sort du dessin. Petit à petit, cependant, on acquiert l'habileté nécessaire pour franchir les différentes cases (marelles escargots, marelles rectangulaires, marelles fantaisie, peu employées) et un beau jour on quitte la Terre, on fait remonter le caillou jusqu'au Ciel, on entre dans le Ciel. (*Et tous nos amours,* sanglota Emmanuèle à plat ventre), l'ennui c'est que juste à ce moment-là, alors que très peu de joueurs ont eu le temps d'apprendre à conduire le caillou jusqu'au Ciel, l'enfance s'achève brusquement et l'on tombe dans les romans, dans l'angoisse pour des prunes, dans la spéculation d'un autre Ciel où il faut aussi apprendre à arriver. Et parce qu'on est sorti de l'enfance (*Je n'oublierai pas le temps des Cerises,* cria Emmanuèle en trépignant), on oublie que pour arriver au Ciel on a besoin d'un caillou et de la pointe d'un soulier. Et c'était ce que savait Héraclite plongé dans la merde et peut-être aussi Emmanuèle essuyant sa morve d'un revers de main au temps des cerises ou les deux pédérastes qui se trouvaient là on ne savait comment (mais si, la porte s'était ouverte et refermée, il y avait eu des cris aigus, de petits rires et un coup de sifflet) et qui riaient comme des fous en regardant Emmanuèle par terre et Oliveira qui aurait voulu fumer mais qui n'avait plus ni tabac ni allumettes, bien qu'il ne se souvînt pas que l'agent les eût fouillés, *et tous nos amours, et tous nos amours.* Un caillou et la pointe d'un soulier, cette chose que la Sibylle savait parfaitement, elle, lui beaucoup moins et le Club plus ou moins bien, cette chose qui du fond de l'enfance, à Burzaco ou dans les banlieues de Montevideo, montrait le plus court chemin jusqu'au

Ciel, sans avoir besoin de vedanta, de zen ou d'un assortiment d'eschatologies, oui, arriver au ciel à cloche-pied, y conduire son caillou (porter sa croix ? peu maniable cet engin) et, d'un dernier coup de pied, projeter le caillou dans l'azur, l'azur, l'azur, l'azur, pan une vitre cassée, au lit sans dessert, vilain garçon mais qu'importait si derrière la vitre cassée il y avait le kibboutz, si le Ciel n'était que le nom enfantin de son kibboutz.

— Ce pourquoi, dit Oliveira, chantons et fumons. Debout, Emmanuèle, vieille pleurnicheuse.

— *Et tous nos amours*, brama Emmanuèle.

— Il est beau, dit un des pédérastes en regardant Oliveira avec tendresse. Il a l'air farouche.

L'autre pédéraste avait sorti de sa poche un tube de laiton et regardait par un petit trou en souriant et en faisant des grimaces. Le plus jeune lui arracha le tube des mains et regarda à son tour.

« Mais on ne voit rien, Jo, dit-il. — Mais si on voit, mon joli, dit Jo. — Non, non, non, non. — Mais si on voit, mais si on voit. LOOK THROUGH THE PEEPHOLE AND YOU'LL SEE PATTERNS PRETTY AS CAN BE. — Mais il fait nuit. » Jo sortit une boîte d'allumettes et en alluma une devant le kaléidoscope. Cris d'enthousiasme, patterns pretty as can be. *Et tous nos amours,* déclama Emmanuèle en s'asseyant sur le plancher du fourgon. Tout était parfait, tout arrivait à son heure, la marelle et le kaléidoscope, le petit pédéraste qui ne se lassait pas de regarder, oh Jo, je ne vois plus rien, encore de la lumière, encore de la lumière, Jo. Allongé sur le banc, Horacio salua l'Obscur, la tête de l'Obscur qui dépassait du tas de fumier avec deux yeux comme des étoiles vertes, patterns pretty as can be, l'Obscur avait raison, un chemin vers le kibboutz, peut-être le seul chemin vers le kibboutz; ce ne pouvait être ça, le monde, les gens tenaient le kaléidoscope par le mauvais bout, alors il fallait le tourner dans l'autre sens avec l'aide d'Emmanuèle et de Pola et de Paris et de la Sibylle et de Rocamadour, se jeter par terre comme Emmanuèle et de là regarder à même la montagne de fumier, regarder le monde à travers le trou du cul and you'll see patterns pretty as can be, de la Terre au Ciel les cases seraient ouvertes, le labyrinthe se détendrait comme un ressort de montre qui casse, ferait gicler en mille morceaux le temps des employés, et l'on aborderait, par la

**morve et le sperme et l'odeur d'Emmanuèle et le fumier de l'Obscur, le chemin qui menait au kibboutz du désir, non plus monter au Ciel (mot hypocrite, Ciel, flatus vocis) mais marcher à pas d'homme sur une terre d'hommes vers le kibboutz, lointain mais sur un même plan, tout comme le Ciel, sur le trottoir galeux de la marelle, était sur le même plan que la Terre, et peut-être un jour entrerait-on dans un monde où dire Ciel ne serait plus un torchon sale et quelqu'un verrait-il enfin la véritable figure de ce monde, patterns pretty as can be, et peut-être, en poussant son caillou, peut-être finirait-il par entrer dans le kibboutz.**

**(-37)**

# DE CE CÔTÉ-CI

*Il faut voyager loin en aimant sa maison.*

Apollinaire, « Les mamelles de Tirésias ».

# 37

Ça le faisait râler de s'appeler Traveler alors qu'il n'avait jamais quitté l'Argentine, si ce n'est une fois pour aller à Montevideo et une autre à Asunción del Paraguay, villes évoquées avec une souveraine indifférence. A quarante ans, il restait encore collé à sa rue Cachimayo et le fait de travailler comme employé au cirque « Les Etoiles » ne lui donnait pas le moindre espoir de parcourir un jour les chemins du monde *more* Barnum. La zone des opérations du cirque ne dépassait pas Santa Fé et Carmen de Patagones avec de longs mouillages dans la capitale, Rosario et La Plata. Lorsque Talita, grande lectrice d'encyclopédies, s'intéressait aux peuples nomades et aux civilisations de la transhumance, Traveler grognait et faisait l'éloge peu sincère du patio avec ses géraniums, du plumard et du reste fidèle au lieu de ta naissance. Entre deux matés, il se targuait d'une sagesse qui impressionnait sa femme, mais on le sentait trop acharné à persuader. Dans son sommeil, il lui échappait parfois des mots d'exil, de déracinement, de voyage au-delà des mers, de passages de douane et de destinations imprécises. Si Talita se moquait de lui au réveil, il lui donnait quelques tapes sur le derrière et ils se mettaient à rire, comme si l'autotrahison de Traveler leur avait fait du bien à tous les deux. Il fallait cependant reconnaître une chose, c'est que Traveler, à la différence de presque tous ses amis, ne rendait pas la vie ou le sort responsables de cet état de choses. Il avalait plutôt d'un trait un verre d'alcool et se traitait lui-même de fichu crétin.

— C'est sans doute parce que je suis le meilleur de ses voyages, disait Talita quand l'occasion s'en présentait, mais il est si bête qu'il ne s'en rend pas compte. Moi, madame, sur les ailes de la fantaisie, je l'ai porté au bord de l'horizon.

La dame ainsi interpellée se croyait obligée de répondre, point à la ligne :

— Ah, madame, les hommes sont si peu compréhensibles (*sic* pour peu compréhensifs).

Ou bien :

— C'est comme moi et mon Juan-Antonio. Je le lui dis toujours, mais c'est comme si je crachais en l'air.

Ou encore :

— Comme je vous comprends, madame, la vie est une lutte.

Ou :

— Ne vous faites pas de mauvais sang, ma petite dame. Tant qu'on a la santé...

Quand Talita racontait ça à Traveler, dans leur cuisine, ils riaient à s'en taper le derrière par terre. Il n'y avait rien de plus drôle pour Traveler que de se cacher dans les waters et d'écouter, un mouchoir ou un pan de chemise dans la bouche, Talita faire la conversation avec les bonnes dames de la pension « Sobrales » ou celles de l'hôtel d'en face. Dans leurs moments d'optimisme, qui ne duraient pas longtemps, ils projetaient même d'écrire une pièce radiophonique qui mettrait en boîte toutes ces mémères mais comme elles n'y verraient que du feu, elles écouteraient quand même l'émission tous les jours en versant d'abondantes larmes. Mais enfin, il n'avait pas voyagé et c'était comme une pierre noire au milieu de son âme.

— Une véritable brique, expliquait Traveler en se touchant l'estomac.

— Je n'ai jamais vu de brique noire, disait le directeur du cirque, confident éventuel de tant de nostalgie.

— C'est à force de rester toujours à la même place. Et penser que des poètes se sont plaints d'être *heimatlos*, Ferraguto!

— Parlez en espagnol, si cela ne vous fait rien, disait le directeur.

— Je ne peux pas, patron, murmurait Traveler en s'excusant mentalement de l'avoir appelé par son nom. Les mots étrangers sont comme des oasis, des escales. N'irons-nous jamais à Costa Rica ? A Panama où jadis les galions impériaux... Gardel est mort en Colombie, patron, en Colombie !

— C'est la finance qui fait défaut, disait le directeur en

sortant sa montre. Je rentre à l'hôtel, ma Couca doit être dans tous ses états.

Traveler restait seul dans le bureau et se demandait à quoi ressemblaient les crépuscules dans le Connecticut. Pour se consoler, il passait en revue les bonnes choses de sa vie. Une des premières bonnes choses avait été d'entrer, un beau matin de 1940, dans le bureau de son chef, aux Contributions indirectes, un verre d'eau à la main. Il en était ressorti congédié pendant que son chef s'épongeait le visage avec un papier buvard. Cela avait été vraiment une des bonnes choses de sa vie, car on allait l'augmenter juste le mois suivant. Epouser Talita en avait été une autre, (bien qu'ils soutinssent tous les deux le contraire), car Talita était condamnée, de par son diplôme de pharmacienne, à vieillir dans le sparadrap; heureusement, Traveler était allé un jour acheter des suppositoires contre la bronchite et, de l'explication qu'il avait sollicitée de Talita, l'amour avait jailli comme du shampooing la mousse sous la douche. Traveler soutenait même qu'il était tombé amoureux au moment précis où Talita, les yeux baissés, essayait de lui faire comprendre pourquoi un suppositoire était plus actif après une bonne évacuation qu'avant.

— Homme de peu, disait Talita à l'heure des souvenirs. Tu comprenais parfaitement les instructions, mais tu faisais l'idiot pour que je sois obligée de t'expliquer.

— Une pharmacienne se doit d'être au service de la vérité, où qu'on la place. Si tu savais avec quelle émotion je me suis mis le premier suppositoire, quelques heures après t'avoir quittée. Il était énorme et vert.

— L'eucalyptus, disait Talita. Estime-toi heureux que je ne t'en aie pas vendu qui puent l'ail à vingt mètres.

Mais au bout d'un moment ils se sentaient tristes et ils comprenaient vaguement qu'ils avaient encore une fois plaisanté pour écarter la mélancolie portègne et une vie manquant de... (qu'ajouter à « manquant » ? Vague malaise au creux de l'estomac, la brique noire, comme toujours).

Talita expliquant les mélancolies de Traveler à Mme Gutusso.

— Ça le prend à l'heure de la sieste, on dirait que ça vient des poumons.

— Ce doit être quelque inflammation intérieure. Un point de côté, comme on dit.

— Ça vient de l'âme, madame, mon époux est poète, ne l'oubliez pas.

Enfermé dans les waters, une serviette sur la bouche, Traveler pleure de rire.

— Ce serait pas plutôt une allergie, comme on dit ? Mon plus petit, le Victor, celui qui joue là, derrière les géraniums, c'est un ange d'habitude mais si vous le voyiez quand l'allergie aux épinards le prend, il devient un vrai Quasimodo. Il serre tant qu'il peut ses beaux petits yeux si noirs, il gonfle la bouche comme un crapaud et il se raidit tant qu'il ne pourrait plus écarter les doigts de pied.

— Ce n'est pas absolument indispensable d'écarter les doigts de pied, dit Talita.

On entend les rugissements étouffés de Traveler dans les cabinets et Talita change rapidement de conversation pour détourner l'attention de Mme Gutusso. Généralement, Traveler se sent très triste quand il abandonne sa cachette, et Talita le comprend. Il faudra parler de la compréhension de Talita. C'est une compréhension ironique, tendre, comme lointaine. Son amour pour Traveler est fait de casseroles sales, de longues veilles, d'une douce acceptation de ses fantaisies nostalgiques et de son goût pour le tango et les parties de cartes. Quand Traveler est triste et songe qu'il n'a jamais voyagé (mais Talita sait bien que cela lui est égal, que ses préoccupations sont plus profondes), il faut lui tenir compagnie sans beaucoup parler, préparer son maté, veiller à ce qu'il ait du tabac, remplir le rôle de la femme aux côtés de l'homme mais sans marcher sur son ombre et ça, c'est difficile. Talita est très heureuse avec Traveler, avec le cirque, à brosser le chat savant avant qu'il entre en scène, à tenir les livres de compte du directeur. Parfois, elle pense modestement qu'elle est beaucoup plus près que Traveler de ces profondeurs essentielles qui le préoccupent tant, mais toute allusion métaphysique l'effarouche un peu et elle finit par se convaincre qu'il est seul capable à pouvoir forer le trou et faire jaillir le flot noir et huileux. Tout cela est assez vague, s'habille de mots ou de figures, s'appelle l'autre chose, s'appelle le rire ou l'amour, et c'est aussi le cirque et la vie — pour leur donner leurs noms les plus extérieurs et inévitables et va te faire fiche.

A défaut de l'autre chose, Traveler est un homme d'action.

D'action restreinte, comme il l'appelle, car il ne s'agit pas de se tuer à la tâche. Au cours de ces quatre décades il est passé par différentes étapes d'activités : football (avant centre très honorable au Colegiales), course à pied, politique (un mois à la prison de Devoto en 1934), cuniculiculture et apiculture (ferme à Manzanares, désastre au bout de trois mois, épidémies chez les lapins et essaims sauvages côté abeilles), automobilisme (copilote de Marimon, tête-à-queue à Résistencia, trois côtes brisées), menuiserie d'art (meubles d'avant-garde que l'on remonte sous le plafond après usage. Echec total), mariage, et cyclisme avenue du Général-Paz le samedi après-midi sur une bicyclette de location. La trame de toute cette action c'est une bibliothèque mentale fournie, deux langues étrangères, la plume facile, un intérêt ironique pour la sotérologie et les boules de cristal, une tentative pour fabriquer une mandragore en plantant une patate douce dans une cuvette pleine de terre et de sperme, la patate croissant à la façon stridente des patates, envahissant la pension, sortant par les fenêtres, perfide intervention de Talita armée de ciseaux, Traveler explorant la tige de la patate, soupçonnant quelque chose, abandon humilié de la mandragore, fruit de potence, Alraune, souvenirs d'enfance. Traveler, parfois, fait allusion à un double qui a plus de chance que lui, et Talita, sans savoir pourquoi, n'aime pas ça du tout, elle l'entoure de ses bras et l'embrasse, inquiète, elle fait tout pour l'arracher à ces idées. Elle l'emmène même voir Marilyn Monroe, grande favorite de Traveler, et, dans l'obscurité du cinéma Roca, elle ronge-le-frein d'une jalousie purement artistique.

(-98)

# 38

Talita n'était pas très sûre que Traveler fût content de voir revenir un de ses amis de jeunesse car, lorsqu'il apprit qu'un certain Horacio était rapatrié de force sur l'*Andrea C*, il commença par donner un coup de pied au chat savant du cirque en gueulant quelle putain de vie. Il alla cependant attendre ledit Horacio au port, avec Talita et le chat savant dans un panier. Oliveira sortit des bureaux de la douane avec une seule et légère valise et, en reconnaissant Traveler, il haussa les sourcils d'un air mi-étonné, mi-ennuyé.

— Tiens, qu'est-ce que tu racontes ?

— Salut, dit Traveler en lui serrant la main avec une émotion inattendue.

— Ecoute, dit Oliveira, si on allait à un bistrot du port manger du chorizo ?

— Je te présente ma femme, dit Traveler.

Oliveira dit : « Très heureux » et lui tendit la main sans presque la regarder. Mais il demanda tout de suite qui était le chat et pourquoi on l'emmenait au port dans un panier. Talita, offensée de cet accueil, trouva le personnage franchement désagréable et annonça qu'elle repartait au cirque avec le chat.

— Si tu veux, dit Traveler. Et mets-le du côté de la vitre dans le tram, tu sais qu'il n'aime pas le couloir.

Une fois au bistrot, Oliveira se mit à boire du vin rouge et à manger du chorizo et des *chinchulines*, autrement dit des tripes en tresse. Comme il ne parlait pas beaucoup, Traveler lui raconta le cirque et comment il s'était marié avec Talita. Il lui fit un résumé de la situation politique et sportive du pays avec commentaire spécial sur la grandeur et la décadence du boxeur Pascualito Perez. Oliveira dit qu'à

Paris il avait rencontré Fangio et qu'il lui avait trouvé l'air abruti. Traveler eut faim, lui aussi, et commanda des brochettes. Il apprécia le sourire avec lequel Oliveira accepta sa première cigarette indigène et son air connaisseur en la fumant. Ils se lancèrent ensemble dans un autre litre de rouge et Traveler parla de son travail, de son espoir de trouver quelque chose de mieux, c'est-à-dire avec moins de travail et plus de fric, attendant sans cesse qu'Oliveira lui dise quelque chose, il ne savait quoi, un signe qui confirmât cette rencontre, après tant de temps.

— Bon, et si tu parlais un peu de là-bas ? dit-il.

— Le temps, dit Oliveira, était très variable mais il y avait parfois de belles journées. Autre chose, à Paris si le ciel se couvre, ne manque pas d'aller au Louvre, comme l'a si bien dit Brutus. Quoi encore ? Une fois, j'ai poussé jusqu'à Vienne. Il y a des cafés sensationnels pleins de grosses mémères qui y emmènent le chien et le mari manger des strudel.

— Ça va, ça va, dit Traveler. Si tu n'as pas envie de parler, personne ne t'y oblige.

— Un jour, j'ai laissé tomber un morceau de sucre sous la table d'un café. A Paris, pas à Vienne.

— Si c'était pour ne voir que des cafés, c'était pas la peine de traverser la mare.

— A bon entendeur... dit Oliveira en coupant une part de chinchulines avec beaucoup de précautions parce que c'est élastique, ces machins-là. Ça, mon vieux, tu ne l'as pas dans la Ville Lumière. Le nombre d'Argentins qui me l'ont dit. Ils pleurent après leur bifteck et j'ai même connu une dame qui avait la nostalgie du vin d'ici. D'après elle, le vin français se prête mal au mélange avec le soda.

— Quelle barbarie, dit Traveler.

— Mais il est tout de même vrai que les tomates et les pommes de terre argentines n'ont pas leurs pareilles.

— On voit, dit Traveler, que tu coudoyais la crème.

— De temps à autre. Mais en général on trouvait mes coudes trop pointus, ceci dit pour reprendre ta délicate métaphore. Quelle humidité, vieux frère.

— Ah ça, dit Traveler, faudra t'y réhabituer.

Ils continuèrent sur ce ton pendant une petite demi-heure.

(-39)

# 39

Oliveira n'allait évidemment pas raconter à Traveler qu'à l'escale de Montevideo il avait parcouru les vieux quartiers, questionnant et regardant, buvant un petit verre avec des mulâtres pour les mettre en confiance. Eh bien, rien, si ce n'est qu'il y avait des tas de bâtisses neuves et que dans le port où il avait passé la dernière heure avant que l'*Andrea C* ne levât l'ancre, l'eau était pleine de poissons crevés qui flottaient ventre en l'air et parmi les poissons, de-ci de-là, quelques préservatifs qui se balançaient lentement sur l'eau grasse, il n'y avait plus qu'à remonter à bord en se disant, peut-être Lucca après tout, oui, Lucca ou Perugia, pourquoi pas ? Et tout ça pour des prunes.

Avant de débarquer dans la maman patrie, Oliveira avait décidé que tout le passé n'était pas passé et que seule une aberration mentale comme il y en a tant pouvait permettre d'imaginer, expédient facile, un futur fertilisé par des jeux déjà faits. Il comprit (seul sur le pont, à l'aube, dans le brouillard jaune de la rade) que rien n'était changé s'il décidait de faire front et de refuser les solutions de facilité. La maturité, en supposant qu'elle existât, était, en fin de compte, une hypocrisie. Rien n'était mûr. Ainsi, cette femme qui attendait sur le quai près de Traveler, avec un chat dans un panier, n'était-il pas tout naturel qu'elle ressemblât un peu à cette autre femme qui. A quoi bon avoir parcouru les vieux quartiers de Montevideo, avoir pris un taxi jusqu'au pied de la Colline, avoir consulté de vieilles adresses reconstituées par une mémoire indocile ? Il fallait poursuivre, ou bien recommencer ou en finir : il n'y avait pas encore de pont. Sa valise à la main, il se dirigea vers un des bistrots du port où, un soir, quelqu'un à moitié soûl lui avait raconté des histoires sur Betinoti, le chanteur populaire, la façon dont il chantait cette valse : *Mon diagnostic est très simple, le mal est sans remède.* Le mot diagnostic introduit dans une valse lui avait alors paru irrésistible, mais à présent il se répétait ces vers d'un air sentencieux pendant que Traveler lui parlait du cirque, lui donnait des nouvelles de l'Argentine où il était question de K.O. Lausse et même de Peron.

(-86)

# 40

Il se rendit vite compte que le retour était en fait l'aller, et pour plus d'une raison. Déjà il végétait avec la pauvre et dévouée Gekrepten dans une chambre d'hôtel en face de la pension où gîtaient les Traveler. Ça leur convenait tout à fait, Gekrepten était enchantée, elle préparait impeccablement le maté et, bien qu'elle fît déplorablement l'amour et les spaghetti bolognese, elle avait d'autres qualités domestiques de premier plan et elle lui laissait tout le temps nécessaire pour penser à cette histoire de l'aller et du retour, problème qui l'occupait dans les intervalles de son métier de représentant en coupons de drap. Au début, Traveler avait mal pris sa manie de tout critiquer à Buenos Aires, de traiter la ville de putain collet monté, mais Oliveira leur avait remontré, à Talita et à lui, qu'il y avait une telle part d'amour dans ces critiques que seuls deux tarés de leur espèce pouvaient prendre en mauvaise part ses attaques. Ils finirent par en convenir, par convenir aussi qu'Oliveira ne pouvait se réconcilier hypocritement avec Buenos Aires et qu'il était à présent beaucoup plus loin de son pays que lorsqu'il voyageait en Europe. Seules les choses simples et anciennes le faisaient sourire : le maté, les disques de De Caro, parfois le port, l'après-midi. Ils se promenaient beaucoup tous les trois, profitant de ce que Gekrepten travaillait dans un magasin et Traveler guettait sur Oliveira les signes du pacte avec la ville, fertilisant le terrain avec d'énormes quantités de bière. Mais Talita était plus intransigeante (ce qui est le propre de l'indifférence) et elle exigeait des adhésions à court terme : la peinture de Clorindo Testa, par exemple, ou les films de Torre Nilsson. Il y avait de terribles discussions sur Bioy Casares, David

Viñas, le père Castellani, Manauta et la politique de l'Y.P.F. Talita finit par comprendre qu'il était indifférent à Oliveira d'être à Buenos Aires ou à Bucarest et qu'en réalité il n'était pas revenu mais qu'on l'avait renvoyé. Sous les thèmes de discussion circulait toujours un courant de pataphysique, la triple rencontre en une recherche bouffonne de points de mire capables d'excentrer celui qui regardait ou la chose regardée. A force de se disputer, Talita et Oliveira avaient fini par se respecter. Traveler se souvenait de l'Oliveira de vingt ans et il en avait un pincement au cœur, à moins que ce ne fussent les gaz de la bière.

— Toi, au fond, tu n'es pas poète, disait Traveler. Nous, nous sentons la ville comme un énorme ventre qui oscille lentement sous le ciel, une énorme araignée aux pattes posées sur San Vicente, Burzaco, Sarandi, Palomar et aussi plongées dans le fleuve, pauvre bête, quand je pense à quel point l'eau est sale.

— Horacio est un perfectionniste, disait Talita d'un air apitoyé. Le taon sur le noble cheval. Tu devrais prendre exemple sur nous qui sommes de modestes portègnes mais qui savons cependant qui est Pieyre de Mandiargues.

— Et dans les rues, disait Traveler en fermant à demi les yeux, passent des filles au yeux doux et aux joues veloutées d'aimable bêtise grâce à Radio-Buenos Aires et à l'abus de riz au lait.

— Sans compter les femmes émancipées et intellectuelles qui travaillent dans les cirques, disait modestement Talita.

— Et les spécialistes en folklore apache comme votre serviteur. Fais-moi penser, à la maison, de te lire la confession d'Yvonne Guitry : mon vieux, c'est quelque chose.

— A propos, Mme Gutusso te fait dire que si tu ne lui rends pas l'anthologie de Gardel, elle te balancera un pot de fleurs sur la tête, annonça Talita.

— Il faut d'abord que je lise cette page à Horacio. Qu'elle attende encore un peu, cette vieille crétine.

— Mme Gutusso, c'est ce catoblépas qui passe son temps à bavarder avec Gekrepten ? demanda Oliveira.

— Oui, cette semaine, elles sont amies, mais tu verras la semaine prochaine, il est comme ça, notre quartier.

— Argenté sous la lune, chantonna Oliveira sur un air de tango.

— Ça vaut bien ton Saint-Germain-des-Prés, dit Talita.
— Sans doute, dit Oliveira en la regardant. Oui, en fermant à demi les yeux... Et cette façon qu'elle avait de prononcer le français, cette façon, et, quand on fermait à demi les yeux. (Pharmacienne, dommage.)

Comme rien ne les amusait plus que de jouer avec les mots, ils inventèrent, en ces jours-là, le jeu du cimetière. Ils ouvraient le dictionnaire, page 558, par exemple, et ils jouaient avec le hackery, la haquétie, le haquebute, l'hadrotome, l'haceldama, le hadru et le hadur. Mais au fond, ils étaient un peu tristes en pensant à toutes les possibilités perdues à cause du caractère argentin et de la fuite-implacable-du-temps. A propos de pharmacienne, Traveler soutenait que c'était la classe noble d'une nation profondément mérovingienne, et lui et Oliveira composèrent en l'honneur de Talita un poème épique où les hordes pharmaciennes envahissaient la Catalogne en semant la terreur, le piperin et l'ellébore. La nation pharmacienne aux superbes chevaux. Méditation dans la steppe pharmaceutique. O impératrice des pharmaciens, aie pitié des talochés, des talonnés, des talamasques et des taillables qui se taillent.

Pendant que Traveler travaillait insensiblement le directeur du cirque pour qu'il engageât Oliveira, l'objet de tant de soins prenait des matés dans sa chambre en se mettant mollement au courant des dernières productions littéraires nationales. Les grandes chaleurs le surprirent en ces tâches diverses et la vente des coupons de drap baissa considérablement. Les réunions reprirent dans le patio de don Crespo qui était ami de Traveler et louait des chambres à Mme Gutusso et à d'autres messieurs-dames. Protégé par la tendresse de Gekrepten qui le gâtait comme un enfant, Oliveira dormait tout son soûl et, dans les intervalles lucides, il regardait parfois, en prenant un air de personnage de roman russe, un petit livre de Crevel qui était apparu au fond de sa valise. Il ne pouvait rien sortir de bon de cette flemme systématique et il comptait vaguement là-dessus, il espérait qu'en fermant à demi les yeux il verrait les choses se dessiner plus clairement, qu'en dormant, ses méninges s'éclairciraient. Les affaires du cirque marchaient très mal, le directeur ne voulait pas entendre parler d'un autre employé. Le soir tombé, avant de partir pour le cirque, les Traveler allaient prendre le maté avec don Crespo, Oliveira se joignait à eux et ils écoutaient de vieux disques sur un appareil qui ne marchait que par miracle, seule façon d'écouter les vieux disques. Parfois, Talita s'asseyait en face d'Oliveira pour jouer au cimetière ou le défier aux questions-équivalences, autre jeu qu'ils avaient inventé et qui les amusait beaucoup. Don Crespo les tenait pour fous et Mme Gutusso pour idiots.

— Tu ne parles jamais d'avant, disait parfois Traveler sans regarder Oliveira. C'était plus fort que lui, quand il se décidait à interroger Horacio il lui fallait détourner les yeux, et il ne savait pas davantage pourquoi il ne pouvait nommer la capitale de la France, il disait « avant » comme une mère s'évertue à trouver des noms inoffensifs pour les parties honteuses des bébés.

— Aucun intérêt, disait Oliveira. Vas-y voir si tu ne me crois pas.

C'était la meilleure façon de faire enrager Traveler, nomade raté. Il n'insistait pas, accordait son horrible guitare bon marché et attaquait des tangos. Talita regardait Oliveira du coin de l'œil avec une certaine rancune. Sans le lui dire jamais bien clairement, Traveler lui avait mis dans la tête qu'Oliveira était un type bizarre et, bien que ce fût évident, la bizarrerie devait être ailleurs, résider en autre chose. Il y avait des soirs où tout le monde semblait attendre. Ils se sentaient très bien ensemble mais c'était comme un début d'orage. Ce soir-là, s'ils ouvraient le cimetière, ils tombaient sur des mots comme cystalgie, cysticerque, cystide, cystinurie et cysto-épiplocèle. Ils allaient se coucher avec une mauvaise humeur latente et toute la nuit ils faisaient des rêves drôles et agréables, ce qui était plutôt un contresens.

(-59)

## 41

A partir de deux heures de l'après-midi, le soleil donnait en plein sur Oliveira. Et avec cette chaleur, ce n'était pas commode de redresser des clous à coups de marteau sur le carrelage (on sait combien il est dangereux de redresser un clou à coups de marteau, il arrive un moment où le clou est presque droit mais si l'on donne un coup de plus, il fait demi-tour et vous pince cruellement les doigts, c'est d'une foudroyante perversité, ces choses-là), à coups de marteau obstinés sur le carrelage (on sait combien il est dangereux), obstinés sur le carrelage (on sait combien).

« Il n'en reste plus un seul droit, pensait Oliveira en regardant les clous éparpillés par terre. La quincaillerie est fermée à cette heure-ci et si je les fais ouvrir pour trois clous ils vont me fiche à la porte à coups de pied. Y a pas, faut que j'arrive à les redresser. »

Chaque fois qu'il parvenait à en remettre un à peu près droit, il tournait la tête en direction de la fenêtre ouverte et sifflait pour appeler Traveler. De là où il était, il voyait très bien une partie de leur chambre et quelque chose lui disait que Traveler était là, probablement au lit avec Talita. Les Traveler dormaient beaucoup dans la journée, non pas tant à cause des fatigues du cirque que par un principe de flemme qu'Oliveira respectait. Cela lui faisait mal au cœur de réveiller Traveler à deux heures et demie de l'après-midi mais il avait déjà deux doigts massacrés et le sang qui commençait à s'extravaser leur donnait un air de saucisses mal cuites franchement répugnant. Plus il les regardait, plus il sentait la nécessité de réveiller Traveler. Sans compter qu'il avait envie de se taper un maté et qu'il n'avait plus d' « herbe », où plus exactement il ne lui en restait que pour un demi-maté et il fallait que Traveler ou Talita lui en envoie un peu par la voie des airs avec quelques clous pour faire le poids et atteindre à coup sûr la fenêtre. Avec des clous bien droits et du maté, la sieste serait plus tolérable.

« C'est incroyable ce que je siffle fort », pensa Oliveira, émerveillé. Du rez-de-chaussée où il y avait un clandé avec trois femmes et une petite pour les commissions, quelqu'un, pour l'imiter, poussa un sifflement lamentable, mi-bouilloire en ébullition, mi-halètement d'asthmatique. Oliveira était enchanté de voir que son sifflement pouvait susciter l'envie et l'admiration; aussi ne le galvaudait-il pas et le gardait-il pour les grandes occasions. Pendant ses moments de lecture, qui se situaient entre une heure et cinq heures du matin, mais pas toutes les nuits, il était arrivé à la déconcertante conclusion que le sifflement n'était pas un thème très utilisé en littérature. Peu d'auteurs faisaient siffler leurs personnages. Pratiquement aucun. Ils les condamnaient à un répertoire assez monotone d'élocutions (dire, répondre, chanter, crier, balbutier, murmurer, proférer, chuchoter, s'écrier et déclamer), mais aucun héros ou héroïne ne couronnait un grand moment de son épopée par un de ces sifflements qui vous percent le tympan. Les esquires sifflaient bien pour appeler leurs chiens de chasse et certains personnages de Dickens pour héler un cab, mais c'était à peu près tout. Quant à la littérature argentine, une véritable honte, on n'y sifflait pour ainsi dire pas. C'est pour cela sans doute qu'Oliveira avait tendance à considérer Eugenio Cambacérés comme un maître sans avoir lu ses œuvres, mais sur la simple foi d'un de ses titres : *Les sifflements d'un flemmard*, il imaginait parfois une suite à ce livre dans laquelle le sifflement envahissait peu à peu l'Argentine visible et invisible, l'encerclait de sa ficelle luisante et proposait à la stupeur universelle ce rôti bien ficelé qui avait peu de chose à voir avec la version académique que donnaient les ambassades ou le supplément littéraire des journaux dominicaux et bien pensants. « Putain de ta mère (à un clou), ils ne me laissent même pas penser tranquillement. » Mais au fond, ces rêveries lui répugnaient parce que trop faciles; n'empêche, il était persuadé que l'Argentine, il fallait la prendre par la honte, chercher la rougeur cachée par un siècle d'usurpations en tous genres, comme l'expliquaient si bien ses essayistes, et, le mieux pour cela, était de lui démontrer qu'on ne pouvait la prendre au sérieux comme elle l'eût voulu. Qui serait le bouffon qui démonterait tant de superbe à vide ? Qui lui rirait au nez pour la voir rougir et peut-être, enfin, sourire comme qui trouve et reconnaît. Eh bien, mon vieux, tu en as des façons de te gâcher la journée. Voir un peu si ce petit clou va se laisser faire mieux que les autres, il a un air assez docile.

« Quel froid glacial il fait », se dit Oliveira qui croyait à l'autosuggestion. La sueur lui coulait des cheveux dans les yeux, impossible de tenir un clou arqué la pointe en l'air car le moindre coup de marteau le faisait glisser entre les doigts mouillés (de froid) et ping ! un autre pinçon et un autre doigt bleu (de froid). Le soleil envahissait à présent toute la chambre (c'était la lune sur les steppes couvertes de neige et Oliveira sifflait pour exciter les chevaux qui tiraient son tarantass, à trois heures la neige aurait tout envahi, il allait se geler lentement puis la somnolence si bien décrite, et même provoquée, dans les récits russes, le gagnerait et son corps serait enseveli sous la blancheur homicide des livides fleurs de l'espace. Pas mal, ça, les livides fleurs de l'espace.) Et là-dessus il s'envoya un coup de marteau en plein sur le pouce. Le froid qui l'envahit fut si intense qu'il fut obligé de se rouler par terre pour lutter contre le raidissement de la congélation. Quand il parvint enfin à s'asseoir, secouant sa main en tous sens, il était trempé de la tête aux pieds, probablement de neige fondue ou de cette légère bruine qui alterne avec les livides fleurs de l'espace et rafraîchit le poil des loups.

Traveler était en train de nouer son pantalon de pyjama devant sa fenêtre ouverte et il voyait fort bien, de là où il était, la lutte que menait Oliveira contre la neige et la steppe. Il était même sur le point de se retourner pour raconter à Talita qu'Oliveira se roulait par terre en secouant une main, mais il comprit que la situation présentait une certaine gravité et qu'il était préférable d'en être le témoin austère et impassible.

— Ah te voilà, merde, c'est pas malheureux, dit Oliveira. Ça fait une demi-heure que je te siffle. Regarde, j'ai une main complètement esquintée.

— Ce sera toujours pas en vendant des coupons de tissu.

— C'est en redressant des clous, gros malin. J'ai besoin de quelques clous droits et d'un peu de maté.

— C'est facile, dit Traveler, attends.

— Fais un petit paquet et lance-le-moi.

— D'accord, dit Traveler. Ah ! mais j'y pense, ça ne va pas être commode d'aller à la cuisine.

— Pourquoi ? dit Oliveira. Ce n'est pas si loin.

— Non, mais il y a des cordes tendues avec du linge qui sèche et *tutti quanti*.

— Passe par-dessous, suggéra Olıveira. Ou coupe la corde. La gifle mouillée d'une chemise tombant sur le carrelage est une chose inoubliable. Si tu veux, je te lance mon canif. Je te parie que je le plante dans le bois de la fenêtre. Quand j'étais gosse je plantais un canif à dix mètres de distance et dans n'importe quoi.

— L'ennui avec toi, dit Traveler, c'est que tu ramènes tout à l'enfance. Je t'ai déjà dit cent fois de lire Jung. Quant à cette manie du canif, dirait-on pas que c'est une arme interplanétaire ? On ne peut parler de rien sans que tu ressortes immédiatement le canif. Dis-moi un peu ce que ça a à voir avec des clous et du maté.

— Tu n'as pas suivi mon raisonnement, dit Oliveira, mortifié. J'ai d'abord mentionné la main meurtrie, de là je suis passé aux clous. A quoi tu m'as rétorqué que des cordes te barraient le passage à la cuisine et il était assez logique que les cordes me fissent penser au canif. Toi, par contre, tu devrais lire Edgar Poe. Et malgré tes cordes tu perds facilement le fil du discours, si tu permets que je te dise.

Traveler s'accouda à la fenêtre et regarda la rue. Le peu d'ombre qu'il y avait s'aplatissait contre le pavé et, à la hauteur du premier étage, commençait la matière solaire, une trombe jaune qui allait s'écraser contre le visage d'Oliveira.

— Dis donc, tu es pas mal emmerdé, toi, avec le soleil, l'après-midi, dit Traveler.

— Ce n'est pas le soleil, dit Oliveira. Tu pourrais quand même te rendre compte que c'est la lune et qu'il fait un froid épouvantable. Cette main s'est violacée sous l'effet du froid, la gangrène va s'y mettre et dans quelques semaines tu m'apporteras des glaïeuls au cimetière.

— La lune ? dit Traveler en levant la tête. Ce qu'il va

falloir que je t'apporte c'est des serviettes mouillées à l'asile, oui.

— Ce qu'on apprécie le plus, là-bas, ce sont les cigarettes. Tu abondes en incongruités, Manou.

— Je t'ai déjà dit cinquante fois de ne pas m'appeler Manou.

— Talita t'appelle bien Manou, dit Oliveira en agitant sa main comme s'il voulait la détacher de son bras.

— Les différences entre Talita et toi sont palpables. Je ne vois pas pourquoi tu adopterais son vocabulaire. J'ai horreur les bernard-l'hermite, lichens et autres parasites, les symbioses sous toutes leurs formes.

— Tu es d'une délicatesse confondante, dit Oliveira.

— Merci. Nous en étions aux clous et au maté. Pourquoi veux-tu des clous ?

— Je ne sais pas encore, dit Oliveira, confus. Je suis allé prendre la boîte de clous et j'ai découvert qu'ils étaient tous tordus. Je me suis mis en devoir de les redresser et avec le froid qu'il fait, tu vois le résultat... J'ai l'impression que dès que j'aurai des clous bien droits je saurai pourquoi j'en ai besoin.

— Très intéressant, dit Traveler en le regardant fixement. Il t'arrive parfois des choses curieuses. D'abord les clous et après la finalité des clous. Plus d'un pourrait en prendre de la graine.

— Tu m'as toujours compris, dit Oliveira. Et le maté, je le veux pour me faire un « amer », comme tu peux l'imaginer.

— Ça va, dit Traveler. Attends-moi, si je tarde trop, tu peux siffler, ça amuse Talita.

Oliveira se dirigea vers le cabinet de toilette en secouant sa main et s'aspergea d'eau le visage et les cheveux. Il continua jusqu'à ce que sa chemisette fût trempée, puis il revint près de la fenêtre pour vérifier la théorie selon laquelle un tissu mouillé exposé au soleil dégage une vive sensation de froid. « Penser, se dit Oliveira, que je mourrai sans avoir vu en première page des journaux la nouvelle des nouvelles : LA TOUR DE PISE EST TOMBÉE ! C'est triste, tout bien considéré. »

Il se mit à composer des titres de faits divers, ce qui aidait toujours à passer le temps. « Elle s'empêtre dans la laine de son écheveau et périt asphyxiée. » Il compta jusqu'à deux cents sans qu'il lui vînt à l'esprit un autre titre satisfaisant.

— Il va falloir que je déménage, murmura Oliveira. Cette chambre est immensément petite. Au fond, il faudrait que j'entre au cirque de Manou et que j'habite avec eux. Le maté!!!

Personne ne répondit.

— Le maté, répéta doucement Oliveira. Le maté, bon sang. Ne fais pas attention, Manou. Penser que nous pourrions parler de fenêtre à fenêtre, Talita, toi et moi, peut-être même Mme Gutusso ou la petite des commissions se joindraient à nous et nous jouerions au cimetière et autres jeux. « Après tout, pensa Oliveira, le cimetière, je peux y jouer seul. »

Il alla chercher le dictionnaire de l'Académie espagnole sur la couverture duquel le mot Royale avait été rageusement biffé à coups de Gillette, il l'ouvrit au hasard et prépara pour Manou le jeu suivant :

« Exaspérés par ce client et ses cléromancies, ils lui enlevèrent son clérodendron et lui firent avaler du clinopode. Après quoi, ils lui appliquèrent dans le cloaque un cliséomètre clinique bien qu'il cliquât et clignât à sentir cette ascension peu climatologique ébranler ses clisses d'un clochement clivé. »

— C'est pas con, dit Oliveira, admiratif. — Sans compter que con pouvait aussi servir de point de départ, mais Oliveira fut déçu de con-stater que le mot ne figurait pas dans le cimetière. N'empêche... un conchicole /conchacé peut être frappé de conchite et ce n'est pas d'être concentrique ou concolore qui peut le sauver, même si un concuré condécend à lui appliquer de la concourine pour stopper ses concrétions.

« Pff! pensa-t-il, c'est la mort, ce machin. Je ne comprends pas comment la reliure de cette saloperie tient encore le coup. »

Il se mit à penser à un autre jeu mais ça ne venait pas. Il décida de se rabattre sur les dialogues typiques et chercha le cahier où il les annotait après avoir fait bonne moisson dans le métro, les cafés ou les gargotes. Le dialogue typique entre Espagnols était presque terminé et il entreprit de le bichonner non sans avoir versé auparavant un pot d'eau dans sa chemise.

41

## DIALOGUE TYPIQUE ENTRE ESPAGNOLS

*López.* — J'ai vécu, moi, un an à Madrid. Ce devait être, attendez, en 1925 ou...

*Pérez.* — A Madrid ? Je disais justement hier au docteur Garcia...

*López.* — De 1925 à 1927, j'ai été professeur de littérature à l'Université.

*Pérez.* — Je lui disais : « *Hombre,* quiconque a vécu à Madrid sait ce que cela veut dire. »

*López.* — Une chaire que l'on avait créée spécialement pour moi afin que je puisse donner mes cours de littérature.

*Pérez.* — Très juste, très juste. Eh bien, pas plus tard qu'hier je disais au docteur Garcia, qui est un très bon ami à moi...

*López.* — Et quand on y a vécu un an, on a eu tout le temps de s'apercevoir que le niveau des études est bien bas.

*Pérez.* — C'est un fils de Paco Garcia qui fut ministre du Commerce et qui avait des élevages de taureaux.

*López.* — Une honte, croyez-moi, une véritable honte.

*Pérez.* — Je vous crois, *hombre,* je vous crois. Eh bien, ce docteur Garcia...

Oliveira, en ayant marre du dialogue, ferma le cahier. « Shiva, pensa-t-il brusquement, danseur céleste, comme tu brillerais, bronze infini, sous ce soleil. Pourquoi est-ce que je pense à Shiva ? Buenos Aires. On vit. Et de quelle façon. On finit par avoir toute une encyclopédie, article Shiva compris. Qu'as-tu fait l'été, ô rossignol ? Evidemment ça pourrait être pire si on passait cinq ans à étudier le comportement des acridiens. Non mais vise un peu cette liste ! »

C'était un petit papier jaune, découpé dans un document de caractère vaguement international, style Unesco ou autre, portant les noms des membres d'un certain Conseil birman. Oliveira s'en amusa un moment et ne put résister à la tentation de prendre un crayon et d'écrire ce poème sans rime ni raison :

*U Nu*
*U Tin*
*Mya Bu*
*Thado Thiri Thudama U E Maung,*

*Sithu U Cho*
*Wunna Kyaw Htin U Khin Zaw,*
*Wunna Kyaw Htin U Thein Han*
*Wunna Kyaw Htin U Myo Min*
*Thiri Pyanchi U Thant*
*Thado Maha Thray Sithu U Chan Htoon.*

« Les trois Wunna Kyaw Htin sont un peu monotones, se dit-il en considérant les vers. Cela doit vouloir dire quelque chose comme " Son Excellence le Très Honorable ". Par contre, Thiri Pyanchi U Thant c'est pas mal du tout, c'est ce qui sonne le mieux. Mais comment diable prononcer Htoon ? »

— Salut, dit Traveler.

— Salut, dit Oliveira. Quel froid il fait, dis donc.

— Excuse si je t'ai fait attendre. Les clous, tu sais...

— Sûr, dit Oliveira. Un clou est un clou, surtout s'il est droit. Tu as fait un paquet ?

— Non, dit Traveler en se grattant les pectoraux. Bon sang de bon sang, quelle fournaise !

— Dis donc, dit Oliveira en touchant sa chemise complètement sèche, tu es comme la salamandre, toi, tu vis dans un monde de perpétuelle pyromanie. Tu m'as apporté du maté ?

— Non, dit Traveler. J'ai complètement oublié le maté. Je n'ai que les clous.

— Bon, eh bien, va chercher le maté, fais un paquet du tout et lance-le-moi.

Traveler regarda sa fenêtre, puis la rue et enfin la fenêtre d'Oliveira.

— Ça va être coton, dit-il. Tu sais que je suis incapable de viser juste, même à deux mètres. On se fiche bien assez de moi au cirque.

— Mais c'est presque comme si tu me le donnais de la main à la main, dit Oliveira.

— Que tu dis, et si les clous tombent sur la tête de quelqu'un, c'est toi qui iras lui expliquer.

— Lance-moi le paquet et après on jouera au cimetière, dit Oliveira.

— Il vaudrait mieux que tu viennes le chercher.

— Non, mais t'es pas fou, descendre trois étages, se frayer

un passage dans la neige et remonter trois étages, ça ne se fait pas, même dans la case de l'oncle Tom.

— Tu ne prétends pas, j'espère, que ce soit moi qui me livre à cet alpinisme vespéral.

— Loin de moi telle intention, répliqua vertueusement Oliveira.

— Ni que j'aille chercher une planche dans le débarras pour fabriquer un pont.

— Ah ça, dit Oliveira, ce ne serait pas une mauvaise idée, sans compter que ça nous servirait à employer nos clous, chacun de notre côté.

— Bon, attends, dit Traveler, et il disparut.

Oliveira se mit à chercher une bonne insulte pour resservir à Traveler à la première occasion. Après avoir consulté le cimetière et s'être versé un autre pot d'eau dans la chemise, il se posta en plein soleil devant la fenêtre. Et ce n'est qu'alors qu'il s'aperçut que Talita était là, portant la planche avec Traveler. Il la salua d'un sifflement. Talita avait un peignoir de bain vert assez ajusté pour qu'on devine qu'elle était nue dessous.

— Que tu es pénible, souffla Traveler. Tu vois le fourbi dans lequel tu nous embarques.

Oliveira saisit l'occasion au vol.

— Tais-toi, scolopendre de dix à douze centimètres de long avec une paire de pattes sur chacun des vingt et un anneaux qui divisent ton corps, quatre yeux et des mandibulettes crochues et cornées qui distillent un venin très actif, dit-il d'un trait.

— Mandibulettes, commenta Traveler, non mais tu entends ça. Dis donc, si on continue comme ça à sortir la planche par la fenêtre il va arriver un moment où la force de gravité va nous envoyer au diable, Talita et moi.

— Je vois, dit Oliveira, mais considère que le bout de ta planche est encore trop loin pour que je puisse le saisir.

— Etire un peu tes mandibulettes, dit Traveler.

— Je n'y arrive pas. D'autre part, tu sais bien que je souffre d'*horror vacuis*. Je suis un roseau pensant de bon aloi, moi.

— Le seul roseau que je te connaisse c'est celui de ta flûte, dit Traveler, furieux. Je ne sais vraiment pas ce que nous allons faire, cette planche commence à peser terriblement et tu sais que le poids est une chose relative, quand nous l'avons apportée elle était très légère, mais il est vrai que le soleil ne donnait pas en plein dessus comme maintenant.

— Bon, eh bien, rentre-la, dit Oliveira en soupirant. Mais je crois que ce que nous aurions de mieux à faire c'est ceci. J'ai une autre planche, pas aussi longue mais plus large. Nous y passons une corde faisant nœud coulant et nous attachons les deux planches par le milieu. La mienne, je la fixerai à mon lit, toi, de ton côté, fais ce que bon te semblera.

— La nôtre, il vaudra mieux la caler dans un tiroir de la commode, dit Talita. Nous allons arranger ça pendant que tu vas chercher ton engin.

« Qu'ils sont compliqués ! », pensa Oliveira en allant chercher sa planche qui était sur le palier, entre la porte de sa chambre et celle d'un Turc guérisseur. C'était une planche de cèdre, fort bien rabotée mais avec deux ou trois trous de nœuds. Oliveira passa un doigt dans un trou, le regarda sortir de l'autre côté et se demanda si l'on ne pourrait pas faire passer la corde par ces trous. Le palier était très sombre (à moins que ce ne fût le contraste entre la chambre ensoleillée et l'ombre du couloir) et devant la porte du Turc il y avait une chaise d'où débordait une dame en noir. Oliveira la salua armé de sa planche qu'il tenait debout comme un immense (et inefficace) écu.

— Bonjour, monsieur, dit la dame en noir. Quelle chaleur il fait !

— Vous voulez dire un froid terrible, dit Oliveira.

— Ne plaisantez pas comme ça, monsieur, dit la dame. Un peu plus de respect pour les malades.

— Mais vous n'avez rien du tout, madame.

— Rien du tout ? Comment osez-vous ?

« Et c'est ça la réalité, pensa Oliveira en s'appuyant à la planche et en regardant la dame en noir. Cette chose que j'accepte à tout instant comme étant la réalité, mais ce n'est pas possible, ce n'est pas possible. »

— Ce n'est pas possible, dit Oliveira.

— Retirez-vous, grossier personnage, dit la dame. Vous devriez avoir honte de sortir à cette heure-ci en chemisette.

— C'est du Rasurel, madame, dit Oliveira.

— Vous me dégoûtez, dit la dame.

« Cela que je crois être la réalité, pensa Oliveira en caressant la planche et en s'appuyant contre elle. Cette vitrine décorée, illuminée par quarante ou cinquante siècles de mains, d'imaginations, de compromis, de pactes, de secrètes libertés. »

— On a du mal à croire que vous avez des cheveux grisonnants, disait la dame en noir.

« Prétendre qu'on est le centre, dit Oliveira en prenant commodément appui sur sa planche; mais c'est incommensurablement idiot. Aussi illusoire que de prétendre à l'ubiquité. Il n'y a pas de centre, il y a une espèce de confluence perpétuelle, d'ondulation de la matière. Je suis tout au long de la nuit un corps immobile et de l'autre côté de la ville un rouleau de papier est en train de devenir le journal de demain, à huit heures quarante je sortirai de la maison, le journal sera arrivé au kiosque à huit heures vingt, à huit heures quarante-cinq ma main et le journal se rejoindront et s'agiteront ensemble à un mètre du sol en direction de l'arrêt d'autobus... »

— Et don Bunche qui n'en finit pas avec l'autre malade, dit la dame en noir.

Oliveira souleva la planche et l'emporta dans sa chambre. Traveler lui faisait signe de se presser et, pour le calmer, Oliveira le gratifia de deux sifflements stridents. La corde était sur l'armoire, il fallait approcher une chaise et monter dessus :

— Si tu te pressais un peu, dit Traveler.

— Ça vient, ça vient, dit Oliveira en se penchant à la fenêtre Dis donc, ta planche, elle est bien fixée ?

— On l'a coincée dans un tiroir de la commode et Talita a mis dessus les six volumes du Quillet.

— C'est pas mal, dit Oliveira. Moi je vais mettre sur la mienne le mémoire annuel de la *Statens Psykologisk-Pedagogisk Institut,* qu'on envoie, Dieu sait pourquoi, à Gekrepten.

— Ce que je vois mal, c'est comment on va les assembler, dit Traveler en poussant sa commode pour faire sortir la planche par la fenêtre.

— Vous avez l'air de deux chefs assyriens maniant les béliers défonceurs de murailles, dit Talita qui n'était pas pour rien la propriétaire de l'Encyclopédie. Il est allemand, le livre dont tu parlais ?

— Suédois, jeune buse, dit Oliveira. Il traite de choses

telles que la *Mentalhygieniska synpunkters i forskoleundervisning*. Mots splendides, dignes de ce cher Sturri Sturlusson dont parle tant la littérature argentine, véritables pectoraux de bronze frappés du signe du faucon, image talismanique.

— *Los raudos torbellinos de Noruega*, dit Traveler.

— Es-tu vraiment cultivé ou fais-tu seulement semblant ? demanda Oliveira, un peu étonné de cette référence à Góngora.

— Je ne te dirai pas, répondit Traveler, que le cirque me laisse beaucoup de loisirs, mais on trouve toujours le temps d'épingler une étoile sur son front. Cette phrase de l'étoile me vient chaque fois que je parle du cirque, simple contamination. D'où puis-je bien la sortir ? Talita, tu as une idée ?

— Non, dit Talita en éprouvant la solidité de la planche. Sans doute d'un roman portoricain.

— Ce qui m'agace le plus, c'est qu'au fond je sais où je l'ai lue.

— Quelque classique ? suggéra Oliveira.

— Je ne me rappelle plus mais c'était un livre inoubliable.

— Ça se voit, dit Oliveira.

— Votre installation est parfaite, dit Talita. Maintenant, je me demande comment tu vas faire pour fixer la tienne.

Oliveira acheva de démêler sa corde, la coupa en deux et, avec une des moitiés, il attacha la planche au pied du lit. Après quoi, il en appuya l'extrémité sur le rebord d'une fenêtre, poussa le lit, et la planche peu à peu bascula dans le vide et alla se poser sur celle de Traveler sans que les pieds du lit eussent monté de plus d'un demi-mètre. « L'ennui c'est qu'ils continueront de monter quand quelqu'un passera sur le pont », pensa Oliveira, embêté. Il s'approcha de la penderie et se mit à la pousser en direction du lit.

— Tu n'avais pas assez de poids ? demanda Talita qui s'était assise sur l'appui de sa fenêtre et regardait faire Oliveira.

— Redoublons de précautions, dit Oliveira, afin d'éviter tout accident regrettable.

Quand la penderie fut au bord du lit, il la fit lentement basculer. Talita admirait presque autant la force d'Oliveira que l'astuce et les inventions de Traveler. « Ce sont de vrais glyptodontes », pensa-t-elle attendrie. Les époques antédiluviennes lui avaient toujours semblé un refuge de sagesse.

L'armoire prit de la vitesse et tomba violemment sur le lit

en faisant trembler tout l'étage. Des cris montèrent d'en bas et Oliveira pensa que le Turc d'à côté devait être en train d'accumuler une forte pression shamanique. Il arrangea du mieux qu'il put la penderie sur le lit et monta à cheval sur la planche, du côté chambre, bien entendu.

— Maintenant, on peut y aller, annonça-t-il. Il n'y aura pas de tragédie, à la grande déception des filles d'en bas qui nous aiment tant. Pour elles, tant que quelqu'un ne se sera pas écrasé dans la rue, tout ceci n'aura aucun sens, la vie, qu'elles appellent ça.

— Tu ne vas pas attacher les deux planches avec ta corde ? demanda Traveler.

— Ecoute, dit Oliveira. Tu sais très bien que le vertige m'a toujours empêché de m'élever dans l'échelle sociale. Au seul nom de l'Everest c'est comme si on me pinçait les couilles. Je déteste beaucoup de gens, crois-moi, mais personne comme le sherpa Tensing.

— C'est-à-dire que c'est nous qui devons aller attacher les planches ? dit Traveler.

— Comme qui dirait, dit Oliveira en allumant une cigarette.

— Tu te rends compte, dit Traveler à Talita. Il prétend que tu te traînes jusqu'au milieu du pont pour nouer la corde.

— Moi ? dit Talita.

— Que veux-tu que j'y fasse, tu l'as entendu.

— Oliveira n'a pas dit que c'était à moi d'y aller.

— Il ne l'a pas dit, mais il l'a laissé entendre. Sans compter qu'il est plus gracieux que ce soit toi qui lui remettes le maté.

— Je ne saurai jamais nouer cette corde, dit Talita. Oliveira et toi savez faire les nœuds, mais les miens se défont tout de suite.

— Nous te donnerons toutes les indications nécessaires, dit Traveler d'un air protecteur.

Talita ajusta son peignoir de bain et enleva un fil qui pendait à son doigt. Elle avait besoin de soupirer, mais elle savait que les soupirs exaspéraient Traveler.

— Tu veux vraiment que ce soit moi qui donne le maté à Oliveira ? demanda-t-elle à voix basse.

— Qu'est-ce que vous êtes en train de raconter ? demanda Oliveira en passant la moitié du corps par la fenêtre et en s'appuyant des deux mains sur sa planche. La petite des commissions avait sorti une chaise sur le trottoir et regardait. Oliveira la salua de la main. « Double fracture du temps et de l'espace », pensa-t-il. La pauvre tient pour assuré que nous sommes fous et se prépare à un retour vertigineux à la réalité. Si quelqu'un tombe, le sang l'éclaboussera, c'est sûr. Et elle ne sait pas que le sang l'éclaboussera, elle ne sait pas qu'elle a placé sa chaise là pour que le sang l'éclabousse et elle ne sait pas qu'une crise de *taedium vitae* l'a prise il y a dix minutes en pleine cuisine, à seule fin de lui faire transporter sa chaise sur le trottoir. Et que le verre d'eau qu'elle a bu à deux heures vingt-cinq était tiède et répugnant pour que son estomac, centre de l'humeur vespérale, lui transmette cette attaque de *taedium vitae* que trois pastilles de magnésie eussent parfaitement dissipée, mais ceci elle ne pouvait pas le savoir, certaines choses, libératrices ou contraignantes ne pouvant être connues que sur un plan astral, soit dit pour employer cette terminologie creuse.

— Nous ne parlons de rien, répondit Traveler. Prépare la corde.

— Ça y est, une corde du tonnerre. Vas-y, Talita, je vais te la faire passer.

Talita enfourcha la planche et avança de cinq centimètres en prenant appui sur les mains et en soulevant sa croupe pour la poser un peu plus loin.

— Ce peignoir de bain est bien incommode, dit-elle. Il vaudrait mieux que je mette tes pantalons.

— Pas la peine, dit Traveler. Suppose que tu tombes, mon pantalon est foutu.

— Ne te presse pas, dit Oliveira. Encore quelques centimètres et je peux te lancer la corde.

— Que cette rue est large ! dit Talita en regardant en bas. Bien plus large que lorsqu'on la regarde de la fenêtre.

— Les fenêtres sont les yeux de la ville et elles déforment tout ce qu'elles voient. Tu es en ce moment en un point de grande pureté et peut-être vois-tu les choses comme un pigeon ou un cheval qui ne sait pas qu'il a des yeux.

— Laisse ces idées pour la N.R.F. et tiens plutôt solidement la planche, conseilla Oliveira.

— Bien sûr, tu ne peux pas supporter que quelqu'un dise avant toi ce que tu aurais aimé dire. Je peux parfaitement tenir la planche en pensant et en parlant.

— Je dois être près du milieu, dit Talita.

— Du milieu ? Mais tu as à peine décollé de la fenêtre. Il te manque au moins deux mètres.

— Un peu moins, dit Oliveira pour l'encourager. Je vais pouvoir bientôt t'envoyer la corde.

— Il me semble que la planche baisse, dit Talita.

— Absolument pas, dit Traveler, à cheval lui aussi sur la planche mais côté chambre. C'est à peine si elle vibre un peu.

— Sans compter que son extrémité repose sur la mienne. Ce serait bien étrange que les deux cèdent en même temps, ajouta Oliveira.

— Oui, mais je pèse cinquante-six kilos, dit Talita. Et arrivée au milieu j'en pèserai au moins deux cents. Je sens que cette planche descend de plus en plus.

— Si elle descendait, dit Traveler, mes pieds quitteraient le sol, or je les appuie carrément par terre. La seule chose qui puisse se passer c'est que les planches craquent, mais ça m'étonnerait beaucoup.

— La fibre est très résistante dans le sens de la longueur, ajouta Oliveira. C'est le fameux exemple de la gerbe de joncs. J'espère que tu as le maté et les clous.

— Ils sont dans ma poche, dit Talita. Envoie-moi la corde. Ça commence à me taper sur le système.

— C'est le froid, dit Oliveira en faisant tournoyer la corde comme un gaucho. Attention, tâche de ne pas perdre l'équilibre. Il vaut mieux que je te prenne au lasso, comme ça on sera sûr que tu ne manqueras pas la corde.

« C'est curieux, pensa-t-il en voyant passer la corde au-dessus de sa tête, tout s'enchaîne parfaitement pour peu qu'on le veuille vraiment. La seule chose fausse ici, c'est l'analyse. »

— Tu y es presque, annonça Traveler. Place-toi de façon à pouvoir bien réunir les deux planches qui sont un peu séparées.

— Tu as vu comme j'ai bien attrapé Talita, dit Oliveira. Tu ne me diras pas, Manou, que je ne pourrais pas travailler au cirque avec vous.

— Tu m'as fait mal à la joue, dit Talita d'un ton plaintif, c'est une corde qui pique.

— Je mets un chapeau de cow-boy, j'entre en piste en sifflant et j'attrape tout le monde au lasso. La foule m'ovationne, un succès comme on en connaît peu dans les annales du cirque.

— Tu es en train d'attraper une insolation, dit Traveler en allumant une cigarette. Et je t'ai déjà dit de ne pas m'appeler Manou.

— Je n'ai pas assez de force, dit Talita. Cette corde est rêche, elle accroche.

— Ambivalence de la corde, dit Oliveira. Sa fonction naturelle sabotée par une mystérieuse tendance à la neutralité. Il me semble qu'on appelle ça l'entropie.

— Là, je crois tout de même qu'elle est bien fixée, dit Talita. Faut-il faire un autre tour ? Il en reste encore.

— Oui, dit Traveller, enroule-la bien jusqu'au bout. J'ai horreur des choses qui dépassent et qui pendent, c'est diabolique.

— Puriste, dit Oliveira. Maintenant passe sur ma planche pour éprouver la solidité du pont.

— J'ai peur, dit Talita. Ta planche m'a l'air moins solide que la nôtre.

— Comment ! dit Oliveira, offensé. Mais tu ne vois pas que c'est du véritable cèdre ? Tu ne vas pas comparer avec votre saleté de pin. Passe tranquillement de mon côté, sans faire tant d'histoires.

— Qu'en dis-tu, Manou ? demanda Talita en se retournant.

Traveler, qui allait répondre, regarda l'endroit où se rejoignaient les deux planches et la corde mal serrée. A cheval sur sa planche, il la sentait vibrer entre ses jambes d'une façon mi-agréable, mi-désagréable. Il suffisait à présent à Talita d'une seule traction sur les mains pour passer dans la zone d'Oliveira. Le pont résisterait certainement, il était très bien fait.

— Ecoute, attends un peu, dit Traveler, hésitant. Tu ne peux pas lui faire passer le paquet de là ?

— Bien sûr que non, dit Oliveira, surpris. Qu'est-ce qui te prend ? Tu gâches tout.

— Le lui faire passer, ça non, je ne peux pas, reconnut Talita. Mais je peux le lancer, d'ici c'est extrêmement facile.

— Le lancer ! dit Oliveira, ulcéré. S'être donné tout ce mal et maintenant ils parlent de me lancer le paquet.

— Si tu étends le bras tu es à moins de quarante centimètres de sa main. Aucune nécessité que Talita aille jusqu'au bout. Elle te lance le paquet et bonsoir.

— Elle va manquer le but comme toutes les femmes, dit Oliveira, et le maté se répandra sur le trottoir, sans parler des clous.

— Tu peux être tranquille, dit Talita en sortant précipitamment le paquet de sa poche. Même si ça ne tombe pas juste dans ta main, ça passera par la fenêtre, je t'assure.

— Oui et il s'écrasera par terre et, comme le carrelage est dégoûtant, je boirai un maté plein de poussière, dit Oliveira.

— Ne l'écoute pas, dit Traveler. Jette-lui le paquet et reviens.

Talita se retourna, se demandant s'il parlait sérieusement. Traveler la regardait d'une façon qu'elle connaissait bien et elle sentit comme une caresse courir dans son dos. Elle serra fortement le paquet et mesura la distance.

Oliveira avait baissé les bras et semblait ne plus se soucier de ce que Talita pouvait faire ou ne pas faire. Par-dessus Talita, il regardait fixement Traveler qui le regardait fixement. « Ces deux-là ont tendu un autre pont entre eux, pensa Talita. Si je tombais dans la rue, ils ne s'en rendraient même pas compte. » Elle regarda les pavés, vit la petite des commissions qui la regardait bouche bée, une femme s'avançait au fond de la rue, ce devait être Gekrepten. Talita attendit, le paquet appuyé sur le pont.

— Et voilà, dit Oliveira. Il fallait que ça arrive, tu ne changeras jamais. Tu parviens au bord des choses, on croit que tu vas enfin comprendre, mais pas du tout, tu commences à tourner autour, à lire les étiquettes. Tu ne vas jamais plus loin que le prospectus, mon vieux.

— Et alors ? dit Traveler. Pourquoi serais-je obligé d'entrer dans ton jeu, s'il te plaît ?

— Les jeux se font seuls, c'est toi qui mets des bâtons dans les roues.

— La roue que tu as montée, si nous allons par là.

— Je ne crois pas, dit Oliveira. Je n'ai fait que susciter les circonstances, comme disent les initiés. Il fallait jouer franc jeu.

— Phrase de perdant, mon petit vieux.

— Facile de perdre si l'autre pipe les dés.

Talita savait que d'une certaine façon ils étaient en train de parler d'elle, et elle continuait à regarder la petite des commissions assise sur sa chaise, la bouche ouverte. « Je donnerais n'importe quoi pour ne plus les entendre, pensa Talita. Ils ont beau parler de tout et du reste, au fond c'est toujours de moi qu'ils parlent, bien que ce ne soit pas tout à fait ça, même si c'est presque ça. » Elle pensa un instant que ce serait drôle de lâcher le paquet dans la bouche de la fille, en bas. Mais ça ne l'amusait pas, elle sentait l'autre pont au-dessus d'elle, les mots qui allaient et venaient, les rires, les silences chauds.

« C'est comme un jugement, pensa-t-elle encore, comme une cérémonie. »

Elle reconnut Gekrepten qui s'approchait et qui commençait à regarder en l'air. « Qui te juge ? » venait de dire Oliveira. Mais ce n'était pas Traveler qu'on jugeait, c'était elle. Un sentiment, quelque chose de poisseux comme le soleil sur la nuque et sur les jambes. Elle allait avoir une insolation, ce serait peut-être ça la sentence. « Je ne pense pas que tu aies le droit de me juger », avait dit Manou. Mais ce n'était pas Manou qu'on jugeait, c'était elle. Et, à travers elle, on ne savait quoi, pendant que cette stupide Gekrepten agitait le bras gauche et faisait des signes comme si elle, Talita, allait avoir une attaque et tomber dans la rue, condamnée sans appel.

— Pourquoi te balances-tu ainsi ? dit Traveler en retenant la planche à deux mains. Ça la fait beaucoup trop vibrer, on va tous aller au diable si ça continue.

— Je ne bouge pas, dit Talita d'une voix misérable. Je voudrais seulement lancer le paquet et rentrer à la maison.

— Le soleil te tape en plein sur la tête, ma pauvre, dit Traveler. C'est vraiment barbare, ce truc-là.

— C'est ta faute, dit Oliveira rageusement. Je ne connais personne dans toute l'Argentine capable comme toi de mettre le bordel partout.

— Tu es monté contre moi, dit Traveler d'un ton détaché. Dépêche-toi, Talita, balance-lui son paquet à travers la gueule si tu veux et qu'il finisse une bonne fois pour toutes de nous emmerder.

— C'est un peu tard, dit Talita. Je ne suis plus aussi sûre de bien viser.

— Je te l'avais dit, murmura Oliveira qui ne murmurait presque jamais et seulement quand il était sur le point de faire quelque énormité. Je vois venir Gekrepten arrivant comme un cheveu sur la soupe et débordante de paquets.

— Jette-lui le maté et tant pis si tu rates ton but, dit Traveler avec impatience.

Talita baissa la tête et ses cheveux coulèrent sur son visage jusqu'à sa bouche. Il lui fallait sans cesse cligner des paupières car la sueur lui entrait dans les yeux. Sa langue était pleine de sel et pleine d'étincelles aussi, astres minuscules qui couraient et cognaient contre ses gencives et son palais.

— Attends, dit Traveler.

— C'est à moi que tu dis ça ? demanda Oliveira.

— Non, attends, Talita. Tiens-toi bien, je vais te chercher un chapeau.

— Ne lâche pas la planche, dit Talita, sinon je tombe dans la rue.

— L'encyclopédie et la commode la retiennent parfaitement. Ne bouge pas, je reviens tout de suite.

Les planches s'inclinèrent un peu et Talita s'accrocha désespérément au pont. Oliveira siffla de toutes ses forces comme pour retenir Traveler, mais il n'y avait déjà plus personne à la fenêtre.

— Quelle brute ! dit Oliveira. Ne bouge pas, ne respire pas même. C'est une question de vie ou de mort, crois-moi.

— Je te crois, dit Talita avec un petit filet de voix. Ça a toujours été comme ça.

— Et pour couronner le tout, j'entends Gekrepten qui monte l'escalier. Qu'est-ce qu'on va déguster, ma mère ! Ne bouge pas.

— Je ne bouge pas. Mais il me semble que...

— Oui, mais presque pas, dit Oliveira. Ne bouge pas, c'est la seule chose qu'on puisse faire.

« Ils m'ont déjà jugée, pensa Talita. Il ne me reste plus à présent qu'à tomber et ils continueront tranquillement avec le cirque, avec la vie. »

— Pourquoi pleures-tu ? demanda Oliveira, très intéressé.

— Je ne pleure pas, dit Talita, je sue, tout simplement.

— Ecoute, dit Oliveira, vexé, je suis peut-être complètement idiot, mais je n'ai jamais confondu larmes et sueur. C'est assez différent.

— Je ne pleure pas, dit Talita. Je ne pleure presque jamais, je te le jure. Je suis comme le cygne qui ne chante qu'au moment de mourir. C'est Gardel qui dit ça dans un tango.

Oliveira alluma une cigarette. Les planches avaient repris leur position initiale. Il aspira la fumée avec plaisir.

— Ecoute, en attendant que cet idiot de Manou revienne avec le chapeau, on pourrait toujours jouer aux questions-équivalences.

— Vas-y, dit Talita. Justement, j'en ai préparé quelques-unes hier, si tu veux tout savoir.

— Parfait. Je commence et on en dit une à tour de rôle. L'opération qui consiste à déposer sur un corps solide une couche de métal dissous en un liquide au moyen de courants électriques, n'est-ce pas une embarcation antique, à la voile latine et de quelques centaines de tonneaux ?

— Si, bien sûr, dit Talita en rejetant ses cheveux en arrière. Aller de-ci, de-là, errer, dévier le coup d'une arme, parfumer de musc et fixer le prix de la dîme sur les fruits verts, cela n'équivaut-il pas à l'un des jus végétaux destinés à l'alimentation tels que vin, huile, etc ?

— Très bon, admit Oliveira. Les jus végétaux tels que vin, huile... Je n'avais jamais pensé au vin comme à un jus végétal. C'est splendide. Mais écoute ça : Reverdir, verdoyer, emmêler ses cheveux, la laine, se mêler à une dispute ou à un différend, empoisonner l'eau avec du bouillon blanc pour étourdir les poissons et pouvoir les pêcher, n'est-ce pas le dénouement du poème dramatique, surtout quand il est douloureux ?

— Que c'est beau, dit Talita, enthousiasmée. C'est très beau, Horacio. Toi, tu sais vraiment tirer tout le jus du cimetière.

— Le jus végétal, dit Oliveira.

La porte de la chambre s'ouvrit et Gekrepten entra en soufflant bruyamment. Gekrepten était une blonde décolorée qui avait la parole facile et ne s'étonnait plus d'une penderie renversée sur un lit et d'un homme à cheval sur une planche.

— Quelle chaleur ! dit-elle en jetant ses paquets sur une chaise. C'est vraiment le pire moment pour aller faire des courses, croyez-moi. Que fais-tu là, Talita ? Je ne sais pas pourquoi je sors toujours à l'heure de la sieste.

— Bien, bien, dit Oliveira sans la regarder. C'est ton tour maintenant. Talita.

— Je ne me rappelle pas les autres.

— Réfléchis un peu, tu te rappelleras sûrement.

— Ah c'est vrai, c'est à cause du dentiste, dit Gekrepten. Il me donne toujours rendez-vous aux pires heures. T'avais-je dit que je devais aller chez le dentiste aujourd'hui ?

— Je me souviens d'une autre à présent, dit Talita.

— Et écoute un peu ce qui m'est arrivé, dit Gekrepten. J'arrive chez mon dentiste, rue Warnes, je sonne et la femme de chambre vient m'ouvrir. Je lui dis « bonjour », elle me répond « bonjour, entrez, je vous en prie ». J'entre et elle me fait passer dans la salle d'attente.

— Voilà, dit Talita. La personne qui a de grosses joues ou la file de tonneaux qui se conduit à la manière d'un radeau vers un lieu planté de joncs, le magasin d'articles de première nécessité monté pour qu'un certain public s'y approvisionne plus économiquement que dans les boutiques, et tout ce qui concerne ou appartient à l'églogue, cela ne revient-il pas à appliquer le galvanisme à un animal mort ou vivant ?

— Quelle merveille ! dit Oliveira ébloui. C'est tout simplement sensationnel.

— Elle me dit : « Asseyez-vous un moment je vous en prie. » Je m'assieds et j'attends.

— Il m'en reste encore une, dit Oliveira. Attends, je ne me rappelle plus bien.

— Il y avait deux dames et un monsieur avec un enfant. Il me semblait que le temps ne passait pas. Si je te disais que j'ai lu de fond en comble trois numéros d'*Idylle*. L'enfant pleurait, pauvre petit, et le père, un de ces nerveux... Je ne voudrais pas mentir mais il s'est bien passé deux heures avant que ce soit mon tour. Mon tour vient enfin et le dentiste me dit : « Passez, madame », je passe et il me dit : « Cela ne vous gêne pas trop ce que je vous ai mis la dernière fois ? » Je lui dis : « Non, docteur, pas du tout, d'autant que je ne mâche que d'un seul côté. » Il me dit : « Très bien, c'est ce qu'il faut faire. Asseyez-vous, madame. » Je m'assieds et il me dit : « Ouvrez la bouche, s'il vous plaît. » Il est très poli ce dentiste.

— Ça y est, dit Oliveira. Ecoute bien, Talita, mais pourquoi te retournes-tu ?

— Pour voir si Manou revient.

— Tu parles qu'il va revenir. Ecoute bien : l'action et

l'effet de passer outre, ou, dans les tournois et les joutes, d'affronter son cheval au cheval ennemi ne ressemblent-ils pas beaucoup à l'acmé, point culminant d'une fièvre ?

— Etrange, dit Talita d'un air pensif. Ça se dit comme ça ?

— Quoi donc ?

— Affronter son cheval.

— Dans les tournois, oui, dit Oliveira. Je n'y peux rien, c'est dans le cimetière.

— Acmé, dit Talita. C'est un mot très beau. Dommage qu'il signifie une pareille chose.

— Bah, c'est pareil pour mortadelle et beaucoup d'autres, dit Oliveira. L'abbé Brémond s'est déjà penché sur ce problème, mais on n'y peut rien. Les mots sont comme nous, ils naissent avec un certain visage et il n'y a plus rien à fiche. Pense un peu à la tête qu'avait Kant.

— Il m'a mis un plombage en matière plastique, dit Gekrepten.

— Il fait une chaleur terrible, dit Talita. Manou a dit qu'il allait me chercher un chapeau.

— Tu parles qu'il y est allé, dit Oliveira.

— Je crois que je vais te lancer le paquet et retourner chez moi, qu'en dis-tu ? demanda Talita.

Oliveira regarda le pont, mesura la fenêtre en ouvrant ses bras d'un geste vague puis secoua la tête.

— Ça m'étonnerait que tu puisses y arriver. Evidemment, cela me fait quelque chose de te laisser là par ce froid glacial. Tu ne sens pas qu'il se forme des stalactites dans tes cheveux et dans tes fosses nasales ?

— Non, dit Talita. Les stalactites, c'est un peu comme l'acmé ?

— En un certain sens, oui, dit Oliveira. Ce sont deux choses qui se ressemblent à partir de leur différence, un peu comme Manou et moi, si l'on y pense bien. L'embêtant avec Manou, c'est que nous nous ressemblons trop.

— Oui, dit Talita, c'est même assez gênant parfois.

— Le beurre est liquide, dit Gekrepten en tartinant une tranche de pain noir. Le beurre, avec cette chaleur, c'est un problème.

— La principale différence entre lui et moi, dit Oliveira, c'est que nous avons tous deux des cheveux noirs, une tête de portègne noceur et qu'on méprise de la même façon à peu près les mêmes choses, et puis il y a toi...

— Oh moi... dit Talita.

— Pas la peine de te cacher la tête sous l'aile, dit Oliveira. C'est un fait que tu t'ajoutes à nous pour augmenter la ressemblance et par là même la différence.

— Je ne trouve pas, moi, que je m'ajoute à vous, dit Talita.

— Qu'en sais-tu, que peux-tu en savoir ? Tu es là dans ta chambre, vivant, cuisinant, lisant l'encyclopédie didactique, et le soir tu vas au cirque, moyennant quoi il te semble que tu es seulement là où tu es. Tu n'as jamais fait attention aux poignées de porte, aux boutons de métal, aux morceaux de verre ?

— Si, parfois, dit Talita.

— Si tu faisais très attention, tu verrais que de tous côtés, et là où l'on s'y attend le moins, il y a des reflets qui copient tous nos mouvements. Je suis très sensible à ce genre d'idioties, tu sais.

— Viens boire ton lait, dit Gekrepten, ou il va falloir que je le passe encore. Pourquoi parlez-vous toujours de choses étranges ?

— Tu me donnes trop d'importance, dit Talita.

— Oh, ce ne sont pas des choses qu'on décide soi-même, dit Oliveira. Il y a tout un ordre de choses qu'on ne décide pas, et qui, pour n'être pas les plus importantes, ne sont pas les moins gênantes. Je te le dis parce que c'est une grande consolation. Par exemple, je pensais boire un maté. Et voilà que l'autre arrive et se met à préparer un café au lait sans qu'on lui demande rien. Résultat : si je ne le bois pas, le lait va faire la crème. Ce n'est pas très grave mais c'est un peu ennuyeux. Tu saisis ce que je suis en train de te dire ?

— Oh oui, dit Talita en le regardant dans les yeux. C'est vrai que tu ressembles à Manou. Vous savez si bien parler tous les deux du café au lait et du maté, et à la fin on s'aperçoit que le café au lait et le maté, en réalité...

— Exact, dit Oliveira. *En réalité.* De sorte que nous pouvons en revenir à ce que je disais avant. La différence entre Manou et moi c'est que nous sommes presque pareils. A ce niveau-là, la différence est comme un cataclysme imminent. Sommes-nous amis ? Oui, bien sûr, mais cela ne me surprendrait pas du tout que... Depuis que nous nous connaissons, et je peux te le dire car tu le sais déjà, nous ne faisons que nous blesser. Il n'aime pas que je sois ce que je suis, et dès que j'entreprends de redresser quelques clous, tu vois le raffut qu'il fait, et il t'y embarque en passant. Et s'il n'aime pas que je sois comme je suis c'est parce que en réalité beaucoup de choses que je pense, beaucoup de choses que je fais, c'est comme si je les lui escamotais sous son nez. Avant qu'il ait eu le temps de les penser, tac ! elles sont là. Pan ! Pan ! il se penche à la fenêtre et moi je suis en train de redresser des clous.

Talita se retourna et vit l'ombre de Traveler qui écoutait, caché entre la commode et la fenêtre.

— Bon, dit-elle, il ne faut tout de même pas exagérer. Manou a des idées qui ne te viendraient jamais à toi.

— Par exemple ?

— Ton lait refroidit, dit Gekrepten d'un ton plaintif. Veux-tu que je te le fasse un peu réchauffer, mon amour ?

— Fais-en un flan pour demain, lui conseilla Oliveira. Continue, Talita.

— Non, dit Talita en soupirant. A quoi bon ? J'ai tellement chaud et je crois que je commence à avoir le vertige.

Elle sentit vibrer le pont quand Traveler le chevaucha de nouveau. Il se mit à genoux sur la planche, sans dépasser le rebord de la fenêtre, et posa le chapeau de paille sur le pont. Après quoi, il se mit à le pousser centimètre après centimètre à l'aide d'un manche de plumeau.

— S'il dévie tant soit peu, dit Traveler, il tombera certainement et ce sera toute une histoire pour descendre le chercher.

— Le mieux serait que je rentre, dit Talita en regardant avec peine Traveler.

— Mais il faut d'abord que tu donnes le maté à Oliveira, dit Traveler.

— Ça n'est plus la peine, dit Oliveira. Ou, du moins, qu'elle lance tout simplement le paquet, ça m'est égal.

Talita regarda l'un puis l'autre et ne bougea pas.

— C'est facile de te comprendre, toi, dit Traveler. Se donner tout ce mal pour finalement s'entendre dire que maté ou pas maté, tu t'en fiches.

— L'aiguille a tourné sur le cadran, mon fils, dit Oliveira.

# 41

Tu te meus dans le continuum avec une lenteur de limace. Pense à tout ce qui est arrivé depuis que tu as décidé d'aller chercher cette paille de riz malmenée. Le cycle du maté s'est fermé sans avoir été consommé et, entre-temps, la toujours fidèle Gekrepten a fait ici une entrée très remarquée, armée d'ustensiles culinaires. Nous en sommes actuellement à la période café au lait, on n'y peut rien.

— En voilà des raisons, dit Traveler.

— Ce ne sont pas des raisons, ce sont des évidences parfaitement objectives. Toi, tu as tendance à te mouvoir dans le continuum, comme disent les physiciens, tandis que moi je suis infiniment sensible à la discontinuité vertigineuse de l'existence. En ce même instant, le café au lait fait irruption, s'installe, règne, se répand, se répète dans quelques centaines de milliers de foyers. Les pots à maté ont été lavés, rangés, abolis. Une zone temporelle de café au lait couvre ce secteur du continent américain. Pense à tout ce que cela suppose et entraîne. Mères diligentes qui endoctrinent leur progéniture sur les vertus du régime lacté, réunions enfantines autour de la table de la cuisine où tout est sourires à la partie supérieure et coups de pied et pinçons en dessous. Dire café au lait à cette heure signifie mutation, convergence aimable vers la fin de la journée, inventaire des bonnes actions, des actions au porteur, situations transitoires, vagues prologues à ce que six heures du soir, heure terrible de clefs dans les portes et de courses vers l'autobus, concrétisera brutalement. A cette heure, presque personne ne fait l'amour, ça se passe avant ou après. A cette heure, on pense à la douche et les gens commencent à ruminer les diverses possibilités pour la soirée, c'est-à-dire iront-ils voir la dernière pièce de Paulina Singerman ou de Toco Tarántola. Qu'a donc à voir tout cela avec l'heure du maté ? Je ne te parle pas du maté mal pris, superposé au café au lait, mais de celui authentique, que je voulais, à l'heure juste, au moment le plus froid. Et ces choses-là, j'ai l'impression que tu ne les comprends pas assez.

— Les couturières sont des voleuses, dit Gekrepten. Tu te fais faire tes robes par une couturière, Talita ?

— Non, dit Talita. J'ai suivi quelques cours de coupe.

— Tu fais bien, ma fille. Moi, cet après-midi, après le dentiste, je suis passée chez ma couturière parce qu'elle habite à deux pas de là, j'avais besoin d'une jupe qui devait être prête depuis huit jours. Elle me dit : « Ah, madame, avec la maladie de ma mère je n'ai pas pu ce qui s'appelle enfiler une aiguille. » Je lui réponds : « Mais, madame, j'en ai besoin, de cette jupe, moi. » Elle me dit : « Je regrette beaucoup, croyez-moi, une cliente comme vous, il faut vraiment que vous m'excusiez. » Je lui réponds : « Madame, ça n'arrange rien d'excuser, il vaudrait mieux que vous teniez vos engagements, nous y gagnerions tous. » Elle me dit : « Puisque vous le prenez ainsi, pourquoi n'allez-vous pas chez une autre couturière ? » Alors moi je lui dis : « Ce n'est pas l'envie qui m'en manque, mais puisque j'ai commencé avec vous, il vaut mieux que je prenne patience. »

— Ça t'est arrivé, tout ça ? demanda Oliveira.

— Bien sûr, dit Gekrepten. Tu n'entends pas que je le raconte à Talita ?

— Ah ! mais ça, c'est autre chose.

— Ah ! ne commence pas.

— Et voilà, dit Oliveira à Traveler qui le regardait les sourcils froncés. Et voilà ce que sont les choses. Chacun croit qu'il parle de ce qu'il partage avec les autres.

— Et il n'en est rien, dit Traveler. Tu parles d'une nouvelle.

— Que veux-tu, il est bon de la répéter.

— Tu répètes tout ce qui suppose une sanction contre autrui.

— Dieu m'a mis sur votre ville, dit Oliveira.

— Quand ce n'est pas moi que tu juges, tu t'en prends à ma femme.

— Pour vous piquer et vous tenir éveillés, dit Oliveira.

— Une espèce de manie mosaïque. Tu passes ton temps à descendre du Sinaï.

— J'aime, dit Oliveira, que les choses soient toujours le plus claires possible. Cela semble t'être égal, à toi, que Gekrepten intercale en pleine conversation une histoire absolument fantaisiste de dentiste et de je ne sais quelle jupe. Tu ne sembles pas te rendre compte que ces interruptions, excusables quand elles sont belles ou pour le moins inspirées, sont répugnantes si elles se bornent à rompre un ordre, à abîmer une structure. Dis donc, si je parle bien !

— Horacio est toujours le même. N'y faites pas attention, Traveler, dit Gekrepten.

— Nous sommes d'une veulerie insupportable, Manou. Nous acceptons à tout moment que la réalité nous coule entre les doigts comme l'eau du robinet. Nous l'avions là, presque parfaite, comme un arc-en-ciel sautant du pouce au petit doigt. Pense à tout le travail nécessaire pour l'obtenir, au temps qu'il faut, aux mérites obligatoires, là-dessus, vlan. la radio annonce que le général Pisotelli a fait plusieurs déclarations, et tout est foutu. « Enfin du sérieux », pense la fille d'en bas, ou l'autre là, ou peut-être toi. Et moi aussi d'ailleurs, ne va pas croire que je sois infaillible. Seulement, j'aimais tant cet arc-en-ciel sautant comme un petit crapaud d'un doigt à l'autre. Et cet après-midi... Ecoute. j'ai l'impression que malgré le froid, nous commencions à faire quelque chose pour de bon. Talita, par exemple, accomplissant cette prouesse extraordinaire sans tomber dans la rue, et toi là, et moi... On est sensible à certaines choses, que diable.

— Je ne sais si je te comprends, dit Traveler. Bien que le truc de l'arc-en ciel, ce ne soit pas mal. Mais pourquoi es-tu si intolérant ? Vis et laisse vivre, vieux frère.

— Maintenant que tu as assez joué, viens enlever la penderie de dessus le lit, dit Gekrepten.

— Tu te rends compte ? dit Oliveira.

— Eh oui, dit Traveler.

— Et le pire c'est qu'en réalité nous n'avions même pas commencé.

— Comment ? dit Talita en rejetant ses cheveux en arrière et en regardant si Traveler avait assez poussé le chapeau.

— Ne t'énerve pas, conseilla Traveler. Tourne-toi lentement, étire ce bras, là, comme ça. Attends, maintenant je pousse encore un peu... Là, ça y est.

Talita saisit le chapeau et se l'enfonça d'un coup sur la tête. En bas, une femme et deux enfants avaient rejoint la fille des commissions et regardaient le pont.

— Maintenant je lance le paquet à Oliveira et je rentre, dit Talita qui se sentait plus sûre d'elle avec le chapeau sur la tête. Tenez bien les planches, ce n'est pas le moment qu'elles...

— Tu vas le jeter ? demanda Oliveira. Tu vas sûrement rater le but.

— Laisse-la essayer, dit Traveler. Si le paquet tombe dans

la rue, j'espère bien que ce sera sur le citron de la Gutusso, cette vieille chouette.

— Ah, tu ne l'aimes pas toi non plus, dit Oliveira. Tu m'en vois ravi car je ne peux pas la souffrir. Et toi, Talita ?

— Moi, je préférerais lancer le paquet.

— D'accord, d'accord, mais j'ai l'impression que tu es trop pressée.

— Oliveira a raison, dit Traveler. Fais attention à ne pas tout gâcher juste au dernier moment et après tant de travail.

— Mais c'est que j'ai chaud, dit Talita. Et je veux rentrer chez nous, Manou.

— Tu n'es pas si loin, que diable, pour gémir de la sorte. Dirait-on pas que tu m'écris du Matto Grosso ?

— Il dit ça rapport au maté, lieu de grande récolte, dit obligeamment Oliveira à Gekrepten qui regardait la penderie.

— Vous allez jouer encore longtemps ? demanda Gekrepten.

— Nenni, dit Oliveira.

— Ah, dit Gekrepten, heureusement.

Talita avait sorti le paquet de sa poche et le balançait d'avant en arrière. Le pont se mit à vibrer et Traveler et Oliveira s'y agrippèrent de toutes leurs forces. Fatiguée de balancer le paquet, Talita se mit à faire des moulinets avec le bras, en se tenant de l'autre main à la planche.

— Ne fais pas d'idioties, dit Oliveira. Plus doucement, tu m'entends ? Plus doucement !

— Attention ! Ça va partir ! cria Talita.

— Plus doucement, tu vas tomber !

— Je m'en fous ! cria Talita en lâchant le paquet qui fendit l'air et alla s'écraser contre la penderie.

— Splendide, dit Traveler qui regardait Talita comme s'il eût voulu la soutenir sur le pont par la seule force de son regard. Parfait, ma chérie. Impossible d'être plus clair. Ça oui, cela s'appelle une démonstration.

Le pont s'immobilisait peu à peu. Talita s'agrippa des deux mains à la planche et baissa la tête. Oliveira ne voyait que le chapeau et les cheveux répandus sur les épaules. Il releva les yeux et regarda Traveler.

— Je trouve moi aussi que c'est on ne peut plus clair, dit-il.

« Enfin », pensa Talita en regardant la chaussée, les trottoirs. Tout plutôt que de rester là entre les deux fenêtres.

41

— Tu peux faire deux choses, dit Traveler. Soit continuer, ce qui est plus facile, et entrer par la fenêtre d'Oliveira, soit reculer, ce qui est plus difficile mais t'évitera les escaliers et la traversée de la rue.

— Qu'elle passe par ici, la pauvre, dit Gekrepten. Elle a le visage tout mouillé de sueur.

— La vérité sort de la bouche... dit Oliveira.

— Laisse-moi me reposer un moment, dit Talita. Je crois que j'ai un vertige.

Oliveira se jeta à genoux sur sa planche et lui tendit la main. Talita n'avait qu'à avancer d'un demi-mètre pour saisir cette main.

— Quel parfait gentleman, dit Traveler. On voit qu'il a lu un traité des bonnes manières. Ce qui s'appelle un grand seigneur. Talita, il ne faut pas que tu perdes ça.

— C'est l'engourdissement, dit Oliveira. Repose-toi un peu, Talita, et puis viens par ici. Ne fais pas attention à ce qu'il dit, on sait bien que la neige fait délirer avant le sommeil irrémédiable.

Mais Talita s'était lentement redressée et, prenant appui sur ses deux mains, elle avait transporté ses fesses vingt centimètres en arrière. Une autre traction et un autre recul. Oliveira, avec sa main toujours tendue, ressemblait au passager d'un bateau qui s'éloigne lentement du quai.

Traveler tendit les bras et glissa ses mains sous les aisselles de Talita. Elle s'immobilisa puis soudain renversa la tête en arrière d'un mouvement si brusque que le chapeau alla tomber en vol plané sur le trottoir.

— Comme dans les corridas, dit Oliveira. La Gutusso va le faucher illico.

Talita avait fermé les yeux et elle se laissait porter, tirer hors de la planche, hisser tant bien que mal sur la fenêtre. Elle sentit la bouche de Traveler collée sur sa nuque, sa respiration chaude et rapide.

— Tu es revenue, murmura Traveler. Tu es revenue, tu es revenue.

— Bien sûr, dit Talita en s'approchant du lit. Comment aurais-je pu ne pas revenir ? Je lui ai lancé ce fichu paquet et je suis revenue, je lui ai lancé le paquet et je suis...

Traveler s'assit sur le bord du lit. Il pensait à l'arc-en-ciel entre les doigts, à ces idées qu'avait Oliveira. Talita se laissa tomber à côté de lui et se mit à pleurer en silence. « C'est nerveux, pensa Traveler, elle a passé un sale moment. » Il irait lui chercher un grand verre d'eau citronnée, il lui donnerait une aspirine, il lui éventerait le visage avec une revue, il l'obligerait à dormir un peu. Mais, auparavant, il fallait ranger l'encyclopédie, remettre la commode à sa place et rentrer la planche. « Cette chambre est dans un désordre... », pensa-t-il en embrassant Talita. Dès qu'elle aurait fini de pleurer, il lui demanderait de l'aider à ranger la chambre. Il se mit à la caresser, à lui chuchoter des choses.

— Enfin, enfin... dit Oliveira.

Il s'écarta de la fenêtre et s'assit au bord du lit, profitant d'un petit coin que n'occupait pas la penderie. Gekrepten finissait de ramasser le maté avec une petite cuillère.

— Il est plein de clous, dit-elle. Quelle chose étrange !

— Très étrange, en effet, dit Oliveira.

— Je crois que je vais chercher le chapeau de Talita, dit Gekrepten. Avec les enfants, on ne sait jamais.

— Excellente idée, dit Oliveira en ramassant un clou et en le faisant tourner entre ses doigts.

Gekrepten descendit dans la rue. Les enfants avaient ramassé le chapeau et discutaient avec la fille des commissions et la mère Gutusso.

— Donnez-le-moi à moi, dit Gekrepten avec un large sourire. Il est à la dame d'en face que je connais bien.

— Tout le monde la connaît, ma petite, dit Mme Gutusso. En voilà un spectacle à une heure pareille et avec tous les enfants qui regardaient.

— Elle ne faisait rien de mal, dit Gekrepten sans grande conviction.

— A cheval, les jambes nues, sur cette planche, en voilà un spectacle pour ces petits. Vous n'y avez peut-être pas pensé mais d'ici on voyait tout, absolument tout.

— Elle avait beaucoup de poils, dit le plus jeune.

— Tenez ! dit Mme Gutusso. Les enfants disent ce qu'ils voient, les pauvres innocents. Et que faisait-elle à cheval sur une planche, s'il vous plaît ? A l'heure où les gens qui se respectent font la sieste ou sont à leur travail. Vous seriez montée, vous, sur une planche, si je peux me permettre cette question ?

— Moi, non, dit Gekrepten. Mais elle ce n'est pas pareil, elle travaille dans un cirque, ce sont tous des artistes.

— Ils font des numéros ? demanda l'un des gosses. Dans quel cirque elle travaille l'autre, là ?

— Ce n'était pas un numéro, dit Gekrepten. Ils ont voulu donner un peu de maté à mon mari et alors...

Mme Gutusso regarda la fille des commissions qui mit un doigt sur sa tempe et le fit tourner. Gekrepten ramassa le chapeau et regagna vite le couloir de l'hôtel tandis que les enfants se mettaient à tourner en rond en chantant sur l'air bien connu du tango :

*Je ne suis pas curieux*
*Mais je voudrais savoir*
*Pourquoi les femmes blondes...*
Etc.

(-148)

# 42

*Il mio supplizio*
*è quando*
*non mi credo*
*in armonia.*

Ungaretti, « I Fiumi ».

Son travail consistait à empêcher les enfants de se glisser sous la tente, à donner un coup de main pour les animaux s'il le fallait, à aider le machiniste, à composer des affiches et des prospectus alléchants, à s'occuper de leur impression, à se mettre en règle avec la police, à signaler au directeur toute anomalie digne d'attention, à aider M. Manuel Traveler dans la partie administrative et Mme Atalia Traveler, née Donosi, au guichet si besoin était... etc.

*Oh ! mon cœur, ne te lève pas pour témoigner contre moi !* (Livre des Morts ou inscriptions sur un scarabée.)

Pendant ce temps, en Europe, Dinu Lipatti mourait à l'âge de trente-trois ans. Ils parlèrent de leur travail et de Dinu Lipatti jusqu'au coin de la rue car Talita, née Donosi, pensait elle aussi qu'il était bon d'accumuler des preuves de l'inexistence de Dieu ou du moins de son incurable frivolité. Elle leur avait proposé d'acheter immédiatement un disque de Lipatti et d'aller l'écouter chez don Crespo mais Traveler et Oliveira voulaient prendre une bière au café du coin et parler du cirque maintenant qu'ils étaient collègues et qu'ils en étaient fort satisfaits. Il-avait-bien-vu, Oliveira, que Traveler avait fait des-efforts-héroïques pour convaincre le patron et qu'il l'avait convaincu plus par hasard que par autre chose. Ils décidèrent qu'Oliveira ferait cadeau à Gekrepten de deux coupons de drap sur les trois qui lui restaient et que Talita se ferait un tailleur avec le troisième. Histoire de fêter sa nomination. Traveler demanda des bières en conséquence pendant que Talita allait préparer le déjeuner. C'était lundi, jour de relâche. Le mardi, il y aurait deux représentations, une à sept heures et une à neuf heures, avec un premier numéro de quatre ours, quatre, un autre avec le jongleur arrivé de Colombo et un troisième avec le chat savant. Au début, le travail d'Oliveira allait consister à se mettre au courant jusqu'à ce qu'il se soit fait la main. Et, en passant, il verrait la représentation qui n'était pas plus mauvaise qu'une autre. Tout allait donc très bien.

Tout allait si bien que Traveler baissa les yeux et se mit à tambouriner sur la table. Le garçon qui les connaissait bien s'approcha pour discuter des chances de l'équipe de Ferrocaril Oeste et Oliveira paria dix pesos pour celle de Chacarita Juniors. Tout en tambourinant sur un rythme de baguala, Traveler se disait que décidément tout était bien ainsi et qu'il n'y avait pas d'autre issue tandis qu'Oliveira en finissait avec les considérations subséquentes au pari et buvait sa bière. Ça l'avait pris ce matin de penser à des phrases égyptiennes, à Toth, dieu de la magie et aussi inventeur du langage. Ils discutèrent un moment à fin de savoir si ce n'était pas un leurre de discuter ainsi un moment, vu que le langage, pour aussi argotique qu'ils le parlassent, participait peut-être d'une structure magique fort peu rassurante. Ils conclurent que le double ministère de Toth était en fin de compte une garantie manifeste de cohérence dans la réalité et l'irréalité; cela les réjouit d'avoir ainsi à peu près résolu le toujours désagréable problème du corrélatif-objectif... Magie ou monde tangible, il y avait un dieu égyptien qui harmonisait verbalement sujets et objets. Tout allait décidément très bien.

(-75)

# 43

On était parfaitement bien au cirque, tape-à-l'œil de paillettes et de musique rageuse, chat savant qui réagissait à des pulvérisations de valériane sur certains numéros de carton, tandis que des dames émues montraient à leur progéniture cet exemple si éloquent de l'évolution darwinienne. Lorsque Oliveira, le premier soir, s'avança sur la piste encore vide et qu'il leva les yeux vers cet orifice au plus haut de la tente, cette échappée vers peut-être un contact, ce centre, cet œil, comme un pont du sol à l'espace libéré, il cessa de rire et pensa qu'un autre eût peut-être déjà escaladé le mât pour atteindre cet œil, mais que cet autre n'était pas lui qui fumait en regardant ce trou là-haut, cet autre n'était pas lui qui restait en bas, fumant parmi les clameurs du cirque.

Ce fut un de ces premiers soirs qu'il comprit pourquoi Traveler lui avait obtenu cet emploi. Talita le lui dit sans détours dans la pièce qui, au cirque, servait de bureau et de caisse. Oliveira le savait déjà mais d'une autre manière et il fut nécessaire que Talita le lui apprît de son point de vue à elle pour qu'il pût naître de ces deux perspectives comme un temps nouveau, un présent dans lequel il se sentit soudain plongé et maintenu. Il voulut protester, dire que c'étaient des inventions de Traveler, il voulut se sentir une fois de plus hors du temps des autres (lui, qui se mourait pour accéder, pour s'incorporer, pour être), mais il comprit au même instant que c'était vrai, que d'une manière ou d'une autre, il avait transgressé le monde de Traveler et de Talita, pas par des actes, ni même des intentions, simplement en cédant à un caprice nostalgique. A travers les paroles de Talita il vit se dessiner la ligne mal rabotée de la colline de Montevideo et il éclata de rire au nez de Talita comme ce matin même au miroir pendant qu'il se lavait les dents.

Talita attacha avec un fil à coudre une liasse de billets de dix pesos et se mit mécaniquement à compter le reste.

— Que veux-tu, dit Talita, je crois que Manou a raison.

— Bien sûr, il a raison, mais il est quand même idiot et tu le sais parfaitement.

— Parfaitement, non. Je le sais, ou plutôt je l'ai su quand j'étais à cheval sur la planche. Vous deux, oui, vous le savez parfaitement, moi, je suis au milieu comme cette partie de la balance dont je ne saurai jamais le nom.

— Tu es notre nymphe Egérie, notre pont médiumnique. Maintenant que j'y pense, quand tu es là, Manou et moi entrons en une espèce de transe. Même Gekrepten s'en est aperçue et elle me l'a dit en employant précisément ce mot superbe.

— Peut-être, dit Talita en notant les entrées. Si tu veux que je te dise ma pensée, Manou ne sait que faire de toi. Il t'aime comme un frère, et en même temps il regrette que tu sois revenu.

— Rien ne l'obligeait à venir m'attendre au port. Je ne lui ai pas envoyé de carte postale.

— Il l'a su par Gekrepten qui avait rempli son balcon de géraniums. Et Gekrepten l'avait su par le ministère.

— Un processus diabolique, dit Oliveira. Quand Gekrepten m'a dit qu'elle l'avait appris par voie diplomatique, j'ai compris que je n'avais plus qu'une chose à faire, lui permettre de se jeter dans mes bras comme une génisse folle. Quelle abnégation, quel pénélopisme exacerbé !

— Si cela te déplaît d'en parler, nous pouvons fermer la caisse et aller chercher Manou, dit Talita en regardant par terre.

— Cela me plaît infiniment mais ces complications créées par ton mari me posent des cas de conscience gênants. Et ça c'est une chose qui, pour moi... En un mot, pourquoi ne résous-tu pas le problème toi-même ?

— Bon, dit Talita en le regardant calmement, il me semble que l'autre après-midi il fallait être idiot pour ne pas comprendre.

— En effet, mais alors pourquoi Manou, le jour suivant. va-t-il voir le directeur et m'obtient-il ce travail ? Juste quand j'étais en train de sécher mes larmes sur un coupon de tissu avant d'aller le vendre.

— Manou est bon, dit Talita, tu ne sauras jamais à quel point il est bon.

— Etrange bonté, dit Oliveira. Laissons de côté le fait que je ne pourrai jamais le vérifier et que c'est sans doute vrai, permets-moi plutôt d'insinuer que Manou a peut-être envie de jouer avec le feu. C'est un jeu de cirque, tout bien considéré. Et toi, dit Oliveira, en pointant un doigt vers Talita, tu as des complices.

— Des complices ?

— Oui, des complices. Moi d'abord et puis quelqu'un qui n'est pas ici. Tu te crois le fléau de la balance, pour employer ta jolie expression, mais tu ne sais pas que tu penches d'un côté. Il convient de te l'apprendre.

— Pourquoi ne t'en vas-tu pas, Horacio ? dit Talita. Pourquoi ne laisses-tu pas Manou tranquille ?

— Je t'ai déjà expliqué, je m'apprêtais à partir sagement vendre mes coupons quand cette brute m'a obtenu ce travail. Comprends que je ne peux pas lui faire un affront, ce serait bien pire. Il imaginerait je ne sais quelle idiotie.

— Ce pourquoi tu restes et ce pourquoi Manou dort mal.

— Donne-lui de l'équanil, ma vieille.

Talita attacha les billets de cinq pesos. Quand venait le tour du chat calculateur, ils allaient toujours le voir opérer, car cet animal était absolument inexplicable, deux fois déjà il avait fait une multiplication avant qu'ait fonctionné le truc de la valériane. Traveler était stupéfait et demandait aux intimes de le surveiller. Mais ce soir le chat était complètement stupide, il pouvait tout juste additionner jusqu'à vingt-cinq, c'était tragique. Traveler et Oliveira, qui étaient en train de fumer dans un des couloirs d'accès à la piste, décidèrent que le chat avait besoin d'aliments phosphatés, qu'il faudrait le dire au patron. Les deux clowns, qui détestaient le chat sans qu'on sût bien pourquoi, dansaient autour de l'estrade où l'aimable félin se lissait les moustaches dans la lumière des arcs. Quand ils repassèrent pour la troisième fois sous son nez en entonnant une chanson russe, le chat se jeta au visage du plus vieux. Le public, comme d'habitude, applaudissait follement le numéro. C'était un soir étrange. Oliveira. regardant le faîte de la tente comme il le faisait toujours à cette heure-là, voyait Sirius au milieu du trou noir et il pensait aux trois jours où le monde est ouvert, les trois jours où les mânes montent au ciel et où il y a un pont jeté entre l'homme et ce trou dans le haut, un pont entre l'homme et l'homme (qui, en effet, monterait jusqu'au trou s'il ne devait en redescendre changé, s'il ne devait retrouver, mais d'une autre façon, ceux de sa race ?). Le vingt-quatre août était un de ces trois jours où le monde s'ouvre. Evidemment, ça ne valait pas la peine de se casser la tête là-dessus puisqu'on était à peine en février. Oliveira ne se rappelait pas les deux autres jours, c'était étrange de ne se rappeler qu'une date sur trois. Pourquoi précisément celle-là? Peut-être parce que « le vingt-quatre du mois d'août », c'était un octosyllabe. La mémoire a de ces jeux. Mais alors la Vérité était peut-être un alexandrin ou un hendécasyllabe, et peut-être les rythmes, une fois de plus, marquaient-ils l'accès et scandaient-ils les étapes du chemin. Autant de développements possibles pour les forts en thème. C'était un plaisir de regarder le jongleur, son incroyable agilité, la piste lactée où la fumée de tabac se posait sur les centaines de têtes d'enfants de Villa del Parque, quartier où il reste heureusement beaucoup d'eucalyptus, ce qui équilibre la balance, pour citer une autre fois cet instrument de justice, ce signe zodiacal.

(-125)

# 44

C'était vrai que Traveler dormait peu, il soupirait au milieu de la nuit comme s'il avait un poids sur la poitrine et il prenait Talita dans ses bras. Elle le recevait sans parler et se serrait contre lui pour qu'il la sentît profondément proche. Dans l'obscurité ils s'embrassaient sur le nez, sur la bouche, sur les yeux, et Traveler caressait la joue de Talita avec une main qu'il sortait de dessous les draps et qu'il rentrait bien vite comme s'il faisait très froid; après quoi, Traveler murmurait quatre ou cinq chiffres, vieille habitude pour se rendormir, et Talita sentait ses bras se détendre, sa respiration devenir profonde et paisible. De jour, il était tout content et il sifflait des tangos en lisant ou en préparant le maté, mais il allait voir quatre ou cinq fois Talita pendant qu'elle faisait la cuisine sous un prétexte ou un autre, pour parler de tout et de rien, mais en particulier de l'asile d'aliénés à présent que les tractations semblaient en bonne voie et que le directeur était de plus en plus emballé à l'idée d'acheter la boîte. L'idée de l'asile souriait peu à Talita et Traveler le savait. Ils essayaient tous les deux d'en voir le côté humoristique et se promettaient des spectacles dignes de Samuel Beckett. Parfois Oliveira surgissait pour prendre un maté avec eux, bien qu'il restât généralement dans sa chambre, profitant de ce que Gekrepten devait aller travailler pour lire et fumer à son aise. Lorsque Traveler regardait les yeux un peu mauves de Talita tout en l'aidant à plumer un canard, luxe bimensuel qui enthousiasmait Talita grand amateur de canard sous toutes ses formes, il se disait qu'en fin de compte les choses n'allaient pas si mal ainsi et il n'était pas fâché, même, qu'Horacio vînt prendre parfois un maté avec eux, car alors ils se mettaient à jouer à un jeu chiffré qu'ils comprenaient à peine mais auquel il leur fallait jouer pour faire passer le temps et se sentir dignes les uns des autres. Ils lisaient aussi car, d'une jeunesse également socialiste — et un peu théosophe du côté de Traveler —, ils avaient gardé le goût de la lecture commentée, des polémiques pour le plaisir hispano-argentin de convaincre sans jamais accepter l'opinion contraire et des possibilités de rire comme des fous et de se sentir supérieurs à l'humanité souffrante sous le prétexte de l'aider à sortir de sa merdeuse condition.

Mais il n'en était pas moins vrai que Traveler dormait mal, et Talita se le répétait en le regardant se raser dans le soleil du matin. Le rasoir, celui de son grand-père, montait et descendait, tandis que Traveler, en chemisette et pantalon de pyjama, sifflait longuement *La Gayola*. Après moi il chanta à tue-tête : *Musique, pain mélancolique de ceux qui vivent d'amour*; et se retourna d'un air agressif vers Talita qui, ce jour-là, plumait le canard et était heureuse parce que les plumes venaient bien et que le canard avait un air bienveillant, chose très rare chez ces cadavres rancuniers aux yeux mi-clos où passe comme un rai imperceptible de lumière.

— Pourquoi dors-tu si mal, Manou ?

— *Musique, mélanco...* ! Mal, moi ? En fait, je ne dors pas, mon amour, je passe mes nuits à méditer sur le *Liber penitentialis* dans l'édition de Macrovius Basca que j'ai subtilisé l'autre jour au docteur Feta en profitant d'une distraction de sa sœur. Je le lui rendrai certainement, car il doit coûter chaud. Un *Liber penitentialis*, imagine !

— Et qu'est-ce que c'est que ça ? demanda Talita qui comprenait certains escamotages et tiroirs à double fond. Tu me caches tes lectures, c'est la première fois que cela t'arrive depuis notre mariage.

— Tiens, il est là, tu peux le regarder autant que tu veux, à condition que tu te laves d'abord les mains. Je le cache parce qu'il a une grande valeur et que toi, tu as toujours les doigts pleins d'épluchures de carotte ou de trucs comme ça; tu es si ménagère que tu serais capable d'abîmer un incunable.

— Tu peux le garder, ton livre, dit Talita, offensée. Viens lui couper la tête, je n'aime pas ça, même quand il est mort.

— Avec le rasoir, proposa Traveler. Ça donnera un côté

grand-guignol à la chose et, par ailleurs, il est toujours bon de s'exercer, on ne sait jamais.

— Non, avec ce couteau qui est bien aiguisé.

— Avec le rasoir.

— Non, avec le couteau.

Traveler s'approcha avec son rasoir et fit voler la tête du canard.

— Prends-en de la graine, dit-il. Si nous avons à nous occuper de l'asile de fous, il est bon d'accumuler des expériences style le double assassinat de la rue de la Morgue.

— Les fous se tuent comme ça entre eux ?

— Non, ma vieille, mais de temps en temps ils font un petit essai, tout comme les gens sensés, si tu me permets la comparaison.

— Rien de plus courant, en effet, reconnut Talita qui transformait le canard en une espèce de parallélépipède maintenu par une ficelle blanche.

— Quant au fait que je ne dorme pas bien, dit Traveler en essuyant la lame du rasoir avec un papier de toilette, tu sais parfaitement de quoi il s'agit.

— Admettons que oui. Mais tu sais aussi qu'il n'y a aucun problème.

— Les problèmes, dit Traveler, sont comme les réchauds Primus, parfaits jusqu'à ce qu'ils éclatent. Je te dirai qu'en ce monde il y a des problèmes téléologiques. Ils semblent ne pas exister, comme en ce moment, et pourtant la minuterie de la bombe doit la déclencher demain à midi. Tic-tac, tic-tac, tout va pour le mieux. Tic-tac.

— L'ennui, dit Talita, c'est que celui qui règle la minuterie, c'est toi.

— Ma main, ma petite rate, est, elle aussi, enclenchée pour demain midi. En attendant, vivons et laissons vivre.

Talita enduisit le canard de beurre, spectacle dénigrant.

— Tu as quelque chose à me reprocher, dit-elle, comme si elle parlait au canard.

— Absolument rien en ce moment, dit Traveler. Demain à midi, nous verrons, ceci dit pour prolonger l'image jusqu'à son dénouement zénithal.

— Comme tu ressembles à Horacio, dit Talita. C'est incroyable ce que tu lui ressembles.

— Tic-tac, dit Traveler en cherchant ses cigarettes, tic-tac, tic-tac.

— Oui, tu lui ressembles ! cria Talita en jetant le canard, qui s'écrasa par terre avec un bruit mou et écœurant. Lui aussi, il aurait dit tic-tac, lui aussi aurait parlé tout le temps avec des symboles. Allez-vous me laisser tranquille à la fin ? C'est exprès que je te dis que tu lui ressembles pour que nous en finissions avec toutes ces idioties. Ce n'est pas possible que tout change ainsi à cause du retour d'Horacio. Je le lui ai dit, hier soir, je n'en peux plus, vous êtes en train de jouer avec moi comme avec une balle de tennis, vous me frappez des deux côtés à la fois, ce n'est pas de jeu.

Traveler la prit dans ses bras malgré sa résistance et, après avoir mis le pied sur le canard et manqué s'envoyer en l'air, il parvint à la vaincre et à l'embrasser sur le bout du nez.

— Peut-être n'y a-t-il pas de bombe pour toi, ma petite rate, dit-il en lui souriant d'un air qui attendrit Talita et lui fit chercher une position plus confortable dans ses bras. Ecoute, ce n'est pas que je cherche à recevoir la foudre sur la tête, mais je sens que je ne dois pas m'abriter derrière un paratonnerre, il faut que je sorte tête nue jusqu'à ce qu'il soit midi un jour. Ce n'est qu'après ce jour, après cette heure que je me sentirai à nouveau le même. Ce n'est pas à cause d'Horacio, mon amour, ce n'est pas seulement à cause d'Horacio bien qu'il soit venu comme une sorte de messager. Peut-être s'il n'était pas revenu, me serait-il arrivé autre chose : j'aurais lu un livre libérateur ou je serais tombé amoureux d'une autre femme... Ces plis de la vie, tu comprends, ces manifestations inattendues d'une chose qu'on ne soupçonnait même pas et qui soudain mettent tout en question. Tu devrais comprendre.

— Mais crois-tu réellement qu'il me cherche et que je... ?

— Il ne te cherche absolument pas, dit Traveler en la lâchant. Il se fiche pas mal de toi, Horacio. Ne te vexe pas, je sais très bien ce que tu vaux et je serai toujours jaloux de tout le monde quand on te regarde ou quand on te parle. Mais même si Horacio se payait du bon temps avec toi, même dans ce cas-là et même si tu me crois fou, je te répéterais que tu lui importes peu et que par conséquent je n'ai pas à m'en faire. C'est autre chose, dit Traveler en élevant la voix. C'est malheureusement autre chose, putain de putain !

— Ah bon, dit Talita en ramassant le canard et en le nettoyant avec un torchon. Tu lui as enfoncé les côtes. Ainsi, c'est autre chose. Je n'y comprends rien, mais tu as sans doute raison.

— Et s'il était là, dit Traveler à voix basse en regardant sa cigarette, il n'y comprendrait rien, lui non plus. Mais il saurait très bien que c'est autre chose. Effarant, on dirait, lorsqu'il se joint à nous, que des murs s'effondrent, que des tas de choses s'en vont au diable et soudain le ciel devient fabuleusement beau, les étoiles descendent dans cette corbeille à pain, on pourrait les peler et les manger, ce canard devient véritablement le cygne de Lohengrin, et par-derrière, par-derrière...

— Je ne vous dérange pas ? appela Mme Gutusso du bout du couloir. Vous étiez peut-être en train de parler de choses personnelles et je n'aime pas me mêler de ce qui ne me regarde pas.

— Mais pas du tout, dit Talita. Entrez, je vous en prie, madame, venez voir cette belle bête.

— Une splendeur, dit Mme Gutusso. Je dis toujours que le canard est peut-être dur mais qu'il a du goût.

— Manou lui est monté dessus, dit Talita, il sera tendre comme du beurre.

— Tu parles, dit Traveler.

(-102)

# 45

Il était normal, après tout, de penser qu'il pût attendre qu'elle apparût à la fenêtre. Il suffisait de se réveiller à deux heures du matin par une chaleur poisseuse avec la fumée âcre du papier antimoustiques, deux énormes étoiles piquées au fond de la fenêtre et l'autre fenêtre en face qui devait aussi être ouverte.

C'était assez normal parce qu'au fond la planche était toujours là et le refus en plein soleil pouvait devenir autre chose en pleine nuit, virer à un acquiescement subit, et il était peut-être là, lui, à sa fenêtre, fumant pour éloigner les moustiques et attendant que Talita, somnambule, se détachât doucement du corps de Traveler et allât se pencher à la fenêtre pour le regarder, d'obscurité à obscurité. Alors, avec de lents mouvements de la main, il tracerait des signes avec la braise de sa cigarette. Triangles, circonférences, blasons instantanés, symboles du philtre fatal ou de la diphénilpropilamine, abréviations pharmaceutiques qu'elle saurait interpréter, ou, simplement, un va-et-vient lumineux du bras du fauteuil à la bouche, de la bouche au bras du fauteuil, toute la nuit.

Il n'y avait personne à la fenêtre, Traveler se pencha au-dessus du puits chaud, regarda la rue où un journal ouvert se laissait lire sans défense par un ciel étoilé et comme palpable. La fenêtre de l'hôtel d'en face paraissait encore plus proche de nuit, un athlète aurait fort bien pu l'atteindre d'un saut. Non, il n'aurait pas pu. Avec la mort sur les talons, peut-être, et encore... Il ne restait plus trace de la planche, il n'y avait pas de passage.

Traveler, en soupirant, s'en retourna au lit. A une question endormie de Talita, il répondit en lui caressant les cheveux et en murmurant vaguement quelque chose. Talita embrassa le vide, agita un peu la main, se rendormit.

Et s'il s'était trouvé quelque part dans ce puits noir, en train de regarder la fenêtre, il avait forcément vu Traveler, sa chemisette blanche comme un ectoplasme. S'il s'était trouvé quelque part dans ce puits noir, attendant de voir Talita se pencher à la fenêtre, l'apparition indifférente d'une chemisette blanche devait l'avoir minutieusement mortifié. Il devait à présent se gratter lentement l'avant-bras, signe chez lui d'inconfort et de ressentiment, il écrasait sans doute sa cigarette entre ses lèvres, murmurait quelque obscénité appropriée et se jetait sur le lit sans aucun égard pour Gekrepten, profondément endormie.

Mais s'il n'avait pas été quelque part dans ce puits noir, le fait de s'être levé et de s'être approché de la fenêtre à cette heure de la nuit était un aveu de peur, presque un assentiment. Cela revenait pratiquement à reconnaître que ni Horacio ni lui n'avaient retiré les planches. D'une façon ou d'une autre, il y avait un passage, on pouvait aller ou venir. L'un d'eux, somnambule, pouvait passer de fenêtre à fenêtre, marchant sur l'air épais sans crainte de tomber dans la rue. Le pont ne disparaîtrait qu'avec la lumière du matin, qu'avec l'apparition du café au lait qui vous rend aux constructions solides et déchire, à coups de bulletin d'information et de douche froide, la toile d'araignée des hautes heures de la nuit.

Rêve de Talita : on l'emmenait à une exposition de peinture dans un immense palais en ruine et les tableaux étaient suspendus à des hauteurs vertigineuses, comme si quelqu'un avait converti en musée les prisons de Piranesi. Et pour atteindre les tableaux il fallait grimper sur des escaliers suspendus dans le vide dont les marches étaient si peu larges qu'on pouvait à peine y poser le bout du pied, puis avancer le long de galeries qui s'interrompaient au bord d'une mer en furie, aux vagues de plomb, monter des escaliers à vis pour finalement voir, toujours mal, toujours d'en dessous ou de côté, les tableaux où la même tache blanchâtre, la même coagulation de gélatine ou de lait, se répétait à l'infini.

Réveil de Talita : s'asseyant brusquement sur le lit à neuf heures du matin, secouant Traveler qui dort à plat ventre, lui donnant des tapes sur le derrière pour le réveiller. Traveler allongeant une main pour lui pincer la jambe. Talita se jetant sur lui et lui tirant les cheveux. Traveler abusant de sa force et lui tordant une main jusqu'à ce que Talita demande pardon. Baisers, une chaleur terrible.

— J'ai rêvé d'un musée effroyable. C'est toi qui m'y emmenais.

— Je déteste l'oniromancie. Prépare le maté, bestiole.

— Pourquoi t'es-tu levé cette nuit ? Ce n'était pas pour faire pipi, quand tu te lèves pour faire pipi, tu te crois obligé de me l'expliquer, comme si j'étais idiote; tu me dis : « Je me lève parce que je ne peux plus tenir », et je te plains parce que moi je tiens très bien toute la nuit, je n'ai même pas besoin de tenir, c'est un métabolisme différent.

— Un quoi ?

— Dis-moi pourquoi tu t'es levé. Tu es allé jusqu'à la fenêtre et tu as soupiré.

— Je ne me suis pas jeté en bas.

— Idiot.

— Il faisait chaud.

— Dis-moi pourquoi tu t'es levé.

— Pour rien, pour voir si Horacio n'avait pas une insomnie lui aussi, nous aurions bavardé un moment.

— A cette heure-là ? Mais vous vous parlez à peine dans la journée, vous deux.

— Cela aurait peut-être été différent. On ne sait jamais.

— J'ai rêvé d'un musée horrible, dit Talita en enfilant son slip.

— Tu me l'as déjà dit, dit Traveler en regardant le plafond.

— Nous non plus, nous ne parlons pas beaucoup à présent, dit Talita.

— C'est vrai, c'est l'humidité.

— Mais on dirait que quelque chose parle, que quelque chose nous utilise pour parler. Tu n'as pas cette sensation ? Tu n'as pas l'impression que nous sommes comme habités ? Je veux dire... C'est difficile, vraiment.

— Transhabités, plutôt. Ecoute, ça ne va pas durer toujours. *T'en fais pas, Catherine,* chantonna Traveler, *la chance tournera / et t'auras ton armoire à glace.*

— Idiot, dit Talita en l'embrassant sur l'oreille. Ça ne va

pas durer toujours, ça ne va pas durer toujours... Ça ne devrait pas durer une minute de plus.

— Les amputations brutales sont mauvaises, le moignon fait mal après, pendant toute la vie.

— Si tu veux que je te dise la vérité, dit Talita, j'ai l'impression que nous sommes en train d'élever des araignées et des mille-pattes. Nous les soignons, nous les nourrissons, au début c'étaient des petites bêtes de rien du tout, presque jolies, avec toutes ces pattes, et soudain elles ont grandi, elles te sautent au visage. Je crois que j'ai aussi rêvé d'araignées, je me rappelle vaguement.

— Entends Horacio, dit Traveler en enfilant son pantalon. Il siffle comme un fou pour célébrer le départ de Gekrepten. Quel type !

(-80)

# 46

— *Musique, pain mélancolique de ceux qui vivent d'amour,* répétait pour la cinquième fois Traveler en accordant sa guitare avant d'attaquer le tango *Oiseau de la Chance.*

Don Crespo s'intéressa à la citation et Talita monta lui chercher la tragédie en cinq actes traduite de l'anglais par Astrana Marin. La rue Cachimayo était bruyante à la tombée du jour mais, dans le patio de don Crespo, on n'entendait que le canari Cien Pesos et la voix de Traveler qui en arrivait à *la petite ouvrière vive et gaie comme un pinson qui sait mettre la joie dans toute la maison.* Pour jouer au quatre vingt et un, on n'a pas besoin de parler et Gekrepten battait à plate couture Oliveira qui relayait Mme Gutusso dans la tâche d'allonger les pièces de vingt... Entre-temps, l'oiseau de la chance (*qui prédit le bonheur ou bien la déchéance*) avait tiré un petit papier rose : un fiancé et une longue vie. Ce qui n'empêcha pas Traveler de s'assombrir pour nous décrire la foudroyante maladie de l'héroïne *Et le soir où elle mourut tristement / En demandant à sa maman : « N'est-il pas encore arrivé ? » Sol. Do.*

— Ça, c'est du sentiment, dit Mme Gutusso. On dit du mal du tango, mais c'est quand même autre chose que ces calypsos et autres saletés qu'on nous sert à la radio. Passez-moi les haricots, don Horacio.

Traveler posa sa guitare contre un pot de fleurs, tira à fond sur sa pipette à maté et sentit que la nuit allait être pesante. Il aurait presque préféré avoir à travailler ou se sentir malade, en un mot être distrait. Il se versa un verre d'eau-de-vie et l'avala d'un trait en regardant don Crespo qui, les lorgnons au bout du nez, avançait avec méfiance à travers le prologue de la tragédie. Vaincu, délesté de quatre-vingts centavos, Oliveira alla s'asseoir près de Traveler et se versa une rasade, lui aussi.

— Le monde est fabuleux, dit Traveler à voix basse. Dans un moment, ici, ce sera la bataille d'Actium, si le vieux tient le coup jusque-là. Et à côté, ces deux folles bataillant pour des haricots à coups de dames et de valets.

— Une occupation qui en vaut une autre, dit Oliveira. Tu as remarqué ce mot ? Etre occupé, avoir une occupation. Ça me fait froid dans le dos, pas toi ? Mais pour ne pas verser dans la métaphysique, je te dirai plutôt que mes occupations au cirque c'est vraiment du bidon. Je gagne ces pesos sans rien faire du tout.

— Attends un peu qu'on débute à San Isidro, ça va être plus dur. A Villa del Parque on avait résolu tous les problèmes, en particulier celui des pots-de-vin à la Préfecture qui embêtait le patron. Bientôt, on va commencer avec un public nouveau et tu vas être assez occupé, puisque le terme te plaît.

— Pas possible. Quelle barbe, parce que en réalité, je n'avais pas le moindre remords. Alors comme ça il va y avoir du travail ?

— Les premiers jours, après, tout rentrera dans l'ordre. Dis-moi, tu n'as jamais travaillé quand tu étais en Europe ?

— Le moins possible, dit Oliveira. Je faisais un peu de comptabilité, clandestinement. Le vieux Trouille, quel personnage pour Céline. Je te raconterai un jour si tant est que ça vaille la peine et ça ne la vaut pas.

— J'aimerais pourtant, dit Traveler.

— Tu sais, tout est tellement isolé. Chaque chose que je pourrais te dire ne serait qu'un petit morceau du dessin de la tapisserie. Il manque le coagulant, pour lui donner un nom, on en verse une goutte et crac ! tout s'ordonne à sa juste place et il se forme un beau cristal avec toutes ses facettes. L'ennui c'est que ça s'est peut-être déjà coagulé et je ne m'en suis pas rendu compte, je suis resté à la traîne comme ces vieillards qui entendent parler de cybernétique et secouent lentement la tête en pensant que ce sera bientôt l'heure du potage au vermicelle.

Le canari Cien Pesos émit un trille discordant.

— Enfin, dit Traveler. Je pense parfois que tu n'aurais pas dû revenir.

— Toi, tu le penses, dit Oliveira, moi je le vis. C'est peut-être la même chose, au fond, mais gardons-nous de ces faciles défaillances. Ce qui nous tue toi et moi, c'est la pudeur. Nous nous promenons tout nus à travers l'appartement, au grand scandale de certaines dames, mais quand il s'agit de parler... Comprends-moi, j'ai l'impression parfois que je pourrais te dire... Je ne sais pas, peut-être qu'à ce moment-là les paroles serviraient à quelque chose, nous serviraient. Mais comme ce ne sont pas les mots de la vie quotidienne, du bavardage bien rodé, bien huilé, on recule, c'est précisément au meilleur ami que l'on peut le moins dire ces choses. Cela ne t'arrive pas parfois de te confier davantage au premier venu ?

— Peut-être, dit Traveler en accordant sa guitare. L'ennui, avec ces beaux principes, c'est qu'on ne voit plus à quoi servent les amis.

— Ils servent à être là et peut-être, un beau matin, qui sait ?

— Comme tu voudras. En ce cas, il va nous être difficile de nous entendre comme autrefois.

— C'est au nom de ces autrefois qu'on fait les grandes blagues d'aujourd'hui, dit Oliveira. Tu parles, Manolo, de nous comprendre, mais tu sais bien, au fond, que moi aussi je voudrais m'entendre avec toi, et toi veut dire beaucoup plus que toi-même. L'ennui c'est que la véritable compréhension, c'est autre chose. Nous nous contentons de trop peu. Quand les amis s'entendent bien entre eux, quand les amants s'entendent bien entre eux, quand les familles s'entendent bien entre elles, alors nous nous croyons en harmonie. Pur mensonge, miroir aux alouettes. Je sens parfois qu'il y a une plus grande entente entre deux êtres qui se tapent dessus qu'entre les autres qui regardent la chose du dehors. C'est pour cela que... Dis-donc, je pourrais collaborer à la *Nation Littéraire*, tu ne trouves pas ?

— Tu commençais bien, dit Traveler, c'est dommage. Avec tes attaques de pudeur, tu me fais penser à Mme Gutusso quand elle se croit obligée de faire allusion aux hémorroïdes de son mari.

— Ce César dit de ces choses, grogna don Crespo, en les regardant par-dessus ses lorgnons. Il dit, là, que Marc-Antoine avait mangé une chair très étrange dans les Alpes. Qu'est-ce qu'il veut dire par là ? Du chamois sans doute.

— Plutôt du bipède sans plumes, dit Traveler.

— Dans cette pièce, dit respectueusement don Crespo, celui qui n'est pas fou n'est pas loin de l'être. Il faut voir les choses que fait Cléopâtre.

— Les reines sont si bizarres, dit Mme Gutusso. Et cette Cléopâtre, elle montait de ces histoires. J'ai vu le film. Bien sûr, c'était l'ancien temps, il n'y avait pas de religion.

— Valet, dit Talita en ramassant six cartes d'un coup.

— Vous avez une de ces chances...

— Je perdrai peut-être à la fin. Manou, je n'ai plus de monnaie.

— Demandes-en à don Crespo qui doit être entré dans l'époque pharaonique et te donnera peut-être des pièces d'or pur. Ecoute, Horacio, ce que tu disais à propos de l'harmonie...

— Enfin, dit Horacio, puisque tu insistes pour que je retourne mes poches et que j'en secoue la poussière.

— Tu parles, c'est une chose que tu ne feras jamais. Non mais tu es là à regarder les autres se prendre les pattes dans les fils et tu as l'air de t'en fiche éperdument. Tu cherches ce que tu appelles l'harmonie, mais tu la cherches là où tu viens de dire qu'elle n'est pas, parmi les amis, dans la famille, dans la ville. Pourquoi la cherches-tu dans des cadres sociaux ?

— Je ne sais pas, vieux. Je ne la cherche même pas. Les choses m'arrivent.

— Pourquoi faut-il qu'il t'arrive que les autres ne puissent pas dormir par ta faute ?

— Moi aussi je dors mal.

— Pourquoi, pour prendre un exemple, as-tu repris Gekrepten ? Pourquoi viens-tu me voir ? N'est-ce pas Gekrepten, n'est-ce pas nous qui abîmons ton harmonie ?

— Elle veut boire de la mandragore ! s'écria don Crespo, stupéfait.

— De la quoi ? dit Mme Gutusso.

— De la mandragore ! Elle demande à l'esclave de lui servir de la mandragore. Elle dit qu'elle veut dormir. Elle est complètement folle !

— Il vaudrait mieux qu'elle prenne du Bromural, dit Mme Gutusso, mais il est vrai qu'en ce temps-là...

— Tu as tout à fait raison, mon petit vieux, dit Oliveira en remplissant les verres d'eau-de-vie, avec cette restriction que tu donnes à Gekrepten plus d'importance qu'elle n'en a.

— Et nous ?

— Vous, eh bien, vous êtes peut-être ce coagulant dont nous parlions tout à l'heure. Cela me donne à penser que nos relations sont presque chimiques, un fait en dehors de nous-mêmes. Une espèce de dessin qui prend forme. C'est toi qui es allé m'attendre, ne l'oublie pas.

— Pourquoi n'y serais-je pas allé ? Je n'ai jamais pensé que tu reviendrais avec un pareil cafard, qu'on t'aurait tellement changé là-bas, que tu me donnerais tellement envie d'être différent... Ce n'est pas ça, ce n'est pas ça. Bah, ni tu ne vis, ni tu laisses vivre les autres.

La guitare, entre eux, se promenait à travers un *Carnavalito.*

— Tu n'as qu'à faire un signe et je disparaîtrai, dit Oliveira à voix très basse. Ce serait injuste que par ma faute, Talita et toi...

— Laisse Talita tranquille.

— Non, dit Oliveira. Non, je n'ai pas l'intention de la laisser tranquille. Nous sommes, Talita, toi et moi, un triangle éminemment trismégiste. Je te le répète : un claquement de doigts et je me taille. J'ai bien vu que tu étais préoccupé.

— Ce n'est pas de t'en aller maintenant qui arrangerait grand-chose.

— Diable si, pourquoi pas ? Vous n'avez pas besoin de moi.

Traveler joua les premières mesures du *Voyou,* s'interrompit. La nuit était tout à fait tombée et don Crespo alluma la lumière de la cour pour pouvoir lire.

— Ecoute, dit Traveler à voix basse. De toute façon, tu partiras de toi-même un jour et il est inutile que je te fasse signe. Je ne dors peut-être pas la nuit, comme te l'a sans doute dit Talita, mais au fond, je ne regrette pas que tu sois venu. C'était peut-être nécessaire.

— Comme tu voudras, vieux. Les choses sont ainsi, mieux vaut rester tranquille. Moi non plus, je ne peux pas me plaindre.

— On dirait un dialogue d'idiots.

— De purs mongoliens, dit Oliveira.

— On croit qu'on va expliquer quelque chose et c'est chaque fois pire.

— L'explication est une erreur bien habillée, dit Oliveira. Retiens ça.

— Oui; alors il vaut mieux parler d'autre chose, de ce qui se passe au parti radical. Seulement toi... Mais c'est comme le manège, on en revient toujours au même point, le petit cheval blanc, puis le rouge et encore le blanc. Nous sommes des poètes, vieux frère.

— Des bardes admirables, dit Oliveira en remplissant les verres. Des gens qui dorment mal et vont prendre le frais à la fenêtre. Par exemple.

— Ainsi tu m'as vu, la nuit dernière.

— Attends que je me rappelle. D'abord Gekrepten m'a cassé les pieds et il a bien fallu se montrer accommodant. Des petites choses, mais enfin... Après j'ai dormi comme une bûche, histoire d'oublier. Pourquoi me demandes-tu ça ?

— Pour rien, dit Traveler, et il plaqua un accord.

Mme Gutusso s'approcha en faisant sonner ses écus gagnés au jeu et elle demanda à Traveler de leur chanter un petit air.

— Il y a là un certain Aenobarbe qui dit que l'humidité, le soir, est vénéneuse, déclara don Crespo. Ils sont tous siphonnés, au beau milieu d'une bataille ils se mettent à parler de choses qui n'ont rien à voir avec ce qui arrive.

— Eh bien, dit Traveler, nous allons satisfaire Mme Gutusso, si don Crespo n'y voit pas d'inconvénients. Le *Voyou*, un tango du tonnerre de Juan de Dios Filiberto. Ah, fiston, fais-moi penser à te lire la confession d'Yvonne Guitry, ça vaut son pesant de cacahuètes. Talita, va chercher l'anthologie de Gardel. Elle est sur la table de nuit, ce qui est sa juste place.

— Et comme ça, je la récupérerai, dit Mme Gutusso. Ce n'est pas pour dire, mais mes livres, j'aime bien les avoir près de moi. Et mon mari, c'est drôle, mais c'est pareil.

(-47)

# 47

Je suis moi, je suis lui. Nous sommes, mais je suis moi, d'abord moi, je défendrai le droit d'être moi jusqu'à mon dernier souffle. Atalia, c'est moi. *Ego.* Moi. Licenciée, argentine, un ongle incarné, jolie par moments, grands yeux sombres, moi. Atalia Donosi, moi. Moi. Je. Jeu.

Quel fou ce Manou, aller louer cet engin rien que pour s'amuser. *Rewind.* Quelle voix, ce n'est pas ma voix, ça. Fausse et forcée : « Je suis moi, je suis lui. Nous sommes mais je suis moi, d'abord moi, je défendrai... » STOP. Un appareil extraordinaire mais pour penser tout haut ça ne va pas ou il faut peut-être s'y habituer, Manou prétend qu'il enregistrera sa fameuse pièce avec les bonnes femmes de l'hôtel, mais il ne fera rien. L'œil magique est réellement magique, les raies vertes qui oscillent, se contractent, chat borgne qui me regarde. Il vaut mieux le cacher avec un petit carton. *Rewind.* Le ruban court, si lisse, si uniforme. VOLUME. Mettre à 5 ou 5 1/2 : « L'œil magique est réellement magique, les stries vertes qui os... » Mais ce qui serait vraiment magique ce serait que ma voix dise : « L'œil magique joue à cache-cache, les stries rouges... » Trop d'écho, il faut mettre le micro plus près et baisser le niveau. Je suis moi, je suis lui. Ce que je suis, en réalité, c'est un mauvais plagiat de Faulkner. Effets faciles. Dicte-t-il à un magnétophone ou le whisky lui sert-il de bande magnétique ? Dit-on magnétophone ou enregistreur ? Horacio dit magnétophone, il a été stupéfait de voir l'appareil et il a dit : « Eh bien, dis donc, mon vieux, quel magnétophone ! » Le manuel dit appareil enregistreur, ceux du magasin doivent savoir. REWIND. Ça, ça va être amusant. «... Faulkner. Effets faciles. » STOP. Ce n'est pas très amusant de me ré-entendre. Tout cela demande du temps, du temps, du temps. Tout cela demande du temps. REWIND. Pour voir si le ton est plus naturel : « ... temps, du temps, du temps. » Pareil, une voix de naine enrhumée. Mais pour ce qui est de connaître la manœuvre, maintenant, je sais. Manou sera stupéfait, il a si peu confiance en moi pour les appareils. Moi, une pharmacienne. Horacio, lui, ne serait pas si tatillon, il vous regarde comme la purée qui sort du presse-purée, allez on s'asseoit et on mange.

*Rewind ?* Non, poursuivons, éteignons la lumière. Essayons de parler à la troisième personne. Alors Talita Donosi éteint les lumières et il ne reste plus que le petit œil magique avec ses stries rouges (qui seront peut-être vertes, cette fois, ou violettes) et la braise de la cigarette. Chaleur, et Manou qui n'est pas encore revenu de San Isidro, onze heures et demie. Gekrepten est là, à sa fenêtre, je ne la vois pas mais cela ne fait rien, elle est à sa fenêtre et Horacio, devant sa pauvre table, en train de lire ou de fumer, à la lumière d'une bougie. La chambre de Gekrepten et d'Horacio fait moins hôtel que la nôtre, je ne sais pourquoi. Sottise, elle fait tout autant hôtel, tellement même que les cafards ont le numéro de la chambre inscrit sur le dos. Sans compter don Bunche sur le palier avec ses tuberculeux, ses bossus et ses épileptiques à vingt pesos la consultation. Et en bas, le clandé avec ses tangos discordants. REWIND. Ça prend un moment pour remonter une demi-minute. On va à contretemps, c'est un thème qui plairait à Manou. Le niveau à 5 : « ... Le numéro inscrit sur le dos. » Non, plus haut. REWIND. Maintenant : « Horacio devant sa pauvre table en train de lire ou de fumer à la lumière d'une bougie verte... » STOP. Pourquoi devant sa « pauvre » table ? Pauvre, pauvre, aucune raison de dire sa pauvre table quand on est une pharmacienne. Pauvre, pauvre, la tendresse hors de propos. Bon, Talita, suffit comme ça. REWIND. Tout, jusqu'au moment où la bande sera sur le point de sauter; l'ennui, avec cet appareil, c'est qu'il faut calculer au millimètre, sinon, si la bande s'échappe, on perd trente secondes à l'ajuster de nouveau. STOP. Juste ! A deux centimètres près. Qu'ai-je dit au début, je ne me rappelle plus mais je sais que j'avais une voix de souris effrayée, la peur bien connue du micro. Voyons, volume à 5 pour bien entendre. « Je suis moi, je suis lui. Nous sommes, mais d'abord je suis moi... » Et pourquoi, pourquoi avoir dit ça. Je suis moi, je suis là, puis parler de sa table et finir par me fâcher. « Je suis moi je suis lui. »

Talita débrancha le magnétophone, rabattit le couvercle, le regarda d'un air de profond dégoût et se versa un verre de citronnade. Elle ne voulait pas penser à l'histoire de la clinique (Le directeur disait clinique mentale, ce qui était insensé), mais si elle renonçait à penser à la clinique (sans compter que renoncer à penser c'était plus un espoir qu'une réalité), elle tombait immédiatement dans un autre ordre d'idées tout aussi désagréable. Elle pensait à Manou et à Horacio en même temps, au fléau de la balance qu'ils s'étaient si élégamment renvoyé, Horacio et elle, dans le bureau du cirque. La sensation d'être habitée devenait alors plus forte, la clinique au moins était une idée de peur, d'inconnu, une vision horrifiée de fous furieux en camisoles, se poursuivant avec des rasoirs et en brandissant des tabourets, vomissant sur les feuilles de température et se masturbant rituellement. Ce serait très amusant de voir Manou et Horacio en blouse blanche, soignant les fous. « Je vais avoir une certaine importance, pensa modestement Talita. Le directeur me confiera certainement la pharmacie, si tant est qu'il y ait une pharmacie. Ce sera peut-être une vulgaire infirmerie. Et Manou me taquinera, comme toujours. » Il faudrait qu'elle revoie certaines choses, on oublie si vite, le temps avec sa douce toile émeri, la bataille indescriptible de chaque jour de cet été, le port et la chaleur, Horacio descendant la passerelle, l'air renfrogné, cette grossièreté de la renvoyer avec le chat, tu reprends le tramway parce que nous avons à parler. Après quoi venait un temps comme un terrain vague, plein de boîtes cabossées, de crochets qui pouvaient blesser les pieds, de flaques sales, de chiffons accrochés aux chardons, le cirque, le soir, avec Manou et Horacio qui la regardaient ou se regardaient, le chat de plus en plus stupide ou franchement génial, résolvant des opérations parmi les cris d'enthousiasme du public déchaîné, les retours à pied avec arrêts dans les bistrots pour que Manou et Horacio pussent boire de la bière et parler, parler de rien, s'entendre parler dans cette chaleur, cette fumée, cette fatigue. *Je suis moi, je suis lui,* avait-elle dit sans y penser, c'est-à-dire que c'était plus que pensé, cela venait d'un territoire où les mots étaient comme les fous de l'asile, entités menaçantes ou absurdes vivant une vie propre et isolée, bondissant soudain sans que personne pût les retenir : *Je suis moi, je suis lui,* et lui ce n'était pas Manou, lui c'était Horacio, l'habitant, l'assaillant sournois, l'ombre dans l'ombre de sa chambre la nuit, la braise de la cigarette dessinant lentement les formes de l'insomnie.

Quand Talita avait peur, elle allait se faire une infusion de tilleul-menthe moitié-moitié. C'est ce qu'elle fit en espérant entendre bientôt la clef de Manou tourner dans la porte. Manou avait dit avec des mots ailés : « Horacio se fiche pas mal de toi. » C'était offensant mais rassurant. Manou avait dit que même si Horacio s'envoyait Talita (ce qui n'était pas le cas, il n'avait même jamais insinué que)

une de tilleul
une de menthe
et dès que l'eau bout, stop,

même alors, ça ne voudrait rien dire. Mais alors. Mais alors, si elle lui était indifférente, pourquoi être toujours là au fond de la pièce, fumant ou lisant, comme s'il avait besoin d'elle d'une certaine façon, oui, c'était ça, il avait besoin d'elle, il se pendait à elle de loin, en une succion désespérée, comme pour atteindre quelque chose, mieux voir quelque chose, être mieux quelque chose. Il ne fallait pas dire alors : « Je suis moi, je suis lui », mais plutôt : « Je suis lui *parce que* je suis moi. » Talita soupira, doucement satisfaite de son beau raisonnement et du parfum de l'infusion.

Mais ce n'était pas seulement ça, c'eût été trop simple. Horacio ne pouvait pas (la logique était là pour quelque chose) à la fois s'intéresser à elle et ne pas s'y intéresser. De la combinaison de ces deux choses devait en sortir une troisième, quelque chose qui n'avait rien à voir avec l'amour (ce serait stupide de penser à l'amour alors que l'amour c'était Manou, seulement Manou jusqu'à la fin des temps), quelque chose qui était plutôt du côté de la chasse, de la quête, ou plutôt comme une attente terrible, celle du chat qui regarde le canari inaccessible, une espèce de congélation du temps et du jour, un fauve aux aguets. Un morceau et demi, une légère odeur de campagne. Une attente sans explication possible de-ce-côté-ci-des-choses, jusqu'au jour où Horacio daignerait parler, s'en aller, se tirer un coup de revolver, n'importe laquelle de ces explications. Mais non cette façon d'être là, à prendre du maté et à les regarder, invitant tacitement Manou à prendre du maté et à le regarder, et à danser tous les trois une lente figure interminable. « Je devrais, pensa Talita, écrire des romans, il me vient des idées formidables. » Elle se sentait si déprimée qu'elle rebrancha le magnétophone et chanta des chansons jusqu'à l'arrivée de Traveler. Ils convinrent tous les deux que la voix de Talita ne rendait pas bien et Traveler lui montra comment il fallait chanter une baguala. Ils mirent le magnétophone près de la fenêtre pour que Gekrepten pût juger impartialement de la chose, et Horacio aussi s'il était là, mais il n'y était pas. Gekrepten trouva tout parfait et ils décidèrent de dîner ensemble chez les Traveler en additionnant un rôti froid qu'avait Talita avec une salade russe que ferait Gekrepten avant de se transporter en face. Toutes choses qui parurent parfaites à Talita mais qui avaient en même temps un air de couvre-lit ou de couvre-théière, de couvre-quelque chose, tout comme le magnétophone ou l'air satisfait de Traveler, choses faites ou décidées pour mettre par-dessus, mais par-dessus quoi, voilà le problème, et la raison pour laquelle tout continuait comme avant l'infusion de tilleul-menthe, moitié-moitié.

(-110)

## 48

Du côté de la Colline, à Montevideo — bien que cette Colline-là n'eût pas de côté, on y arrivait d'un coup et on ne savait jamais si on y était ou pas —, donc, plutôt, près de la Colline, dans un quartier de maisons basses et de gosses palabreurs, les questions n'avaient servi à rien, elles se heurtaient à des sourires aimables, à des femmes qui auraient bien voulu l'aider mais qui n'étaient pas au courant, les gens déménagent, monsieur, ici tout a beaucoup changé, la police, peut-être, pourrait vous renseigner. Et il ne pouvait pas s'attarder, car le bateau allait repartir et même s'il n'était pas reparti tout était perdu d'avance, il n'était allé voir que pour le cas où, comme on joue au tiercé ou qu'on obéit à une prédiction astrologique. Un autre tramway en direction du port et se jeter sur la couchette en attendant le dîner.

Cette même nuit, vers deux heures du matin, il la revit pour la première fois. Il faisait chaud et on était si mal dans le « camerone », où une bonne centaine d'immigrants ronflaient et suaient, qu'il valait encore mieux les rouleaux de cordage sous le ciel écrasé du fleuve, avec toute l'humidité de la rade qui vous collait à la peau. Oliveira se mit à fumer, appuyé à une cloison de bois, observant les quelques étoiles galeuses qui se glissaient entre les nuages. La Sibylle sortit de derrière une manche à air, tenant à la main un foulard qu'elle laissait traîner par terre et presque aussitôt elle lui tourna le dos et se dirigea vers une écoutille. Oliveira ne bougea pas, il savait trop bien qu'il voyait là une chose qui ne se laisserait pas suivre. Ce devait être une de ces pépées de première classe qui descendent jusqu'à la crasse de l'entrepont, avides de ce qu'elles appellent l'expérience ou la vie.

Elle ressemblait beaucoup à la Sibylle, c'est vrai, mais la principale ressemblance, c'est lui qui l'y mettait; aussi, quand le cœur eut cessé de battre comme un chien enragé, alluma-t-il une autre cigarette et se traita-t-il d'incurable crétin.

Et c'était moins amer d'avoir cru voir la Sibylle que de constater en lui ce désir incontrôlable qui avait arraché son amie du fond de ce qu'il est convenu d'appeler le subconscient pour la projeter contre la silhouette d'une quelconque passagère. Jusqu'à cet instant il avait cru qu'il pouvait se permettre le luxe de se rappeler mélancoliquement certaines choses, d'évoquer à leur heure et dans l'atmosphère favorable certaines histoires et d'y mettre fin de la façon tranquille dont on écrase un mégot dans le cendrier. Et puis, quand Traveler lui avait présenté Talita, au port, avec son air mi-aimable, mi-Alida Valli, et ce chat dans un panier, il avait à nouveau senti que certaines ressemblances lointaines se condensaient brusquement en une fausse ressemblance totale, comme si, de sa mémoire, en apparence bien compartimentée, se levait soudain un fantôme capable d'habiter et de compléter un autre corps et un autre visage, de le regarder du dehors avec un regard qu'il avait cru réservé pour toujours aux souvenirs.

Dans les semaines qui suivirent, dévastées par l'irrésistible abnégation de Gekrepten et l'apprentissage de l'art difficile de vendre des coupons de tissu en faisant du porte à porte, il n'y avait eu que trop de verres de bière et de stations sur les bancs des places pour disséquer des choses révolues. Ses recherches à la Colline avaient bien eu cette apparence détachée de l'acquit de conscience : trouver, essayer d'expliquer, dire adieu pour toujours. Cette tendance de l'homme à finir proprement ce qu'il a commencé, sans laisser d'effilochures. Il se rendait compte à présent (une ombre sortant de derrière une cheminée, une femme avec un chat) que ce n'était pas pour cela qu'il était allé à la Colline. La psychologie analytique l'irritait, mais c'était vrai : ce n'était pas pour ça qu'il était allé à la Colline. Soudain, c'était un puits retombant indéfiniment en lui-même. Il s'apostrophait ironiquement en pleine place du Congrès : « Et c'est ça que tu appelais une recherche ? Tu te croyais libre ? Comment était-ce cette phrase d'Héraclite ? Voyons, répète les degrés de libération, que je me marre un peu. Mais tu es au fond de l'entonnoir, vieux frère. » Il eût aimé se sentir irrémédiablement avili par sa découverte, mais il y avait une vague satisfaction au niveau de l'estomac qui l'inquiétait, cette réponse féline de bien-être que donne le corps quand il se rit des hinquiétudes de l'hesprit et se blottit commodément entre les côtes, le ventre et la plante des pieds. L'ennui c'est qu'il était assez content de s'éprouver ainsi, de ne pas se sentir revenu de tout, mais bien toujours sur le chemin d'aller, même s'il ne savait vers où. Au-dessus de ce contentement, il ressentait la brûlure d'une espèce de désespoir de la pensée, la protestation de quelque chose qui aurait voulu s'incarner et que cette satisfaction végétative repoussait, tenait à distance. Par moments, Oliveira assistait comme en spectateur à cette discorde, sans vouloir prendre parti, moqueusement impartial. C'est ainsi que vint le cirque, les parties de maté dans le patio de don Crespo, les tangos de Traveler, et, dans tous ces miroirs, Oliveira se regardait du coin de l'œil. Il écrivit même quelques notes dans un cahier que Gekrepten gardait amoureusement dans un tiroir de la commode sans oser le lire. Lentement, il se rendit compte que sa visite à la Colline avait été une bonne chose, précisément parce qu'il y avait été poussé par d'autres mobiles que ceux supposés. Ce n'était pas un échec que de se savoir amoureux de la Sibylle ni une fixation sur un ordre caduc; un amour qui pouvait se passer de son objet, qui trouvait dans le néant son aliment, rejoignait peut-être d'autres forces, les articulait et les fondait en un élan qui saurait détruire peut-être ce contentement viscéral du corps gavé de bière et de frites. Tous ces mots qu'il employait pour remplir le cahier, ponctués de grands gestes de bras et de sifflements stridents, le faisaient rire un bon coup. Traveler finissait par se pencher à sa fenêtre pour lui dire de se taire un peu. Mais parfois Oliveira trouvait une certaine paix dans des occupations manuelles, redresser des clous ou effilocher une ficelle de chanvre pour construire un délicat labyrinthe qu'il collait sur l'abat-jour de la lampe et que Gekrepten qualifiait d'élégant. Peut-être l'amour était-il l'enrichissement le plus haut, un donneur d'être; mais pour éviter son effet de boomerang il fallait qu'il finît mal, il fallait le laisser rouler à l'oubli pour pouvoir, une fois seul, se tenir debout sur ce nouveau degré de réalité poreuse et ouverte. Tuer l'objet aimé c'était, comme l'avait depuis longtemps pressenti l'homme, le prix qu'on devait payer pour ne pas s'arrêter à mi-chemin, sur l'échelle, tout comme la supplique de Faust à l'instant qui passe ne pouvait avoir de sens que si on l'abandonnait à son tour comme on repose un verre vide sur la table. Et ainsi de suite, plus du maté sans sucre.

Il eût été si facile d'organiser un schéma cohérent, un ordre de pensée et de vie, une harmonie. Il suffisait de l'hypocrisie de toujours, élever le passé au rang d'expérience, tirer parti des rides et de cet air d'avoir vécu qu'il y a dans les sourires ou les silences des plus de quarante ans. Après quoi, on mettait un complet bleu marine, on lissait ses tempes argentées et on entrait dans les expositions de peinture, réconcilié avec le monde. Un scepticisme discret, un air d'être revenu de toutes choses, une entrée en cadence dans la maturité, dans le mariage, dans le sermon paternel à l'heure du rôti ou du livret scolaire insatisfaisant.

Et tout cela, si ridicule et si grégaire, pouvait être pire encore sur d'autres plans, sur le plan de la méditation toujours menacée par les *idola fori*, des mots qui faussent les intuitions, les pétrifications simplificatrices, les lassitudes qui font sortir lentement de la poche le drapeau de la reddition. Il se pouvait aussi que la trahison s'accomplît dans une parfaite solitude, sans témoins ni complices : seul face à soi-même, en se croyant au-delà des compromis personnels et des drames des sens, au-delà de la torture éthique de se savoir lié à une race ou tout au moins à un peuple et à une langue. Une fois atteinte la plus complète liberté apparente, sans avoir de compte à rendre à personne, abandonner la partie, sortir du carrefour et prendre le premier chemin qu'offrent les circonstances en le proclamant l'unique ou le nécessaire. La Sibylle était un de ces chemins, la littérature en était un autre (brûler immédiatement le cahier même si Gekrepten se-tord-les-mains-de-désespoir), le farniente en étant un aussi et la méditation dans le vide encore un. Arrêté devant une *pizzería* de la rue Corrientes, Oliveira se posait les grandes questions : « Alors, il faut rester comme le moyeu de la roue au centre de l'embranchement ? A quoi sert de savoir, ou de croire que l'on sait, que chaque chemin est faux si nous ne le parcourons pas avec une intention qui soit au-delà du chemin même ? Nous ne sommes pas Bouddha après tout, il n'y a pas d'arbre ici sous lequel s'asseoir dans la position du lotus. Et, de toute façon, un flic s'amènerait pour te coller une contredanse.

Marcher avec une intention qui dépassât le chemin même. Il ne lui restait de tout ce verbiage que cette vision brève. Cela oui, c'était une formule méditable. Ainsi, la visite à la Colline prendrait un sens, ainsi la Sibylle cesserait d'être un objet perdu pour devenir l'image d'une possible réunion — non plus avec elle mais au-delà ou en deçà d'elle, pour elle mais non pas elle. Et Manou, et le cirque et cet invraisemblable projet de clinique dont ils parlaient tant en ce moment, tout pouvait être significatif, à la condition qu'on extrapolât, l'hinévitable hextrapolation à l'hinstant métaphysique — toujours fidèle au rendez-vous, ce vocable rythmé. Oliveira mordit dans sa pizza, se brûla la langue, ça l'apprendra à être si goulu, et se sentit mieux. Mais combien de fois déjà avait-il accompli ce même cycle, en combien de bistrots, de cafés, et en combien de villes, combien de fois déjà était-il arrivé à des conclusions semblables, s'était-il senti mieux, avait-il cru pouvoir commencer à vivre d'une autre manière. Un après-midi, par exemple, où il était allé écouter un concert insensé, et après... Après, il avait tellement plu, à quoi bon revenir là-dessus. A propos de Talita, c'était pareil, plus il réfléchissait, pis c'était. Cette femme commençait à souffrir par sa faute, rien de grave, si ce n'est qu'il était là, lui, et que tout semblait avoir changé entre Talita et Traveler; une infinité de ces petites choses que l'on tient pour acquises et allant de soi acquéraient soudain un tranchant dangereux et ce qui commençait comme un pot-au-feu à l'espagnole pouvait bien se terminer en queue de hareng à la Kierkegaard, pour ne pas dire plus. L'après-midi de la planche avait été un retour à l'ordre normal, mais Traveler avait laissé passer l'occasion de dire ce qu'il fallait dire pour qu'Oliveira disparût du quartier et de leurs vies, et non seulement il n'avait rien dit mais il lui avait obtenu cet emploi au cirque, preuve que. Auquel cas, s'apitoyer sur lui eût été aussi idiot que l'autre fois, pluie et pluie. Jouait-elle encore du piano, Berthe Trépat ?

(-111)

# 49

Talita et Traveler parlaient énormément de fous célèbres et d'autres moins connus depuis que Ferraguto s'était décidé à acheter la clinique psychiatrique et à céder le cirque, avec le chat et tout le reste, à un certain Suárez Melián. Il leur semblait, surtout à Talita, que de passer du cirque à la clinique, c'était une espèce de progression bien que Traveler ne vît pas très clairement la raison de cet optimisme. En attendant d'y voir plus clair, ils étaient très excités et ils apparaissaient sans cesse à la fenêtre ou à la porte de la rue pour échanger leurs impressions avec Mme Gutusso, don Bunche ou même Gekrepten si elle était dans les environs. L'ennui c'est qu'on commençait à parler beaucoup de révolution, du soulèvement probable de Campo de Mayo, ce qui paraissait aux gens beaucoup plus important que l'acquisition d'une clinique rue Trelles. Talita et Traveler finissaient par chercher une atmosphère plus normale dans un manuel de psychiatrie. Comme d'habitude, ils prenaient feu à la moindre chose, et, le jour du canard, on ne savait pourquoi, les discussions atteignaient un tel degré de violence que Cien Pesos en perdait la tête dans sa cage et que don Crespo attendait le passage de gens de connaissance pour amorcer un mouvement de rotation avec l'index de sa main gauche sur sa tempe gauche également.

A l'heure du café suivi d'un cognac Mariposa, une réconciliation tacite les réunissait autour de textes vénérés, d'exemplaires tout à fait uniques de revues ésotériques devenues introuvables, trésors cosmologiques qu'ils se sentaient poussés à assimiler comme une sorte de prélude à leur nouvelle vie. Ils parlaient beaucoup de cinoques aussi, car Oliveira comme Traveler avaient condescendu à sortir de vieilles notes et à exhiber une partie de leur collection de phénomènes commencée en commun dans une faculté oubliée et continuée ensuite chacun pour son propre compte. L'étude de ces documents occupait une bonne partie de l'après-midi et Talita avait gagné un droit de participation grâce à ses numéros de *Renovigo* (Journal Revolusionair Biling), publication mexicaine en langue ispamérikaine des Editions Lumen, à laquelle collaborait un tas de fous avec des résultats exaltants. Ils n'avaient plus de nouvelles de Ferraguto que de loin en loin, car le cirque était pratiquement aux mains de Suárez Melián, mais il semblait à peu près sûr qu'on leur remettrait la clinique à la mi-mars. Ferraguto était revenu une ou deux fois au cirque pour voir le chat mathématicien, il allait avoir du mal à s'en séparer, c'était clair, et chaque fois il avait fait allusion à l'imminence de la grande négociation et aux lourdes responsabilités qui allaient incomber à chacun, soupir. Il semblait à peu près sûr que Talita aurait la charge de la pharmacie et la pauvre revisait nerveusement les notes du temps de sa consécration. Oliveira et Traveler se moquaient d'elle abondamment mais, quand ils revenaient au cirque, ils étaient tristes tous les deux et ils regardaient les gens et le chat comme si un cirque était une chose rare et précieuse.

— Ils sont bien plus fous ici, disait Traveler. Ce n'est même pas comparable.

Oliveira haussait-les-épaules, incapable de dire qu'au fond tout lui était égal et il levait la tête vers le faîte de la tente et se perdait en des ruminations confuses.

— Toi, bien sûr, tu as roulé ta bosse, grognait Traveler. Moi aussi, d'ailleurs, mais toujours ici, toujours sous ce même méridien...

Il tendait le bras, désignant vaguement une géographie portègne.

— Les changements, tu sais, disait Oliveira.

Quand ils échangeaient des propos de ce genre, ils étaient bientôt pris de fou rire et le public les regardait de travers parce qu'ils détournaient l'attention.

En d'autres moments de confidence, ils s'avouaient tous les trois qu'ils étaient admirablement préparés à leurs nouvelles fonctions : ainsi, des choses comme l'arrivée de *La Nation*, le dimanche, provoquaient chez eux une tristesse seule comparable à celle qu'ils éprouvaient quand ils voyaient les gens faire la queue au cinéma ou lire le *Reader's Digest.*

— Les contacts sont de plus en plus coupés, disait sibyllinement Traveler. Il faut pousser un cri terrible.

— Le colonel Flappa l'a poussé hier soir, disait Talita. Conséquence, état de siège.

— Ce n'est pas un cri, ça, ma fille, à peine un râle. Moi, je te parle de ce que disait notre ancien président Yrigoyen dans ses discours à la nation, les culminations historiques, les pythonisseries solennelles, ces espérances de la race humaine tombée si bas de ce côté-ci des mers.

— Tu te mets à parler comme l'autre, disait Talita en le regardant d'un air préoccupé mais en évitant soigneusement le coup d'œil clinique.

L'autre était resté au cirque pour donner un dernier coup de main à Suárez Melián et il s'étonnait parfois que tout lui fût si indifférent. Il avait l'impression qu'il avait passé ce qui lui restait de *mana* à Talita et à Traveler, de plus en plus excités, eux, par l'idée de la clinique. La seule chose qui lui plaisait vraiment c'était de jouer avec le chat savant qui l'avait pris en affection et lui faisait des opérations rien que pour le plaisir. Comme Ferraguto avait expressément recommandé de ne sortir le chat que dans un panier et avec un collier d'identité pareil à ceux des soldats américains à la bataille d'Okinawa, Oliveira comprenait les sentiments du chat et à peine avaient-ils tourné le coin de la rue qu'il laissait le panier dans une charcuterie de confiance, enlevait son collier au pauvre animal et qu'ils s'en allaient tous les deux inspecter les boîtes vides dans les terrains vagues ou y mordiller des brins d'herbe, occupation délectable.

Après ces petites promenades hygiéniques, Oliveira supportait à peu près l'idée de se joindre aux réunions dans le patio de don Crespo, et de retrouver la tendresse de Gekrepten acharnée à lui tricoter des choses pour l'hiver. Le soir où Ferraguto téléphona à la pension pour confirmer à Traveler la date de la signature du contrat, ils étaient en train tous les trois de perfectionner leurs connaissances en langue ispamérikaine, avec des exemples infiniment réjouissants tirés d'un numéro de *Renovigo.* Ils en furent presque tristes, en pensant qu'à la clinique les attendaient le sérieux, la science, l'abnégation et autres trucs.

— Mais quelle vi-e n'est pas une tragédi-e ? prononça Talita en excellent ispamérikain.

Et ils continuèrent sur ce ton jusqu'à l'arrivée de Mme Gutusso, porteuse des dernières nouvelles sur le colonel Flappa et ses tanks, enfin quelque chose de glorieux et de concret qui les dispersa immédiatement, à la grande surprise de la dame, ivre de sentiments pratriotiques.

(-118)

# 50

De l'arrêt de l'autobus à la rue Trelles il n'y avait qu'un pas, c'est-à-dire trois cents mètres. Ferraguto et sa Couca étaient déjà là avec l'administrateur quand Talita et Traveler arrivèrent. La grande réunion avait lieu dans une salle du premier étage avec deux fenêtres qui donnaient sur la cour-jardin où se promenaient les malades et où l'on voyait monter et descendre un petit jet d'eau dans une vasque de ciment. Pour arriver jusque-là, Talita et Traveler avaient dû parcourir de nombreux couloirs et salles au rez-de-chaussée où des dames et messieurs les avaient interpellés en un espagnol correct pour leur demander l'aumône d'un paquet de cigarettes. L'infirmier qui les accompagnait semblait trouver cet intermède parfaitement normal et les circonstances ne favorisèrent pas un premier interrogatoire d'orientation. Ils arrivèrent à la salle de la grande réunion à peu près sans tabac et Ferraguto les présenta aussitôt à l'administrateur en termes fleuris. A moitié lecture d'un document inintelligible, Oliveira fit son apparition et il fallut lui expliquer par des chuchotements et signes que tout allait bien et que personne n'y comprenait grand-chose. Quand Talita lui eut susurré succinctement leur sinueuse ascension sh sh, Oliveira la regarda d'un air étonné parce que lui, il était entré directement dans un couloir qui donnait sur une porte, la bonne. Quant au patron il était en noir strict.

Il faisait une de ces chaleurs qui rendaient encore plus emphatique la voix des speakers donnant toutes les heures d'abord le bulletin météorologique, et ensuite les démentis officiels sur le soulèvement de Campo de Mayo et les sombres desseins du colonel Flappa. L'administrateur avait interrompu la lecture du document à six heures moins cinq et avait ouvert son transistor pour se tenir, d'après ce qu'il affirma et après s'en être préalablement excusé, au courant de la situation. Phrase qui détermina aussitôt chez Oliveira le geste classique de celui qui a oublié quelque chose dans le couloir (il faudrait bien que l'administrateur considérât sa sortie, pensa-t-il, comme une autre façon de se mettre au courant de la situation) et malgré les regards foudroyants de Talita et de Traveler, il s'éclipsa par la première porte qu'il rencontra et qui n'était pas celle par où il était entré.

D'un certain passage de l'acte il avait conclu que la clinique se composait d'un rez-de-chaussée et de quatre étages, plus un pavillon dans le fond de la cour-jardin. Le mieux serait de faire un petit tour dans la cour-jardin, s'il trouvait le chemin, mais il n'en eut pas le loisir car à peine avait-il fait cinq mètres qu'un jeune homme en bras de chemise s'approcha de lui en souriant, le prit par la main et l'emmena, en balançant le bras comme les enfants, jusqu'à un couloir où il y avait beaucoup de portes et quelque chose qui devait être un monte-charge. L'idée de connaître la clinique main dans la main avec un fou était des plus plaisantes et Oliveira tira aussitôt les cigarettes de sa poche pour en offrir à son compagnon, garçon à l'air intelligent qui en accepta une et poussa un petit sifflement de satisfaction. Mais bientôt il devint évident que le jeune homme était un infirmier et qu'Oliveira n'était pas un fou, quiproquo banal en pareil lieu. Cependant, d'étage en étage, Oliveira et Remorino devinrent bons amis et la topographie de la clinique fut révélée à Oliveira de l'intérieur, avec des anecdotes, de féroces remarques sur le reste du personnel et des mises en garde d'ami à ami. Ils étaient dans la pièce où le docteur Ovejero gardait ses cobayes et une photo de Monica Vitti lorsqu'un garçon bigle arriva en courant dire que si ce monsieur était M. Horacio Oliveira, etc. Oliveira redescendit deux étages en soupirant et revint à la salle de la grande réunion où la lecture de l'acte se traînait vers sa fin entre les rougeurs ménopausiques de la Couca Ferraguto et les bâillements inconsidérés de Traveler. Oliveira repensait à la silhouette en pyjama rose qu'il avait vue au détour d'un couloir au troisième étage, un homme déjà vieux, appuyé contre le mur, en train de caresser une tourterelle comme endormie dans sa main. Juste au moment où la Couca poussa une espèce de braiment :

— Comment ? Ils doivent signer l'acte ?

— Tais-toi, ma chérie, dit le patron. Monsieur a voulu dire...

— C'est très clair, dit Talita, qui s'était toujours bien entendue avec la Couca et qui voulait lui venir en aide. Le changement de propriétaire est soumis au consentement des malades.

— Mais c'est de la folie, dit la Couca avec un grand sens de l'à-propos.

— Ecoutez, madame, dit l'administrateur en tirant sur son gilet de sa main restée libre. Ici, les malades sont des malades très spéciaux et la loi Méndez Delfino est formelle à ce sujet. A part sept ou huit personnes pour lesquelles les familles ont déjà donné leur consentement, tous les autres ont passé leur vie de cabane en cabane, si vous me permettez le mot, et personne ne peut plus répondre pour eux. En ce cas, la loi habilite l'administrateur à profiter d'un moment de lucidité pour les consulter et avoir leur accord pour le changement de propriétaire. Vous avez ici l'article souligné en rouge. Vous n'avez qu'à le lire.

— Si j'ai bien compris, dit Ferraguto, cette formalité doit avoir lieu maintenant ?

— Et pourquoi croyez-vous que je vous aie fait venir, vous comme propriétaire et ces messieurs comme témoins ? Nous allons appeler les malades et tout sera liquidé ce soir même.

— La question est de savoir, dit Traveler, si les malades seront dans ce que vous appelez période de lucidité.

L'administrateur le regarda d'un air de pitié et pressa un timbre. Remorino apparut en blouse blanche et, avec un clin d'œil à Oliveira, il posa un énorme registre sur une petite table. Il installa une chaise devant la table et se croisa les bras comme un bourreau persan. Ferraguto, qui s'était empressé d'examiner le registre d'un air entendu, demanda si cet accord serait porté sur l'acte et l'administrateur lui en donna l'assurance, les malades seraient appelés à cet effet par ordre alphabétique et il leur serait demandé d'apposer leur signature à l'aide d'une pointe Bic bleue.

Malgré d'aussi efficaces préparatifs, Traveler s'entêta à insinuer que peut-être certains malades refuseraient de signer ou commettraient quelque incongruité. Et la Couca et Ferraguto avaient l'air de son avis, bien qu'ils-n'osassent-pas-le-dire-ouvertement.

(-119)

# 51

Sur ces entrefaites arriva Remorino avec un vieillard qui semblait assez effrayé et qui, reconnaissant l'administrateur, le salua d'une espèce de révérence.

— En pyjama ! dit la Couca stupéfaite.

— Tu as bien vu quand nous sommes arrivés, dit Ferraguto.

— Ils n'étaient pas en pyjama. C'était plutôt une espèce de...

— Silence, dit l'administrateur. Approchez-vous, Antunez, et mettez votre signature là où Remorino vous le dira.

Le vieux examinait attentivement le registre tandis que Remorino lui tendait son Bic. Ferraguto sortit son mouchoir et s'épongea le front à petits coups.

— C'est la page huit, ça, dit Antunez, et il me semble que je devrais signer à la page un.

— Ici, dit Remorino en lui montrant un coin du registre. Dépêchez-vous, votre café au lait va refroidir.

Antunez signa avec un grand paraphe, salua tout le monde et s'en fut à petits pas roses qui enchantèrent Talita. Le deuxième pyjama était beaucoup plus gros et, après avoir contourné la petite table, il alla serrer la main de l'administrateur qui lui répondit sans enthousiasme et lui montra le registre d'un geste sec.

— Vous êtes au courant, dépêchez-vous de signer et de regagner votre chambre.

— Ma chambre n'a pas été balayée, dit le gros pyjama.

Couca annota mentalement le manque d'hygiène. Remorino essayait de mettre le Bic dans la main du gros pyjama qui reculait lentement.

## 51

— On va aller la faire tout de suite, dit Remorino, signez, don Nicanor.

— Jamais, dit le gros pyjama. C'est un piège.

— Qu'est-ce que vous racontez là ? dit l'administrateur. Le docteur Ovejero vous a expliqué ce dont il s'agissait. Signez et demain il y aura double ration de riz au lait.

— Je ne signe pas si don Antunez n'est pas d'accord, dit le gros pyjama.

— Il vient justement de signer. Regardez.

— On ne comprend rien à la signature. Ce n'est pas la signature de don Antunez, ça. Vous lui avez soutiré sa signature à coups de lancette. On a tué don Antunez.

— Bon, allez le chercher, dit l'administrateur à Remorino qui partit en courant et revint avec Antunez. Le gros pyjama poussa un cri de joie et alla serrer la main d'Antunez.

— Dites-lui que vous êtes d'accord et qu'il peut signer sans crainte. Dépêchons-nous, il se fait tard.

— Signe sans crainte, mon fils, dit Antunez. De toute façon, t'es cuit.

Le gros pyjama lâcha la pointe Bic. Remorino la ramassa en grognant et l'administrateur se redressa d'un bond furieux. Réfugié derrière Antunez, le gros pyjama tremblait et tordait ses manches. On frappa un coup sec à la porte et, avant que Remorino ait pu aller ouvrir, la porte s'ouvrit brusquement et une dame en peignoir rose entra d'un air décidé, alla droit au registre, le regarda sur toutes ses faces comme si c'eût été un jambon, après quoi elle se redressa satisfaite et posa sa main grande ouverte sur le registre.

— Je jure, dit-elle, de dire toute la vérité. Vous ne me laisserez pas mentir, don Nicanor.

Le gros pyjama s'agita affirmativement et soudain il accepta le Bic que lui tendait Remorino et signa n'importe où, à toute vitesse.

— Quel animal, murmura le directeur. Regarde s'il n'est pas trop mal tombé, Remorino. Non, heureusement. Et maintenant, à vous, madame Schwitt, puisque vous êtes là. Marquez-lui l'endroit, Remorino.

— Si vous n'améliorez pas l'ambiance intellectuelle, je ne signe rien, dit Mme Schwitt. Il faut ménager des portes et des fenêtres à l'esprit.

— Je veux deux fenêtres dans ma chambre, dit le gros

pyjama. Et don Antunez veut aller à la pharmacie anglaise acheter du coton et je ne sais quoi d'autre. C'est un endroit tellement sombre.

En tournant à peine la tête, Oliveira vit que Talita le regardait et il lui sourit. Ils savaient qu'ils pensaient l'un et l'autre que c'était une comédie idiote et qu'ils étaient tous aussi fous que le gros pyjama et ses compagnons, mauvais acteurs qui ne s'efforçaient même pas de paraître des aliénés décents devant eux qui connaissaient sur le bout du doigt leur Manuel de Psychiatrie à la Portée de Tous. La Couca, là, par exemple, parfaitement maîtresse d'elle-même, bien assise dans son fauteuil et serrant son sac à deux mains, avait l'air sensiblement plus folle que les trois signataires qui depuis un moment réclamaient la mort d'un chien, sur lequel Mme Schwitt, elle, s'étendait avec un grand luxe de gestes. Rien, dans tout cela, n'était vraiment imprévisible, la causalité la plus pédestre continuait à régir ces relations volubiles où les rugissements de l'administrateur servaient de basse continue au thème répété des plaintes et des revendications. Ils virent successivement Remorino emmener Antunez et le gros pyjama, Mme Schwitt signer dédaigneusement, un géant squelettique, une espèce de grande flamme pâle en flanelle rose, entrer, suivi d'un petit jeune homme aux cheveux complètement blancs et aux yeux verts d'une maléfique beauté. Ces deux-là signèrent sans opposer la moindre résistance, mais en revanche ils exigèrent de rester jusqu'à la fin de la cérémonie. Pour éviter d'autres complications, l'administrateur les envoya s'asseoir dans un coin et Remorino s'en alla quérir deux autres malades, une jeune fille aux hanches rebondies et un homme aux yeux bridés qui tenait toujours les yeux baissés. On entendit parler à nouveau de la mort du chien. Quand ils eurent signé, la jeune fille salua avec un geste de ballerine et la Couca lui répondit par un aimable signe de tête, ce qui déclencha chez Talita et chez Traveler une monstrueuse attaque de rire. Il y avait déjà dix signatures sur le registre et Remorino continuait à faire entrer des gens, il y avait des saluts et parfois des controverses qui s'interrompaient ou changeaient de partenaires; et, de temps à autre, une signature. Il fut sept heures et demie et la Couca sortit un petit poudrier de son sac et se refit une beauté d'un air mi-Edwige Feuillère, mi-Mme Curie, parfait pour une directrice de clinique. Nouvelles contorsions de Talita et de Traveler, nouvelle inquiétude de Ferraguto qui consultait alternativement la progression des signatures sur le registre et le visage de l'administrateur. A sept heures quarante, une malade déclara qu'elle ne signerait pas avant qu'on ait tué le chien. Remorino le lui promit, en clignant de l'œil en direction d'Oliveira qui apprécia cette marque de confiance. Vingt malades étaient déjà passés et il n'en restait plus que quarante-cinq. L'administrateur s'approcha des propriétaires et témoins pour leur signaler que les cas les plus difficiles s'étaient déjà exécutés (ce furent ses propres termes) et que l'on pouvait s'offrir un petit intermède avec bière et bulletin d'information. On parla psychiatrie et politique dans l'intervalle. La révolte avait été matée par les forces de l'ordre, les meneurs capitulaient, la bière était excellente.

A huit heures et demie, on avait quarante-huit signatures. La nuit tombait et la salle était toute poisseuse de fumée, de gens agglutinés dans les coins et de quintes de toux qui parfois s'échappaient de l'un d'eux. Oliveira aurait voulu s'en aller mais l'administrateur était d'une sévérité sans faille. Les trois derniers malades étaient en train de réclamer des modifications au régime des repas (Ferraguto fit un signe à la Couca pour qu'elle prît bonne note; dans sa clinique, les collations seraient impeccables, il ne manquerait plus que ça) ainsi que la mort du chien (la Couca joignait italiquement et interrogativement les doigts et les montrait à Ferraguto qui secouait la tête d'un air perplexe et regardait l'administrateur qui n'en pouvait plus et s'éventait avec un calendrier-réclame). Lorsque arriva le vieux avec sa tourterelle dans le creux de la main, il se fit un long silence pendant lequel tout le monde contempla la tourterelle que le malade caressait lentement comme pour l'endormir, et c'était presque dommage d'interrompre la caresse rythmée sur le dos de l'oiseau pour le forcer à prendre maladroitement le Bic. Après le vieux, vinrent deux sœurs bras dessus bras dessous qui réclamèrent d'entrée la mort du chien et certaines améliorations dans l'établissement. L'histoire du chien faisait rire Remorino, mais Oliveira finit par en éprouver comme une flaque d'eau au creux de l'estomac et, se levant, il dit à Traveler qu'il allait faire un tour et qu'il revenait tout de suite.

— Vous ne pouvez pas sortir, dit l'administrateur. Vous êtes témoin.

— Je ne quitte pas la maison, dit Oliveira. Consultez la loi Méndez Delfino, le cas est prévu.

— Je vais avec toi, dit Traveler. Nous revenons dans cinq minutes.

— Ne vous éloignez pas, dit l'administrateur.

— N'ayez crainte, dit Traveler. Viens, vieux frère, j'ai l'impression que c'est par là qu'on va au jardin. Quelle déception, tu ne trouves pas?

— L'unanimité est barbante, dit Oliveira. Personne n'est venu dire son fait à Gros-Gilet. Par contre, ils en tiennent pour la mort du chien. Allons nous asseoir près du jet d'eau, il a un air lustral qui nous fera du bien.

— Il sent l'essence. Très lustral, en effet.

— Au fond, qu'attendions-nous ? Tu vois, ils signent tous à la fin, il n'y a pas de différence entre eux et nous. Aucune différence. Nous allons être divinement bien ici.

— Tout de même, dit Traveler, eux sont habillés en rose.

— Regarde, dit Oliveira en montrant le haut de la maison. Il faisait presque nuit, et au deuxième et au troisième étage, on voyait les lumières s'allumer et s'éteindre en cadence. Lumière à une fenêtre et ombre à celle d'à côté. Puis le contraire. Lumière à un étage, ombre à celui d'en dessous. Puis le contraire.

— Ça commence, dit Traveler. Autant de signatures que tu voudras, mais ils montrent quand même le bout du nez.

Ils décidèrent de finir leur cigarette près du jet d'eau lustral en parlant de tout et de rien et en regardant les lumières s'allumer et s'éteindre. Ce fut alors que Traveler fit allusion aux changements et, après un silence, il entendit Horacio rire tout doucement dans l'ombre. Il insista, désireux de quelque certitude mais sans savoir en quels termes poser une chose qui échappait aux mots et aux idées.

— Comme si nous étions des vampires, comme si un même système circulatoire nous unissait, c'est-à-dire nous désunissait. Parfois toi et moi, parfois tous les trois, n'essayons pas de nous leurrer... Je ne sais pas quand cela a commencé, je sais que c'est ainsi et qu'il faut ouvrir l'œil. Je ne crois pas que nous soyons venus ici uniquement parce que le patron nous y emmène. Il était facile de rester au cirque avec Suárez

Melián, on connaît le travail et on nous apprécie. Mais non, il fallait venir ici. Tous les trois. C'est moi le premier coupable, parce que je ne voulais pas que Talita crût... Enfin, que je te laissais tomber pour me libérer de toi. Question d'amour-propre, tu te rends compte.

— Au fond, dit Oliveira, il n'y a aucune raison pour que j'accepte. Je m'en retourne au cirque ou plutôt je m'en vais complètement. Buenos Aires est grand. Je te l'ai déjà dit.

— Oui, mais tu t'en vas après cette conversation, c'est-à-dire que tu le fais pour moi et c'est justement ce que je ne veux pas.

— De toute façon, explique-moi un peu cette histoire des changements.

— Que veux-tu que je te dise, si j'essaie de l'expliquer cela devient encore plus fumeux. Par exemple, si je suis avec toi, il n'y a pas de problème, mais à peine suis-je seul on dirait que tu fais pression sur moi, sans quitter ta chambre. Rappelle-toi, l'autre jour, quand tu m'as demandé les clous. Talita aussi le sent, elle me regarde et j'ai l'impression que ce regard t'est destiné, par contre quand nous sommes tous les trois ensemble, elle passe des heures sans faire attention à toi. Tu t'en es rendu compte, je suppose.

— Oui. Continue.

— C'est tout et c'est pour cela qu'il ne me paraît pas bien que tu t'en ailles pour si peu. Il faut que ce soit une chose que tu décides toi-même et maintenant que j'ai fait la bêtise de t'en parler, tu ne vas même plus avoir la liberté de choisir car tu vas te poser le problème sous l'angle de la responsabilité et alors on est frit. La morale, en ce cas, c'est faire grâce à un ami, et ça je ne l'accepte pas.

— Ah, dit Oliveira. Ainsi, tu ne me laisses pas partir et je ne peux pas non plus m'en aller. C'est une situation légèrement pyjama rose, tu ne trouves pas ?

— Si, plutôt.

— Tiens, comme c'est curieux.

— Quoi donc ?

— Les lumières se sont toutes éteintes en même temps.

— Ils doivent avoir apposé la dernière signature. La clinique est au patron. Vive Ferraguto !

— J'imagine qu'à présent il faudra leur donner satisfaction et tuer le chien. C'est incroyable la haine qu'ils lui portent.

— Ce n'est pas de la haine, dit Traveler. Ici non plus, les passions ne m'ont pas l'air bien violentes, pour le moment.

— Il te faut des solutions radicales, mon pauvre vieux. Moi aussi j'ai longtemps éprouvé ça, et puis après...

Ils revinrent vers la clinique, avec précaution car le jardin était très sombre et ils ne se rappelaient plus bien la disposition des plates-bandes. Lorsqu'ils trouvèrent la marelle, près de l'entrée, Traveler rit tout bas et se mit à sauter sur un pied de case en case. Le dessin à la craie luisait faiblement dans l'ombre.

— Un de ces soirs, dit Oliveira, je te parlerai d'avant. Je n'en ai guère envie, mais c'est peut-être la seule façon de tuer peu à peu le chien, pour ainsi dire.

Traveler sauta hors de la marelle et, à ce moment-là, les lumières du deuxième étage s'allumèrent toutes d'un coup. Oliveira, qui allait ajouter quelque chose, vit sortir de l'ombre la tête de Traveler et l'instant que dura la lumière avant de s'éteindre de nouveau, il surprit sur son visage une moue, un rictus (du latin *rictus*, ouverture de la bouche, contraction des lèvres, semblable à un sourire).

— A propos de tuer le chien, dit Traveler, je ne sais si tu as remarqué que le médecin-chef s'appelle Ovejero, c'est-à-dire Chien-berger pour le cas où tu ne le saurais pas. Il y a de ces choses.

— Ce n'est pas ce que tu voulais me dire.

— Ça te va bien à toi de te plaindre des silences ou des substitutions. Bien sûr, ce n'est pas ce que je voulais dire, mais qu'est-ce que ça peut faire ? On ne peut pas parler de ça. Si tu veux en faire la preuve... Quelque chose me dit qu'il est déjà trop tard. La pizza s'est refroidie et ça n'est pas bon réchauffé. Il vaudrait mieux que nous nous mettions au travail tout de suite, ça nous distraira.

Oliveira ne répondit pas et ils remontèrent dans la salle de la grande négociation où l'administrateur et Ferraguto étaient en train de prendre un double cognac. Oliveira se joignit aussitôt à eux, mais Traveler alla s'asseoir sur le sofa où Talita lisait un roman d'un air ensommeillé. Après la dernière signature, Remorino avait fait disparaître le registre et les malades qui assistaient à la cérémonie. Traveler remarqua que l'administrateur avait éteint la lumière du plafond et laissé seulement la lampe du bureau, tout était mou et vert, on parlait

# 51

à voix basse et satisfaite. Quelqu'un proposa d'aller manger des tripes à l'italienne dans un restaurant du centre. Talita ferma son livre et le considéra d'un air endormi, Traveler lui caressa les cheveux et se sentit mieux. De toute façon, l'idée de tripes à l'italienne à cette heure-là et par cette chaleur était absurde.

(-69)

# 52

Parce que en réalité il ne pouvait rien *raconter* à Traveler. S'il commençait à tirer sur la pelote, il allait venir un brin de laine, des mètres de laine, laine du latin *lana*, l'anatomie, l'annapurna, lanaturner, lanatalité, lanationalité, la laine à en perdre l'haleine, la laine jusqu'à la nausée mais jamais la pelote elle-même. Il aurait fallu faire comprendre à Traveler que ce qu'il lui racontait n'avait pas de sens direct (mais quel sens cela avait-il ?), mais que ce n'était pas pour autant une figure ou une allégorie. Une distance infranchissable, un problème de niveaux qui n'avaient rien à voir avec l'intelligence ou la culture, jouer aux cartes ou discuter de John Donne avec Traveler, c'était sans rapport avec le reste, car tout se passait alors sur un territoire d'apparence commune, mais le reste, être une espèce de singe parmi les hommes, vouloir être un singe pour des raisons que le singe lui-même n'était pas capable de s'expliquer, d'abord parce qu'elles n'avaient rien de raisonnable et que leur force résidait précisément en cela, et ainsi de suite.

Les premières nuits à la clinique furent tranquilles; l'ancien personnel était encore en service et les nouveaux se limitaient à regarder, à acquérir de l'expérience et à se réunir dans la pharmacie où Talita, en blouse blanche, redécouvrait avec émotion les émulsions et les barbituriques. Le problème était comment se débarrasser de la Couca Ferraguto, ancrée comme un fer dans l'appartement de l'administrateur et décidée à mener la clinique sous sa férule d'autant que le patron écoutait respectueusement le *new deal* résumé en termes tels que hygiène, discipline, travailfamillepatrie, pyjamas gris et infusions de tilleul. Elle se pointait dix fois par jour à la pharmacie et prêtait-une-oreille-attentive aux dialogues soi-disant professionnels de la nouvelle équipe. Elle avait une certaine confiance en Talita, la petite avait tout de même son titre en main, mais le mari et le copain ne lui disaient rien qui vaille. L'ennui c'est qu'elle les trouvait quand même extrêmement sympathiques, ce qui la jetait dans des débats cornéliens tandis que Ferraguto organisait l'administration et s'habituait petit à petit à remplacer les avaleurs de sabre par les schizophrènes et les balles de foin par les ampoules d'insuline. Les médecins, au nombre de trois, passaient le matin et n'étaient guère gênants. L'interne, grand amateur de poker, était déjà très ami d'Oliveira et de Traveler et, dans son cabinet du troisième étage, il se faisait de splendides quintes flush, et des pots de dix à cent pesos passaient de main en main que te la voglio dire. Les malades allaient mieux, merci.

(-89)

# 53

Donc un jeudi, plaf ! les voilà tous installés dans la place, sur le coup de neuf heures du soir. L'ancien personnel était parti l'après-midi en claquant les portes (rires ironiques de Ferraguto et de la Couca, bien décidés à ne pas arrondir les indemnisations), et une délégation de malades avait accompagné les partants en criant : « Le chien est mort ! le chien est mort ! » ce qui ne les avait pas empêchés de présenter ensuite à Ferraguto une pétition signée de cinq personnes pour réclamer du chocolat, le journal du soir et la mort du chien. Il ne resta donc que les nouveaux, un peu déroutés encore, et Remorino qui plastronnait et disait que tout allait marcher au poil. Pendant ce temps, Radio-Buenos Aires entretenait l'esprit sportif de ses auditeurs par des informations sur la vague de chaleur. Tous les records étaient battus, on pouvait suer patriotiquement à son aise et Remorino avait déjà ramassé quatre ou cinq pyjamas jetés dans un coin. Avec Oliveira, il s'employait à convaincre leurs propriétaires de les remettre, au moins le pantalon. Avant d'attaquer un poker avec Ferraguto et Traveler, le docteur Ovejero avait autorisé Talita à distribuer des citronnades à tout le monde, sauf au 6, au 18 et à la 31. Ce que voyant, la 31 avait eu une crise de larmes, aussi Talita lui avait-elle donné double ration. Il était temps d'agir *motu proprio*, à mort le chien.

Comment pouvait-on se mettre à vivre cette vie, ainsi, paisiblement et sans trop s'étonner ? Et sans véritable préparation, car le manuel de psychiatrie que Talita et Traveler avaient acheté n'était pas précisément propédeutique. Sans expérience, sans grande envie, sans rien : l'homme est véritablement l'animal qui s'habitue même à ne pas être habitué.

53

La morgue, par exemple : Traveler et Oliveira l'ignoraient totalement et voilapa que le mardi soir, Remorino vient les chercher de la part d'Ovejero. Le 56 venait de mourir de façon attendue au deuxième étage, il fallait donner un coup de main au brancardier et distraire la 31 qu'avait le palpitant assez télépathique.

Etrange qu'on n'eût pas fait mention de la morgue sur l'inventaire. Et pourtant, soyons logiques, il faut bien garder quelque part la viande froide jusqu'à ce que la famille arrive ou que la municipalité envoie un fourgon. Peut-être, dans l'inventaire, avait-on mentionné simplement une salle de dépôt ou une salle d'attente, ou une chambre froide, autant d'euphémismes possibles, à moins qu'on n'eût précisé les huit frigorifiques. Morgue, après tout, n'était pas un mot très reluisant à coucher sur un document, pensait Remorino. Et pourquoi *huit* chambres froides ? Ah ça... Quelque exigence de la Commission d'Hygiène ou un placement fait par l'ex-administrateur lors d'une liquidation de stocks; cela s'était, d'ailleurs, avéré utile à l'usage, car il y avait parfois des périodes de pointe, comme l'année où l'équipe San Lorenzo avait gagné (quelle année au juste, Remorino ne se rappelait pas, mais c'était l'année où San Lorenzo avait gagné) quatre à la fois au rebut, un de ces coups de faux, je ne vous dis que ça. Mais cela n'arrivait pas souvent, il fallait bien le reconnaître, le 56, lui, c'était inévitable que voulez-vous ? Par ici, parlez bas pour ne pas les réveiller... Et toi, qu'est-ce que tu fiches là à cette heure, ouste au lit, dépêchons. C'est un brave gosse, regardez comme il se taille. Ça le prend, la nuit, de sortir dans le couloir, mais ne croyez pas que c'est à cause des femmes, ça, c'est une affaire réglée. Non, il sort parce qu'il est fou, tout simplement. Au fond, comme ferait n'importe qui d'entre nous, si on va par là.

Oliveira et Traveler trouvaient que Remorino était un gars épatant. Un type évolué, ça se voyait tout de suite. Ils aidèrent le brancardier qui, lorsqu'il n'était pas brancardier, était le 7 tout court, un cas guérissable, ce pourquoi il pouvait aider aux petits travaux. Ils placèrent le brancard dans le monte-charge, un peu à l'étroit tous là-dedans et se sentant très près de cette masse, là, sous le drap. La famille allait venir le chercher lundi, ils étaient de Trelew, les pauvres. Le 22, lui, on n'était pas encore venu le chercher, un comble. Des gens à galette, disait Remorino, les pires, de vrais vautours, pas ça de cœur. Et la municipalité permettait que le 22... ? Bah, le désordre administratif, on sait ce que c'est. Moyennant quoi, les jours passaient, deux semaines bientôt, vous voyez l'avantage d'avoir plusieurs chambres froides. Sans compter qu'ils étaient déjà trois car il y avait aussi la 2, une des fondatrices. Ecoutez ça, la 2 n'avait pas de famille, mais la direction des Pompes funèbres avait assuré que le fourgon passerait dans les quarante-huit heures. Remorino avait fait le calcul pour s'amuser et ça faisait déjà trois cent six heures, presque trois cent sept. Il l'appelait la fondatrice parce que c'était une petite vieille des premiers temps de la maison, d'avant même le docteur qui avait vendu à don Ferraguto. Quel brave type il semblait être, don Ferraguto, non ? Penser qu'il avait eu un cirque avant, c'était marrant.

Le 7 ouvrit le monte-charge, tira sur le brancard et sortit dans le couloir en manœuvrant que c'en était un plaisir, au bout de quelques mètres Remorino le freina sec et sortit une clef Yale de sa poche pour ouvrir la porte métallique tandis que Traveler et Oliveira prenaient en même temps une cigarette, on a de ces réflexes... Ce qu'ils auraient plutôt dû faire c'était d'apporter leurs pardessus parce qu'on n'avait pas entendu parler de la vague de chaleur dans la morgue qui, d'ailleurs, avait l'air d'un débit de boissons avec une longue table d'un côté et une chambre froide montant jusqu'au plafond de l'autre.

— Sors une bouteille de bière, demanda Remorino. Vous n'avez rien vu, n'est-ce pas ? Ici, le règlement est parfois trop... Il vaut mieux ne pas le dire à don Ferraguto, d'autant que nous ne prenons une bière que de temps en temps.

Le 7 ouvrit une des portes de la chambre froide et sortit une bouteille. Tandis que Remorino l'ouvrait avec un bec dont était muni son canif, Traveler regarda Oliveira, mais le 7 parla le premier.

— Il vaudrait mieux qu'on le range d'abord, vous ne croyez pas ?

— Toi... commença Remorino, mais il s'arrêta, le canif ouvert à la main. Tu as raison, petiot. Amène-le. Celle d'à côté est libre.

— Non, dit le 7.

— Tu vas m'apprendre à moi...

53

— Mille excuses, dit le 7. Celle qui est libre, c'est celle-là. Remorino le regarda et le 7, souriant, lui adressa une espèce de salut et s'approcha de la porte, objet du litige. Il l'ouvrit et il en sortit une lumière brillante, comme d'aurore boréale, où se découpaient clairement d'assez grands pieds.

— Le 22, dit le 7. Qu'est-ce que je vous disais ? Je les connais tous par leurs pieds. Et là, c'est la 2. Qu'est-ce que vous pariez ? Regardez si vous ne me croyez pas. Vous êtes convaincu ? Bon, alors nous le mettons dans celle-là qui est libre. Aidez-moi, attention il faut faire passer d'abord la tête.

— C'est un champion, dit Remorino à Traveler à voix basse. Je ne sais vraiment pas pourquoi Ovejero le garde encore. Il n'y a pas de verres, alors on va téter à la bouteille, chacun son tour.

Traveler avala la fumée de sa cigarette jusqu'aux genoux avant de prendre la bouteille. Ils se la passèrent de main en main et ce fut Remorino qui raconta le premier une histoire salée.

(-66)

# 54

De la fenêtre de sa chambre au deuxième étage, Oliveira pouvait voir la cour avec la fontaine, le petit jet d'eau, la marelle du 8, les trois arbres qui ombrageaient le parterre de gazon avec les géraniums, et le très haut mur qui lui cachait les maisons de la rue. Le 8 jouait presque tous les après-midi à la marelle, il était imbattable, le 4 et la 19 auraient bien voulu le déloger du Ciel mais c'était inutile, le pied du 8 était une arme de précision, la pierre se plaçait toujours dans la position la plus favorable, c'était extraordinaire. Le soir, la marelle dégageait comme une faible phosphorescence et Oliveira aimait la regarder de sa fenêtre. Le 8, dans son lit, cédant aux effets d'un centimètre cube d'hypnosal, devait dormir comme les cigognes, debout mentalement sur un pied et poussant la pierre à petits coups secs et infaillibles, à la conquête d'un ciel qui semblait le décevoir sitôt gagné. « Tu es d'un romantisme insupportable, pensait Oliveira tout en se préparant un maté. A quand le pyjama rose ? » Il y avait sur sa table une petite lettre de Gekrepten inconsolable, alors on ne te laisse sortir que les samedis, mais ce n'est pas une vie, mon chéri, je ne me résigne pas à être seule si longtemps, si tu voyais notre petite chambre. Oliveira posa le maté sur l'appui de la fenêtre, sortit un Bic de sa poche et répondit à la lettre. Primo, il y a le téléphone (suivait le numéro) ; secundo, ils étaient très occupés mais la réorganisation de la clinique ne durerait certainement pas plus de deux semaines et alors ils pourraient se voir les mercredis, samedis et dimanches. Tertio, il ne lui restait presque plus de maté. « On dirait que je suis enfermé », pensa-t-il en signant la lettre. Il était presque onze heures, il irait

## 54

bientôt remplacer Traveler qui était de garde au troisième étage. Il se versa un autre maté, relut la lettre et colla l'enveloppe. Il préférait écrire, le téléphone était un instrument confus entre les mains de Gekrepten, elle ne comprenait rien à ce qu'on lui expliquait.

La lumière de la pharmacie s'éteignit dans le pavillon de gauche. Talita sortit dans la cour, ferma la porte à clef (on la voyait très bien à la lueur du ciel chaud et étoilé) et s'approcha, indécise, de la fontaine. Oliveira la siffla tout bas, mais Talita continua à fixer le jet d'eau et tendit même un doigt curieux qu'elle maintint un moment sous l'eau. Après quoi elle traversa la cour, marcha sans précaution sur la marelle et disparut sous la fenêtre d'Oliveira. Tout s'était passé un peu comme dans les peintures de Léonora Carrington, la nuit avec Talita et la marelle, un croisement de lignes qui s'ignoraient, un petit jet d'eau dans une fontaine. Quand la silhouette rose sortit de l'ombre et s'approcha lentement de la marelle, Oliveira comprit que tout rentrait dans l'ordre, que la forme rose allait obligatoirement choisir une pierre plate parmi celles que le 8 empilait près du parterre et que la Sibylle, car c'était la Sibylle, replierait sa jambe gauche et que, du bout du pied, elle pousserait la pierre dans la marelle. Il voyait d'en haut les cheveux de la Sibylle, la courbe des épaules et les bras à demi levés pour se maintenir en équilibre, il la voyait entrer à petits sauts dans la première case et pousser la pierre dans la deuxième (Oliveira trembla une seconde car la pierre avait failli sortir de la marelle, une irrégularité des dalles l'avait retenue juste à la limite de la deuxième case), puis sauter légèrement et demeurer une seconde immobile comme un flamant rose dans la pénombre avant d'avancer peu à peu le pied vers la pierre, évaluant la distance qui la séparait de la troisième case.

Talita leva la tête et vit Oliveira à la fenêtre. Elle ne le reconnut pas tout de suite et se balança un moment sur une jambe, comme se soutenant dans l'air avec ses mains. Plein d'une ironique déception, Oliveira reconnut son erreur, vit que le rose n'était pas rose, que Talita portait un corsage gris perle et une jupe sans doute blanche. Tout s'expliquait si l'on peut dire : Talita était entrée puis, attirée par la marelle, elle était ressortie, et cette rupture d'une seconde entre son premier passage et sa réapparition avait suffi pour abuser Oliveira comme cette autre nuit sur le pont du bateau et comme tant d'autres nuits. Il répondit à peine au geste de Talita qui maintenant baissait la tête et se concentrait, la pierre poussée avec force sortait de la deuxième case et entrait dans la troisième, se dressait, roulait sur la tranche, sortait de la marelle, filait une ou deux dalles plus loin.

— Il faudra que tu t'entraînes davantage, dit Oliveira, si tu veux battre le 8.

— Qu'est-ce que tu fais là ?

— Chaleur. Tour de garde à onze heures et demie. Correspondance.

— Ah, dit Talita. Quelle nuit !

— Magique, dit Oliveira, et Talita eut un rire bref avant de disparaître sous la porte d'entrée. — Oliveira l'entendit monter l'escalier, passer devant sa porte (mais peut-être avait-elle pris l'ascenseur), arriver au troisième étage. « Reconnais qu'elle lui ressemble assez, pensa-t-il. Ça, plus le fait que je suis un crétin, et tout s'explique parfaitement. » Mais il resta quand même encore un moment à la fenêtre à regarder la cour, la marelle déserte, comme pour se convaincre. A onze heures dix, Traveler vint le chercher et lui passa les consignes : le 5 était assez agité, avertir Ovejero s'il devenait gênant; les autres dormaient.

Calme plat au troisième étage, le 5 lui-même s'était calmé; il accepta une cigarette d'Oliveira, la fuma avec application et lui expliqua que la conjuration des éditeurs juifs retardait la publication de sa grande œuvre sur les comètes; il lui promit un exemplaire dédicacé. Oliveira laissa sa porte entrouverte parce qu'il connaissait ses astuces et se mit à faire les cent pas dans le couloir, en regardant de temps en temps par les judas installés grâce à la triple astuce d'Ovejero, de l'administrateur et de la maison Liber et Finkel : chaque chambre un petit Van Eyck, excepté la 14 qui, comme toujours, avait collé un timbre sur la lentille. A minuit, arriva Remorino avec plusieurs verres dans le nez; ils parlèrent courses et football, après quoi Remorino s'en alla dormir un moment au rez-de-chaussée. Le 5 s'était complètement calmé et la chaleur redoublait dans le silence et la pénombre du couloir. L'idée que quelqu'un pourrait le tuer n'était jamais venue à Oliveira jusque-là, mais il avait suffi d'un dessin instantané, une esquisse qui tenait plutôt du frisson que de la peur précise, pour se rendre compte que ce n'était pas une idée neuve, qu'elle n'était pas simplement suscitée par l'atmosphère du couloir avec ses portes fermées et l'ombre du monte-charge dans le fond. Elle aurait aussi bien pu lui venir à midi dans le bistrot de Roque, ou à cinq heures dans le métro. Ou, bien avant, en Europe, un soir de vagabondage dans les terrains vagues où une vieille boîte de conserves peut trancher une gorge pour peu que les deux y mettent de la bonne volonté. Il s'arrêta au bord du trou du monte-charge, regarda le fond noir et pensa aux Champs Phlégréens, à l'accès une fois de plus. Au cirque, c'était le contraire, un trou dans le haut, l'ouverture communiquant avec l'espace ouvert, figure d'accomplissement; maintenant, il était au bord du puits, trou d'Eleusis, la clinique enveloppée de vapeurs chaudes favorisait cette idée du passage négatif, les vapeurs sulfureuses, la descente. Il se retourna et vit la longue ligne droite du couloir, la faible lumière des ampoules violettes au-dessus de l'encadrement blanc des portes. Il fit une chose stupide; il replia sa jambe gauche et avança à petits sauts le long du couloir jusqu'à la hauteur de la première porte. Quand il reposa son pied sur le linoléum vert, il était baigné de sueur. A chaque saut, il avait répété entre ses dents le nom de Manou. « Penser que j'avais espéré un passage », se dit-il en s'appuyant contre le mur. Impossible d'objectiver la première fraction d'une pensée sans la trouver grotesque. Passage, par exemple. Penser qu'il avait espéré. Espérer un passage. Il se laissa glisser contre le mur, s'assit par terre et regarda fixement le linoléum. Passage vers quoi ? Et pourquoi la clinique devait-elle servir de passage ? De quelle sorte de temples avait-il besoin, de quels intercesseurs, de quelles hormones psychiques ou morales qui l'auraient projeté hors de lui ou au cœur de lui-même ?

Quand il vit arriver Talita avec un verre de citronnade (ces idées qu'elle avait, ce côté secouriste, La Goutte de Lait), il lui parla tout de suite de la chose. Talita ne montra aucune surprise; elle s'assit en face de lui et le regarda boire sa citronnade d'un trait.

— Si la Couca nous voyait comme ça assis par terre, elle en aurait une attaque. Tu en as une façon de monter la garde. Ils dorment ?

— Oui. Je crois. La 14 a bouché le judas, va-t'en savoir

ce qu'elle peut faire. Cela me gêne d'aller ouvrir sa porte.

— Tu es la délicatesse même, dit Talita. Mais moi, entre femmes...

Elle revint très vite et cette fois s'assit à côté d'Oliveira pour appuyer son dos au mur.

— Elle dort chastement. Le pauvre Manou a eu un cauchemar horrible. C'est toujours la même chose, il se rendort, mais moi je suis tellement bouleversée que je finis par me lever. J'ai pensé que tu devais avoir chaud, toi ou Remorino, alors je suis allée vous faire une citronnade. Quel été, et avec ces murs, là dehors, qui coupent l'air. Ainsi, je ressemble à cette autre femme.

— Un peu, oui, dit Oliveira, mais cela n'a aucune importance. Ce que j'aimerais savoir c'est pourquoi je t'ai vue habillée de rose.

— Influences ambiantes, tu m'as assimilée aux autres.

— Oui, ça c'était assez facile, tout bien considéré. Et toi, pourquoi as-tu joué à la marelle ? Tu t'es assimilée aussi ?

— Tu as raison, dit Talita. Pourquoi diable y ai-je joué ? Parce que au fond je n'ai jamais aimé la marelle. Mais ne fabrique pas aussitôt une de tes théories de l'envahissement, je ne suis le zombie de personne.

— Pas besoin de crier pour dire ça.

— De personne, répéta Talita en baissant la voix. J'ai vu la marelle en entrant, il y avait une pierre... J'ai joué et je suis partie.

— Tu as perdu à la troisième case. La Sibylle aurait perdu très vite, elle aussi, elle est incapable de persévérer, elle n'a pas le moindre sens des distances, le temps se brise entre ses mains, tout la fait trébucher. Grâce à quoi, je te le dis en passant, elle est absolument parfaite dans sa façon de dénoncer la fausse perfection des autres. Mais je te parlais de monte-charge, il me semble.

— Oui, tu en as parlé et puis tu as bu ta citronnade. Non, attends, la citronnade, tu l'as bue avant.

— Je me suis probablement traité d'imbécile, quand tu es arrivée j'étais en pleine transe shamanique, sur le point de me jeter par le trou du monte-charge pour en finir une bonne fois avec les conjectures, mot svelte entre tous.

— Le trou donne sur la cave, dit Talita. Il y a des cafards, si ça t'intéresse, et des chiffons de couleur par terre. Tout est humide et noir, et un peu plus loin commencent les morts. Manou m'a raconté.

— Manou dort en ce moment ?

— Oui, il a fait un cauchemar, il a crié, parlé d'une cravate perdue. Je te l'ai déjà dit.

— C'est une nuit de grandes confidences, dit Oliveira en la regardant lentement.

— Très grandes, dit Talita. La Sibylle n'était qu'un nom, et maintenant elle a un visage. Elle hésite encore sur la couleur des vêtements, semble-t-il.

— Les vêtements, c'est la moindre des choses, qui sait ce qu'elle aura quand je la reverrai. Elle sera nue, ou elle portera son enfant dans ses bras en lui chantant *Les Amants du Havre*, une chanson que tu ne connais pas.

— Que tu crois, dit Talita. On la donnait assez souvent à Radio Belgrano. La-la-la, la-la-la...

Oliveira esquissa une gifle molle qui s'acheva en caresse. Talita rejeta la tête en arrière et se cogna contre le mur. Elle fit la grimace et se frotta la nuque, mais sans cesser de chantonner. On entendit un clic et, après, un bourdonnement qui sembla bleu dans la pénombre du couloir. Ils entendirent arriver le monte-charge et se levèrent d'un bond après avoir échangé un bref coup d'œil. Qui pouvait, à cette heure... ? Clic, le passage du premier étage, le bourdonnement bleu. Talita recula et se mit derrière Oliveira. Clic. On distinguait parfaitement le pyjama rose dans la benne de verre grillagé. Oliveira courut au monte-charge et ouvrit la porte. Il en sortit une bouffée d'air presque froid. Le vieux le regarda comme s'il ne le reconnaissait pas et continua de caresser son pigeon; on devinait que le pigeon avait dû être blanc autrefois mais que la continuelle caresse de la main du vieil homme l'avait rendu gris, d'un gris cendreux.

Immobile, les yeux mi-clos, il reposait au creux de la main qui le portait à la hauteur de la poitrine, pendant que les doigts passaient et repassaient du cou jusqu'à la queue, du cou jusqu'à la queue.

— Allez dormir, don Lopez, dit Oliveira, un peu haletant.

— Il fait chaud dans le lit, dit don Lopez. Regardez comme il est content quand je le promène.

— Il est très tard, rentrez dans votre chambre.

— Je vous apporterai une citronnade bien fraîche, promit Talita Nightingale.

Don Lopez caressa son pigeon puis sortit du monte-charge. Ils l'entendirent descendre l'escalier.

— Chacun fait ce qu'il veut ici, murmura Oliveira. Un de ces quatre matins, il va y avoir un massacre général. Je sens ça, si tu veux mon opinion. Ce pigeon était comme un revolver.

— Il faudrait avertir Remorino. Le vieux venait du sous-sol, c'est étrange.

— Ecoute, reste un instant là pour surveiller, moi je descends à la cave, il ne faudrait pas qu'il y en ait un autre en bas en train de faire des bêtises.

— Je descends avec toi.

— Si tu veux, ceux-là dorment tranquillement.

A l'intérieur du monte-charge, la lumière était vaguement bleue et l'on descendait dans un bourdonnement de science-fiction. Il n'y avait personne au sous-sol, mais une des portes du congélateur était entrouverte et un flot de lumière sortait par la fente. Talita s'arrêta, une main sur la bouche, tandis qu'Oliveira s'approchait. C'était le 56, il se rappelait très bien, la famille devait s'amener d'un moment à l'autre. Ils étaient de Trelew. Et, entre-temps, le 56 avait reçu la visite d'un ami, imaginer la conversation avec le vieux au pigeon, un de ces pseudo-dialogues où l'interlocuteur se fiche pas mal que vous parliez ou pas pourvu que vous soyez là, qu'il y ait quelque chose devant lui, n'importe quoi, un visage, des pieds sortant de la glace. Comme il venait, lui, de parler à Talita pour lui raconter ce qu'il avait vu, lui raconter qu'il avait peur, parler sans arrêt de trous et de passages, à Talita ou à n'importe qui, à une paire de pieds sortant de la glace, à n'importe quelle apparence antagonique capable d'écouter et d'approuver. Mais tandis qu'il refermait la porte du congélateur et s'appuyait sans savoir pourquoi au rebord de la table, un vomissement de souvenirs lui monta aux lèvres, il se dit qu'un ou deux jours plus tôt il lui avait encore semblé impossible de rien raconter à Traveler, un singe ne pouvait rien raconter à un homme, et soudain, sans savoir comment, il s'était entendu parler à Talita comme si elle eût été la Sibylle, sachant pourtant qu'elle ne l'était pas, mais il lui avait parlé de la marelle, de la peur dans le couloir, du trou tentateur. Et ça, c'était comme une fin, l'appel à la pitié de l'autre (et Talita était là, à quatre mètres derrière lui, attendant), le retour à la famille humaine, l'éponge tombant avec un bruit répugnant au centre du ring. Il avait l'impression de se fuir lui-même, de s'abandonner pour se jeter (fils — de putain — prodigue) dans les bras de la facile réconciliation, suivie du retour encore plus facile au monde, à la vie possible, au temps de son âge, à la raison qui régit les actions des bons Argentins en particulier et de l'animal humain en général. Il était dans son petit, commode Hadès réfrigéré, mais il n'y avait aucune Eurydice à chercher, sans compter qu'il était descendu tranquillement dans un monte-charge et maintenant, tandis qu'il ouvrait un réfrigérateur pour y prendre une bouteille de bière, il sentait qu'il avait carte blanche, qu'il était prêt à tout pour en finir avec cette comédie.

— Viens boire un coup, proposa-t-il. Bien meilleur que ta citronnade.

Talita fit un pas puis s'arrêta.

— Ne sois pas nécrophile, dit-elle. Sortons d'ici.

— Reconnais que c'est le seul endroit frais. Je crois que je vais y installer un lit de camp.

— Tu es pâle de froid, dit Talita en s'approchant. Viens, je n'aime pas que tu restes ici.

— Tu n'aimes pas ? Ils ne sortiront pas de la glace pour me manger, ceux d'en haut sont pires.

— Viens, Horacio, répéta Talita. Je ne veux pas que tu restes ici.

— Toi... dit Oliveira en la regardant avec colère, et il s'interrompit pour ouvrir la bouteille en frappant le goulot sur le rebord d'une chaise. — Il voyait si nettement un boulevard sous la pluie, mais ce n'était pas lui qui soutenait quelqu'un, qui lui parlait avec pitié, c'était à lui qu'on donnait le bras cette fois, on l'avait pris par le bras avec compassion, on lui parlait pour lui faire plaisir, on avait tellement pitié de lui que c'en était un délice. Le passé s'inversait, changeait de signe, cette femme joueuse de marelle avait pitié de lui, c'était si clair que cela brûlait.

— Nous pourrons continuer à parler en haut, dit Talita, engageante. Emporte la bouteille, tu m'en donneras un peu.

— *Oui, madame ; bien sûr, madame*, dit Oliveira

— Enfin, tu dis quelque chose en français. On croyait, Manou et moi, que tu avais fait un serment. Jamais...

— *Assez,* dit Oliveira. *Tu m'as eu, petite, Céline avait raison, on se croit enculé d'un centimètre et on l'est déjà de plusieurs mètres.*

Talita le regarda de l'air de ceux qui ne comprennent pas, mais sa main monta vers lui sans qu'il y prît garde et elle s'appuya un instant sur sa poitrine. Quand elle la retira, Oliveira la regarda comme du fond d'un puits, avec des yeux qui revenaient de quelque autre endroit.

— Qui sait, dit Oliveira à quelqu'un qui n'était pas Talita. Qui sait si ce n'est pas toi qui craches sur moi ce soir tant de pitié. Qui sait si au fond il ne faut pas pleurer d'amour, à remplir quatre ou cinq cuvettes. Ou qu'on te les pleure comme on est en train de te les pleurer.

Talita lui tourna le dos et s'en fut vers la porte. Quand elle s'arrêta pour l'attendre, indécise et en même temps forcée de l'attendre, car s'éloigner de lui en cet instant c'était comme le laisser tomber dans le puits (plein de cafards, de chiffons de couleur), elle vit qu'il souriait, mais le sourire n'était pas davantage pour elle. Elle ne l'avait jamais vu sourire ainsi, l'air malheureux mais avec tout son visage ouvert et bien en face, sans l'ironie habituelle, acceptant une chose qui devait lui parvenir du centre de la vie, de cet autre puits (avec des cafards, des chiffons de couleur, un visage flottant sur une eau sale ?), s'approchant d'elle dans cet instant où il acceptait la chose indicible qui le faisait sourire. Et son baiser, non plus, n'était pas pour elle, ne se donnait pas là, grotesquement, à côté d'une glacière remplie de morts, si près de Manou endormi, on eût dit qu'ils s'atteignaient d'un autre lieu, avec une autre part d'eux-mêmes, et ce n'étaient pas eux qui étaient en cause, ils étaient en train de payer ou de recevoir pour d'autres, ils étaient comme les golems d'une rencontre impossible entre leurs maîtres. Et les Champs Phlégréens, et ce qu'Horacio avait murmuré à propos de la descente, était une insanité si absolue que Manou et tout ce qui était Manou et se situait au niveau de Manou, ne pouvait participer à la cérémonie, car ce qui commençait là était comme la caresse au pigeon, comme l'idée de se lever pour faire une citronnade à un veilleur, comme le saut à cloche-pied pour pousser une pierre de la première dans la deuxième case et de la deuxième dans la troisième. En un certain sens, ils étaient entrés dans un autre ordre, dans cette zone où l'on pouvait s'habiller de gris et être en rose, où l'on pouvait s'être noyée dans un fleuve (et cela, ce n'était plus elle qui le pensait) et réapparaître dans une nuit de Buenos Aires pour répéter sur la marelle l'image même de ce qu'ils venaient d'atteindre, la dernière case, le centre du mandala, l'Yggdrasil vertigineux par où l'on gagnait une plage ouverte, une étendue sans limites, un monde que les yeux, tournés vers l'intérieur, reconnaissaient et acceptaient sous les paupières.

(-129)

# 55

Mais Traveler ne dormait pas. Après une ou deux tentatives où le cauchemar continuait à le hanter, il finit par s'asseoir sur le lit et alluma la lampe. Talita n'était pas là, cette somnambule, cette phalène des nuits blanches, et Traveler but un verre de *caña* et mit sa veste de pyjama. Le fauteuil de rotin paraissait plus frais que le lit, et c'était une nuit idéale pour la passer à lire. De temps à autre, on entendait marcher dans le couloir, et Traveler alla entrouvrir deux fois la porte qui donnait sur le bâtiment administratif. Il n'y avait personne. Talita avait dû aller travailler à la pharmacie, incroyable comme ça l'enthousiasmait ce retour à la science, aux balances de précision, aux cachets antinévralgiques. Traveler se mit à lire un peu entre deux verres de *caña*. C'était tout de même étrange que Talita ne soit pas revenue de la pharmacie. Quand elle reparut avec un air de fantôme à faire peur, le niveau avait tellement baissé dans la bouteille de *caña* que Traveler ne se souciait presque plus de la revoir ou pas, et ils bavardèrent un moment de choses et d'autres pendant que Talita étalait une chemise de nuit et diverses théories, toutes admises par Traveler qui, à ce degré-là, inclinait à la bienveillance. Après quoi, Talita s'endormit sur le dos, d'un sommeil agité, entrecoupé de gestes brusques et de gémissements. C'était toujours la même histoire, Traveler avait du mal à s'endormir quand Talita était agitée, mais à peine était-il vaincu par la fatigue qu'elle se réveillait et qu'elle ne pouvait plus se rendormir parce qu'il parlait en rêve ou s'agitait, et la nuit se passait ainsi, comme sur une balançoire. Pour comble de malheur, la lumière était restée allumée et c'était très compliqué d'atteindre l'interrupteur;

ils finirent par se réveiller complètement et Talita éteignit alors la lumière et se serra contre Traveler qui transpirait et s'agitait dans le lit.

— Horacio a vu la Sibylle ce soir, dit Talita. Il l'a vue dans la cour, il y a deux heures, quand tu étais de garde.

— Ah, dit Traveler en se mettant sur le dos et en cherchant les cigarettes système Braille.

— La Sibylle c'était moi, dit Talita en se serrant davantage contre Traveler. Je ne sais pas si tu te rends compte.

— Si, plutôt.

— Il fallait que ça arrive. Ce qui m'étonne c'est qu'Horacio ait eu l'air si surpris.

— Oh, tu sais, il fait des bêtises et après il regarde ça de l'air stupéfait des jeunes chiens qui contemplent leur caca.

— Je crois que cela a commencé le jour où on est allé le chercher au port, dit Talita. C'est inexplicable, car il ne m'a même pas regardée ce jour-là et tous les deux vous m'avez renvoyée comme un chien, avec le chat sous le bras.

Traveler grogna quelque chose d'inintelligible.

— Il m'a prise pour la Sibylle, répéta Talita.

Traveler l'entendait parler, invoquer, comme toutes les femmes, la fatalité, l'inévitable enchaînement des choses, et il eût préféré qu'elle se tût mais Talita continuait fiévreusement, se serrait contre lui et s'entêtait à raconter, à se raconter et, naturellement, à lui raconter. Traveler se laissa entraîner.

— D'abord, il y a eu le vieux qui est arrivé avec son pigeon et après nous sommes descendus au sous-sol. Horacio parlait tout le temps de descente, de ces trous qui l'obsèdent. Il était désespéré, Manou, c'était effrayant de le voir si calme alors que... Nous sommes descendus dans le monte-charge et il est allé refermer un des congélateurs, c'était horrible.

— Ainsi tu es descendue, dit Traveler. Tiens, tiens, tiens.

— Non, dit Talita. Ce n'était pas vraiment descendre. Nous parlions, mais je sentais qu'Horacio était comme ailleurs, parlant à quelqu'un d'autre, à une femme noyée, par exemple. Cette idée me vient maintenant, mais il n'avait pas encore dit que la Sibylle s'était noyée.

— Elle ne s'est pas du tout noyée, dit Traveler. J'en suis sûr, bien que j'avoue que je n'en ai pas la moindre idée. Mais il suffit de connaître Horacio.

— Il croit qu'elle est morte, Manou, et en même temps il

la sent tout près, et cette nuit, ce fut moi. Il m'a dit aussi qu'il l'avait vue sur le bateau et sous le pont de l'avenue San Martin... Il ne dit pas ça comme s'il s'agissait d'une hallucination et il ne prétend pas non plus qu'on le croie. Il le dit, sans plus, et c'est vrai, c'est quelque chose qui est là. Quand il a refermé le congélateur, j'ai eu peur et j'ai dit je ne sais quoi, il m'a regardée et c'était l'autre qu'il regardait. Mais moi je ne suis le zombie de personne, Manou, je ne veux être le zombie de personne.

Traveler lui passa la main sur les cheveux mais Talita le repoussa avec impatience. Elle s'était assise sur le lit et il la sentait trembler. Avec cette chaleur, elle tremblait. Elle lui dit qu'Horacio l'avait embrassée et elle essaya d'expliquer le baiser mais comme elle ne trouvait pas ses mots, elle touchait Traveler dans l'obscurité, ses mains tombaient comme des chiffons sur son visage, sur ses bras, glissaient sur la poitrine, s'appuyaient sur ses genoux et il naissait de tout cela comme une explication que Traveler était incapable de repousser, une contagion qui venait d'ailleurs, d'en haut ou d'en bas ou de quelque endroit qui ne fût pas cette chambre et cette nuit, une contagion qui, à travers Talita, le gagnait à son tour, un balbutiement, comme un message intraduisible, le signe qu'il était devant quelque chose qui pouvait être un message mais la voix qui l'apportait était faible et altérée et, pour le communiquer, elle employait une langue inintelligible, et cependant cette présence était la seule chose essentielle, là, à portée de main, réclamant d'être connue et acceptée, se débattant contre un mur spongieux de liège et de fumée, insaisissable et s'offrant, nue entre les bras mais comme une eau fuyant entre les larmes.

« La dure croûte mentale », parvint à penser Traveler. Il entendait confusément, la peur, Horacio, le monte-charge, le pigeon; un système communicable pénétrait peu à peu son oreille. Ainsi le malheureux avait peur qu'il le tue, de quoi rire, vraiment.

— Te l'a-t-il vraiment dit ? J'ai peine à le croire, il est si orgueilleux.

— C'est autre chose, dit Talita en lui enlevant sa cigarette et en fumant avec une moue avide de cinéma muet. Je crois que la peur qu'il éprouve est comme un dernier refuge, la barre où il s'accroche avant de se jeter dans le vide. Il est si content d'avoir peur, ce soir, je sais qu'il est content.

— Ça, dit Traveler en respirant comme un véritable yogi, ça tu peux être sûre que la Couca ne le comprendrait pas. Et moi je dois être particulièrement intelligent ce soir, parce que, cette histoire de la peur joyeuse, mon petit vieux, c'est un peu dur à avaler.

Talita s'enfonça un peu plus dans le lit et s'appuya contre Traveler. Elle savait qu'elle était de nouveau à ses côtés, qu'elle ne s'était pas noyée, qu'il la soutenait à fleur de l'eau et qu'au fond c'était dommage, merveilleusement dommage. Ils le sentirent tous les deux au même instant et glissèrent l'un vers l'autre comme pour tomber en eux-mêmes, sur la terre commune où les mots, les caresses et les bouches les enveloppaient comme la circonférence contient le cercle, ces métaphores apaisantes, cette vieille tristesse satisfaite de redevenir l'homme de toujours, de continuer, de se maintenir à flot contre vents et marées, contre l'appel et la chute.

## 56

D'où pouvait bien lui venir cette habitude d'avoir toujours des ficelles dans les poches, de ramasser des fils de couleur et de les mettre entre les pages des livres, de fabriquer toutes sortes de figures avec ces ficelles et de la colle ? Tout en enroulant la ficelle noire autour de la poignée de la porte, Oliveira se demanda si la fragilité des fils ne lui procurait pas comme une satisfaction perverse et il admit que peut-être, maybe et quizás. La seule chose sûre c'était que les ficelles et les fils l'amusaient beaucoup, que rien ne lui paraissait plus instructif que de monter, par exemple, un gigantesque dodécaèdre transparent, tâche infiniment compliquée et de longue haleine, puis d'y approcher une allumette et de voir comme cette petite flamme de rien du tout allait son train tandis que Gekrepten se-tordait-les-mains et disait que c'était une véritable honte de brûler quelque chose de si joli. Difficile de lui expliquer que plus l'armature était fragile et périssable, plus grande était la liberté de faire et de défaire. Oliveira trouvait que les fils étaient le seul matériel possible pour ses inventions et ce n'est que de loin en loin qu'il se risquait, s'il en trouvait un dans la rue, à employer un bout de fil de fer ou un cercle de tonneau. Il aimait faire des choses pleines d'espace libre, il aimait que l'air entre et sorte, sorte plutôt ; cela lui arrivait aussi avec les livres, les femmes et les devoirs civiques, mais il ne prétendait pas que Gekrepten ou le supérieur du couvent le comprissent.

La ficelle noire enroulée autour de la poignée de porte ça se passait quelques deux heures après, car Oliveira, entretemps, avait fait diverses choses dans sa chambre et au-dehors. Le coup des cuvettes était classique et il n'éprouvait aucune fierté à le remettre à l'honneur, mais enfin, dans l'obscurité, une cuvette d'eau par terre représente toute une série de valeurs défensives assez subtiles : surprise, peut-être terreur, en tout cas colère aveugle d'avoir plongé dans l'eau un soulier Bally ou André et la chaussette par-dessus le marché, et de sentir que tout ça ruisselle pendant que le pied absolument égaré, s'agite dans la chaussette comme un rat qui se noie ou comme un de ces malheureux que les sultans jaloux faisaient jeter dans le Bosphore à l'intérieur d'un sac cousu (avec de la ficelle, bien entendu : tout finissait par se rejoindre, il était assez piquant que la cuvette pleine d'eau et les ficelles se retrouvassent à la fin du raisonnement et pas au début, mais ici Horacio se permettait de croire *a*) que l'ordre des raisonnements n'avait pas à suivre forcément le temps physique, l'avant et l'après et *b*/ que le raisonnement s'était peut-être accompli inconsciemment pour le mener de la notion de ficelle à celle de cuvette aqueuse). En définitive, à peine examinait-il tout cela d'un peu près qu'il y voyait poindre un déterminisme ; le mieux était de continuer à se barricader sans trop se soucier des motifs ou des préférences. En fin de compte, qu'est-ce qui venait en premier lieu, la ficelle ou la cuvette ? La cuvette avait été posée la première, mais la ficelle avait été décidée avant. De toute façon, pas la peine de se torturer les méninges alors que la vie même était en jeu.

Il était beaucoup plus important de trouver des cuvettes et la première demi-heure se passa en une prudente exploration au deuxième étage et au rez-de-chaussée d'où il revint avec cinq cuvettes de taille moyenne, trois pots de chambre et une boîte de confiture vide, le tout groupé sous le titre général de cuvette. Le 18, qui s'était réveillé, tint absolument à l'aider et Oliveira finit par accepter, bien décidé à l'évacuer dès que les opérations défensives prendraient une certaine envergure. Côté fils, le 18 fut d'un grand secours car, à peine fut-il mis succinctement au courant des nécessités stratégiques, qu'il ferma à demi ses yeux verts d'une inquiétante beauté et dit que la 6 avait des tiroirs pleins de fils de couleur. Le seul ennui c'était que la 6 logeait au rez-de-chaussée, dans l'aile de Remorino, et si Remorino se réveillait ça allait faire du raffut. Le 18 soutenait en plus que la 6 était folle, ce qui ne facilitait pas l'incursion dans sa chambre. Fermant à demi ses yeux verts d'une inquiétante beauté, il proposa à Oliveira de monter la garde dans le couloir pendant que lui-même irait voir, pieds nus, s'il trouvait les fils, mais Oliveira pensa que c'était dépasser les bornes et il choisit d'assumer personnellement la responsabilité de s'introduire dans la chambre de la 6 à cette heure de la nuit. Assez drôle de parler de responsabilité et d'entrer dans la chambre d'une jeune fille qui ronflait étendue sur le dos, exposée aux pires mésaventures; ayant rempli ses poches et ses mains de pelotes de ficelle et de fils de toutes les couleurs, Oliveira resta un moment à regarder la dormeuse, puis il haussa les épaules comme pour se débarrasser de la responsabilité, singe qui pesait lourd sur ses épaules. Le 18, qui l'attendait dans sa chambre en contemplant les cuvettes entassées sur le lit, trouva qu'Oliveira n'avait pas pris assez de ficelle. Fermant à demi ses yeux verts d'une inquiétante beauté, il soutint que pour compléter efficacement les préparatifs de défense il fallait absolument des rulemans et un Heftpistol. L'idée des rulemans ne parut pas mauvaise à Oliveira bien qu'il n'eût pas la moindre idée de ce que ça pouvait être, mais il refusa net l'Heftpistol. Le 18 ouvrit grands ses yeux verts d'une inquiétante beauté et dit que l'Heftpistol n'était pas du tout ce que le docteur croyait (il disait « docteur » sur un tel ton que c'était visiblement pour emmerder l'autre) mais, vu le refus du docteur, il allait s'occuper simplement de trouver des rulemans. Oliveira le laissa partir en espérant bien qu'il ne reviendrait pas car il avait envie d'être seul. Remorino allait se lever à deux heures pour le remplacer et il fallait préparer quelque chose. Si Remorino ne le trouvait pas dans le couloir, il allait venir le chercher dans sa chambre et cela, il ne le fallait pas, à moins qu'on ne voulût faire un premier essai des défenses à ses dépens. Il écarta cette idée car les défenses étaient conçues en prévision d'une attaque déterminée et Remorino allait entrer, lui, avec de tout autres intentions. Il avait de plus en plus peur (et quand il sentait monter la peur, il regardait sa montre et la peur augmentait avec l'heure) ; il se mit à fumer en étudiant les possibilités de défense de sa chambre, et à deux heures moins dix il alla en personne réveiller Remorino. Il lui fit un rapport qui était un pur chef-d'œuvre, avec de subtiles altérations des feuilles de température, de l'heure des calmants et des manifestations eupeptiques et symptomatiques des pensionnaires du premier étage, de façon à ne pas laisser Remorino un seul instant inoccupé, tandis que les malades du deuxième étage, selon ce même rapport, dormaient placidement et n'avaient besoin que d'une chose, qu'on n'aille pas les embêter. Remorino demanda (sans grand intérêt) si c'était sur l'ordre du docteur Ovejero qu'on s'occupait tellement des uns et si peu des autres, ce à quoi Oliveira répondit hypocritement par un adverbe monosyllabique et affirmatif. Après quoi, ils se séparèrent amicalement et Remorino monta un étage en bâillant tandis qu'Oliveira en montait deux en tremblant. Mais il n'accepterait pas pour autant l'aide de l'Heftpistol, bien assez déjà qu'il eût consenti aux rulemans.

Il eut encore un moment de paix parce que le 18 ne revenait pas, il se mit à remplir d'eau les cuvettes et les pots de chambre et les disposa en une première ligne de défense, un peu en arrière du premier barrage de fils (encore théorique mais déjà parfaitement conçu), après quoi il envisagea toutes les possibilités d'avance et l'éventuelle chute de la première ligne afin d'assurer l'efficacité de la seconde.

Entre deux mises en place de cuvette, Oliveira emplit le lavabo d'eau froide, y plongea son visage et ses mains, se mouilla le cou et les cheveux. Il allumait cigarette sur cigarette mais, dès qu'elles étaient à moitié fumées, il allait les jeter par la fenêtre. Les mégots tombaient sur la marelle et Oliveira visait soigneusement pour que chaque œil brillant brûlât un moment sur une case différente; ça l'amusait. Il lui venait maintenant des pensées étrangères à lui-même, *dona nobis pacem*, des paroles de tango, après vérification de votre fiche d'actionnaire nous constatons que, et soudain il tombait aussi des lambeaux de matière mentale, quelque chose entre l'idée et le sentiment, par exemple l'intuition que se barricader était la dernière des maladresses, que la seule chose insensée et par là même possible et peut-être efficace eût été d'attaquer au lieu de se défendre, assiéger au lieu d'être là tremblant et fumant et attendant que le 18 revînt avec ses rulemans; mais cela durait peu, aussi peu que les cigarettes, et ses mains tremblaient, et il savait qu'il ne lui restait plus que ça, ce tremblement, et soudain un autre souvenir, comme un espoir, la voix de quelqu'un disant que les heures de veille et de rêve ne s'étaient pas encore fondues ensemble, et un rire suivait qu'il écoutait comme s'il n'eût pas été sien, puis une grimace où il était rigoureusement prouvé que cette unité du rêve et de la veille était trop loin et que nulle chose du rêve ne lui servirait dans la veille et vice versa. Attaquer Traveler pouvait être sa meilleure défense, mais cela signifiait envahir une zone qu'il éprouvait de plus en plus comme une masse noire, un territoire où les gens dormaient et ne s'attendaient absolument pas à être attaqués à cette heure de la nuit, surtout pour des raisons inexistantes en termes de masse noire. Ce territoire commençait au-delà de sa porte et l'attaquer était une chose à déconseiller puisque les raisons de l'attaque ne pouvaient être intelligibles pour le territoire ni même tout simplement perçues par lui. En revanche, s'il se barricadait dans sa chambre et que Traveler vînt l'attaquer, personne ne pourrait prétendre que Traveler ignorait ce qu'il faisait, et l'attaqué, de son côté, était parfaitement au courant de ce qu'il risquait et il prenait ses mesures, ses précautions et ses rulemans, quoi que fussent ces derniers.

Entre-temps, on pouvait rester à la fenêtre à fumer, à étudier la disposition des cuvettes aqueuses et des fils, à penser à l'unité mise à dure épreuve par le conflit territoire-chambre. Ce serait toujours une douleur pour Oliveira que de ne pas pouvoir se faire la moindre idée de cette unité qu'il appelait parfois centre et qui, faute d'un contour plus précis, se réduisait à des images telles qu'un cri noir, un kibboutz du désir (si loin déjà, ce kibboutz d'aube et de vin rouge) ou même une vie digne de ce nom, car (il le comprit au moment même où il lança sa cigarette sur la case cinq) il avait été assez imbécile pour imaginer la possibilité d'une vie digne au terme de diverses indignités minutieusement menées à terme. Rien de tout cela ne pouvait se penser mais cela se laissait du moins éprouver en termes de contraction de l'estomac, territoire, respiration profonde ou spasmodique, sueur dans la paume de la main, cigarette allumée, tiraillement de tripes, soif, cris silencieux qui éclataient comme des masses noires dans la gorge (il y avait toujours une masse noire dans ce jeu-là), envie de dormir, peur de dormir, angoisse, l'image d'un pigeon qui avait été blanc, des chiffons de couleur sur le sol de ce qui eût pu être un passage, Sirius tout en haut d'une tente, oh et puis ça suffit, dis donc, suffit comme ça. Mais c'était bon de s'être senti là pendant un temps incommensurable, sans penser à rien, en étant simplement cette chose qui était là, une tenaille accrochée à l'estomac. *Cette chose* contre le territoire, la veille contre le rêve. Mais dire la veille contre le rêve c'était déjà réintégrer la dialectique, c'était affirmer une fois de plus qu'il n'y avait pas le plus mince espoir d'unité. C'est pour cela que l'arrivée du 18 fut un excellent prétexte pour se remettre aux préparatifs de défense, à trois heures vingt très exactement environ.

Le 18 ferma à demi ses yeux verts d'une inquiétante beauté et dénoua une serviette où il avait mis les rulemans. Il dit qu'il était allé épier Remorino et que Remorino avait tant à faire avec la 31, le 7 et la 45 qu'il ne penserait même pas à monter au deuxième étage. Les malades avaient dû certainement refuser avec indignation ces nouveautés thérapeutiques et la distribution de cachets ou piqûres prendrait un bon moment. Mais Oliveira jugea bon de ne pas perdre plus de temps, et après avoir indiqué au 18 de quelle façon il fallait disposer les rulemans pour qu'ils soient agissants, il voulut éprouver lui-même l'efficacité des cuvettes aqueuses et, pour ce faire, il sortit dans le couloir malgré sa répugnance à quitter sa chambre et à s'exposer à la lumière violette des portes, puis il entra, les yeux fermés, s'imaginant être Traveler, marchant les pieds un peu en dehors comme lui. Au deuxième pas, il mit le pied gauche dans un pot de chambre aqueux (bien qu'il eût su où il était), et, en essayant de l'en retirer brusquement, il envoya valser le pot qui, fort heureusement, retomba sur le lit et ne fit pas le moindre bruit. Le 18, qui était en train de semer des rulemans sous le secrétaire, se releva d'un bond et fermant à demi ses yeux verts d'une inquiétante beauté, il conseilla une concentration de rulemans entre la première et la deuxième ligne de cuvettes, afin de compléter la surprise de l'eau froide par la possibilité d'une glissade pépère. Oliveira ne répondit rien mais il le laissa faire et lui-même, après avoir remis le pot de chambre à sa place, se mit en devoir d'enrouler une ficelle noire autour de la poignée de la porte. Cette ficelle, il la tira jusqu'au secrétaire et l'attacha au dossier de la chaise; en mettant la chaise sur deux pieds, appuyée de profil sur le bord du secrétaire, il suffisait d'ouvrir la porte pour la faire aussitôt tomber. Le 18 sortit dans le couloir pour en faire l'essai et Oliveira soutint la chaise pour éviter tout bruit. La présence amicale du 18 commençait à lui peser, de temps en temps le 18 fermait à demi ses yeux verts d'une inquiétante beauté et voulait lui raconter l'histoire de son entrée à la clinique. Il est vrai qu'il suffisait de mettre un doigt devant la bouche pour qu'il se tût, confus, et restât cinq minutes appuyé contre le mur, mais Oliveira lui offrit quand même un paquet de cigarettes et lui dit d'aller dormir sans se faire voir de Remorino.

— Moi je reste avec vous, docteur, dit le 18.

— Non, va. Je me défendrai très bien tout seul.

— Il vous manque un Heftpistol, je vous le disais bien. Ça pose des petits crochets partout et c'est bien plus commode pour accrocher les ficelles.

— Je me débrouillerai, vieux, ne t'en fais pas, dit Oliveira. Va dormir, je te remercie quand même.

— Bon, docteur, alors, bonne chance.

— Salut, dors bien.

— Attention aux rulemans. Laissez-les bien là où ils sont et vous verrez.

— D'accord.

— Si vous aviez besoin, malgré tout, d'un Heftpistol, vous me faites signe, le 16 en a un.

— Merci. Bonsoir.

A trois heures et demie, Oliveira eut fini de poser les fils. Le 18 avait emporté avec lui les paroles ou tout au moins la possibilité de se regarder de temps en temps ou de se tendre le paquet de cigarettes. Dans une demi-obscurité parce qu'il avait recouvert la lampe du secrétaire d'un pull-over vert qui roussissait peu à peu, c'était étrange de faire l'araignée, d'aller d'un côté à l'autre avec les fils, du lit à la porte, du lavabo à l'armoire, tendant cinq ou six fils à la fois et reculant avec beaucoup de précaution pour ne pas marcher sur les rulemans. Il allait bientôt être fait prisonnier entre la fenêtre, le secrétaire (placé vers le fond du mur, à droite) et le lit (collé au mur de gauche). Entre la porte et la dernière ligne étaient tendus les fils avertisseurs (de la poignée à la chaise penchée, de la poignée à un cendrier Martini posé sur le bord du lavabo, et de la poignée à un tiroir de l'armoire, plein de livres et de papiers et ne tenant que par l'extrême bord), les cuvettes aqueuses disposées en deux lignes défensives irrégulières mais orientées généralement du mur gauche vers celui de droite, autrement dit, la première ligne, de l'armoire vers le lavabo et la deuxième, du pied du lit aux pieds du secrétaire. Il restait à peine un mètre libre entre la dernière rangée de cuvettes aqueuses au-dessus desquelles se croisaient de multiples fils et le mur où s'ouvrait la fenêtre qui donnait sur la cour (deux étages plus bas). Oliveira s'assit sur le bord du secrétaire, alluma une autre cigarette et se mit à regarder par la fenêtre; à un moment donné, il enleva sa chemise et la fourra sous le meuble. Il ne pouvait plus boire à présent, même s'il avait soif. Il passa ainsi, en maillot de corps, un bon moment à fumer et à regarder la cour mais son attention restait fixée sur la porte sauf au moment où il jetait son mégot sur la marelle. Il n'était pas si mal que ça, après tout, bien que le bord du secrétaire fût dur et que l'odeur de brûlé du pull-over l'écœurât. Il finit par éteindre la lampe et il vit peu à peu se dessiner une raie violette au bas de la porte, ainsi, quand Traveler arriverait, ses chaussures couperaient la raie violette en deux points, signal involontaire qui donnerait l'alerte. Quand Traveler ouvrirait la porte il se passerait un certain nombre de choses et il pourrait s'en passer beaucoup d'autres. Les premières étaient mécaniques et inévitables, prisonnières de la stupide obéissance de l'effet à la cause, de la chaise à la ficelle, de la poignée à la main, de la main à la volonté, de la volonté à... Et, de là, on passait aux autres choses qui pouvaient arriver ou pas, selon que le choc de la chaise par terre, l'éclatement en cinq ou six morceaux du cendrier Martini et la chute du tiroir de l'armoire, se répercuteraient de telle ou telle façon sur Traveler et même sur Oliveira, c'était peut-être, au fond, le moment de se demander, alors qu'il allumait une autre cigarette avec le mégot de la précédente et jetait le mégot en visant la neuvième case, mais ce con-là tombait sur la huitième et roulait jusqu'à la septième, mégot de merde, c'était peut-être le moment de se demander ce qu'il ferait quand la porte s'ouvrirait, que la moitié de la chambre voltigerait dans les airs et que retentirait la sourde exclamation de Traveler, si tant est qu'il poussât une exclamation et qu'elle fût sourde. Au fond, il avait été stupide de refuser le Heftpistol car, à part la lampe qui ne pesait pas lourd et la chaise, il n'avait pas le moindre arsenal défensif dans son coin de fenêtre et avec la lampe et la chaise il n'irait pas loin si Traveler arrivait à franchir les deux lignes de cuvettes aqueuses et évitait de se casser la gueule sur les rulemans. Mais il n'y parviendrait pas, toute la stratégie était là; les armes défensives ne pouvaient être de même nature que les armes offensives. Les fils, par exemple, allaient produire sur Traveler une impression terrible quand, avançant dans l'obscurité, il sentirait grandir contre son visage, ses bras et ses jambes une résistance subtile et qu'il éprouverait cette répulsion irrésistible de l'homme qui se sent pris dans une toile d'araignée. Et en supposant qu'en deux sauts il arrache tous les fils, en supposant qu'il ne mette pas le pied dans une cuvette et qu'il ne patine pas sur un ruleman, il parviendrait finalement au secteur de la fenêtre et, malgré l'obscurité, il découvrirait la silhouette immobile au bord du secrétaire. Il était infiniment peu probable qu'il arrivât jusque-là, mais s'il y arrivait, il était évident qu'un Heftpistol n'eût servi de rien à Oliveira, non pas tant pour le fait que le 18 avait parlé de petits crochets mais parce qu'il n'y aurait pas de rencontre comme se l'imaginait peut-être Traveler, ce serait une chose totalement différente, une chose qu'Oliveira était incapable d'imaginer mais qu'il savait aussi sûrement que s'il le voyait ou le vivait, un glissement de la masse noire qui venait du dehors contre ce qu'il savait sans savoir, une incalculable rencontre manquée entre la masse noire Traveler et ce qui fumait, là, sur le bord du secrétaire. Quelque chose comme la veille contre le rêve (les heures du rêve et celles de la veille, avait dit quelqu'un un jour, ne s'étaient pas encore fondues ensemble), mais dire veille contre rêve c'était admettre qu'il n'existait aucun espoir d'unité. En revanche, il se pourrait que l'arrivée de Traveler fût comme un point extrême à partir duquel on pourrait une fois de plus essayer de sauter de l'un dans l'autre et en même temps, de l'autre dans l'un, mais ce saut précisément serait le contraire d'un choc, Oliveira était sûr que le territoire Traveler ne pouvait arriver jusqu'à lui, même s'il lui tombait dessus, s'il le frappait, s'il lui déchirait sa chemise, s'il lui crachait dans les yeux et dans la bouche, s'il lui tordait les bras et le jetait par la fenêtre. Si un Heftpistol était totalement inefficace contre le territoire puisque, d'après les explications du 18, ce devait être une agrafeuse ou un truc du même genre, quelle valeur pouvait avoir un couteau Traveler ou un coup de poing Traveler, pauvres Heftpistols bien incapables de combler l'infranchissable distance de ce corps à corps où l'un des deux commencerait par nier l'autre. Si Traveler pouvait en fait le tuer (et c'était bien pour quelque chose qu'il se sentait la bouche sèche et les mains moites), tout le portait à nier cette possibilité sur un plan où cette voie de fait n'aurait eu de raison d'être que pour l'assassin. Mais il valait mieux encore sentir que l'assassin n'était pas un assassin, que le territoire n'était pas même un territoire, réduire, minimiser et sous-estimer le territoire afin qu'il ne restât plus, de toute cette comédie et de tous ces cendriers tombant par terre, que bruit et conséquences méprisables. Si (luttant contre la peur) on s'affirmait dans ce détachement total par rapport aux choses du territoire, la défense était alors la meilleure des attaques, le pire coup d'estoc viendrait du pommeau et non de la lame. Mais que gagnait-on avec des métaphores à cette heure de la nuit quand la seule chose judicieusement insensée était de laisser ses yeux surveiller la ligne mauve au bas de la porte, cette raie thermométrique du territoire.

A quatre heures moins dix, Oliveira s'étira, secoua ses épaules pour se dégourdir un peu et alla s'asseoir sur le rebord de la fenêtre. Cela l'amusait de penser que s'il avait eu la chance de devenir fou cette nuit, la liquidation du territoire Traveler eût été absolue. Solution qui ne cadrait d'ailleurs ni avec son orgueil ni avec son intention de résister à toute forme de démission. De toute façon, imaginer Ferraguto l'inscrivant sur le registre des pensionnaires, mettant un numéro sur sa porte et un judas pour l'épier la nuit... Et Talita lui préparant des cachets à la pharmacie, traversant la cour en faisant bien attention de ne pas marcher sur la marelle, de ne plus jamais marcher sur la marelle. Sans parler de Manou, le pauvre, terriblement désolé de sa maladresse et de son absurde tentative. Oliveira qui, le dos tourné à la cour, se balançait dangereusement sur le rebord de la fenêtre, sentit la peur l'abandonner peu à peu, et ça c'était mauvais signe. Il ne quittait pas des yeux la raie de lumière, mais à chaque respiration il lui venait un contentement enfin sans paroles, sans rien à voir avec le territoire, et la joie, c'était précisément cela, sentir le territoire céder progressivement. Peu importait jusqu'à quand, à chaque inspiration, l'air chaud du monde se réconciliait avec lui, comme cela lui était déjà arrivé quelques rares fois dans sa vie. Il n'avait même pas besoin de fumer, pour quelques minutes il avait fait la paix avec lui-même et cela équivalait à abolir le territoire, à vaincre sans bataille, à vouloir dormir enfin dans l'éveil, sur ce bord tranchant où la veille et le rêve mêlaient leurs premières eaux et découvraient qu'elles étaient pareilles; mais c'était mauvais tout ça, naturellement, naturellement tout ça devait se voir interrompu par la brusque apparition de deux traits noirs sur la raie violette et d'un grattement insistant contre la porte. « Tu l'auras voulu, pensa Oliveira en se laissant glisser contre le secrétaire. Mais il est vrai que si cela avait duré un moment de plus, je serais tombé la tête la première sur la marelle. Entre sans te gêner, Manou, après tout, tu n'existes pas ou c'est moi qui n'existe pas, ou encore nous sommes si imbéciles que nous y croyons et que nous allons nous tuer, vieux frère, cette fois c'est la bonne, on n'y coupe pas. »

— Entre donc, répéta-t-il à haute voix, mais la porte ne s'ouvrit pas. — On continuait de gratter doucement, et c'était peut-être une simple coïncidence qu'il y eût quelqu'un en bas au bord de la fontaine, une femme le dos tourné, les cheveux longs et les bras ballants, absorbée dans la contemplation du jet d'eau. A cette heure-ci, dans cette obscurité, ce pouvait être aussi bien Talita que la Sibylle ou une autre folle, Pola même, tout bien considéré. Rien ne l'empêchait de regarder la femme au dos tourné puisque si Traveler se décidait à entrer, le système de défense fonctionnerait automatiquement et il aurait tout son temps pour détourner les yeux de la cour et faire front. De toute façon, c'était assez étrange que Traveler continuât de gratter à la porte comme pour savoir s'il dormait (ce ne pouvait pas être Pola, Pola avait le cou plus court et les hanches plus marquées) à moins que, de son côté, il n'eût mis aussi au point un système d'attaque (ce pouvait être la Sibylle ou Talita, elles se ressemblaient tellement et plus encore de nuit et d'un deuxième étage) destiné à le déloger-de-ses-positions (du moins de la case un jusqu'à la case huit, car il n'avait jamais pu dépasser la case huit, jamais il n'atteindrait le ciel, jamais il n'entrerait dans son kibboutz). « Qu'attends-tu, Manou ? pensa Oliveira. A quoi bon tout cela ? » C'était Talita, vraisemblablement, qui maintenant levait la tête et s'immobilisa lorsque Oliveira passa son bras nu par la fenêtre et l'agita d'un geste las.

— Approche-toi, Sibylle, dit Oliveira. D'ici tu lui ressembles tellement qu'on peut changer ton nom.

— Ferme cette fenêtre, Horacio, demanda Talita.

— Impossible, il fait une chaleur épouvantable et ton mari est en train de gratter à ma porte d'une façon peu rassurante. C'est ce qu'on appelle un concours de circonstances fâcheuses. Mais ne t'en fais pas, prends une pierre et essaie de nouveau, qui sait si...

Le tiroir, le cendrier et la chaise s'écrasèrent en même temps contre le sol. Oliveira se baissa un peu et regarda, ébloui, le rectangle violet à l'endroit de la porte, la tache noire qui bougeait. Il entendit le juron de Traveler. Le bruit devait avoir réveillé la moitié de la clinique.

— Est-ce que tu es complètement cinglé ? dit Traveler, immobile sur le pas de la porte. Tu as envie que le patron nous flanque tous à la porte ?

— Il est en train de me sermonner, dit Oliveira à Talita. Il a toujours été un père pour moi.

— Ferme la fenêtre, dit Talita. Je t'en prie.

— Rien n'est plus nécessaire qu'une fenêtre ouverte, dit Oliveira. Ecoute ton mari, ça se voit qu'il vient de mettre un pied dans l'eau. Et il a certainement des ficelles plein le visage, il ne sait plus que faire.

— Pauvre con, fils de con, disait Traveler, gesticulant dans l'obscurité et arrachant des ficelles à pleines mains. Allume la lumière, nom d'un chien.

— Il n'est pas encore tombé, constata Oliveira. Les rulemans me trahissent.

— Ne te penche pas comme ça, cria Talita en levant les bras. Dos à la fenêtre, la tête tournée pour la voir et lui parler, Oliveira se penchait de plus en plus à l'extérieur. La Couca arrivait en courant et ce fut seulement alors qu'Oliveira s'aperçut qu'il ne faisait plus nuit, la robe de chambre de la Couca avait la même couleur que les graviers de la cour, les murs de la pharmacie. Tournant son regard vers l'ombre pour une reconnaissance du front de guerre, il constata que, malgré ses difficultés offensives, Traveler avait choisi de fermer la porte. Entre deux jurons il entendit le bruit du verrou.

— Voilà qui me plaît, dit Oliveira. Seuls sur le ring comme deux braves gars.

— Tu me fais chier, dit Traveler, furieux. J'ai un soulier trempé et c'est ce dont j'ai le plus horreur au monde. Allume au moins la lumière, on n'y voit rien.

— Jamais de la vie. Tu comprendras que je ne vais pas

sacrifier les avantages de ma position. Bien heureux encore que je te réponde, car je ne le devrais même pas. Moi aussi, mon ami, j'ai fait mes classes de tir.

Il entendit Traveler respirer bruyamment. Dehors, des portes claquaient, on distinguait la voix de Ferraguto dans un concert de questions et de réponses. La silhouette de Traveler se précisait de plus en plus, tout prenait place et même nombre, cinq cuvettes, trois pots de chambre, des dizaines de rulemans. Ils pouvaient presque se regarder dans cette lumière qui était comme le pigeon entre les mains du fou.

— Enfin, dit Traveler en relevant la chaise tombée et en s'asseyant à regret. Si tu pouvais m'expliquer un peu tout ce bordel.

— Ça va être plutôt difficile. Parler, moi, tu sais...

— Toi, pour parler, tu choisis des moments vraiment peu banaux, dit Traveler rageusement. Quand nous ne sommes pas à cheval sur deux planches par quarante-cinq degrés à l'ombre, tu m'immobilises avec un pied dans l'eau et des ficelles plein la figure.

— Mais toujours en positions symétriques, fit observer Oliveira. Comme deux jumeaux sur une balançoire ou comme n'importe qui devant une glace. Ça ne te frappe pas, ça, *doppelgänger ?*

Sans répondre, Traveler sortit une cigarette de la poche de son pyjama et l'alluma tandis qu'Oliveira en sortait une lui aussi et l'allumait presque en même temps. Ils se regardèrent et se mirent à rire.

— Tu es complètement cinglé, dit Traveler. Cette fois, il faut bien se rendre à l'évidence. Tout de même, imaginer que je...

— Laisse le mot imagination en paix, dit Oliveira. Borne-toi à observer que j'ai pris mes précautions mais que tu es venu. Non pas un autre. Toi. Et à quatre heures du matin.

— Talita m'a dit et il m'a semblé... Mais as-tu réellement cru... ?

— Peut-être est-ce, au fond, nécessaire, Manou. Tu penses que tu t'es levé pour venir me calmer, me rassurer. Si j'avais été endormi, tu serais entré sans difficulté, comme lorsqu'on s'approche sans difficulté d'un miroir, bien sûr, on s'approche tranquillement du miroir, le blaireau à la main, et mettons qu'au lieu du blaireau, tu aies eu ce que tu as là dans ton pyjama.

— Je l'emporte toujours ! dit Traveler, indigné. Crois-tu que nous sommes dans un jardin d'enfants ici ? Si tu n'as pas d'arme sur toi c'est que tu es complètement inconscient.

— Enfin, dit Oliveira en se rasseyant sur le bord de la fenêtre et en saluant de la main Talita et la Couca, ce que je pense de tout cela importe fort peu à côté de ce que cela doit être, qu'on le veuille ou non. Cela fait si longtemps que nous sommes un seul et même chien qui tourne et tourne pour attraper sa queue. Ce n'est pas que nous nous haïssions, au contraire. Il y a d'autres choses qui se servent de nous pour jouer, le pion blanc et le pion noir, par exemple. Disons deux façons différentes qui cherchent à s'abolir l'une dans l'autre.

— Moi, je ne te hais pas, dit Traveler. Seulement, tu m'as poussé dans mes derniers retranchements et je ne sais plus que faire.

— *Mutatis mutandis,* tu es allé m'attendre au port avec une espèce d'armistice, un drapeau blanc, une triste invitation à l'oubli. Moi non plus, je ne te hais pas, vieux frère, mais je te dénonce et c'est ce que tu appelles te mettre au pied du mur.

— Moi je suis vivant, dit Traveler en le regardant dans les yeux. Etre vivant, cela semble toujours être le prix de quelque chose. Et toi tu ne veux rien payer. Tu n'as jamais voulu. Une espèce de cathare existentiel, un pur. Ou César, ou rien, ces sortes de coupures radicales. Tu crois que je ne t'admire pas, à ma manière ? Le véritable *doppelgänger* c'est toi parce que tu es comme désincarné, tu as une volonté en forme de girouette, tout là-haut. Je veux ci, je veux ça, je veux le nord, je veux le sud et tout en même temps, je veux la Sibylle, je veux Talita, et là-dessus monsieur s'en va visiter la morgue et plante un baiser à la femme de son meilleur ami. Tout ça parce que les réalités et les souvenirs se mêlent en lui d'une façon suprêmement non euclidienne.

Oliveira haussa les épaules mais regarda Traveler pour lui faire comprendre que ce n'était pas un geste de mépris. Comme pour lui transmettre quelque chose de ce qui, sur le territoire d'en face, s'appelait un baiser, un baiser à Talita, un baiser à la Sibylle ou à Pola, cet autre jeu de miroirs comme le jeu de tourner la tête vers la fenêtre et de regarder la Sibylle arrêtée là au bord de la marelle, tandis que la Couca, Remorino et Ferraguto étaient serrés près de la porte comme s'ils attendaient que Traveler se mît à la fenêtre pour leur annoncer que tout allait bien et que simplement un cachet de gardénal ou peut-être une petite camisole de force pour quelques heures jusqu'à ce que le bonhomme revînt de son coup de tête. Les coups dans la porte n'étaient pas faits non plus pour faciliter la compréhension. Si du moins Manou avait été capable de comprendre que rien de ce qu'il pensait n'avait de sens du côté de la fenêtre, que cela ne valait que du côté des cuvettes et des rulemans, et si celui qui tapait des deux poings contre la porte pouvait s'arrêter une seule minute, peut-être alors... Mais on ne pouvait rien faire d'autre que de regarder la Sibylle, si belle au bord de la marelle, et désirer qu'elle poussât la pierre d'une case dans l'autre, de la Terre vers le Ciel.

— ... suprêmement non euclidienne.

— Je t'ai attendu pendant tout ce temps-là, dit Oliveira fatigué. Tu comprendras que je n'allais pas me laisser étriper sans faire un geste. Chacun de nous sait ce qu'il a à faire, Manou. Si tu veux une explication de ce qui s'est passé en bas... seulement, ça n'aura rien à voir avec la chose et ça, tu le sais bien. Tu le sais, *doppelgänger*, tu le sais. Cela t'est bien égal, le baiser, et à elle aussi, cela lui est bien égal. La chose est entre vous, en fin de compte.

— Ouvrez ! Ouvrez tout de suite !

— Cela devient sérieux, dit Traveler en se levant. On leur ouvre ? Ce doit être Ovejero.

— Pour ce qui est de moi...

— Il va vouloir te faire une piqûre, Talita a certainement alerté tout le cabanon.

— Les femmes, c'est la mort, dit Oliveira. Et dire qu'en la voyant, là, bien sage près de la marelle... Il vaut mieux ne pas leur ouvrir, Manou, on est si bien comme ça.

Traveler alla jusqu'à la porte et colla sa bouche au trou de la serrure. Bande de crétins, ils n'avaient pas bientôt fini de les emmerder avec ces cris pour films d'épouvante. Oliveira, aussi bien que lui, se portait parfaitement et ils ouvriraient quand ils le jugeraient bon. Ils feraient mieux d'aller préparer du café pour tout le monde, ce n'était pas vivable cette clinique.

On pouvait entendre que Ferraguto n'était pas du tout convaincu, mais la voix d'Ovejero couvrit la sienne d'un sage ronronnement continu et ils finirent par laisser la porte tranquille. Pour l'instant, les seuls signes d'inquiétude, c'étaient les gens dans la cour et les lumières du troisième étage qui s'allumaient et s'éteignaient sans arrêt, joyeuse habitude du 43. Quelques minutes plus tard, Ovejero et Ferraguto réapparurent dans la cour et de là regardèrent Oliveira assis sur la fenêtre qui les salua en s'excusant d'être en maillot de corps. Le 18 s'était approché d'Ovejero et lui parlait de la Heftpistol, Ovejero avait l'air très intéressé et il se mit à regarder Oliveira avec une attention professionnelle, comme s'il n'était déjà plus son meilleur partenaire de poker, chose qui amusa assez Oliveira. Presque toutes les fenêtres du premier étage s'étaient ouvertes et plusieurs malades participaient avec une grande excitation à ce qui se passait, peu de chose en réalité. La Sibylle avait levé le bras pour attirer l'attention d'Oliveira et elle lui demandait de faire venir Traveler à la fenêtre. Oliveira lui expliqua, aussi clairement qu'il le put, que c'était impossible parce que la zone de la fenêtre appartenait uniquement à la défense mais que l'on pouvait peut-être signer une trêve. Il ajouta que le geste de l'appeler en levant le bras lui faisait penser à des actrices du passé, surtout des chanteuses d'opéra comme Emmy Destynn, Melba, Marjorie Lawrence, Muzio, Bori, et pourquoi pas aussi Theda Bara et Nita Naldi, il bombardait Talita de noms avec un extrême plaisir et Talita baissait son bras puis elle le relevait d'un air suppliant, Eleonora Duse, naturellement, Vilma Banky, Garbo tout craché, mais oui, et une photo de Sarah Bernhardt qu'il avait collée dans son cahier quand il était gosse, et la Karsavina, la Boronova, les femmes, ces gestes éternels, la perpétuation du destin, bien que, dans le cas présent, il ne fût pas possible de satisfaire cette aimable demande.

Ferraguto et la Couca vociféraient des avis contradictoires mais Ovejero qui, avec son air endormi, écoutait tout, leur fit signe de se taire pour que Talita pût s'entendre avec Oliveira. Tractation qui n'aboutit pas car Oliveira, après avoir écouté pour la septième fois la demande de la Sibylle, leur tourna le dos et ils le virent (bien qu'ils ne pussent pas l'entendre) dialoguer avec l'invisible Traveler.

— Ils voudraient que tu viennes à la fenêtre, tu te rends compte !

— Ecoute, tu peux bien me laisser y aller juste une seconde. Je peux passer sous les ficelles.

— Pas question, dit Oliveira, c'est la dernière ligne de défense; si tu la franchis, ça va faire du corps à corps.

— Ça va, dit Traveler en se rasseyant. Continue à entasser des mots inutiles.

— Ils ne sont pas inutiles, dit Oliveira. Si tu veux venir ici, tu n'as pas besoin de me demander la permission. Je crois que c'est clair.

— Tu me jures que tu ne te jetteras pas par la fenêtre ?

Oliveira le regarda avec des yeux ronds comme si Traveler était un panda géant.

— Enfin, dit Oliveira. On a vidé le sac. Et la Sibylle, là, en bas, pense exactement la même chose. Et moi qui croyais que, malgré tout, vous me connaissiez un peu.

— Ce n'est pas la Sibylle, dit Traveler. Tu sais parfaitement que ce n'est pas la Sibylle.

— Ce n'est pas la Sibylle, dit Oliveira. Je sais parfaitement que ce n'est pas la Sibylle. Et toi, tu es le porte-drapeau, le héraut de la capitulation, du retour à la maison et à l'ordre. Tu commences à me faire de la peine, vieux.

— Ne pense pas à moi, dit Traveler, amer. Ce que je veux c'est que tu me donnes ta parole que tu ne feras pas d'idiotie.

— Tu te rends compte, dit Oliveira, si je me jette en bas, je tomberai juste sur le Ciel.

— Viens de ce côté, Horacio, et laisse-moi parler à Ovejero. Je peux arranger les choses, et demain personne ne se souviendra plus de rien.

— T'as appris ça dans le manuel de psychiatrie, dit Oliveira. T'es un élève qui a bonne mémoire.

— Ecoute, dit Traveler, si tu ne me laisses pas aller à la fenêtre, je vais être obligé de leur ouvrir la porte et ce sera pire.

— Ça m'est égal, dit Oliveira. Qu'ils entrent c'est une chose, et qu'ils arrivent à la fenêtre, c'en est une autre.

— Tu veux dire que s'ils essaient de mettre la main sur toi, tu te jetteras par la fenêtre ?

— Il se peut que de ton côté ça signifie ça.

— Je t'en prie, dit Traveler en faisant un pas en avant.

Ne vois-tu pas que c'est un cauchemar ? Ils vont croire que tu es vraiment fou, ils vont croire que je voulais vraiment te tuer.

Oliveira se pencha un peu plus en arrière et Traveler s'arrêta à la hauteur de la deuxième ligne de cuvettes aqueuses. Et bien qu'il eût fait voler deux rulemans d'un coup de pied, il n'alla pas plus loin. Oliveira se redressa lentement, accompagné par les hurlements de Talita et de la Couca, et il leur fit un geste rassurant. Traveler, vaincu, reprit sa chaise et s'assit. On refrappait à la porte mais moins fort qu'avant.

— Ne te casse plus la tête, dit Oliveira. Pourquoi cherches-tu des explications, vieux ? La seule — considérable — différence entre toi et moi, en ce moment, c'est que je suis seul. C'est pour cela qu'il vaut mieux que tu ailles rejoindre les tiens et nous continuerons à parler par la fenêtre comme de bons amis. Je pense faire mes malles vers huit heures, Gekrepten m'a dit qu'elle m'attendrait avec des beignets et du maté.

— Tu n'es pas seul, Horacio. Tu voudrais être seul par pure vanité, pour faire ton petit Maldoror portègne. Tu parlais d'un *doppelgänger*, je crois ? Tu vois bien que quelqu'un te suit, que quelqu'un est comme toi, même s'il est de l'autre côté de tes foutues ficelles.

— C'est dommage, dit Oliveira, que tu te fasses une idée si médiocre de la vanité. Là est la grande affaire pour toi, te faire une idée sur tout et le reste, coûte que coûte. N'es-tu pas capable d'entrevoir une seconde que la chose peut ne pas être telle ?

— Admettons que je puisse. Il n'en reste pas moins que tu te balances sur l'appui d'une fenêtre.

— Si vraiment tu croyais que cela peut ne pas être ainsi, si tu arrivais vraiment au cœur de l'artichaut... Personne ne te demande de nier ce que tu vois mais si tu étais seulement capable de donner un petit, tout petit coup de pouce...

— Si c'était si facile, dit Traveler, s'il n'y avait qu'à tendre tes imbéciles de ficelles... Je ne dis pas que tu n'aies pas donné, toi, ton coup de pouce, mais regarde les résultats.

— Et qu'ont-ils de mal, mes résultats ? Nous sommes là, près de la fenêtre ouverte, à respirer ce matin fabuleux, sens le frais qui monte à cette heure. Et en bas tout le monde se promène dans la cour, c'est extraordinaire, ils prennent de l'exercice sans le savoir. La Couca, tu te rends compte, et le patron, cette espèce de marmotte poisseuse. Et ta femme, qui est la flemme en personne. Et de ton côté, tu reconnaîtras que tu n'as jamais été si éveillé. Et quand je dis éveillé, tu me comprends, n'est-ce pas ?

— Je me demande si ce n'est pas le contraire, vieux.

— Oh, ça, c'est les solutions faciles, les contes fantastiques pour les anthologies. Si tu étais capable de voir la chose par l'autre côté, tu ne voudrais peut-être plus bouger d'ici. Si tu sortais un peu du territoire, disons si tu passais de la première case à la deuxième... C'est si difficile, *doppelgänger*, j'ai passé toute la nuit, moi, à lancer des mégots sur la marelle, sans atteindre jamais que la case huit. Nous voudrions tous le royaume millénaire, une espèce d'Arcadie où l'on serait peut-être beaucoup plus malheureux qu'ici, car il ne s'agit pas de bonheur, *doppelgänger*, mais où il n'y aurait plus ce jeu immonde de substitutions qui nous occupe cinquante ou soixante ans et où nous nous donnerions la main pour de bon au lieu de répéter le geste de la peur et de chercher à savoir si l'autre a un couteau dans la main. En parlant de substitutions, ça ne m'étonnerait pas du tout que toi et moi soyons une seule et même personne, un de chaque côté. Comme tu dis que je suis un vaniteux, on pourrait penser que j'ai choisi le côté le plus favorable, mais qui sait, Manou ? Je sais seulement une chose, c'est que, de ton côté, je n'y peux plus rester, tout se casse entre mes mains, je fais de si énormes gaffes qu'il y a de quoi devenir fou en supposant que ce soit facile. Mais toi qui es en harmonie avec le territoire, tu ne veux pas comprendre ce va-et-vient, je donne une poussée et il m'arrive quelque chose, alors cinq mille ans de gènes mal foutus me tirent en arrière et je retombe sur le territoire, j'y barbote deux semaines, deux ans, quinze ans... Un jour, je plonge le doigt dans l'habitude et c'est pas croyable comme le doigt s'enfonce, il ressort de l'autre côté, il semble que je vais enfin parvenir à la dernière case et soudain une femme se noie, ou, si tu préfères, j'ai une attaque, une attaque de pitié pour des prunes, parce que cette histoire de ma pitié... Je t'ai parlé de substitutions, n'est-ce pas ? Quelle saloperie, Manou. Consulte Dostoïevsky pour les substitutions. Enfin, cinq mille ans me tirent de nouveau en arrière et il faut recommencer. C'est pour ça que je sens que tu es mon *doppelgänger*, parce que je passe mon temps à aller et venir de ton territoire au mien, si tant est que je parvienne jamais au mien, et dans ces passages lamentables il me semble que c'est toi ma forme qui reste en arrière, me regardant avec pitié, tu es les cinq mille ans d'homme entassés en un mètre soixante, regardant ce clown qui cherche à sortir de sa case. J'ai dit.

— Foutez-nous la paix ! cria Traveler à ceux qui cognaient à la porte. Alors on ne peut plus parler tranquillement, dans cette baraque ?

— T'es un frère, vieux, dit Oliveira, touché.

— De toute façon, dit Traveler en avançant un peu sa chaise, tu m'accorderas que cette fois tu es allé trop loin. Les transsubstantiations et autres potages, c'est très bien, mais ta petite plaisanterie va nous coûter notre place à tous et je le regrette, surtout pour Talita. Tu as beau parler de la Sibylle à tort et à travers, ma femme, c'est moi qui la nourris.

— Tu as tout à fait raison, dit Oliveira. On oublie qu'on est employé, tous ces trucs-là. Veux-tu que je parle à Ferraguto ? Il est là près de la fontaine. Excuse-moi, Manou, je ne voudrais pas que la Sibylle et toi...

— En ce moment, c'est exprès que tu l'appelles la Sibylle ! Ne mens pas, Horacio.

— Je sais que c'est Talita, mais il y a un instant, c'était la Sibylle. C'est les deux à la fois, comme nous.

— Cela s'appelle la folie, dit Traveler.

— Toute chose s'appelle d'une façon, tu choisis et en avant. Si tu permets, je vais m'occuper un peu de ceux du dehors, ils sont à bout de nerfs.

— Je m'en vais, dit Traveler en se levant.

— Il vaut mieux, dit Oliveira. Il vaut beaucoup mieux que tu t'en ailles, et moi, d'ici, je parlerai avec toi et les autres en bas. Il vaut beaucoup mieux que tu t'en ailles et que tu ne fléchisses pas les genoux comme ça parce que je vais t'expliquer exactement ce qui va se passer, toi qui adores les explications, comme tout bon fils des cinq mille ans. Tu me sautes dessus, emporté par ton amitié et ton diagnostic, mais moi je me jette de côté, car je ne sais si tu te rappelles le temps où je pratiquais le judo avec les gars de la rue Anchorena, et le résultat c'est que tu passeras par la fenêtre et iras te casser les dents sur la case quatre, et encore, si tu as de la chance, car le plus probable c'est que tu ne dépasses pas la case deux.

Traveler regardait Oliveira et ses yeux se remplirent de larmes. Il fit un geste comme s'il lui caressait les cheveux de loin.

Traveler attendit encore une seconde, puis il alla vers la porte et l'ouvrit. Quand Remorino voulut entrer, suivi de deux infirmiers, il le prit par les épaules et le repoussa dehors.

— Laissez-le tranquille, commanda-t-il. Ça va aller mieux d'ici peu. Il faut le laisser seul, qu'est-ce que vous êtes emmerdants.

S'abstrayant du dialogue devenu rapidement tétralogue, hexalogue et dodécalogue, Oliveira ferma les yeux et pensa que tout était bien ainsi, que Traveler était vraiment son frère. Il entendit la porte claquer en se refermant, les pas qui s'éloignaient. La porte se rouvrit juste au moment où ses paupières en faisaient péniblement autant.

— Mets le verrou, dit Traveler. Je n'ai pas grande confiance en eux.

— Merci, dit Oliveira. Va dans la cour, Talita a beaucoup de peine.

Il passa sous les quelques ficelles survivantes et poussa le verrou. Avant de retourner à la fenêtre, il se plongea la tête dans l'eau du lavabo et but là comme un animal, avalant, léchant et soufflant. On entendait en bas Remorino qui renvoyait les malades chez eux. Quand il reparut à la fenêtre, rafraîchi et apaisé, il vit que Traveler était aux côtés de Talita et qu'il avait passé un bras autour de sa taille. Après ce que venait de faire Traveler tout était comme un merveilleux sentiment de conciliation et l'on ne pouvait pas violer cette harmonie insensée mais vivante et présente, on ne pouvait plus la fausser, au fond Traveler était ce qu'Oliveira aurait dû être avec un peu moins de maudite imagination, il était l'homme du territoire, l'incurable erreur de l'espèce égarée mais que de beauté dans l'erreur et dans les cinq mille ans de territoire faux et précaire, que de beauté dans ces yeux qui s'étaient remplis de larmes et dans cette voix qui avait conseillé « mets le verrou, ils ne m'inspirent pas confiance », que d'amour dans ce bras qui serrait la taille d'une femme. « Peut-être, pensa Oliveira en répondant au geste amical d'Ovejero et de Ferraguto (un peu moins amical), la seule façon possible d'échapper au territoire est de s'y plonger jusqu'au cou. » Il savait qu'à peine il aurait insinué ça (une fois de plus, ça) qu'il allait voir l'image d'un homme menant par le bras une vieille, tout au long de rues pluvieuses et glacées. « Va-t'en savoir, se dit-il, va-t'en savoir si je ne suis pas resté sur le bord, il y avait peut-être un passage. Manou l'aurait trouvé, c'est sûr, mais l'idiotie de l'histoire c'est que Manou ne le cherchera jamais et que moi, par contre... »

— Dites, Oliveira, pourquoi ne venez-vous pas boire un café ? proposait Ferraguto au visible mécontentement d'Ovejero. Vous avez amplement gagné votre pari, vous ne trouvez pas ? Regardez Couca, comme elle est inquiète...

— Ne vous désolez pas, madame, disait Oliveira. Avec l'expérience du cirque que vous avez, vous n'allez pas vous effrayer pour des bêtises.

— Ah, Oliveira, vous êtes terribles, vous et Traveler, dit la Couca. Pourquoi ne faites-vous pas comme dit mon époux ? Je pensais justement que nous pourrions prendre le café tous ensemble.

— Oui, descendez donc, dit Ovejero comme par hasard. J'aimerais vous demander quelques renseignements sur des livres français.

— J'entends très bien d'ici, dit Oliveira.

— Ça va bien, vieux, dit Ovejero. Vous descendrez quand vous voudrez; nous, on va déjeuner.

— Avec des croissants tout chauds, dit la Couca. Vous venez préparer le café, Talita ?

— Ne dites pas d'idioties, répondit Talita, et, dans le silence extraordinaire qui suivit, les regards de Traveler et d'Oliveira se croisèrent comme deux oiseaux qui se seraient heurtés en plein vol et seraient tombés plumes mêlées sur la case neuf — du moins est-ce ainsi que le sentirent les intéressés. La Couca et Ferraguto en eurent d'abord le souffle coupé, bientôt la Couca ouvrit la bouche pour glapir : « Mais que signifie cette insolence? » tandis que Ferraguto bombait le torse et mesurait Traveler du regard, lequel, pour sa part, regardait sa femme avec un mélange d'admiration et de réprobation jusqu'à ce qu'Ovejero eût trouvé la manière scientifique de s'en sortir et eût dit sèchement : « *Hysteria matinensis jugulata*, venez, je vais vous donner quelques cachets à prendre », à l'instant même où le 18, violant les ordres de

Remorino, sortait pour annoncer que la 31 avait mal au cœur et qu'on appelait au téléphone de Mar de Plata. Remorino se chargea de l'expulser promptement et cela permit à Ovejero et aux administrateurs d'évacuer les lieux sans trop perdre de leur prestige.

— Hélas, hélas, hélas, dit Oliveira en se balançant à la fenêtre, et moi qui croyais que les pharmaciennes étaient des personnes bien élevées.

— Tu te rends compte, dit Traveler. Elle a été sensationnelle.

— Elle s'est sacrifiée pour moi, dit Oliveira. L'autre ne le lui pardonnera pas, même sur son lit de mort.

— Tu parles si je m'en fous, dit Talita. « Avec des croissants tout chauds », non mais tu te rends compte !

— Et Ovejero, alors, dit Traveler. Des livres français ! Il ne leur restait plus qu'à t'appâter avec une banane. Ça m'étonne que tu ne les aies pas envoyés promener.

Et voilà, l'harmonie durait incroyablement, il n'y avait pas de mots pour répondre à la bonté de ces deux-là, en bas, qui le regardaient et lui parlaient du milieu de la marelle, car Talita, sans s'en rendre compte, s'était arrêtée sur la case trois, et Traveler avait un pied posé sur la six, et la seule chose que pouvait faire Oliveira, c'était d'agiter un peu sa main droite en un salut timide et de regarder la Sibylle, de regarder Manou, et de leur dire qu'en fin de compte il y avait quand même une rencontre, même si elle ne pouvait durer que cet instant terriblement doux où le mieux, sans aucun doute, eût été de se pencher un tout petit peu plus au-dehors et de se laisser aller, plouf ! fini.

* * *

(-135)

## DE TOUS LES COTÉS

*(Chapitres dont on peut se passer.)*

# 57

— Je suis en train de rafraîchir quelques idées pour l'arrivée d'Agdalle. Si je l'emmenais un soir au Club, qu'en dis-tu ? Elle enchanterait Etienne et Ronald, elle est tellement folle.

— Emmène-la.

— A toi aussi, elle t'aurait plu.

— Pourquoi parles-tu comme si j'étais mort ?

— Je ne sais pas, dit Ossip. Vraiment, je ne sais pas. Mais tu as une de ces bobines.

— Ce matin, j'ai raconté à Etienne de très jolis rêves. En ce moment même, ils se mêlaient à d'autres souvenirs pendant que tu dissertais avec sentiment sur l'enterrement. Sans blague, cela a dû être une cérémonie très émouvante. C'est très rare de pouvoir être en trois endroits à la fois, c'est pourtant ce qui m'arrive cet après-midi, ce doit être l'influence de Morelli. Oui, oui, je vais te raconter. En quatre endroits à la fois, maintenant que j'y pense. J'approche de l'ubiquité, de là à devenir fou... Tu as raison, je ne connaîtrai sans doute pas d'Agdalle, je serai bon pour la poubelle bien avant.

— Le Zen justement explique les possibilités d'une pré-ubiquité, quelque chose comme ce que tu as senti, si tu l'as senti.

— Très clairement, mon vieux. Je reviens de quatre endroits à la fois : le rêve de ce matin qui est encore tout vif et frétillant, quelques intermèdes avec Pola dont je te fais grâce, ta description de l'ensevelissement du petit, et maintenant je m'aperçois que j'étais aussi en train de répondre à Traveler, un ami de Buenos Aires qui n'a jamais été foutu de comprendre ces vers de moi qui commençaient ainsi, écoute un peu : « Moi dormant à demi, plongeur de lavabo. » C'est

57

pourtant facile, si tu réfléchis un peu, tu le comprendras, toi, peut-être. Quand tu te réveilles, avec les restes d'un paradis entrevu en rêve et qui pendent à présent sur toi comme les cheveux d'un noyé, nausée terrible, angoisse, sentiment du précaire, du faux, de l'inutile surtout, tu tombes en toi-même, et pendant que tu te brosses les dents, tu es vraiment un plongeur de lavabo, c'est comme si le lavabo blanc t'absorbait, comme si tu glissais par ce trou qui emporte le tartre, la morve, la chassie, les pellicules, la salive et tu te laisses glisser avec l'espoir de retourner peut-être à l'autre chose, à ce que tu étais avant de te réveiller et qui flotte encore, qui est encore en toi, qui est toi-même, mais commence à s'en aller... Oui, pendant un moment, tu tombes à l'intérieur jusqu'à ce que les défenses de la veille, oh ! la jolie expression ! ô langage ! se chargent de t'arrêter.

— Expérience typiquement existentielle, dit Gregorovius d'un air prétentieux.

— Certainement, mais tout dépend de la dose. Moi, le lavabo m'avale pour de bon, qu'est-ce que tu crois ?

(-70)

# 58

— Tu as très bien fait de venir, dit Gekrepten en remettant du maté dans le pot. Tu es bien mieux ici, sans compter que là-bas, l'ambiance, que veux-tu. Tu devrais prendre deux ou trois jours de repos.

— Certainement, dit Oliveira. Et bien plus que ça encore. Les beignets sont sensationnels.

— Que je suis contente qu'ils te plaisent. N'en mange pas trop, tu m'attraperais une indigestion.

— Aucun problème, dit Ovejero en allumant une cigarette. Vous allez maintenant faire une bonne sieste et ce soir vous serez à même de vous envoyer plusieurs pokers d'as.

— Ne bouge pas, dit Talita. C'est incroyable, tu ne sais pas rester tranquille.

— Mon épouse est très contrariée, dit Ferraguto.

— Reprends un autre beignet.

— Ne lui donnez que des jus de fruits, ordonna Ovejero.

— Corporation nationale des docteurs en médecine.

— Pas de blague, hein, ne mangez rien jusqu'à demain matin, dit Ovejero.

— Celui-là qui a beaucoup de sucre, dit Gekrepten.

— Essaie de dormir, dit Traveler.

— Dis donc, Remorino, reste devant sa porte et empêche le 18 de venir l'embêter. Il s'est toqué de lui et il ne parle plus que d'un pistolet je ne sais quoi.

— Si tu veux dormir, ferme les persiennes, dit Gekrepten, comme ça tu n'entendras pas la radio de don Crespo.

— Non, laisse, dit Oliveira. Ils sont en train de passer des disques de Gardel.

— Il est déjà cinq heures, dit Talita. Tu ne veux pas dormir un peu ?

— Change-lui sa compresse, dit Traveler, ça le soulage.

— Le maté n'est plus bon, dit Gekrepten. Veux-tu que j'aille acheter *Noticias Gráficas* ?

— Si tu veux, dit Oliveira, et aussi un paquet de cigarettes.

— Il a eu du mal à s'endormir, dit Traveler. Mais maintenant il va continuer comme ça toute la nuit, Ovejero lui a mis double dose.

— Repose-toi bien, mon trésor, je reviens tout de suite. On mange des côtelettes, ce soir, veux-tu ?

— Et de la salade russe, dit Oliveira.

— Il respire mieux, dit Traveler.

— Et je ferais aussi un riz au lait. Tu avais mauvaise mine quand tu es arrivé, dit Gekrepten.

— J'ai eu un tramway bondé, dit Oliveira. Tu sais ce que c'est, la plate-forme, à huit heures du matin, par cette chaleur.

— Vraiment, tu crois qu'il va continuer à dormir, Manou ?

— Dans la mesure où j'ose croire quelque chose, oui.

— Alors montons voir le directeur qui nous attend pour nous fiche à la porte.

— Mon épouse est très contrariée, dit Ferraguto.

— Mais que signifie cette insolence ? cria la Couca.

— C'étaient des types épatants, dit Ovejero.

— Des gens comme ça, ça ne se voit pas souvent, dit Remorino.

— Il ne voulait pas croire qu'il avait besoin d'un Heftpistol, dit le 18.

— File dans ta chambre ou je te fais donner un lavement, dit Ovejero.

— Mort au chien, dit le 18.

(-131)

## 59

**On passe donc le temps à pêcher des poissons non comestibles ; pour éviter qu'ils ne pourrissent, des écriteaux posés à intervalles réguliers le long des plages intiment aux pêcheurs l'ordre de les ensevelir dans le sable dès qu'ils les ont tirés de l'eau.**

**Claude Lévi-Strauss, *Tristes Tropiques*.**

**(-41)**

# 60

Morelli avait pensé une liste d'acknowledgements qu'il n'eut jamais l'occasion d'incorporer à son œuvre publiée. Il laissa plusieurs noms : Jelly Roll Morton, Robert Musil, Dasetz Teitaro Suzuki, Raymond Roussel, Kurt Schwitters, Vieira da Silva, Akutagawa, Anton Webern, Greta Garbo, José Lezama Lima, Buñuel, Louis Armstrong, Borges, Michaux, Dino Buzzati, Max Ernst, Pevsner, Gilgamesh ( ?), Garcilaso, Arcimboldo, René Clair, Piero di Cosimo, Wallace Stevens, Izak Dinesen. Les noms de Rimbaud, Picasso, Chaplin, Alban Berg et autres avaient été barrés d'un trait très fin comme s'ils étaient trop évidents pour être cités. Mais ils devaient être tous trop évidents, finalement, puisque Morelli ne s'était jamais décidé à les joindre à l'un de ses volumes.

(-26)

# 61

## *Note inachevée de Morelli*

Je ne pourrai jamais cesser de croire qu'il y a là, contre mon visage, prisonnière de mes doigts, comme une éblouissante explosion vers la lumière, une irruption de mon être vers tout ce qui est hors de moi, et de tout ce qui est hors de moi vers moi, quelque chose d'infiniment cristallin qui pourrait se coaguler, se résoudre en une lumière totale, hors du temps et de l'espace. Comme une porte d'opale et de diamant à partir de laquelle on commence à être ce qu'on est véritablement, et qu'on ne veut pas être, et qu'on ne sait pas qu'on est, et qu'on ne peut pas être.

Aucune nouveauté dans cette soif et cette anxiété, mais bien une déconvenue chaque fois plus grande en présence des ersatz que m'offre cette intelligence du jour et de la nuit, cet entrepôt de souvenirs et de dates, ces passions où je laisse des lambeaux de mon temps et de ma peau, ces signaux si furtifs et si éloignés de cet autre signal, collé à ma figure, prévision qui est déjà presque une vision, dénonciation de cette feinte liberté dans laquelle je me meus au gré des rues et des années.

Bien que je ne sois qu'un corps déjà pourri sur un point de la trajectoire du futur, qu'un squelette qui écrit anachroniquement, je sens que ce corps se revendique, qu'il revendique de sa conscience cette opération encore inconcevable par laquelle il cesserait d'être pourriture. Ce corps qui est mon moi a la prescience d'un état dans lequel, en se refusant d'admettre qu'il est tel qu'il est, en refusant simultanément les corrélations objectives de ce fait, sa conscience accéderait à un état hors du corps et hors du monde, qui serait la véritable accession à l'être. Mon corps sera, non pas mon moi Morelli, celui qui en mil neuf cent cinquante est déjà l'homme pourri de mil neuf cent quatre-vingt, mon corps sera parce que derrière la porte de lumière (comment nommer cette impérieuse certitude collée à moi ?) l'être sera autre chose que de la chair *et,* que chair et âme *et,* que moi et ce qui n'est pas moi, qu'hier et demain. Tout dépend de... (une phrase biffée).

Final mélancolique : Un *satori* est instantané et résout tout. Mais pour y parvenir, il faudrait marcher à contre-courant de l'histoire du dehors et de celle du dedans. *Trop tard pour moi. Crever en Italien, voire en Occidental, c'est tout ce qui me reste. Mon petit café-crème le matin, si agréable*[1]...

(-33)

1. En français dans le texte.

# 62

A une certaine époque Morelli avait imaginé un livre qui en resta à l'état de notes détachées. Celle qui résume le mieux l'ouvrage est la suivante : « Psychologie, terme vieillot. Un Suédois échafaude une théorie chimique de la pensée[1]. Chimie,

1. L'*Express*, Paris, sans date.

Il y a deux mois, un neurobiologiste suédois, Holger Hyden, de l'Université de Göteborg, a présenté aux plus grands spécialistes mondiaux rassemblés à San Francisco ses théories sur la nature chimique des processus mentaux. Pour Hyden, le fait de penser, de se souvenir, de ressentir ou de prendre une décision se traduit, dans le cerveau et dans les nerfs qui relient celui-ci aux autres organes, par l'apparition de certaines molécules particulières, que les cellules nerveuses élaborent en fonction de l'excitation extérieure. [...] L'équipe suédoise a réussi la séparation délicate des deux sortes de cellules sur des tissus encore vivants de lapins, les a pesées (en millionièmes de millionième de gramme) et a pu déterminer par analyse de quelle façon ces cellules utilisent leur combustible dans divers cas.

Une des fonctions essentielles des neurones est de transmettre les impulsions nerveuses. Cette transmission se fait au moyen de réactions électrochimiques quasi instantanées. Il n'est pas facile de surprendre une cellule nerveuse en cours de travail, mais il semble que les Suédois y soient parvenus par un judicieux usage de méthodes variées.

Il apparaît que la stimulation se traduit par une teneur accrue des neurones en certaines protéines dont la molécule varie selon la nature du message. Simultanément, la teneur en protéines des cellules satellites diminue, comme si elles sacrifiaient leurs réserves au profit du neurone. L'information contenue dans la molécule de protéine devient, d'après Hyden, l'impulsion que le neurone envoie à ses voisins.

Les fonctions supérieures du cerveau — la mémoire et la faculté de raisonner — s'expliquent, pour Hyden, par la forme particulière des molécules de protéine correspondant à chaque sorte d'excitation. Chaque neurone du cerveau contient des millions de molécules d'acides ribonucléiques différents, qui se distinguent par l'arrangement de leurs constituants simples. Chaque molécule particulière d'acide ribonucléique

électromagnétisme, courants secrets de la matière vivante, tout finit par évoquer étrangement la notion de *mana*; ainsi, en marge des attitudes sociales, on pourrait soupçonner l'interaction d'une autre nature, une partie de billard que certains individus suscitent ou subissent, un drame sans Œdipe, sans Rastignac, sans Phèdre, drame *impersonnel* dans la mesure où la conscience et les passions des personnages ne se trouvent engagées qu'*a posteriori*. Comme si c'était aux niveaux subliminaires que se nouait et se dénouait l'écheveau des personnages impliqués dans le drame. Disons, pour faire plaisir à notre savant suédois : comme si certains individus avaient involontairement une influence sur la chimie profonde des autres et vice versa, de telle sorte qu'il se produirait les réactions en chaîne, les désintégrations et les transmutations les plus curieuses et les plus inquiétantes.

« S'il en est ainsi, une simple extrapolation suffit pour postuler un groupe humain qui croit réagir psychologiquement au sens classique de ce vieux, très vieux mot; mais qui ne représente qu'un stade de ce courant de la matière vivante, des interactions infinies de ce qu'autrefois nous appelions désirs, sympathies, volontés, convictions, et qui apparaissent ici comme quelque chose d'irréductible à tout raisonnement et à toute description : des forces d'occupation, étrangères, qui

(RNA) correspond à une protéine bien définie — comme une clé s'adapte exactement à une certaine serrure. Les acides nucléiques dictent au neurone la forme de la molécule de protéine qu'il va former. Ces molécules sont, pour l'équipe suédoise, la traduction chimique des pensées.

La mémoire correspondrait alors à l'arrangement des molécules d'acides nucléiques dans le cerveau, jouant le rôle des cartes perforées dans les calculatrices modernes. Par exemple, l'impulsion qui correspond à la note *mi* captée par l'oreille se glisse rapidement d'un neurone à l'autre jusqu'à ce que tous ceux d'entre eux qui contiennent les molécules d'acide RNA correspondant à cette excitation particulière soient touchés. Les cellules fabriquent aussitôt des molécules de protéine correspondante codée par cet acide et nous réalisons l'audition de cette note.

La richesse, la variété de la pensée s'expliquent par le fait qu'un cerveau moyen contient environ dix milliards de neurones, dont chacun renferme plusieurs millions de molécules de différents acides nucléiques ; le nombre de combinaisons possibles est astronomique. Cette théorie a, d'autre part, l'avantage d'expliquer pourquoi il n'a pas été possible de découvrir, dans le cerveau, de zones nettement définies et particulières à chacune des fonctions cérébrales supérieures : du fait qu'il dispose de plusieurs acides nucléiques, chaque neurone peut participer à des processus mentaux différents et évoquer des pensées et des souvenirs divers.

progressent en vue d'acquérir le droit de cité; une quête qui nous dépasse en tant qu'individus et qui nous utilise à ses propres fins, une obscure nécessité d'échapper à l'état d'*homo sapiens* pour... quel *homo* ? Car *sapiens* est un autre vieux, très vieux mot, de ceux qu'il faut entièrement dépoussiérer avant de prétendre les employer dans un sens quelconque.

« Si j'écrivais ce livre, les manières d'être courantes (y compris les plus insolites, qui sont leur catégorie de luxe) seraient inexplicables avec les notions psychologiques en usage. Les personnages paraîtraient fous ou complètement idiots. Non parce qu'ils se révéleraient incapables des actions et réactions courantes : amour, jalousie, pitié et ainsi de suite, mais parce que en eux un peu de ce que l'*homo sapiens* possède au stade subliminal se fraierait péniblement un chemin, comme si un troisième œil[1] cillait péniblement sous l'os frontal. Tout serait comme une inquiétude, un tourment, un déracinement continuel, un territoire où la causalité psychologique céderait, déconcertée, et ces fantoches se déchireraient, ou s'aimeraient ou se reconnaîtraient sans trop se douter que la vie essaie de changer la clé en eux, à travers eux, et pour eux, qu'une tentative à peine concevable naît dans l'homme comme en d'autres temps naquirent une clé-raison, une clé-sentiment, une clé-pragmatisme. Qu'à chaque défaite successive il y a une approche vers la mutation finale, et que l'homme n'est pas mais cherche à être, projette d'être, tâtonnant entre les mots, les comportements, les joies éclaboussées de sang et autres rhétoriques comme celle qui précède. »

(-23)

1. Note de Wong (au crayon) : « Métaphore choisie délibérément pour indiquer où l'on veut en venir. »

# 63

— Ne bouge pas, dit Talita. On dirait que je te mets du vitriol et non une compresse froide.

— Il y a comme une espèce d'électricité, dit Oliveira.

— Ne dis pas de bêtises.

— Je vois toutes sortes de phosphorescences, on dirait un film de McLaren.

— Soulève un peu la tête, cet oreiller est trop plat, je vais te le changer.

— Il vaudrait mieux que tu changes ma tête, dit Oliveira. La chirurgie en est à ses balbutiements, il faut bien le reconnaître.

(-88)

# 64

Une des fois où il rencontra Pola au Quartier latin, elle était en train de regarder le trottoir et la moitié des piétons en faisaient autant. Il fallut s'arrêter et contempler Napoléon de profil, à côté d'une excellente reproduction de Chartres et un peu plus loin, une jument avec son poulain dans un pré vert. Les auteurs étaient deux garçons blonds et une fille indochinoise. La boîte à craie était pleine de pièces de dix ou vingt francs. De temps en temps, un des artistes se penchait pour retoucher un détail et l'on pouvait remarquer que la monnaie pleuvait particulièrement dru à ce moment-là.

— Ils appliquent le système de Pénélope, mais sans rien défaire auparavant, dit Oliveira. Cette dame, par exemple, n'a dénoué les cordons de sa bourse que lorsqu'elle a vu la petite Tsong-Tsong se jeter par terre pour retoucher la blonde aux yeux bleus. Le travail les émeut, c'est un fait.

— Elle s'appelle Tsong-Tsong ? demanda Pola.

— Peut-être bien. Elle a de jolies chevilles.

— Tout ce travail, et puis cette nuit les balayeurs viendront et il n'en restera plus rien.

— C'est là le chic, justement. Des craies de couleur comme figure eschatologique, sujet de thèse. Si les balayeuses municipales n'effaçaient pas tout au matin, Tsong-Tsong viendrait elle-même avec un seau d'eau. Ne finit pour de bon que ce qui recommence chaque matin. Les gens lancent des pièces, mais en réalité on les vole car ces tableaux ne s'effacent jamais. Ils changent de trottoir, ou de couleur, mais ils sont tous contenus en une seule main, une boîte de craie, un astucieux système de mouvements. En poussant les choses à l'extrême, si l'un de ces garçons passait sa matinée à agiter les bras en l'air, il mériterait tout autant nos dix francs que lorsqu'il dessine Napoléon. Mais nous avons besoin de preuves. Elles sont là. Jette-leur vingt francs, ne sois pas pingre.

— Je les leur ai donnés avant que tu arrives.

— Admirable. Au fond, ces monnaies, nous les mettons dans la bouche des morts, oboles propitiatoires. Hommage à l'éphémère, au fait que cette cathédrale soit un simulacre de craie qu'un jet d'eau emportera en une seconde. La monnaie est là et la cathédrale renaîtra demain. Nous payons l'immortalité, nous payons la durée. *No money, no cathedral.* Toi aussi, tu es de craie ?

Mais Pola ne répondit pas et il lui mit un bras sur l'épaule pour parcourir le Boul' Mich' de haut en bas, de bas en haut, avant de s'en aller en vagabondant du côté de la rue Dauphine. Un monde en craies de couleur tournait autour d'eux et les mêlait à sa danse, frites de craie jaune, vin de craie rouge, ciel doux et pâle de craie bleue avec un peu de vert du côté du fleuve. Une fois encore, ils jetteraient la pièce de monnaie dans la boîte de cigares pour retenir la cathédrale et ce même geste la condamnerait à être effacée pour renaître, à disparaître sous le jet d'eau pour revenir, lignes après lignes, noires, jaunes et bleues. La rue Dauphine de craie grise, l'escalier consciencieusement de craie brune, la chambre avec ses lignes de fuite habilement tracées à la craie vert clair, les rideaux de craie blanche, le lit avec son poncho où toutes les craies, vive Mexico ! L'amour, ses craies affamées d'un fixatif qui les immobiliserait dans le présent, amour de craie parfumée, bouche de craie orange, tristesse et lassitude de craies incolores tournant en une poussière impalpable, se posant sur les visages endormis, sur la craie épuisée des corps.

— Tout se défait entre tes mains dès que tu touches quelque chose, et même quand tu le regardes, dit Pola. Tu es comme un acide terrible, tu me fais peur.

— Tu attaches trop d'importance à quelques métaphores.

— Ce n'est pas seulement parce que tu le dis, c'est une façon de... Je ne sais pas, comme un entonnoir. Il me semble parfois que je vais glisser dans tes bras et que je vais tomber dans un puits. C'est pire que de rêver qu'on tombe dans le vide.

— Peut-être, dit Oliveira, n'es-tu pas complètement perdue.

64

— Oh, laisse-moi tranquille. Je sais vivre, tu entends. Je vis très bien comme je vis. Ici, avec mes choses et mes amis.

— Enumère, énumère. Ça aide. Accroche-toi aux noms, comme ça tu ne tomberas pas. La table de nuit est là, le rideau n'a pas bougé de la fenêtre, Claudette a toujours le même numéro de téléphone DAN-ton 34 je ne sais combien, et ta maman t'écrit d'Aix-en Provence. Tout va bien.

— Tu me fais peur, monstre sud-américain, dit Pola en se serrant contre lui. On avait décidé que chez moi on ne parlerait pas de...

— De craies de couleur.

— De tout ça.

Oliveira alluma une Gauloise et regarda le papier plié sur la table de nuit.

— C'est l'ordonnance pour les analyses ?

— Oui, il désire qu'on me les fasse faire au plus vite. Tâte ici, cela va moins bien que la semaine dernière.

Il faisait presque nuit et Pola, étendue sur le lit, ressemblait à un personnage de Bonnard, enveloppée d'un vert doré par la dernière lumière venue de la fenêtre. « La balayeuse de l'aube », pensa Oliveira en se penchant pour lui embrasser un sein juste à l'endroit qu'elle venait de désigner d'un doigt indécis. « Mais elles ne montent pas jusqu'au quatrième étage. Personne n'a jamais entendu parler d'une balayeuse ou d'une arroseuse qui monterait jusqu'au quatrième étage. Sans compter que demain reviendrait le dessinateur et qu'il recommencerait, exactement semblable, cette courbe si déliée à l'intérieur de laquelle... » Il parvint à arrêter ses pensées, il parvint tout juste pour un instant à l'embrasser sans être rien de plus que son baiser même.

(-155)

## 65

### *Modèle de fiche du Club*

Gregorovius, Ossip.

Apatride.

Pleine lune (face noire, invisible en ce temps de pré-spoutnik) : cratères, mers, cendres ?

Tendance à s'habiller de noir, gris, brun. On ne l'a jamais vu avec un costume d'une seule couleur. Il y en a qui affirment qu'il en a trois mais qu'il combine invariablement la veste de l'un avec le pantalon de l'autre. Ce ne serait pas difficile de vérifier.

Age : il dit avoir quarante-huit ans.

Profession : intellectuel. Une grand-tante envoie une modique pension.

Carte de séjour AC 3456923 (renouvelable tous les six mois). Elle a déjà été renouvelée neuf fois, et de plus en plus difficilement.

Pays d'origine : né à Borzok (extrait de naissance probablement faux, d'après la déclaration de Gregorovius à la police de Paris. Les raisons de ses doutes figurent au procès-verbal).

Pays d'origine : l'année de sa naissance, Borzok faisait partie de l'empire austro-hongrois. Origine magyar évidente. Lui, aime insinuer qu'il est tchèque.

Pays d'origine : probablement la Grande-Bretagne. Gregorovius serait né à Glasgow, de père marin et de mère terrienne, résultat d'une escale forcée, arrimage précaire, *stout ale* et complaisances xénophiles excessives de la part de Miss Marjorie Babbington, 22 Stewart Street.

Gregorovius aime assez brosser un roman picaresque prénatal et il diffame ses mères (il en a trois, une pour chaque sorte de cuite) en leur attribuant des mœurs licencieuses. La Bosnienne, Magda Razenswill, qui apparaît avec le whisky ou le cognac, était une lesbienne auteur d'un traité pseudoscientifique sur la *carezza* (traduit en quatre langues). Miss Babbington, qui s'ectoplasmise avec le gin, finit comme putain à Malte. La troisième mère est un constant problème pour Etienne, Ronald et Oliveira, témoins de sa fugitive apparition côté beaujolais, bordeaux blanc ou bourgogne aligoté. Elle s'appelle, selon les cas, Galle, Agdalle, vit librement en Herzégovine ou à Naples, parcourt les Etats-Unis avec une compagnie de vaudeville, elle est la première femme qui fume en Espagne, elle vend des violettes à la sortie de l'Opéra de Vienne, elle invente des méthodes contraceptives, elle meurt du typhus, elle est vivante mais aveugle à Huerta, elle disparaît avec le chauffeur du tsar à Tsarskoïe-Selo, elle fait du chantage à son fils les années bissextiles, elle pratique l'hydrothérapie, elle a des relations douteuses avec un curé de Pontoise, elle est morte en mettant au monde Gregorovius, qui serait par ailleurs le fils de Santos Dumont. Les témoins ont remarqué, sans pouvoir se l'expliquer, que ces versions simultanées, ou successives, de la troisième mère s'accompagnent toujours de références à Gurdjieff, que Gregorovius admire et déteste pendulairement.

(-11)

## 66

Aspects de Morelli, son côté Bouvard et Pécuchet, son côté compilateur d'almanachs littéraires (à un certain moment, il appelle « Almanach » l'ensemble de son œuvre).

Il aimerait *dessiner* certaines idées, mais il est incapable de le faire. Les esquisses qui figurent en marge de ses notes sont navrantes. Répétition obsessionnelle d'une spirale tremblée, dont l'allure rappelle celles qui ornent la *stupa* de Sanchi.

Il ébauche l'une des nombreuses fins de son livre inachevé, et laisse une maquette. La page ne comporte qu'une seule phrase : « Au fond je savais qu'on ne peut aller au-delà, parce qu'il n'y a pas d'au-delà. » La phrase est répétée sur toute la page, et donne l'impression d'un mur, d'une barrière. Il n'y a ni points, ni virgules, ni marges. En fait un mur de mots illustrant le sens de la phrase, le choc contre une barrière derrière laquelle il n'y a rien. Mais dans le bas et sur la droite, dans l'une des phrases il manque un tout petit mot. Un œil exercé voit l'interstice entre les briques, la lumière qui filtre.

(-149)

## 67

Je lace mes chaussures, je suis content, je sifflote, et soudain je suis malheureux. Mais cette fois-ci je t'ai pincée, angoisse, je t'ai sentie *avant* tout processus mental, toute dénégation. Comme une couleur grise qui serait une souffrance et serait l'estomac. Et *presque* en même temps (mais après pourtant, cette fois-ci tu ne peux me tromper) le concept se forme, avec une première idée explicative : « Allez, encore une journée à vivre », etc. Et ce qui en découle : « Je suis angoissé *parce que...* » etc.

Les idées à voile, poussées par le vent primordial qui souffle d'en bas (mais en bas n'est qu'une localisation physique). Il suffit que la brise tourne (*mais qu'est-ce qui la fait tourner ?*) et voici les petits bateaux tout joyeux, avec leurs voiles de couleur. « Après tout, de quoi se plaindrait-on, pas vrai ? » ou une phrase de ce genre.

En me réveillant, j'ai vu la lumière de l'aube par les rais des persiennes. J'émergeais de si loin dans la nuit que j'ai eu l'impression de me vomir moi-même, cette stupeur de me trouver au seuil d'un nouveau jour, se présentant comme tous les autres avec cette même indifférence mécanique : prise de conscience, la lumière qu'on aperçoit, les yeux qui s'ouvrent, la persienne, l'aube.

En cet instant, dans l'omniscience du demi-sommeil, je mesurai l'horreur de ce qui fait l'émerveillement et l'enchantement des religions : l'éternelle perfection du cosmos, l'interminable révolution du globe terrestre autour de son axe. Nausée, insupportable sensation de coercition. *Je dois accepter que le soleil se lève tous les jours.* C'est monstrueux. C'est *inhumain.*

Avant de me rendormir, j'imaginai (je vis) un univers malléable, changeant, plein de merveilleux hasards, un ciel élastique, un soleil qui soudain disparaît, ou demeure fixe, ou change de forme.

Je souhaitai farouchement l'anéantissement des immuables constellations, cette sale publicité lumineuse du Divin Trust Horloger.

(-83)

## 68

A peine lui malait-il les vinges que sa clamyce se pelotonnait et qu'ils tombaient tous deux en des hydromuries, en de sauvages langaisons, en des sustales exaspérants. Mais chaque fois qu'il essayait de buser dans les sadinales, il s'emmêlait dans un geindroir ramurant et, face au novale, force lui était de se périger et de sentir les rainules peu à peu se miroiter, s'agglomurer en se réduplinant et il restait éfloué, tout comme le triolysat d'ergomanine dans lequel on laisse tomber quelques filules de bouderoque. Et pourtant, ce n'était là que le début, venait le moment où elle se modulait les hurgales et acceptait qu'il approchât doucement ses orphelunes. A peine s'étaient-ils entrepalmés, quelque chose comme un ulucorde les transcrêtait, les tréjouxtait, les permouvait, et c'était soudain le culminaire, la convulcation furialante des matriques, l'embouchaverse halesoufflant de l'origame, les éprouances du merpasme dans une surhumitique pâmeraie. Evohé ! Evohé ! Volposés sur la crête du murèle, ils se sentaient balparamer, perlines et marulles. Le dolle tremblait, les mariplumes s'effaçaient et tout se résolvirait en un profond éminoir, en des niolames de gases arguetendues, en des carennes presque cruelles qui les transfilaient aux limites de la joussure.

(-9)

## 69

Pour remercier Talita de ses stimulants apports bibliographiques en langue hispaméricaine, Oliveira condescendit à lui abandonner le suivant chef-d'œuvre du franc-penseur Thein, publié à Bruxelles en 1877 et cité dans la revue *Bizarre.*

### PREUVE MATHÉMATIQUE DE LA NON-EXISTENCE DE L'ENFER

La surface de la vallée de Josaphat est de 60 000 000 de mètres carrés.

En supposant un seul couple de chaque race à l'origine, on a cinq couples ou dix personnes, et en appliquant à ces données la règle des intérêts composés, on trouve jusqu'au déluge 9 289 000 naissances pendant 1 658 ans ; depuis le déluge jusqu'à notre ère, il s'est passé 2 326 ans ; pendant ce temps s'il n'a survécu que cinq couples, ceux-ci auront engendré 2 213 867 610 000 enfants; en poussant les calculs jusque l'an 2000, on obtiendra le nombre de 34 326 414 259 675 172 000 qui, avec les 9 289 000, font 34 326 414 259 684 461 000 rejetons. En admettant charitablement que tous les papistes sont sauvés, leur nombre étant aujourd'hui 1/7 de la population de la terre, celui des damnés se composera des nés avant le déluge, des nés depuis le déluge jusque l'an 2000, moins le 1/7 des nés depuis l'an 44 de la naissance du Christ, ce nombre est de 4 903 773 008 164 544 000, et au total le nombre des damnés serait de 29 422 641 251 519 917 000.

Le cube moyen entre un nouveau-né et une personne accomplie est à peu près 1/20 de mètre; la masse des damnés ci-dessus représente la solidité d'une sphère de 705 540 mètres de rayon, celui de la terre est de 6 366 200 mètres. Si on recule l'origine de l'homme, suivant certains naturalistes allemands, à 80 000 ans, le nombre des morts damnés formerait un cube de plus de trois fois celui de la terre.

Maintenant, comment réunir pour être jugés les 34 326 414 260 milliards de ressuscités sur une surface de 60 000 000 de mètres carrés; comment faire passer cette masse de damnés à travers les roches de toute sorte à une profondeur de 5 660 660 mètres?

(-52)

## 70

« Quand j'étais dans mon état premier, je n'avais pas de Dieu...; je m'aimais moi-même et je n'aimais rien d'autre; j'étais ce que j'aimais, et j'aimais ce que j'étais, et j'étais libre par rapport à Dieu et à toute chose... C'est pourquoi nous supplions Dieu qu'il nous délivre de Dieu, nous demandons à concevoir la vérité et à en jouir éternellement, là où les archanges, la mouche et l'âme sont identiques, là où j'étais et où j'aimais ce que j'étais et où j'étais ce que j'aimais... »

Maître Eckhardt, sermon *Beati Pauperes Spiritu.*

(-147)

# 71

## *Morellienne*

Qu'est-ce en somme que cette histoire de découvrir un royaume millénaire, un éden, un autre monde ? Tout ce qu'on écrit de nos jours et qui vaut la peine d'être lu est axé sur la nostalgie. Complexe de l'Arcadie, retour à la Grande Matrice, back to Adam, le bon sauvage (et allez donc...), *Paradis perdu, perdu parce que je te cherche, moi, sans lumière à jamais...* Les uns en tiennent pour les îles (cf. Musil), les autres pour les gurus (si on a de quoi se payer l'avion Paris-Bombay) d'autres, plus simplement, attrapent leur tasse à café, en la regardant de tous les côtés, non plus en tant que tasse mais comme un témoignage de l'incommensurable absurdité au milieu de laquelle nous nous trouvons tous plongés, et tu crois que cet objet n'est qu'une simple tasse à café alors que le plus idiot des journalistes chargés de nous résumer la théorie des Quanta, Planck et Heisenberg, se donne un mal fou pour nous expliquer sur trois colonnes que tout vibre, tout tremble, tout est comme un chat qui attend de faire l'énorme saut d'hydrogène ou de cobalt qui nous laissera, tous, les quatre fers en l'air. Grossière façon, vraiment, de s'exprimer.

La tasse à café est blanche, le bon sauvage est basané, Planck était un Allemand formidable. Derrière tout cela (c'est toujours derrière, là est l'idée maîtresse de la pensée moderne, mettons-nous bien cela dans la tête) le Paradis, l'autre monde, l'innocence bafouée qu'on cherche obscurément en pleurant, la terre de Hurqalyá. D'une manière ou d'une autre, tous la cherchent, tous veulent ouvrir la porte pour aller y jouer. Non pas pour l'Eden, non pas tant pour l'Eden lui-même que pour en finir avec les avions à réaction, les gueules de Nikita, Dwight, Charles ou Franco, les sonneries de réveils, les thermomètres et les ventouses, la mise à la retraite à coups de pied au cul (quarante ans à serrer les fesses pour avoir moins mal, mais cela n'empêche pas d'avoir mal, ni la pointe du soulier d'entrer chaque fois un peu plus loin, et à chaque coup de pied c'est leur pauvre derrière qui leur cuit un peu plus, au sous-lieutenant, au professeur de littérature, ou à l'infirmière), et nous disions que l'*homo sapiens* ne cherche pas la porte d'entrée du royaume millénaire (ce ne serait pourtant pas mal, vraiment pas mal du tout), mais seulement pour pouvoir la fermer derrière lui et remuer la queue comme un chien content, en sachant que le pied de cette garce de vie est de l'autre côté, et bute contre la porte close, et qu'on peut avec un soupir de soulagement desserrer ses pauvres fesses, se redresser et commencer à se promener au milieu des petites fleurs du jardin et s'asseoir pour regarder un nuage pendant cinq mille ans tout juste, ou vingt mille si on peut, et si personne ne vient tout démolir, avec un peu de chance, rester à jamais dans ce jardin à regarder les petites fleurs.

De temps en temps, parmi la légion de ceux qui marchent en se tenant les fesses à deux mains, il s'en trouve qui, non seulement voudraient fermer la porte pour se protéger des coups de pied traditionnels à trois dimensions, sans compter les coups de pied des catégories kantiennes, ceux qu'on reçoit au nom du principe archipourri de la raison suffisante et autres sempiternelles fariboles, mais ces individus croient encore, avec d'autres fous, que nous ne sommes pas au monde, que nos géants de pères nous ont placés dans une course à contre-courant, d'où il nous faudra sortir si nous ne voulons pas finir en statue équestre ou en grand-papa modèle, et que rien n'est perdu si l'on a enfin le courage de proclamer que tout est perdu et qu'il faut repartir à zéro, comme les fameux ouvriers qui en 1907 se rendirent compte un matin d'août que le tunnel qu'ils creusaient dans le mont Brasco n'était pas dans l'axe et qu'ils finiraient par sortir à quinze cents mètres du tunnel que creusaient les ouvriers yougoslaves partis de Dublivna. Que firent ces fameux ouvriers ? Ces fameux ouvriers abandonnèrent leur tunnel dans l'état où il se trouvait, remontèrent à la surface et, après plusieurs jours et plusieurs nuits de délibérations dans les diverses cantines du Piémont, ils se mirent à creuser à leurs risques et périls à un autre endroit du Brasco et ils poursuivirent leurs travaux sans s'inquiéter des ouvriers yougoslaves, moyennant quoi ils arrivèrent au bout de quatre mois et cinq jours au sud de Dublivna, à la grande surprise d'un maître d'école retraité qui les vit apparaître à la hauteur de sa salle de bains. Louable exemple qu'auraient dû suivre les ouvriers de Dublivna (mais il faut reconnaître que nos fameux ouvriers ne leur avaient pas fait part de leurs intentions) au lieu de s'obstiner à vouloir rejoindre un tunnel inexistant, comme c'est le cas de tant de poètes qui se penchent dangereusement à la fenêtre de leur salon, au beau milieu de la nuit.

Vous pouvez rire si vous voulez croire qu'on plaisante, mais on ne plaisante pas, le rire à lui seul a creusé plus de tunnels utiles que toutes les larmes de la terre, quoi qu'en pensent les crustacés persuadés que Melpomène est plus féconde que la Reine Mab. Il faudrait, une fois pour toutes, nous mettre en désaccord sur ce point. Il y a peut-être une porte de sortie, mais cette porte de sortie devrait être une porte d'entrée. Peut-être existe-t-il un royaume millénaire, mais ce n'est pas en fuyant devant une charge de l'ennemi que l'on prend d'assaut une forteresse. Ce siècle, jusqu'à présent, se sauve devant une infinité de choses, cherche des issues et parfois défonce des portes. Ce qui se passe ensuite, on n'en sait rien; quelques-uns peut-être sont parvenus à voir et ont péri, instantanément effacés par le grand oubli noir; d'autres se sont contentés d'un destin rétréci, de la petite maison de banlieue, ont trouvé leur satisfaction dans la spécialisation littéraire ou scientifique, dans le tourisme. On planifie les évasions, on les technologise, on les mesure au Modulor ou au nombre de Nylon. Il y a encore des imbéciles qui croient que la soûlerie peut être considérée comme une méthode, ou la mescaline, ou l'homosexualité, ou toute autre chose qui peut être magnifique ou vaine *en soi* mais qu'on hausse stupidement au rang de système, de clé du royaume. Il se peut qu'il existe un autre monde à l'intérieur du nôtre, mais nous ne le trouverons pas en découpant sa silhouette dans l'incroyable tourbillon des jours et des existences, nous ne le trouverons ni dans l'atrophie ni dans l'hypertrophie. Ce monde-là n'existe pas, nous devons le créer, tel le phénix. Ce monde-là existe dans notre monde, mais comme l'eau existe dans l'oxygène et l'hydrogène, ou comme se trouvent dans les pages 78, 457, 3, 271, 688, 75 et 456 du dictionnaire de l'Académie espagnole tous les éléments qu'il faut pour écrire un certain hendécasyllabe de Garcilaso. Disons que le monde est une figure, qu'il faut savoir l'interpréter. Par interpréter nous voulons dire créer. Qui s'intéresse à un dictionnaire en tant que dictionnaire ? Si grâce à de subtiles alchimies, à des osmoses et des mélanges de simples, Béatrice surgit enfin au bord de la rivière, comment ne pas croire avec émerveillement à ce qui pourrait à son tour naître d'elle ? Quelle tâche inutile que celle de l'homme, coiffeur de lui-même, refaisant jusqu'à la nausée la même coupe bimensuelle, dressant le même couvert, reprenant la même occupation, achetant le même journal, appliquant les mêmes principes dans les mêmes conjonctures. Il se peut qu'il existe un royaume millénaire, mais s'il nous arrive d'y parvenir, si nous en faisons partie, il ne s'appellera déjà plus ainsi. Jusqu'à ce qu'on ait ôté au temps son fouet d'histoire, jusqu'à ce qu'on ait crevé l'abcès de tous les *jusqu'à*, nous continuerons à considérer la beauté comme une fin en soi, la paix comme un bien désirable, toujours de ce côté-ci de la porte où, à vrai dire, on n'est pas toujours si mal, où bien des gens mènent une vie qui les satisfait, avec des parfums agréables, de bons appointements, une littérature de qualité, la stéréophonie, et pourquoi donc alors s'inquiéter si le monde n'a vraisemblablement qu'un temps, si l'histoire en est arrivée à son point culminant, si la race humaine sort du Moyen Age pour entrer dans l'ère de la cybernétique ? *Tout va très bien, madame la Marquise, tout va très bien, tout va très bien.*

Quant au reste, il faut être un imbécile, il faut être un poète, il faut être un cinglé pour perdre plus de cinq minutes à des nostalgies auxquelles on peut parfaitement mettre un terme à bref délai. Chaque réunion de dirigeants internationaux, d'hommes-de-science, chaque nouveau satellite artificiel, chaque hormone ou réacteur atomique écrase un peu plus ces fallacieuses espérances. Le royaume sera en matière plastique, c'est un fait. Non que le monde doive se transformer en un cauchemar orwellien ou huxleyen; il sera bien pire; ce sera un monde délicieux, à la mesure de ses habitants, sans aucun moustique, aucun analphabète, avec des poules énormes ayant probablement dix-huit pattes, toutes savoureuses, avec des salles de bains télécommandées, de l'eau de couleur différente suivant le jour de la semaine, délicate attention du service national d'hygiène, avec télévision dans toutes les chambres, par exemple de grands paysages tropicaux pour les habitants de Reykjavik, des vues d'igloos pour ceux de La Havane, compensations subtiles qui vaincront toute tentative de révolte,

et caetera.

C'est-à-dire un monde satisfaisant pour personnes raisonnables.

Mais restera-t-il dans ce monde un être, un seul, qui ne sera pas raisonnable ?

Dans un coin perdu, un vestige du royaume oublié. Dans une mort violente, le châtiment pour s'être souvenu du royaume. Dans un rire, dans une larme, la survivance du royaume. En fin de compte, il ne semble pas que l'homme doive finir par tuer l'homme. Il va lui échapper, il va s'emparer du volant de la machine électronique, de la fusée spatiale, il va lui faire un croc-en-jambe et après, qu'on le rattrape si l'on peut. On peut tuer tout sauf la nostalgie du royaume, nous la portons dans la couleur de nos yeux, dans chaque amour, en tout ce qui, au plus profond de nous-mêmes, nous tourmente, et nous libère, et nous trompe. *Wishful thinking*, peut-être; mais c'est là une autre définition possible du bipède déplumé.

(-5)

# 72

— Tu as bien fait de revenir à la maison, mon amour, si tu étais si fatigué.

— There's not a place like home, dit Oliveira.

— Prends un autre petit maté, il est tout frais infusé.

— Les yeux fermés, il paraît encore plus amer, c'est une merveille. Si tu me laissais dormir un peu pendant que tu lis une revue.

— Oui, mon chéri, dit Gekrepten en séchant ses larmes et en cherchant *Idylle* par simple obéissance, car elle était incapable de lire une ligne.

— Gekrepten.

— Oui, mon amour.

— T'en fais pas pour ça, ma vieille.

— Bien sûr que non, mon joli. Attends, je vais te mettre une autre compresse.

— Quand je me lèverai, nous irons faire un tour à Almagro. On donne peut-être un film à grand spectacle.

— Demain, mon amour, il vaut mieux que tu te reposes maintenant. Tu as une de ces mines...

— C'est le métier, que veux-tu... Il ne faut pas te faire de souci. Tu entends Cien Pesos, comme il chante.

— On doit lui changer ses graines, à ce petit chou, dit Gekrepten. Et il prouve sa reconnaissance.

— Reconnaissance, dit Oliveira. Tout de même, être reconnaissant qu'on l'ait emprisonné.

— Les animaux ne se rendent pas compte.

— Les animaux, répéta Oliveira.

(-77)

# 73

Oui, mais qui nous guérira du feu caché, du feu sans couleur qui, à la nuit tombante, court dans la rue de la Huchette, sort des portails vermoulus, des étroits couloirs, du feu impalpable qui lèche les pierres et guette sur le pas des portes, comment ferons-nous pour nous laver de sa brûlure douce qui se prolonge, qui s'installe pour durer, alliée du temps et du souvenir, des substances poisseuses qui nous retiennent de ce côté-ci, et qui lentement nous consumera jusqu'à nous calciner ? Il vaut mieux sans doute pactiser, comme les chats ou comme la mousse entre les pavés, se lier immédiatement d'amitié avec les concierges aux voix éraillées, avec les enfants pâles et souffreteux qui se penchent aux fenêtres en jouant avec une branche morte. En se consumant ainsi sans trêve, en endurant au centre de soi-même une brûlure qui gagne comme la maturation secrète dans le fruit, être la vibration d'un brasier dans cet enchevêtrement infini de pierres, cheminer au long des nuits de notre vie avec la soumission du sang dans son circuit aveugle.

Combien de fois me suis-je demandé si tout ceci n'était pas simple littérature, en un temps où nous courons vers l'erreur parmi les équations infaillibles et les ordinateurs. Mais se demander si nous arriverons à trouver ce qu'il y a de l'autre côté de l'habitude ou s'il ne vaut pas mieux se laisser porter par son allègre cybernétique, n'est-ce pas là encore de la littérature ? Révolte, conformisme, angoisse, nourritures terrestres, toutes les dichotomies : le Yin et le Yang, la contemplation ou la *Tätigkeit,* flocons d'avoine ou perdrix faisandées, Lascaux ou Mathieu, quel hamac verbal, quelle dialectique de poche avec des tempêtes en pyjama et des cataclysmes de salon. Le seul fait de s'interroger sur la possibilité du choix altère et trouble ce qu'on choisit. Il semblerait qu'un dilemme ne puisse être dialectique, que le seul fait de poser le problème l'appauvrisse, c'est-à-dire le fausse, c'est-à-dire le transforme en quelque chose d'autre. Entre le Yin et le Yang, combien d'éons ? Du oui au non, combien de peut-être ? Tout est écriture, c'est-à-dire fable. Mais à quoi nous sert la vérité qui rassure l'honnête propriétaire ? Notre seule vérité possible doit être *invention*, c'est-à-dire écriture, littérature, peinture, sculpture, agriculture, pisciculture, toutes les « tures » de ce monde. Les valeurs, des tures, la sainteté, une ture, la société, une ture, l'amour, une pure ture, la beauté, la ture des tures. Dans l'un de ses livres, Morelli parle du Napolitain qui resta des années assis au seuil de sa maison à regarder une vis par terre. La nuit, il la ramassait et la mettait sous son matelas. Cette vis provoqua d'abord les rires, les moqueries, l'irritation dans le quartier, conciliabules entre voisins, cette vis était une évidente violation des devoirs civiques, puis finalement haussement d'épaules, la paix, la vis fut la paix, personne ne pouvait passer dans la rue sans la regarder à la dérobée et sentir qu'elle était la paix. Le type mourut d'une syncope, et la vis disparut dès l'arrivée des voisins. L'un d'eux s'en est emparé, peut-être la sort-il en cachette et la regarde-t-il, puis il la range de nouveau et se rend à l'usine en éprouvant un sentiment qu'il ne comprend pas, une obscure réprobation. Il ne retrouve son calme que lorsqu'il peut la regarder à nouveau, il reste à la contempler jusqu'à ce qu'il entende des pas et doive la cacher. Morelli pensait que la vis devait être autre chose, un dieu ou quelque chose de ce genre. Solution trop facile. Peut-être l'erreur consistait-elle à accepter que cet objet fût une vis par le simple fait qu'elle avait la forme d'une vis. Picasso prend un jouet d'enfant, une automobile, et la transforme en menton de cynocéphale. Le Napolitain était peut-être un imbécile, mais il eût pu aussi bien être l'inventeur d'un monde. Une vis puis un œil, un œil puis une étoile... Pourquoi s'en tenir à la Grande Habitude ? On peut choisir la ture, l'invention, c'est-à-dire la vis ou la voiture-jouet. C'est ainsi que Paris nous détruit lentement, délicieusement, nous broie avec les fleurs fanées et les nappes en papier tachées de vin, avec son feu sans couleur qui court à la nuit tombante, sortant des portails vermoulus. Nous sommes embrasés d'un feu inventé, d'une incandescente ture, d'un artifice de l'espèce, d'une cité qui est la Grande Vis, horrible aiguille avec son chas nocturne par où passe le fil de la Seine. Nous nous consumons dans notre œuvre, fabuleux honneur mortel, défi altier du phénix. Personne ne nous guérira du feu sourd, du feu sans couleur qui, à la nuit tombante, court dans la rue de la Huchette. Nous sommes incurables, absolument incurables, nous élisons pour ture la Grande Vis, nous nous inclinons devant elle, nous entrons en elle, nous la recréons chaque jour, à chaque tache de vin sur la nappe, à chaque morsure de la rouille, à l'aube, dans la cour de Rohan, nous inventons notre incendie, nous brûlons de l'intérieur vers l'extérieur, là est peut-être le choix, peut-être les mots l'enveloppent-ils comme la serviette enveloppe le pain et la saveur reste au-dedans, dans la pâte qui lève, le oui sans le non, ou le non sans le oui, le jour sans Manès, sans Ormuzd *ou* Ahriman, une bonne fois pour toutes, et la paix, en voilà assez.

(-1)

## 74

Le non-conformiste vu par Morelli, dans une note épinglée à un carnet de blanchissage : « Acceptation du caillou et de l'étoile bêta du Centaure, du pur-banal au pur-démesuré. Cet homme évolue dans les plus basses fréquences et dans les plus hautes, dédaignant délibérément les fréquences intermédiaires, c'est-à-dire la zone la plus fréquentée par le troupeau spirituel humain. Incapable de venir à bout de la contingence, il essaie de lui tourner le dos; incapable de faire comme ceux qui s'efforcent de la liquider, parce qu'il pense qu'en la liquidant on ne fait que lui en substituer une autre également partiale et intolérable, il s'éloigne en haussant les épaules. Pour ses amis, le fait qu'il se complaise à des niaiseries, à des puérilités, à un bout de ficelle ou à un solo de Stan Getz, est le signe d'un appauvrissement lamentable ; ils ne savent pas qu'il existe aussi l'autre extrême, ses approches vers un tout qui se dérobe, s'amenuise et se cache, mais que sa quête est sans fin et qu'elle ne s'achèvera même pas avec la mort de cet homme, parce que sa mort ne sera pas la mort des zones intermédiaires, celle des fréquences qu'on entend avec les oreilles qui écoutent la marche funèbre de Siegfried. »

Pour corriger peut-être le ton exalté de cette note, un papier jaune griffonné au crayon : « Etoile et caillou : images absurdes. Mais le commerce intime avec les galets polis mène parfois à un passage; entre la main et le caillou vibre un accord hors du temps. Fulgurante... (un mot illisible)... que cela aussi est l'étoile bêta du Centaure; les nombres et les grandeurs cèdent, se dissolvent, ne sont plus ce que la science prétend qu'ils sont. On se trouve ainsi dans un domaine qui est purement (quoi ? quoi ?) : une main qui tremble fermée sur une pierre transparente qui, elle aussi, tremble. » (Plus bas, à l'encre : « Il ne s'agit pas de panthéisme, délicieuse illusion, chute vers le haut dans un ciel incendié au bord de la mer. »)

Ailleurs, cet éclaircissement : « Parler de basses ou de hautes fréquences c'est céder une fois de plus aux *idola fori* et au langage scientifique, illusion de l'Occident. Pour mon non-conformiste, fabriquer allégrement un cerf-volant et le faire voler pour la plus grande joie d'une assistance enfantine ne représente pas une occupation mineure (dans le sens où bas est comparé à haut, peu est comparé à beaucoup, etc.), mais bien une coïncidence avec des éléments purs, et de là une harmonie momentanée, une satisfaction qui l'aide à surmonter le reste. De la même façon les moments de dépaysement, d'aliénation heureuse qui lui font atteindre par brèves intermittences ce qui pourrait être son paradis ne constituent pas pour lui une expérience plus élevée que le fait de fabriquer un cerf-volant; c'est une fin en soi mais ni supérieure, ni privilégiée — ce n'est pas non plus une fin au sens temporel, une accession où culmine un processus de dépouillement enrichissant; il peut y parvenir assis sur sa cuvette de W.-C. et surtout entre des cuisses de femmes, dans des nuages de fumée ou au cours de lectures habituellement peu cotées dans les hebdomadaires pour bourgeois cultivés. »

« Dans la vie de tous les jours, l'attitude de mon non-conformiste se traduit par le refus de tout ce qui sent l'idée reçue, la tradition, l'instinct grégaire fondé sur la peur et sur des avantages faussement réciproques. Il pourrait sans grand effort être Robinson Crusoé. Il n'est pas misanthrope, mais il n'accepte des hommes et des femmes que ce qui n'a pas été plastifié par la superstructure sociale; lui-même est à moitié pris dans le moule et il le sait, mais cette connaissance est active, ce n'est pas la résignation de celui qui marche au pas. De sa main libre il passe la plus grande partie de son temps à se gifler, et, dans ses moments de liberté, il gifle les autres, qui le lui rendent avec usure. Il consacre ainsi son temps à des histoires insensées où se mêlent maîtresses, amis, créanciers et fonctionnaires, et dans les rares instants libres qui lui restent il fait de sa liberté un usage qui étonne tout le monde et qui finit toujours par des catastrophes dérisoires, à sa mesure et à celle de ses ambitions réalisables; une autre liberté plus secrète et furtive le travaille, mais lui seul (et encore à peine) pourrait rendre compte de ses jeux. »

(-6)

## 75

*Comme cela avait été beau, à une époque, de se sentir installé dans un style impérial de vie qui autorisait les sonnets, le dialogue avec les astres, les méditations dans la nuit de Buenos Aires, la sérénité gœthienne aux fauteuils d'orchestre du théâtre Colon ou lors des conférences de maîtres étrangers. Un monde l'entourait qui vivait encore ainsi, qui se voulait ainsi, délibérément beau et poli, architectonique. Pour mieux sentir la distance qui le séparait à présent de ce colombarium, Oliveira n'avait qu'à parodier avec un sourire aigre les phrases décantées et les rythmes superbes du temps jadis, les façons olympiennes de dire et de se taire. A Buenos Aires, capitale de la peur, il se sentait à nouveau cerné par ce discret polissage des aspérités qu'on a coutume d'appeler bon sens, et surtout par cette affirmation de suffisance qui enflait les voix des jeunes et des vieux, cette acceptation de l'immédiat comme étant le véritable, de l'ersatz comme étant,* comme étant, cométan (devant la glace, le tube de dentifrice à la main, Oliveira, une fois de plus se riait au nez et, au lieu de fourrer sa brosse dans sa bouche, il l'approchait de son image et enduisait minutieusement la fausse bouche de pâte rose, il lui dessinait un cœur en pleines lèvres, des mains, des pieds, des lettres, des obscénités, il courait sur le miroir à coups de brosse et à coups de tube, se tordant de rire jusqu'à ce que Gekrepten arrive désolée et prenne l'éponge et ainsi de suite).

(-43)

# 76

Avec Pola, ce furent d'abord les mains, comme toujours. Il y a le soir, il y a la fatigue d'avoir perdu son temps dans les cafés en lisant des journaux qui sont toujours le même journal, il y a comme une barre de bière qui serre doucement la peau à la hauteur de l'estomac. On est disponible pour n'importe quoi, on pourrait tomber dans les pires pièges de l'inertie et de l'abandon et soudain une femme ouvre son sac pour payer son café-crème, ses doigts jouent un instant avec le fermoir toujours rétif du sac. On a l'impression que le fermoir défend l'entrée d'une maison zodiacale, que lorsque les doigts de la femme trouveront la façon de faire glisser la fine barrette dorée, une irruption va éblouir les habitués du café imbibés de Pernod et de Tour de France, ou plutôt elle les avalera, un entonnoir de velours violet arrachera le monde de ses gonds, tout le Luxembourg, la rue Soufflot, la rue Gay-Lussac, le café Capoulade, la fontaine Médicis, la rue Monsieur-le-Prince, elle emportera tout dans un gargouillement final qui ne laissera qu'une table vide, le sac ouvert, les doigts de la femme qui sortent une pièce de cent francs et la tendent au père Ragon, tandis que, naturellement, Horacio Oliveira, émérite survivant de la catastrophe, se prépare à dire ce qu'on dit en pareille occasion.

— Oh, vous savez, répondit Pola, la peur n'est pas mon fort. Elle dit Oh, vous savez, un peu comme devait parler le sphinx avant de poser l'énigme, en s'excusant presque, en refusant un prestige qu'elle savait grand. Elle parla comme les femmes de tant de romans où le romancier ne veut pas perdre son temps et met le meilleur de la description dans les dialogues, joignant ainsi l'utile à l'agréable.

— Quand je dis peur, fit remarquer Oliveira assis à la gauche du sphinx, sur la même banquette de peluche rouge, je pense surtout aux envers. Vous bougiez cette main comme si vous touchiez une limite, après laquelle commençait un monde à rebrousse-poil, où moi par exemple je pouvais être votre sac et vous le père Ragon.

Il espérait que Pola rirait et que les choses cesseraient d'être aussi sophistiquées mais Pola (il sut par la suite qu'elle s'appelait Pola) ne trouva pas trop absurde cette possibilité. Elle montrait en souriant des dents petites et très régulières contre lesquelles s'aplatissaient un peu les lèvres peintes d'orange vif, mais Oliveira en était encore aux mains, comme toujours les mains des femmes l'attiraient, il éprouvait le besoin de les toucher, de promener ses doigts sur chaque phalange, d'explorer comme un masseur japonais la route imperceptible des veines, de s'informer de l'état des ongles, de pressentir chiromantiquement les lignes néfastes et les monts propices, d'entendre le grondement des marées en appuyant son oreille contre la paume d'une petite main que l'amour ou une tasse de thé ont rendue un peu humide.

(-101)

## 77

— Vous comprendrez qu'après tout cela...

— Res, non verba, répondit Oliveira. Cela fait huit jours à soixante pesos par jour, soixante par huit, cinq cent soixante, disons cinq cent cinquante, et avec les dix pesos restants vous paierez un Coca-Cola aux malades.

— Vous me ferez le plaisir de retirer immédiatement vos effets personnels.

— Oui, d'ici demain et plutôt demain qu'aujourd'hui.

— Voici l'argent. Signez-moi ce reçu, je vous prie.

— Pas de je vous prie. Je vous le signe, un point c'est tout. *Ecco.*

— Mon épouse est très contrariée, dit Ferraguto en lui tournant le dos et en faisant rouler son cigare entre ses dents.

— C'est la sensibilité féminine, la ménopause, et tous ces trucs-là.

— C'est la dignité, monsieur.

— Exactement ce que je pensais. En parlant de dignité, merci pour l'emploi au cirque. C'était amusant et il n'y avait pas grand-chose à faire.

— Mon épouse n'arrive pas à comprendre, dit Ferraguto, mais Oliveira était déjà à la porte. — L'un des deux ouvrit les yeux ou les ferma. La porte aussi avait quelque chose d'un œil qui s'ouvre ou se ferme. Ferraguto ralluma son cigare et enfonça ses mains dans ses poches. Il pensait à ce qu'il allait lui dire à cet exalté, cet inconscient quand il se présenterait devant lui. Oliveira se laissa mettre une compresse sur le front (c'était donc lui qui avait fermé les yeux) et pensa à ce que lui dirait Ferraguto quand il le ferait appeler.

(-131)

# 78

L'intimité des Traveler. Quand je les quitte sur le pas de leur porte ou au café du coin, c'est soudain comme un désir de rester près d'eux, de les voir vivre, voyeur sans appétit, amical, un peu triste. Intimité, quel mot, ça donne envie de lui coller sur le champ le *h* fatidique. Mais quel autre mot pourrait *intimer* la peau même de la connaissance, la raison épithéliale de l'amitié qui nous lie, Talita, Manolo et moi. Les gens se croient amis parce qu'ils se retrouvent quelques heures par semaine sur un sofa, devant un film, parfois dans un lit ou parce qu'ils font par hasard le même travail. Que de fois, adolescent, au café, l'illusion d'une complète identité avec les camarades nous avait donné le bonheur. Identité avec des hommes et des femmes dont nous ne connaissions qu'une manière d'être, une façon de se donner, un profil. Je me rappelle, avec une netteté hors du temps, les cafés portègnes où nous parvenions pour quelques heures à nous libérer de la famille et des obligations quotidiennes, nous entrions dans un territoire de fumée et de confiance en nous et en les autres, nous accédions à quelque chose qui nous consolait du précaire, nous promettait une espèce d'immortalité. Et là, à vingt ans, nous avons prononcé notre parole la plus lucide, nous avons connu nos tendresses les plus profondes, nous avons été les dieux du demi de bière et du petit havane. La rue, ensuite, était comme une expulsion, l'ange à l'épée flamboyante réglait le trafic au carrefour des rues Corrientes et San Martin. A la maison, vite, il est tard, vite les affaires, vite le lit conjugal, l'infusion de tilleul pour la vieille, l'examen pour après-demain, la fiancée ridicule qui lit Vicki Baum et que nous épouserons, pas moyen d'y couper.

(Etrange femme, Talita. Elle donne l'impression de marcher, une bougie allumée à la main, comme pour montrer un chemin. Et avec ça, la modestie même, chose rare chez une licenciée argentine, là-bas où le titre d'arpenteur suffit pour qu'on regarde son monde de haut. Penser qu'elle servait dans une pharmacie, c'est effarant, c'est véritablement tordant. Et elle se coiffe d'une si jolie façon.)

Je viens maintenant de découvrir que Manolo s'appelle Manou dans l'intimité. Ça lui paraît tout naturel à Talita d'appeler Manolo Manou, elle ne se rend pas compte que pour ses amis c'est un scandale secret, une blessure qui saigne. Mais moi, de quel droit... Du droit de l'enfant prodigue, en tout cas. L'enfant prodigue, soit dit en passant, va devoir chercher du travail, le dernier recensement des fonds a vraiment été spéléologique. Si j'accepte les avances de la pauvre Gekrepten, qui ferait n'importe quoi pour coucher avec moi, j'aurai une chambre assurée, chemises propres, etc. L'idée d'aller vendre des coupons de tissu n'est pas plus bête qu'une autre, question d'essayer, mais le plus amusant ce serait de rentrer au cirque avec Manolo et Talita. Entrer au cirque, belle formule. Au commencement était un cirque, et ce poème de Cummings où il est dit qu'au moment de la création le Vieux a pris autant d'air dans ses poumons que pour remplir une tente de cirque. Nous accepterons l'offre de Gekrepten qui est une excellente fille, et cela nous permettra de vivre plus près de Manolo et de Talita, puisque, topographiquement, nous serons à peine séparés par deux murs et une fine tranche d'air.

Avec un clandé à portée de main, le marché au coin, l'épicerie à deux pas. Penser que Gekrepten *m'a attendu.* C'est incroyable que des choses pareilles arrivent à d'autres. Tous les actes héroïques devraient être l'apanage d'une seule famille et ouassike cette fille s'est enquise jour après jour auprès des Traveler de mes déboires ultramarins, et pendant tout ce temps elle a tricoté et détricoté le même pull-over violet en attendant son Odyssée et en travaillant dans un magasin de la rue Maipu. Ce serait ignoble de ne pas accepter les propositions de Gekrepten, de se refuser à faire tout à fait son malheur. Ah hodieuse Hodyssée.

Non mais si on y pense vraiment, le plus absurde, dans ces vies que nous prétendons vivre, c'est le faux contact. Orbites isolées, de temps en temps deux mains se serrent, un bavardage de cinq minutes, un jour aux courses, un soir à l'Opéra, une veillée funèbre où tout le monde se sent un peu plus uni (c'est vrai, mais cela finit à l'heure où l'on soude le cercueil). Et en même temps on vit, persuadé que les amis sont là, que le contact existe, que les accords ou les désaccords sont profonds et durables. Comme nous nous haïssons tous, sans savoir que la tendresse est la forme présente de cette haine, et la raison de cette haine profonde c'est bien l'excentration, l'espace infranchissable entre toi et moi, entre ceci et cela. Toute tendresse est un coup de griffe ontologique, une tentative pour se saisir de l'insaisissable, et moi qui aimerais pénétrer dans l'intimité des Traveler sous prétexte de mieux les connaître, mais ce que je veux, en fait, c'est m'emparer du *mana* de Traveler, de la force vitale de Talita, de leurs manières de voir, de leurs présents et de leurs futurs, différents des miens. Et pourquoi cette manie de possession spirituelle, Horacio ? Pourquoi cette nostalgie d'annexions, toi qui viens de rompre tous les liens, qui viens de semer la confusion et l'abattement (tu aurais peut-être dû rester un peu plus à Montevideo, chercher un peu mieux) dans l'illustre capitale de l'esprit latin ? Voici que d'un côté tu as délibérément tourné le dos à tout un remarquable chapitre de ta vie et que tu ne t'accordes même pas le droit de penser dans la douce langue que tu te plaisais tant à baragouiner il y a quelques mois ; et en même temps, oh himbécile contradictoire, tu cherches héperdument à entrer dans l'hintimité des Traveler, à hêtre les Traveler, à t'hinstaller dans les Traveler (cirque hy compris), mais le directeur ne voudra pas m'embaucher et il faudra sérieusement songer à se déguiser en marin et à aller vendre des pièces de drap aux dames. Oh, couillon ! Voyons un peu si tu vas à nouveau semer la confusion dans les rangs, si tu n'apparais que pour troubler la vie des gens tranquilles. Cette histoire qu'on m'a racontée du type qui croyait être Judas et, à cause de cela, menait une vie de chien dans la meilleure société de Buenos Aires. Ne soyons pas vaniteux. Inquisiteur affectueux, tout au plus, comme on me l'a si bien dit un soir. Voyez, madame, ce coupon. Soixante-cinq pesos le mètre parce que c'est vous.

**Votre ma..., votre époux vous félicitera de votre achat quand il rentrera du bou... du bureau. Il sera absolument enchanté, croyez-moi, parole de marin du *Rio Belen*. Eh oui, une petite contrebande pour arrondir ma solde, j'ai le petit qui fait du rachitisme, ma fe... mon épouse coud pour un magasin, alors il faut bien aider un peu, mettez-vous à ma place.**

**(-40)**

# 79

Note on ne peut plus pédante de Morelli : « S'essayer au " roman comique " dans la mesure où un texte doit pouvoir arriver à évoquer d'autres valeurs et apporter ainsi sa contribution à cette anthropophanie que nous persistons à croire possible. Il semblerait que le roman traditionnel suive une fausse piste en limitant le lecteur à son univers, qui est d'autant plus caractérisé que le romancier a plus de talent. Pause obligatoire aux divers stades du dramatique, du psychologique, du tragique, du satirique ou du politique. Tenter au contraire de donner un texte qui n'asservisse pas le lecteur mais l'oblige à devenir complice en lui suggérant, sous la trame conventionnelle, des perspectives plus ésotériques. Ecriture démotique pour le lecteur-femelle (qui d'ailleurs, fortement dérouté et scandalisé, ne dépassera pas les premières pages et regrettera l'argent que le livre lui a coûté), avec un vague envers d'écriture hiératique.

« Arriver par provocation à un texte bâclé, désordonné, incongru, consciencieusement antilittéraire (mais non antiromanesque) et l'assumer. Sans s'interdire les grands effets qu'autorise ce genre quand la situation le requerra, se souvenir du conseil gidien : *ne jamais profiter de l'élan acquis.* Comme toutes les œuvres où se complaît l'Occident, le roman se satisfait d'un ordre fermé. Résolument à l'opposé, chercher ici aussi une échappée et pour cela supprimer catégoriquement toute construction systématique de caractère ou de situation. Une méthode : l'ironie, la constante autocritique, l'incongruité, l'imagination à rien asservie.

« Une tentative de cette nature part d'un refus de la littérature; refus partiel puisqu'on utilise des mots, mais qui doit intervenir à chaque démarche de l'auteur ou du lecteur. Donc, se servir du roman comme on se sert d'un revolver pour défendre la paix, en en changeant le signe. Prendre à la littérature ce qui peut servir de communication entre l'homme et l'homme, comme le traité ou l'essai sont une communication entre seuls spécialistes. Un récit qui ne soit pas prétexte à la transmission d'un " message " (il n'y a pas de message, il y a des messagers et c'est eux le message, de même que l'amour c'est celui qui aime) ; un récit qui agisse comme un coagulant d'expérience vécue, comme un catalyseur de notions confuses et mal connues, et qui s'incise d'abord dans celui-là même qui écrit. Aussi faut-il composer ce récit comme un antiroman, car tout ordre fermé abolirait systématiquement ces signaux qui peuvent faire de nous des messagers, nous faire toucher nos propres limites dont nous sommes si loin, bien que nez à nez.

« Etrange autocréation de l'auteur par son œuvre. Si de ce magma qu'est une journée, de cette immersion dans l'existence, nous voulons extraire des valeurs qui annoncent enfin l'anthropophanie, comment nous en tirer avec le simple entendement, avec l'altière raison raisonnante? Depuis les Eléates jusqu'à nos jours, la pensée dialectique a eu plus de temps qu'il n'en fallait pour porter ses fruits. Nous les dégustons, ils sont délicieux, ils débordent de radio-activité. Pourquoi, à la fin du banquet, sommes-nous si tristes, mes frères de mil neuf cent cinquante ? »

Autre note, apparemment complémentaire :

« Situation du lecteur. En général, tout romancier attend de son lecteur qu'il le comprenne, qu'il partage sa propre expérience, ou qu'il accueille un message précis et qu'il l'incarne. Le romancier romantique veut être compris, directement ou par l'intermédiaire de ses héros; le romancier classique veut enseigner, laisser sa trace dans le cheminement de l'histoire.

« Troisième possibilité : faire du lecteur un complice, un compagnon de route. Obtenir de lui la simultanéité, puisque la lecture abolit le temps du lecteur pour transférer celui-ci dans le temps de l'auteur. Le lecteur arriverait ainsi à être coparticipant et copâtissant de l'expérience que réalise le romancier, *au même moment et sous la même forme*. Tout subterfuge esthétique est inutile pour y atteindre : seul compte le matériau qui est en gestation, l'immédiateté de l'expérience vécue (transmise par la parole, bien sûr, mais une parole qui soit le moins esthétique possible; de là le roman " comique ", les *anticlimax*, l'ironie, qui sont autant de flèches indicatrices visant autre chose).

« Pour ce lecteur, *mon semblable, mon frère*, le roman comique (et qu'est-ce donc d'autre que l'*Ulysse* ?) devra se dérouler comme ces rêves où, sous le leurre de gestes quelconques, nous pressentons quelque chose d'important que nous n'arrivons pas toujours à dissocier. Dans ce sens, le roman comique doit être d'une pudeur exemplaire; il ne trompera pas le lecteur, il ne le laissera pas succomber à n'importe quelle émotion, obéir à n'importe quelle intention, mais il lui fournira une sorte d'argile expressive, une ébauche de forme, avec peut-être la marque de quelque chose de collectif, d'humain et non d'individuel. Mieux encore, il lui offrira une façade, avec portes et fenêtres, derrière lesquelles plane un mystère que le lecteur complice devra chercher à percer (et le voilà coparticipant) et qu'il ne découvrira peut-être pas (et le voilà copâtissant). Ce que l'auteur de ce roman aura réussi pour lui-même, agira (en s'amplifiant, peut-être, et ce serait alors merveilleux) sur le lecteur complice. Quant au lecteur-femelle, il se contentera de la façade, et nous savons qu'il en est de fort jolies, très en *trompe-l'œil*, et que devant elles on peut continuer à représenter avec succès les comédies et les tragédies de l'*honnête homme*. Ainsi tout le monde sera content, et s'il y en a qui y trouvent à redire, la peste les emporte ! »

(-22)

## 80

Quand je viens de me couper les ongles ou de me laver la tête, ou simplement maintenant que, tandis que j'écris, j'entends un gargouillis dans mon estomac,

j'ai de nouveau la sensation que mon corps est resté derrière moi (je ne retombe pas dans un dualisme facile, mais je fais une distinction entre moi et mes ongles)

et que mon corps commence à ne plus m'aller, qu'il m'est trop ajusté ou trop large (c'est selon).

Autrement dit : nous mériterions une meilleure machine. La psychanalyse montre comment la contemplation du corps crée précocement des complexes. (Et Sartre, qui dans le fait que la femme soit « percée » voit des implications existentielles qui conditionnent toute sa vie.) Il est pénible de penser que nous sommes à l'avant de ce corps, mais que cette précession est déjà erreur et retard et probablement inutilité, parce que ces ongles, ce nombril,

je veux dire autre chose, presque insaisissable : que « l'âme » (mon moi-non-ongles) est l'âme d'un corps qui n'existe pas. L'âme a poussé peut-être l'homme dans son évolution corporelle, mais elle est lasse de le houspiller et elle continue toute seule sa route. A peine a-t-elle fait deux pas

qu'elle rend l'âme, la pauvre âme, parce que son corps véritable n'existe pas et la laisse tomber, plouf.

La pauvre rentre à la maison, etc., mais cela n'est pas ce que je    Enfin.

Longue conversation avec Traveler sur la folie. Parlant des rêves, nous avons constaté presque en même temps que certaines structures du rêve seraient des formes courantes de folie pour peu qu'elles subsistent à l'état de veille. En rêvant il nous est permis d'exercer gratuitement notre aptitude à la folie. Nous nous sommes rendu compte en même temps que toute folie est un rêve qui se fixe.

Sagesse populaire : « C'est un pauvre fou, un rêveur... »

(-46)

# 81

Le propre du sophiste, selon Aristophane, est d'inventer des raisons nouvelles.

Essayons d'inventer des passions nouvelles, ou de revivre les vieilles avec la même intensité.

J'analyse une fois encore cette conclusion, essentiellement pascalienne : la véritable croyance se situe à mi-chemin entre la superstition et le libertinage.

José Lezama Lima, *Tratados en La Habana.*

(-74)

## 82

### *Morellienne*

Pourquoi est-ce que j'écris cela ? Je n'ai pas d'idées claires, ni d'idées du tout. Il y a des bribes, des élans, des morceaux, et tout cela cherche une forme, alors entre en jeu le rythme et j'écris dans ce rythme, c'est lui qui me fait écrire, qui me pousse et non pas ce qu'on appelle la pensée et qui fait la prose, littéraire ou autre. Il y a d'abord une situation confuse, qui ne pourra se définir que par le mot; je pars de cette pénombre, et si ce que je veux dire (si ce qui veut *être dit*) a suffisamment de force, immédiatement le *swing*, le branle est donné, un balancement rythmique qui me fait émerger à la surface, illumine tout, fond cette matière confuse et celui qui en est la victime en une troisième instance claire et pour ainsi dire fatale : la phrase, le paragraphe, la page, le chapitre, le livre. Ce balancement, ce *swing* dans lequel la matière confuse prend forme, est pour moi l'unique preuve de sa nécessité, car à peine a-t-il cessé je comprends que je n'ai plus rien à dire. C'est aussi l'unique récompense de mon travail : sentir que ce que j'ai écrit est comme un chat qu'on caresse et dont le dos arqué, électrisé, se lève et s'abaisse tour à tour, en cadence. Ainsi, grâce à l'écriture, je descends dans le volcan, je m'approche des Mères, je me branche sur le Centre — quel qu'il soit. Ecrire, c'est dessiner mon « mandala », et le parcourir en même temps, inventer la purification en me purifiant; corvée de pauvre « shaman » blanc en slip de nylon.

(-99)

# 83

On insinue que l'âme est une invention de l'homme chaque fois que l'on prend conscience de son corps en tant que parasite, un ver collé au moi. Il suffit de se sentir vivre (et non seulement vivre parce que c'est comme cela, un-état-somme-toute-confortable) pour que la partie la plus proche et la plus chère de mon corps, par exemple ma main droite, devienne brusquement un objet qui répond d'une façon répugnante à la double condition de ne pas être moi et d'être collé à moi.

J'avale ma soupe. Puis, au milieu d'une lecture, je pense : « La soupe est *en moi*, je l'ai dans ce sac que je ne verrai jamais : mon estomac. » Je le tâte du doigt et je sens le ballonnement, les remous de la nourriture là-dedans. C'est cela que je suis, un sac plein de nourriture.

L'âme alors surgit : « Non, moi, je ne suis pas cela. »

Alors qu'en réalité (soyons francs pour une fois)

si, je suis cela. Avec ce joli échappatoire pour les délicats : « Je suis *aussi cela.* » Ou à un degré au-dessus : « Je suis *dans* cela. »

Je lis *The Waves,* cette dentelle cinéraire, cette fable d'écume. A trente centimètres de mes yeux, une soupe remue lentement dans ma poche stomacale, du poil croît sur ma cuisse, un kyste sébacé grossit imperceptiblement dans mon dos.

A la fin de ce que Balzac eût appelé une orgie, un certain individu qui n'avait rien d'un métaphysicien m'a dit, croyant faire de l'esprit, que déféquer lui procurait une impression d'irréalité. Je me souviens de ses propres termes : « Tu te lèves, tu te retournes et tu regardes, et alors tu te dis : Pas possible, c'est moi qui ai fait cela ? »

(Comme le vers de Lorca : « Il n'y a rien à faire, mon petit, vomis ! Il n'y a rien à faire. » Et Swift aussi, je crois, Swift, déjà fou : « Non, mais Célia, Célia, Célia, défèque ! »)

Une abondante littérature traite de la douleur physique considérée comme un aiguillon métaphysique. Quant à moi, toute douleur m'attaque avec une arme double : elle me fait ressentir mieux que jamais le divorce entre moi et mon corps (divorce inventé, dans un but consolateur) et en même temps elle me rapproche de mon corps, *me l'impose* en tant que douleur. Je sens cette douleur plus mienne que le plaisir ou la simple cénesthésie. Elle est véritablement un *lien*. Si je savais dessiner, je montrerais dans une allégorie la douleur chassant l'âme du corps, mais mon dessin donnerait en même temps l'impression que tout est faux : simples apparences d'un complexe dont l'unité est de n'en point avoir.

(-142)

## 84

En flânant quai des Célestins, je marche sur des feuilles mortes et si j'en ramasse une, si je la regarde bien, je la vois couverte d'une poussière d'or vieux avec, en dessous, des terres profondes comme le parfum de mousse qu'elle me colle aux doigts. Et c'est pourquoi j'emporte les feuilles mortes dans ma chambre et je les fixe sur mon abat-jour. Ossip arrive, reste deux heures et ne remarque rien. Etienne vient, l'autre jour et, le béret à la main : *Dis donc, c'est épatant, ça,* et il soulève la lampe, étudie les feuilles, s'enthousiasme, Dürer, les nervures, etc.

Je me prends à penser à toutes les feuilles que je ne verrai pas, moi, le collectionneur de feuilles mortes, à tout ce qu'il y a dans l'air et que ne voient pas ces yeux, pauvres chauves-souris de romans, de cinémas et de fleurs séchées. Partout, il y a des lampes, il y a des feuilles que je ne verrai pas.

Et ainsi, *de feuille en aiguille,* je pense à ces états exceptionnels où, pour un instant, on devine les feuilles et les lampes invisibles, on les sent dans un air qui est hors de l'espace. C'est très simple, toute exaltation ou toute dépression me pousse vers un état propice à

j'appellerai cela paravisions

c'est-à-dire (l'ennui c'est précisément de le dire)

une aptitude instantanée à sortir de moi-même pour m'appréhender aussitôt du dehors, ou du dedans mais sur un autre plan,

comme si j'étais quelqu'un qui me regarde

mieux encore — car en réalité je ne me vois pas : — comme quelqu'un qui serait en train de me vivre.

Cela ne dure pas, deux pas dans la rue, le temps de respirer profondément (parfois au réveil cela dure un peu plus mais alors c'est fabuleux)

et à cet instant, je sais *ce que je suis* parce que je sais alors exactement *ce que je ne suis pas* (ce que je feindrai d'ignorer par la suite). Mais il n'y a pas de mots pour une matière entre le mot et la vision pure, comme un bloc d'évidence. Impossible d'objectiver, de préciser cette défectibilité que j'ai appréhendée sur l'instant et qui était absence évidente ou erreur évidente, ou insuffisance évidente, mais

sans savoir *de quoi, quoi.*

Autre façon d'essayer de l'exprimer : quand il en est ainsi, je ne suis plus tourné vers le monde, de moi vers l'autre, mais, pour une seconde, je suis le monde, le plan extérieur, *l'autre qui me regarde.* Je me vois comme peuvent me voir les autres. C'est inappréciable : c'est pour cela que cela dure à peine. Je mesure ma défectibilité, je remarque tout ce que, par absence ou par défaut, nous ne voyons jamais de nous. Je vois ce que je ne suis pas. Par exemple (ceci, je l'élabore une fois de retour mais cela en découle), il y a d'immenses zones que je n'ai jamais atteintes, et ce que l'on n'a pas connu c'est ce que l'on n'est pas. Désir fou de se mettre à courir, d'entrer dans une maison, dans cette boutique, de sauter dans un train, de dévorer tout Jouhandeau, d'apprendre l'allemand, de connaître Aurangabad... Piètres exemples mais qui peuvent donner une idée (une *idée* ?).

Autre façon de vouloir l'exprimer : cette défectibilité s'éprouve davantage comme une pauvreté intuitive que comme un simple manque d'expérience. Au fond, cela m'est égal de n'avoir pas lu tout Jouhandeau, tout au plus la mélancolie d'une vie trop courte pour tant de bibliothèques, etc. La limitation dans l'expérience est inévitable, si je lis Joyce, je sacrifie automatiquement un autre livre et vice versa. La sensation de manque est plus aiguë dans

C'est un peu comme ceci : il y a des lignes d'air de chaque côté de ta tête, de ton regard,

zones d'arrêt de tes yeux, de ton odorat, de ton goût,

c'est-à-dire que tu es limité *de l'extérieur,*

et quand tu crois que tu as pleinement appréhendé une chose, au fond, tu ne peux pas aller plus loin que cette limite, car cette chose, comme l'iceberg, ne montre d'elle qu'un petit morceau, et le reste, énorme, t'est caché, c'est ainsi d'ailleurs

84

qu'a coulé le *Titanic*. Cet Holiveira, il a toujours de ces hexemples.

Soyons sérieux. Ossip n'a pas vu les feuilles mortes sur la lampe, simplement parce que sa limite était en deçà de ce que pouvait signifier cette lampe. Etienne les a parfaitement vues mais par contre il n'a pas senti que j'étais plein d'amertume et d'indécision au sujet de Pola. Ossip l'a immédiatement senti, lui, et il me l'a fait remarquer. Ainsi allons-nous tous.

J'imagine l'homme comme une amibe qui lance ses pseudopodes pour attraper sa nourriture. Il y a des pseudopodes longs et courts, des mouvements, des détours. Un jour, cela *se fixe* (ce qu'on appelle la maturité, l'homme fait). Cela va assez loin dans une certaine direction, mais dans l'autre, ça ne voit pas une lampe à deux pas. Et alors il n'y a plus rien à faire, car on est proprement *fait*, dans toutes les acceptions du mot. Le bonhomme, d'ailleurs, continue d'être convaincu que rien d'intéressant ne lui échappe jusqu'à ce qu'un léger déplacement quelconque lui montre, l'espace d'une seconde, sans malheureusement lui laisser le temps de *savoir quoi*

lui montre son être morcelé, ses pseudopodes irréguliers,

l'intuition que plus loin, où je ne vois à présent que l'air limpide,

ou bien dans cette indécision, au carrefour du choix,

dans le reste de la réalité que j'ignore

je suis en train de m'attendre inutilement.

*(Suite.)*

Des individus tels que Gœthe n'ont pas dû abonder en expériences de ce genre. Par aptitude naturelle ou décision de leur part (le génie c'est se parier génial et tomber juste), ils sont comme les pseudopodes tendus au maximum dans toutes les directions. Ils se déploient sur un diamètre uniforme, leur limite est leur peau projetée à d'énormes distances. Il ne semble pas qu'ils puissent désirer ce qui commence (ou continue) au-delà de leur immense sphère. Et c'est pour cela, que veux-tu, qu'ils sont classiques.

Mais l'inconnu cerne de toutes parts notre amibe à nous. Je peux savoir beaucoup, ou vivre intensément, en un certain sens mais alors, *le reste*, ce que j'ignore, s'approche et me gratte la tête de son ongle froid. L'ennui c'est qu'il me gratte quand ça ne me démange pas et, quand ça me démange —

quand je voudrais savoir — tout ce qui m'entoure est si établi, si déterminé, si achevé, si massif et étiqueté que j'en viens à croire que j'ai rêvé, que je suis très bien comme ça, que je ne me défends pas si mal, après tout, et que je ne dois pas me laisser emporter par mon imagination.

*(Dernière suite.)*

On a excessivement loué l'imagination. La pauvre ne peut pas aller un centimètre plus loin que la limite des pseudopodes. De ce côté-ci, grande variété et vivacité. Mais dans l'autre espace où souffle le vent cosmique que Rilke sentait passer sur sa tête, Dame Imagination s'arrête court. *Ho detto.*

(-4)

# 85

Les vies qui s'achèvent comme les articles littéraires des journaux et des revues, si ronflants en première page et dont la fin se traîne minablement, là-bas vers la page trente-deux, perdue au milieu de réclames pour des soldes ou des pâtes dentifrices.

(-150)

# 86

Ceux du Club, à deux exceptions près, soutenaient qu'il était plus facile de comprendre Morelli par ses citations que par ses élucubrations personnelles. Wong affirma jusqu'à son départ de France (la police n'avait pas voulu lui renouveler sa carte de séjour) qu'il était inutile de prendre encore la peine de déchiffrer les énigmes du vieux, une fois qu'on avait repéré les deux citations suivantes, toutes deux de Pauwels et Bergier :

« Il y a peut-être un lieu, dans l'homme, d'où toute la réalité peut être perçue. Cette hypothèse paraît délirante. Auguste Comte déclarait qu'on ne connaîtrait jamais la composition chimique d'une étoile. L'année suivante, Bunsen inventait le spectroscope.

. . . . . . . . . . . . . . . . . . . . . . . .

« Notre langage, comme notre pensée, procède du fonctionnement arithmétique, binaire, de notre cerveau. Nous classons en oui, non, positif, négatif. [...] Mon langage ne témoigne que du ralenti, d'une vision du monde elle-même limitée au binaire. Cette insuffisance du langage est évidente et est vivement ressentie. Mais que dire de l'insuffisance de l'intelligence binaire elle-même ? L'existence interne, l'essence des choses lui échappe. Elle peut découvrir que la lumière est continue et discontinue à la fois, que la molécule du benzène établit entre ses six atomes des rapports doubles et pourtant mutuellement exclusifs; elle l'admet, mais elle ne peut le comprendre, elle ne peut intégrer à sa propre démarche la réalité des structures profondes qu'elle examine. Pour y parvenir, il lui faudrait changer d'état, il faudrait que d'autres machines que celles habituellement en usage se mettent à fonctionner dans le cerveau et qu'au raisonnement binaire se substitue une conscience analogique qui revête les formes et s'assimile les rythmes inconcevables de ces structures profondes... »

*Le Matin des magiciens.*

(-78)

87

En 32, Ellington enregistra *Baby when you ain't there*, un de ses airs les moins connus que le fidèle Barry Ulanov ne mentionne même pas. D'une voix étrangement sèche, Cootie Williams chante ces vers :

*I get the blues down North,*
*The blues down South,*
*Blues anywhere*
*I get the blues down East,*
*Blues down West,*
*Blues anywhere.*
*I get the blues very well*
*O my baby when you ain't not there*
*ain't there ain't there —*

Pourquoi, à certaines heures, est-il si nécessaire de dire : « J'ai aimé cela » ? J'ai aimé ces blues, une scène dans la rue, un pauvre fleuve à sec dans le Nord. Porter témoignage, lutter contre le néant qui nous balaiera. Et c'est ainsi que restent encore dans l'air de l'âme ces petites choses, un moineau qui fut à Lesbie, des blues qui occupent dans le souvenir la petite place des parfums, des gravures et des presse-papiers.

(-105)

# 88

— Ah mais dis donc, si tu bouges comme ça la jambe, je vais te planter l'aiguille dans les côtes, dit Traveler.

— Continue à me raconter cette histoire de la couleur jaune, dit Oliveira. Les yeux fermés, c'est comme un kaléidoscope.

— La couleur jaune, dit Traveler en lui frottant la cuisse avec un coton, incombe à la corporation nationale des agents affectés aux différentes espèces de couleur jaune.

— Animaux à poil jaune, végétaux à fleurs jaunes et minéraux d'aspect jaune, récita sagement Oliveira. Et pourquoi pas ? Après tout, le jeudi est bien ici le jour chic, le dimanche on ne travaille pas, les métamorphoses entre le matin et l'après-midi du samedi sont extraordinaires et les gens ne les remarquent pas. Tu me fais un mal de chien. C'est un métal d'aspect jaune ou quoi ?

— De l'eau distillée, dit Traveler. Tu croyais sans doute que c'était de la morphine. Tu as tout à fait raison, le monde de Zéphirin ne peut paraître étrange qu'à ceux qui croient à la suprématie de leurs institutions sur celles des autres. Si l'on pense à tout ce qui change dès qu'on abandonne le trottoir et qu'on fait trois pas sur la chaussée...

— Comme lorsqu'on passe de la couleur jaune à la couleur pampa. Dis donc, ça donne un peu sommeil, ton truc.

— L'eau est soporifique. S'il n'eût tenu qu'à moi, je t'aurais injecté du rouge à 12°, et tu serais tout ce qu'il y a de plus éveillé.

— Explique-moi une chose avant que je m'endorme.

— Je doute que tu dormes, mais vas-y quand même.

(-72).

# 89

Il y avait deux lettres du licencié Juan Cuevas, mais l'ordre dans lequel il convenait de les dire était sujet à discussion. La première était un exposé poétique de ce qu'il appelait « la souveraineté mondiale »; la seconde, dictée elle aussi à un écrivain public de la place Santo-Domingo, n'avait pas le ton forcément compassé de la première :

*On peut tirer de la présente lettre autant de copies qu'on le désirera, surtout à l'intention des membres de l'O.N.U. et des gouvernements du monde entier, qui sont de vrais cochons et des requins internationaux. D'autre part, la place Santo-Domingo est l'enfer du bruit, mais d'autre part elle me plaît, car j'y viens lancer les plus gros pavés de l'histoire.*

Parmi ces pavés figuraient les suivants :

*Le Pape de Rome est le plus grand cochon de l'histoire et surtout pas le représentant de Dieu; le cléricalisme romain, la merde de Satan; il faut entièrement raser tous les temples du culte romain, pour que resplendisse la lumière du Christ, non seulement au fond des cœurs humains, mais à travers la lumière universelle de Dieu, et si je dis tout ceci, c'est que j'ai dicté ma lettre précédente près d'une charmante demoiselle devant laquelle je n'ai pu dire certaines énormités parce qu'elle me regardait avec des yeux très langoureux.*

Galant licencié ! Ennemi acharné de Kant, il voulait à tout

prix « humaniser la philosophie actuelle du monde », après quoi il décrétait :

*Que le roman soit plutôt psychologico-psychiatrique, c'est-à-dire que les éléments vraiment spirituels de l'âme deviennent les éléments scientifiques de la véritable psychiatrie universelle...*

Abandonnant par moments un riche arsenal dialectique, il entrevoyait le règne d'une religion universelle :

*A condition que l'humanité s'en tienne aux deux commandements universels, et alors les pierres les plus dures du monde deviendront cire soyeuse illuminée de lumière...*

Poète, et des meilleurs.

*Les voix de toutes les pierres du monde chantent dans toutes les cataractes et les torrents du monde, avec un petit timbre de voix argentin, occasion infinie d'aimer les femmes et Dieu...*

Soudain, la vision archétype, envahissante et débordante :

*Le Cosmos de la Terre, intérieur comme l'image mentale universelle de Dieu, qui plus tard allait devenir de la matière condensée, est symbolisé dans l'Ancien Testament par cet archange qui tourne la tête et voit un monde obscur de lumières, je ne peux bien sûr me rappeler littéralement le passage de l'Ancien Testament, mais c'est à peu près ceci : c'est comme si la face de l'Univers devenait la lumière même de la Terre, et devenait une orbite d'énergie universelle autour du soleil... De la même façon l'Humanité entière et ses peuples doivent tourner leurs corps, leurs âmes et leurs têtes... C'est l'univers et toute la Terre qui se tournent vers le Christ, mettant à ses pieds toutes les lois de la Terre...*

Et ensuite,

*... il ne reste qu'une sorte de lumière universelle venant*

*de lampes identiques, illuminant les peuples au plus profond du cœur...*

L'ennui c'est que, soudain,

*Mesdames et Messieurs : La présente lettre, je suis en train de la dicter dans un bruit épouvantable. Et cependant nous poursuivrons ; car vous ne vous rendez pas compte que pour que je puisse écrire (?) convenablement la* SOUVERAINETÉ MONDIALE *d'une façon plus parfaite et que ce concept ait vraiment un sens de portée universelle, je mérite pour le moins que vous m'aidiez sérieusement, afin que chaque ligne et chaque mot soit à sa place, et non au lieu de ce résidu d'enfants des enfants de l'enfant de la plus foutue de toutes les mères; et que tous ces bruits aillent un peu lui casser ses foutues oreilles !*

Mais qu'importe ! A la ligne suivante, de nouveau l'extase :

*Quelle beauté que tous ces univers ! Qui fleurissent comme une lumière spirituelle de roses enchanteresses dans le cœur de tous les peuples...*

Et la lettre se terminait sur des floralies, bien qu'avec de curieuses insertions de dernière minute :

*... Il semble que tout l'univers se clarifie, comme la lumière du Christ universel, en chaque fleur humaine, aux pétales infinis qui s'allument éternellement sur tous les chemins de la terre ; ainsi s'éclaire à la lumière de la* SOUVERAINETÉ MONDIALE, *on dit que tu ne m'aimes plus, parce que tu as autre chose en tête. — Respectueusement vôtre. Mexico, D. F., 20 septembre 1956. — 5 mai 32, int. 111. — Edif. Paris.* LIC. JUAN CUEVAS.

(-53)

# 90

Il était préoccupé ces jours-ci et la mauvaise habitude qu'il avait de ruminer longuement chaque chose lui pesait mais il ne pouvait s'y soustraire. Il avait tourné et retourné dans sa tête la grande affaire, et l'incommodité dans laquelle il vivait par la faute de la Sibylle et de Rocamadour le poussait à analyser avec une violence croissante la situation où il se sentait engagé. Dans ces cas-là, Oliveira prenait une feuille de papier et il écrivait les grands mots qui occupaient sa rumination. Il écrivait par exemple : « La grande Haffaire » ou « Le Carrefouhr ». Cela suffisait à le faire rire et cela lui permettait de préparer un nouveau maté avec plus d'élan. « L'hunité, hécrivait Holiveira. L'hego et l'hautre. » Il employait les h comme d'autres la pénicilline. Après quoi, il pouvait revenir plus calmement à son affaire, il se sentait mieux. « L'himportant est de ne pas henfler la chose », se disait-il. A partir de là, il se sentait capable de penser sans que les mots lui jouent un sale tour. A peine une avance méthodique, à vrai dire, car la grande affaire, elle, restait invulnérable. « Qui t'aurait dit, petit père, que tu finirais dans la métaphysique ? s'interpellait Oliveira. Mais fais gaffe, il faut refuser les trop grosses penderies et se contenter de la petite table de nuit de l'insomnie quotidienne. » Ronald était venu lui demander de s'engager dans de confuses activités politiques, et pendant toute la nuit (la Sibylle n'avait pas encore ramené Rocamadour de la campagne) ils avaient discuté comme Arjuna et le Cocher, l'action et la passivité, les raisons de risquer le présent pour le futur, la part de chantage de toute action à fin sociale, dans la mesure où le risque couru sert de palliatif à la mauvaise conscience individuelle, aux canailleries personnelles de tous les jours. Ronald était finalement parti tête basse sans avoir convaincu Oliveira qu'il fallait soutenir par l'action les rebelles algériens. Oliveira en avait eu un mauvais goût dans la bouche pendant tout le jour suivant, car il avait été plus facile de dire non à Ronald qu'à lui-même. Il n'était à peu près sûr que d'une seule chose et c'était qu'il ne pouvait renoncer sans trahison à la passive attente dans laquelle il vivait depuis son arrivée à Paris. Céder à la générosité facile et s'en aller coller des affiches clandestines dans les rues lui paraissait une explication mondaine, un règlement de comptes avec les amis qui apprécieraient son courage, plutôt qu'une véritable réponse aux grands problèmes. En jugeant la chose du point de vue temporel et de l'absolu, il sentait qu'il avait tort dans le premier cas et raison dans le second. Il faisait mal de ne pas lutter pour l'indépendance algérienne ou contre l'antisémitisme ou contre le racisme. Il faisait bien de se refuser au stupéfiant facile de l'action collective et de se retrouver seul une fois de plus devant le maté amer pour réfléchir à la grande affaire, la tourner et la retourner comme ces pelotes dont on ne voit pas le bout ou qui ont quatre ou cinq bouts.

Il faisait bien, oui, mais il fallait reconnaître que son caractère écrasait toute dialectique de l'action à la façon de la *Bhagavadgita*. Entre préparer lui-même son maté et laisser la Sibylle le faire, il n'hésitait pas. Mais toute chose est divisible et il admettait aussitôt une interprétation antagonique : à un caractère passif correspondait une plus grande liberté et disponibilité, la paresseuse absence de principes et de convictions le rendait plus sensible à la condition axiale de la vie (exactement les gens qu'on appelle des girouettes), capable de refuser une chose par paresse mais capable aussi de remplir le vide laissé, et le choix était alors librement dicté par une conscience ou un instinct plus ouverts, plus œcuméniques.

« Plus hœcuméniques », précisa Oliveira prudemment.

Par ailleurs, quelle était la véritable morale de l'action ? Une action sociale comme celle des syndicalistes se justifiait immédiatement sur le plan historique. Heureux ceux qui vivaient et dormaient dans l'histoire. Une abnégation se justifiait presque toujours comme une attitude à base religieuse. Heureux ceux qui aimaient leur prochain comme eux-mêmes. Oliveira, de toute façon, refusait de sortir de soi pour aller envahir magnanimement le bercail d'autrui, boomerang ontologique destiné, en dernière instance, à enrichir celui qui le lançait, à lui donner plus d'humanité, plus de sainteté. On est toujours saint aux dépens d'un autre, etc. Il n'avait rien à objecter à cette action en soi, mais il l'écartait avec méfiance de sa conduite personnelle. Il sentait qu'à peine aurait-il cédé aux affiches dans la rue ou aux activités de caractère social, il se sentirait traître; une trahison vêtue de travail satisfaisant, de joies quotidiennes, de conscience tranquille, de devoir accompli. Il ne connaissait que trop certains communistes de Buenos Aires ou de Paris, capables des pires vilenies mais rachetés dans leur propre opinion par la « lutte », par l'obligation d'avoir à se lever au milieu du repas pour courir à une réunion ou pour achever une tâche. Pour ces gens-là, l'action sociale ressemblait trop à un alibi, comme les enfants sont généralement l'alibi des mères pour leur éviter de faire quelque chose de leur vie, comme l'érudition à œillères permet d'ignorer que dans la prison du coin de la rue on continue à guillotiner des gens qui ne devraient pas l'être. La fausse action était presque toujours la plus spectaculaire, celle qui engendrait le respect, la gloire et les statues héquestres. Aussi facile de s'y engager que sur un pont, elle pouvait être, de surcroît, méritoire (ce serait si bien tout de même que les Algériens acquièrent enfin leur indépendance et que nous y aidions tous un peu, se disait Oliveira). La trahison était d'un autre ordre, c'était comme toujours renoncer au centre, s'installer dans la périphérie, vivre la merveilleuse joie de la fraternité avec d'autres hommes embarqués dans la même action. Là où un certain type humain pouvait se réaliser comme héros, Oliveira se savait condamné à la pire des comédies. Alors, il valait mieux pécher par omission que par commission. Etre acteur, cela signifiait renoncer aux places assises et lui, il lui semblait être né pour être spectateur de premier rang. « L'ennui, se disait Oliveira, c'est que je prétends être un spectateur actif et c'est là le hic! ».

Spectateur hactif. Il fallait hanalyser calmement la chose, et de près. Pour le moment, certains tableaux, certaines femmes, certains poèmes lui donnaient l'espoir d'atteindre un jour une zone où il lui serait possible de s'accepter avec moins de dégoût et moins de défiance. Il avait l'avantage non négligeable que ses pires défauts le servaient en fin de compte pour atteindre non pas un chemin mais la halte qui précède toute mise en route. « Ma force est dans ma faiblesse, pensa Oliveira. Les grandes décisions, je les ai toujours prises avec des masques de fuite. » La majeure partie de ses entreprises (hentreprises) se terminaient, not with a bang but a whimper; les grandes ruptures, les bang sans retour étaient des morsures de rat pris au piège, rien de plus. Le reste tournait cérémonieusement en rond et se résolvait dans le temps ou dans l'espace ou par le comportement, sans violence, par fatigue — comme la fin de ses aventures sentimentales — ou par une lente retraite, comme lorsqu'on va voir moins souvent un ami, qu'on lit moins souvent un poète, qu'on va moins souvent à un café, dosant délicatement l'oubli pour ne pas se blesser.

« Moi, au fond, il ne peut rien m'arriver, pensa Oliveira. Ce n'est pas moi qui recevrait jamais un pot de fleurs sur la tête. » Pourquoi alors l'inquiétude, si ce n'était l'attraction usée des contraires, la nostalgie de la vocation et de l'action ? Une analyse de l'inquiétude signalait toujours un déplacement, une excentration par rapport à une sorte d'ordre qu'Oliveira était incapable de préciser. Il se savait spectateur en marge du spectacle, c'était être au théâtre avec les yeux bandés. Parfois, il percevait le sens second d'un mot, d'une musique, qui le remplissait d'angoisse car il était capable de deviner que là aussi était le sens premier. Dans ces moments-là, il se savait plus proche du centre que beaucoup qui se croyaient l'axe de la roue, mais son approche était une approche inutile, un instant tantalique, qui n'atteignait même pas à la qualité de supplice. Il avait cru une fois à l'amour comme enrichissement, exaltation des puissances médiatrices... Un jour, il s'était aperçu que ses amours étaient impures parce qu'elles présupposaient cet espoir, alors que le véritable amant aime sans rien espérer d'autre que l'amour, acceptant aveuglément que le ciel devienne plus bleu, la nuit plus douce et le tramway moins incommode. « Il n'est jusqu'à la soupe dont je ne fasse une opération dialectique », pensa Oliveira. De ses maîtresses il finissait par faire des amies, complices en une vision particulière de l'aventure. Les femmes commençaient par l'adorer (habsolument, elles l'hadoraient), par l'admirer (une hadmiration sans bhornes), puis quelque chose leur faisait pressentir le vide, elles se rejetaient en arrière, et lui, il leur facilitait la fuite, il leur ouvrait la porte pour qu'elles puissent aller jouer plus loin. En deux occasions, il avait failli éprouver de la pitié et leur laisser l'illusion qu'elles le comprenaient mais quelque chose lui disait que sa pitié n'était pas authentique, plutôt un recours bon marché de son égoïsme, de sa paresse, de ses habitudes. « Ça finirait au mont-de-piété », se disait Oliveira, et il les laissait partir, il les oubliait vite.

(-20)

# 91

Les papiers épars sur la table. Une main (celle de Wong). Une voix lit lentement, en hésitant, les *l* comme des crochets, les *e* indistincts. Notes, fiches où il y a un mot, un vers, indifféremment en italien ou en anglais, en espagnol ou en français, la cuisine de l'écrivain. Une autre main (Ronald). Une voix grave qui sait lire. Saluts à voix basse à Ossip et à Oliveira qui arrivent tout contrits (Babs n'est pas allée leur ouvrir, elle les a reçus avec des regards assassins). Cognac, lumière d'or, la légende de la profanation de l'hostie, un petit de Staël. On peut laisser les gabardines dans la chambre. Une sculpture de Brancusi (peut-être). Au fond de la chambre, perdue entre un mannequin habillé en hussard et des piles de boîtes pleines de fils de fer et de cartons. Il n'y a pas assez de chaises mais Oliveira apporte deux tabourets. Il se produit un de ces silences semblables, d'après Genêt, à celui qu'observent les gens bien élevés, dans un salon, quand ils perçoivent soudain l'odeur d'un pet silencieux. Alors Etienne se décide à ouvrir le porte-documents et en sort les papiers.

— Nous avons pensé qu'il valait mieux t'attendre pour les classer, dit-il. Entre-temps, nous avons lu quelques feuilles à part. Cette brute a jeté un œuf splendide à la poubelle.

— Il était pourri, dit Babs.

Gregorovius pose une main qui tremble visiblement sur l'un des dossiers. Il doit faire très froid dans la rue, alors un cognac double. La couleur de la lumière les réchauffe, et le tapis vert, le Club. Oliveira regarde le centre de la table, la cendre de sa cigarette se joint à celle qui remplit déjà le cendrier.

(-82)

## 92

Il voyait à présent qu'il n'avait pas su, dans les plus hauts moments du désir, plonger dans la crête de la vague et passer à travers le fracas fabuleux du sang. Aimer la Sibylle avait été comme un rite dont on n'attend plus l'illumination; paroles et actes se succédaient dans une monotonie inventive, danse de tarentules sur un plancher lunaire, lente et visqueuse manipulation d'échos. Et tout le temps, il avait attendu de cette joyeuse ivresse comme un réveil, une vision plus claire de ce qui l'entourait, aussi bien pour les papiers peints de leurs hôtels que pour les mobiles de leurs actes, sans vouloir comprendre que se limiter à attendre abolissait toute possibilité, comme si l'on se condamnait par avance à un présent étroit et mesquin. Il était passé de la Sibylle à Pola d'un seul mouvement, sans offenser la Sibylle ni lui-même, sans s'obliger à caresser l'oreille rose de Pola du nom excitant de la Sibylle. Un échec avec Pola, ce n'était que la répétition d'innombrables échecs, un jeu auquel on doit perdre mais qu'il a été beau de jouer, tandis qu'avec la Sibylle il commençait à éprouver quelque rancune, il avait la conscience pâteuse et un mégot sentant l'aube au coin de la bouche. C'est pour cela qu'il emmena Pola au même hôtel de la rue Valette, ils y trouvèrent la même vieille qui les salua compréhensivement, que pouvait-on faire d'autre par ce sale temps ? Ça sentait toujours la soupe, l'avachi, mais on avait nettoyé la tache bleue sur le tapis et fait place nette pour de nouvelles taches.

— Pourquoi ici ? dit Pola, surprise. Elle regardait le dessus de lit jaune, la chambre terne et moisie, l'abat-jour à franges roses pendant du plafond.

— Ici, ou ailleurs...

— Si c'est une question d'argent, il n'y avait qu'à le dire, mon chéri.

— Si cela te dégoûte, il n'y a qu'à déménager, mon trésor.

— Cela ne me dégoûte pas. C'est laid, simplement. Peut-être...

Elle lui avait souri comme si elle essayait de comprendre. Peut-être... Sa main rencontra la sienne quand ils se penchèrent en même temps pour enlever le couvre-lit. Et tout cet après-midi-là, il assista une autre fois, une fois de plus, une parmi tant d'autres fois, témoin ironique et ému de son propre corps, aux enchantements et aux déceptions de la cérémonie. Habitué sans le savoir aux rythmes de la Sibylle, soudain une nouvelle mer, une nouvelle houle l'arrachait aux automatismes, semblait dénoncer obscurément sa solitude prise dans des simulacres. Ravissement et déception de passer d'une bouche à une autre, de chercher, les yeux fermés, le creux d'un cou où la main a dormi et de sentir que la courbe est différente, la base plus épaisse, un tendon qui se crispe dans l'effort pour se lever, pour embrasser ou mordre. Chaque moment de son corps face à une inhabitude délicieuse, devoir s'allonger un peu plus, ou baisser la tête pour trouver la bouche qui, avant, était là si près, caresser une hanche plus modelée, provoquer une réplique et ne pas l'obtenir, insister distraitement puis se rendre compte qu'il faut tout inventer de nouveau, que le code n'a pas encore été institué, que les clefs et les chiffres vont naître à nouveau, seront différents, répondront à autre chose. Le poids, l'odeur, le ton d'un rire ou d'une supplication, les lenteurs et les hâtes, rien ne coïncide tout en étant pareil, l'amour joue à s'inventer, fuit pour mieux revenir en sa saisissante spirale, les seins chantent différemment, la bouche baise plus profondément ou comme de loin, et soudain, là où il y avait comme de la colère ou de l'angoisse, c'est à présent le jeu pur, l'élan de joie incroyable ou, au contraire, au moment où, auparavant, venait le sommeil, le balbutiement de douces choses stupides, il y a à présent une tension, une chose incommuniquée mais présente qui exige qu'on se redresse, quelque chose comme une rage insatiable. Seul, le plaisir, dans son coup d'aile ultime, est le même; avant et après, le monde a éclaté en morceaux et il faut le nommer de nouveau, doigt par doigt, lèvre par lèvre, ombre par ombre.

La deuxième fois ce fut dans la chambre de Pola, rue Dauphine. Si, par certains propos, il avait déjà pu se faire une idée de ce qu'il allait trouver, la réalité dépassa de beaucoup son attente. Tout était à sa place et il y avait une place pour chaque chose. L'histoire de l'art contemporain était modiquement représentée sur des cartes postales : un Klee, un Poliakoff, un Picasso (avec une certaine condescendance bienveillante), un Manessier, un Fautrier. Artistiquement cloués, à bonne distance. A petite échelle, le David de la Signoria luimême n'est pas gênant. Une bouteille de Pernod et une autre de cognac. Sur le lit, un poncho mexicain. Pola jouait parfois de la guitare, souvenir d'un amour des hauts plateaux d'Amérique. Chez elle, elle ressemblait à Michèle Morgan, mais elle était résolument brune. Deux étagères de livres comprenant le quatuor alexandrin de Durrel, relu et annoté, des traductions de Dylan Thomas tachées de rouge à lèvres, des numéros de *Two Cities*, Christiane Rochefort, Blondin, Nathalie Sarraute (non découpé) et quelques N.R.F. Le reste gravitait autour du lit où Pola pleura un moment en se rappelant une amie suicidée (photos, une page arrachée au journal intime, une fleur séchée). Après quoi, Oliveira ne s'étonna pas qu'elle se montrât perverse, qu'elle fût la première à prendre le chemin des complaisances, et la nuit les trouva comme échoués sur une plage où le sable cède lentement la place à l'eau pleine d'algues. Ce fut la première fois qu'il l'appela Pola Paris, par jeu, et cela lui plut et elle le répéta et elle lui mordit la bouche en répétant Pola Paris, comme si elle assumait ce nom et voulait le mériter, pôle de Paris, Paris de Pola, la lumière verdâtre du néon, s'allumant et s'éteignant contre le rideau de raphia jaune, Pola Paris, Pola Paris, la ville nue, son sexe accordé à la palpitation du rideau, Pola Paris, Pola Paris, chaque fois davantage sienne, les seins sans surprise, la courbe du ventre exactement parcourue par la caresse, sans le léger étonnement d'arriver à la limite avant ou après, bouche déjà trouvée et reconnue, langue plus petite et plus pointue, salive moins abondante, dents sans tranchant, lèvres qui s'ouvraient pour le laisser entrer et parcourir chaque repli tiède qui sentait un peu le tabac et le cognac.

(-103)

## 93

*Mais l'amour, ce mot...* Horacio moraliste, redoutant les passions sans une raison d'eaux profondes, dérouté et méfiant dans la ville où l'amour s'appelle de tous les noms de toutes les rues, de toutes les maisons, de tous les étages, de toutes les chambres, de tous les lits, de tous les rêves, de tous les oublis ou de tous les souvenirs. Mon amour, je ne t'aime pas pour toi, ni pour moi, ni pour tous les deux ensemble, je ne t'aime pas parce que le sang me pousse à t'aimer, je t'aime parce que tu n'es pas mienne, parce que tu es de l'autre côté, m'invitant à sauter pour te rejoindre mais je ne peux pas sauter, parce que, au plus profond de la possession, tu n'es pas en moi, je ne t'atteins pas, je ne dépasse pas ton corps, ton rire, il y a des heures où cela me tourmente que tu m'aimes (avec quelle facilité tu emploies le verbe aimer, avec quel mauvais goût tu le laisses tomber sur les plats, les draps, les autobus), ton amour me tourmente, car il ne me sert pas de pont, jamais Wright ou Le Corbusier ne feront de pont soutenu d'un seul côté, et ne me regarde pas avec ces yeux d'oiseau, pour toi l'opération amour est si simple, tu guériras avant moi bien que tu m'aimes plus que je ne t'aime. Bien sûr, tu guériras, car tu vis dans la santé, après moi en viendra un autre, on en change comme de corsage. Si triste d'entendre le cynique Horacio qui veut un amour passeport, amour passe-montagne, amour clef, amour revolver, amour qui lui donne les mille yeux d'Argus, l'ubiquité, le silence à partir duquel la musique est possible, la racine à partir de laquelle on pourrait commencer à tisser une langue. Et c'est bête parce que tout ça, au fond, dort en toi, il n'y aurait qu'à te plonger dans un verre d'eau comme une fleur

93

japonaise pour que peu à peu jaillissent les pétales, se gonflent les formes courbes, apparaisse la beauté. Donneuse d'infini, moi je ne sais pas prendre, pardonne-moi. Tu me tends une pomme et j'ai laissé mes dents sur la table de nuit. Stop, ça va comme ça. Je peux être grossier aussi, imagine-toi. Mais imagine bien, car ce n'est pas gratuit.

Pourquoi stop ? Par peur de me mettre à fabriquer des sentiments, c'est si facile. Tu sors une idée de cette étagère, un sentiment de l'autre, tu les attaches à l'aide de paroles, ces chiennes noires, et il en résulte que je t'aime. Total partiel : je te désire. Total général : je t'aime. C'est ainsi que vivent plusieurs de mes amis, sans compter un oncle et deux cousins, persuadés qu'ils aiment-leurs-femmes. De la parole aux actes, et en avant; généralement, sans *verba* il n'y a pas de *res*. Ce que beaucoup de gens appellent aimer consiste à choisir une femme et à l'épouser. Ils la choisissent, je te jure, je l'ai vu. Comme si l'on pouvait choisir dans l'amour, comme si ce n'était pas un éclair qui te fend en deux et te laisse pétrifié sur place. Tu diras qu'ils la choisissent parce qu'ils l'aiment, moi je crois que c'est versa vice. On ne choisit pas Béatrice, on ne choisit pas Juliette. Tu ne choisis pas la pluie qui te trempera jusqu'aux os à la sortie d'un concert. Mais je suis seul dans ma chambre, je tombe dans des artifices de scribe, les chiennes noires se vengent comme elles peuvent, elles me mordillent dessous la table. On dit dessous ou sous ? Mais de toute façon, elles mordent. Pourquoi, pourquoi, por qué, why, warum, perché, cette horreur des chiennes noires ? Regarde-les, là, dans ce poème de Nashe, transformées en abeilles. Et là, dans ce vers d'Octavio Paz, cuisses du soleil, enceintes de l'été. Mais un même corps de femme est Marie et la Brinvilliers, les yeux embués d'émotion devant un beau coucher de soleil se régalent aussi des convulsions d'un pendu. J'ai peur de ce proxénétisme d'encre et de mots, mer de langues léchant le cul du monde. Il y a sous ta langue du miel et du lait... Oui, mais il est dit que les mouches mortes font puer le meilleur parfum. En guerre contre le mot, en guerre, qu'on ne recule devant rien, même s'il faut renoncer à l'intelligence et s'en tenir à la simple demande de patates frites et aux nouvelles de l'agence Reuter, aux lettres de mon noble frère et aux dialogues de cinéma. Curieux, très curieux que Puttenham ait senti les mots comme s'ils étaient des objets et même des êtres ayant une vie propre. Moi aussi, parfois, j'ai l'impression d'engendrer des fleuves de fourmis féroces qui vont manger le monde. Ah si l'oiseau Roc pouvait couver dans le silence... Logos, *faute éclatante* ! Concevoir une race qui s'exprime par le dessin, par la danse, le macramé ou une mimique abstraite. Cela éviterait-il les connotations, racines de l'erreur ? Honneur des hommes, etc. Oui, mais un honneur qui se déshonore à chaque phrase, comme un bordel de vierges, si la chose était possible.

De l'amour à la philologie, te voilà fichu, Horacio. C'est Morelli le responsable, il t'obsède, sa tentative insensée te fait entrevoir un retour possible au paradis perdu, pauvre préédénique de snack-bar, d'un âge d'or enveloppé de cellophane. *This is a plastic's age, man, a plastic's age.* Oublie les chiennes. Arrière, meute, nous avons à penser, ce qui s'appelle penser, c'est-à-dire sentir, se situer par rapport et se confronter avec avant de laisser le passage à la moindre petite phrase principale ou subordonnée. Paris est un centre, tu entends, un mandala qu'il faut parcourir sans dialectique, un labyrinthe où les formules pragmatiques ne servent qu'à mieux se perdre. Alors un *cogito* qui soit comme respirer Paris, entrer en lui en le laissant entrer, neuma et non logos. O Argentin sûr de toi, frais débarqué et plein de la suffisance d'une culture au rabais, au fait de tout, à jour en toutes choses, au bon goût acceptable, l'histoire de la race humaine bien apprise, les revues artistiques, le roman et le gothique, les courants philosophiques, les tensions politiques, la Shell et l'Esso, l'action et la réflexion, le compromis et la liberté, Piero della Francesca et Anton Webern, la technologie bien cataloguée, Lettera 22, Fiat 1500 et Jean XXIII. Bravo, bravo, bravo. C'était une petite librairie de la rue du Cherche-Midi, c'était un ciel si bleu si calme, c'était le soir et l'heure, c'étaient les fleurs aux balcons de Paris penchant comme la tour de Pise, c'était le Verbe (au commencement), c'était un homme qui se croyait un homme. Quelle infinie connerie, ma mère! Et elle est sortie de la librairie (je m'avise à l'instant que c'est comme une métaphore, elle sortant rien moins que d'une librairie) et nous avons échangé deux mots et nous sommes allés boire un verre de pelure d'oignon dans un café de Sèvres-Babylone (à propos de métaphores, moi, délicate porcelaine récemment déballée HANDLE WITH CARE, et elle, Babylone, racine du temps, chose antérieure, *primeval being*, terreur et délice des commencements, romantisme d'Atala mais avec un vrai tigre qui attend derrière l'arbre). Et c'est ainsi que Sèvres s'en alla avec Babylone prendre un verre de pelure d'oignon, nous nous regardions et je crois bien que nous commencions à nous désirer (mais non, ce fut plus tard, rue Réaumur) et survint alors un dialogue mémorable plein de malentendus, de mésententes qui se résolvaient en vagues silences, et puis les mains se sont mises en mouvement de leur côté, il était doux de se caresser les mains en se regardant et en se souriant, nous allumions nos Gauloises au mégot l'un de l'autre, nous nous frottions des yeux, nous étions d'accord sur tout que c'en était une honte, Paris dansait au-dehors en nous attendant, nous venions de débarquer, nous venions de naître, tout était là sans nom et sans histoire, (surtout pour Babylone, le pauvre Sèvres, lui, faisait un énorme effort, fasciné par cette façon qu'avait Babylone de regarder le gothique sans lui mettre d'étiquette, de se promener sur les quais du fleuve sans voir les drakkars normands remonter le courant). Quand nous nous sommes quittés nous étions comme deux enfants qui sont devenus amis de cœur à un goûter d'anniversaire et qui se suivent du regard pendant que les parents les prennent par la main et les entraînent et ils savent qu'elle s'appelle Lulu et lui Tony, et cela suffit pour que le cœur soit comme une pêche mûre...

Horacio, Horacio.

Ah, merde ! à la fin. Et pourquoi pas ? Je parle d'alors, de Sèvres-Babylone, et non pas de cette balance élégiaque où nous savons déjà que le jeu est joué.

(-68)

# 94

*Morellienne*

Une prose peut s'avarier comme un morceau de rumsteck. J'assiste depuis des années aux signes précurseurs de la pourriture de mon style. Comme moi, il a ses angines, ses ictères, l'appendicite, mais il me devance sur le chemin de la dissolution finale. Après tout, pourrir signifie en finir avec l'impureté des composants et rendre ses droits au sodium, au magnésium, au carbone chimiquement purs. Ma prose se pourrit syntaxiquement et avance — à grand-peine — vers la simplicité. Je crois que c'est pourquoi je ne sais plus écrire « cohérent »; mon verbe se cabre et me jette tout de suite à terre. *Fixer des vertiges,* comme c'est bien. Mais je sens qu'il me faudrait fixer des éléments. La poésie est faite pour cela, comme certaines situations de roman, de nouvelle, de théâtre. Le reste n'est que remplissage et me rebute.

— Oui, mais les éléments, est-ce là l'essentiel ? Fixer le carbone est moins intéressant que fixer l'histoire des Guermantes.

— Je crois confusément que les éléments que je vise sont une limite de la *composition.* On inverse le point de vue de la chimie scolaire. Quand la composition est parvenue à sa limite extrême, s'ouvre le domaine de l'élémentaire. Fixer ces éléments et, si possible, être ces éléments.

(-91)

# 95

Dans une ou deux notes, Morelli s'était montré curieusement explicite quant à ses intentions. Faisant preuve d'un étrange anachronisme, il s'intéressait à des études ou à des des études telles que le bouddhisme Zen, qui en ces années-là était la coqueluche de la *beat generation*. L'anachronisme ne résidait pas en cela mais en ce que Morelli paraissait beaucoup plus radical et plus jeune dans ses exigences spirituelles que les jeunes Californiens soûls de paroles sanskrites et de bière en boîte. Une des notes faisait, à la manière de Suzuki, allusion au langage en tant qu'exclamation ou cri surgi directement de l'expérience intérieure. Suivaient divers exemples de dialogues entre maîtres et disciples, complètement inintelligibles pour une oreille rationnelle et pour toute logique dualiste et binaire, tout comme les réponses des maîtres aux questions de leurs disciples, qui consistaient habituellement à leur assener un coup de bâton sur la tête, à leur jeter un seau d'eau, à les chasser à coups de poing de la maison ou, dans le meilleur des cas, à leur retourner la question. Morelli semblait se mouvoir à l'aise dans cet univers apparemment démentiel et trouver évident que ces façons de se comporter des maîtres constituaient la leçon véritable, l'unique *moyen* d'ouvrir l'œil spirituel du disciple pour lui révéler la vérité. Cette violente irrationalité lui paraissait *naturelle*, dans le sens où elle abolissait les structures qui sont la spécialité-maison de l'Occident, les axes autour desquels pivote l'entendement historique de l'homme et qui font de la pensée discursive (jusque dans le domaine de l'esthétique et même de la poésie) leur instrument d'élection.

Le ton des notes (bouts de papier rassemblés dans un but

mnémotechnique ou dans une intention finale difficile à définir) semblait indiquer que Morelli s'était lancé dans une aventure analogue en composant l'œuvre qu'il avait eu tant de mal à écrire et qu'il publiait ces années-là. Pour certains de ses lecteurs (et pour lui-même) il était dérisoire de tenter d'écrire une sorte de roman en se passant des articulations logiques du discours. On finissait par déceler comme un compromis, un procédé (bien qu'il demeurât absurde de choisir la narration à des fins nullement narratives) *.

* *Pourquoi pas ? Morelli lui-même se posait cette question sur un papier quadrillé en marge duquel il y avait une liste de légumes, probablement un* memento buffandi. *Les prophètes, les mystiques, la nuit obscure de l'âme : utilisation fréquente du récit en forme d'apologue ou de vision. Evidemment un roman... Mais ce scandale provenait plus de la manie classificatrice du singe occidental que d'une véritable contradiction interne* **.

** *D'autant que plus la contradiction interne serait flagrante, plus elle pourrait donner d'efficacité à une, disons, technique à la manière Zen. Au lieu du coup de bâton sur la tête, un roman absolument antiromanesque, avec le scandale et le choc consécutif, et peut-être avec une révélation pour les plus avertis* ***.

*** *Dans cet espoir, un autre petit papier donnait la suite de la référence suzukienne disant que la compréhension de l'étrange langage des maîtres signifie la compréhension de soi-même de la part de l'élève et non du sens de ce langage. Contrairement à ce que pourrait en déduire le malin philosophe européen, le langage du maître Zen transmet des idées et non des sentiments ou des intuitions. C'est pourquoi il n'a pas de sens en tant que langage même, mais comme le choix des phrases provient du maître, le mystère s'accomplit dans la région qui lui est propre et l'élève s'ouvre à lui-même, se comprend, et la phrase banale devient clé* ****.

**** *C'est pourquoi Etienne, qui avait étudié analy-*

*tiquement les procédés de Morelli (ce qui eût semblé à Oliveira devoir conduire à un échec certain), croyait reconnaître dans certains passages du livre, dans des chapitres entiers même, une sorte de gigantesque amplification* ad usum homo sapiens *de certaines gifles Zen. Ces parties du livre, Morelli les appelait des « archéchapitres » et des « chapitypes », extravagances verbales où l'on devinait un mélange, non sans raison, joycien. Quant à ce que venaient faire ici les archétypes, c'était là un sujet d'inquiétude pour Wong et Gregorovius* *****.

***** *Observations d'Etienne : Morelli ne semblait en aucune façon vouloir grimper à l'arbre bouddhique, au Sinaï ou à quelque autre plate-forme de révélation. Il ne songeait pas à adopter des attitudes magistrales vis-à-vis du lecteur, pour le mener vers de nouveaux et verts pâturages. Sans servilité (le vieux était d'origine italienne et atteignait facilement l'*ut *de poitrine, citons le fait en passant) il écrivait comme si lui-même, dans une tentative désespérée et émouvante, eût imaginé le maître qui devait l'éclairer. Il lâchait sa phrase Zen, il l'écoutait — parfois au long de cinquante pages, l'animal —, il eût été absurde et de mauvaise foi de soupçonner que ces pages aient été destinées à un lecteur. Si Morelli les publiait c'était, en partie, à cause de son côté italien (« Ritorna vincitor !») et en partie parce qu'il était enchanté de la façon brillante dont il les avait écrites* ******.

****** *Etienne voyait en Morelli le parfait Occidental, le colonisateur. Ayant fait sa modeste récolte de pavots bouddhiques, il retournait, avec ses graines, au Quartier latin. Si la révélation ultime était peut-être ce qu'il espérait le plus, il fallait reconnaître que son livre constituait avant tout une entreprise littéraire, précisément parce qu'il se proposait une sorte de destruction des formes (des formules) littéraires* *******.

******* *C'était aussi un Occidental, ceci soit dit à sa louange, par sa conviction chrétienne qu'il n'y a pas de* *salut individuel possible, et que les fautes de chacun rejaillissent sur les autres et vice versa. C'est pourquoi peut-être (soupçonnait Oliveira) il choisissait la forme roman pour ses démarches et publiait en outre tout ce qu'il allait trouvant ou perdant au long de son chemin.*

(-146)

# 96

La nouvelle se répandit-comme-une-traînée-de-poudre et le Club presque au complet était là à dix heures du soir. Etienne porteur de la clef, Wong s'inclinant jusqu'à terre pour amadouer la concierge furieuse; qu'est-ce qu'ils viennent fiche tous ceux-là, non mais vraiment ces étrangers, écoutez, je veux bien vous laisser monter puisque vous dites que vous êtes des amis du vi... de M. Morelli, mais tout de même, il aurait fallu prévenir, s'amener toute une bande à dix heures du soir, non vraiment, Gustave tu devrais parler au syndic, etc. Babs arborant ce que Ronald appelait l'alligator's smile, Ronald enthousiaste et frappant sur l'épaule d'Etienne, le poussant pour qu'il se grouille, Perico Romero maudissant la littérature, premier étage RODEAU, FOURRURES, deuxième étage DOCTEUR, troisième étage, HUSSENOT, c'était trop incroyable, Ronald heurtant du coude les côtes d'Etienne et disant du mal d'Oliveira, the bloody bastard, just another of his practical joke, I imagine, dis donc, tu vas me foutre la paix, toi, Paris no es mas que eso, coño, una puñetera escalera atrás de otra, qu'est-ce qu'on en a marre de tous ces bordels d'escaliers. Si tous les gars du monde... Wong fermant la marche, Wong sourire pour Gustave, sourire pour la concierge, bloody bastard, coño, salaud. Au quatrième étage, la porte de droite s'entrouvrit de quelques centimètres et Perico vit un énorme rat femelle en chemise de nuit blanche qui épiait d'un œil et de tout son nez. Avant qu'elle ait pu refermer la porte, il passa son pied dans l'entrebâillement et lui récita la petite histoire de la « jument la plus énorme et la plus grande qui fut oncques vue, et la plus monstrueuse aussi car elle était grande comme six oriflans et avait les pieds fendus en doigts, les oreilles pendantes et une petite corne au cul ».

Mme René Lavalette, née Francillon, n'y comprit pas grand-chose, mais elle répondit par un grognement et une vigoureuse poussée, Perico sortit son pied 1/8ᵉ de seconde avant, PLAF. Au cinquième étage ils s'arrêtèrent et regardèrent Etienne introduire la clef dans la serrure.

— C'est pas possible, répéta Ronald pour la nième fois. C'est un songe, comme disent les princesses de la Tour et Taxis. Tu as apporté les bouteilles, Babsie ? Une obole à Caron, tu comprends. Maintenant la porte va s'ouvrir et les prodiges vont commencer, tout me paraît possible ce soir, il y a comme une atmosphère de fin du monde.

— Elle a failli m'arracher un pied, la salope, dit Perico en examinant son soulier. Tu ouvres, oui ou chose, j'en ai un peu marre de tous ces escaliers.

Mais la clef ne fonctionnait pas et Wong insinua que dans toute cérémonie initiatique, les mouvements les plus simples se voient contrariés par des forces qu'il faut vaincre par l'Astuce et la Patience. La lumière s'éteignit. Alguno que saque

| | |
|---|---|
| | el yesquero, coño. Tu pourrais peut- |
| Babs | être parler français, non ? Ton co- |
| | pain l'argencul n'est pas là pour |
| | piger ton charabia. Une allumette, |
| Ronald | Ronald. Maudite clef, elle s'est rouil- |
| Etienne | lée, le vieux devait la garder dans |
| | un verre d'eau. Mon copain, mon |
| | copain, c'est pas mon copain. No |
| Etienne | creo que venga. Tu ne le connais |
| Wong | pas. Mieux que toi. Tu parles. |
| | Wanna bet something ? Ah merde |
| | mais c'est la tour de Babel, ma |
| PERICO | parole. Amène ton briquet, Fleuve |
| Ronald | Jaune de mon cul. Les jours |
| PERICO | Yin il faut s'armer de Patience. Deux |
| | bouteilles seulement mais c'est du |
| | bon. Fais bien attention à pas les |
| Wong | laisser tomber dans l'escalier. Je me |
| Babs | rappelle un soir en Alabama. C'était |
| ÉTIENNE | les étoiles, mon amour. How funny, |
| ÉTIENNE | you ought to be in the radio. Ça |

| | |
|---|---|
| | y est, elle commence à tourner, elle |
| Babs Ronald | était bloquée, le Yin sans aucun |
| Babs Babs | doute, stars fell in Alabama, me ha |
| Ronald | dejado el pie hecho una mierda, une |
| | autre allumette, on n'y voit rien, où |
| | qu'elle est la minuterie ? Elle ne |
| Ronald | marche pas. Il y a quelqu'un qui |
| | me caresse les fesses, mon amour... |
| | Chut !... Chut !... Que Wong entre |
| ÉTIENNE | le premier pour exorciser les démons. |
| et chœur | Ah ma foi non. Pousse-le, Perico, |
| | après tout, c'est qu'un Chinois. |

— Vos gueules, dit Ronald. Nous entrons sur un autre territoire, je le dis sérieusement. Si quelqu'un est venu pour s'amuser, qu'il se barre. Donne-moi les bouteilles, mon trésor, tu les laisses toujours tomber quand tu es émue.

— Je n'aime pas qu'on me pelote dans l'obscurité, dit Babs en regardant Wong et Perico.

Etienne passa lentement la main autour de l'encadrement intérieur de la porte. Ils attendirent en silence qu'il ait trouvé le commutateur. L'appartement était petit et poussiéreux, les lumières basses et domestiquées l'enveloppaient d'un air doré, le Club soupira d'aise et se mit à faire le tour des pièces en se communiquant ses impressions à voix basse. La reproduction d'une tablette d'Ur, la légende de la profanation de l'hostie (Paolo Ucello *pinxit*), la photo de Pound et de Musil, un petit tableau de Staël, une énorme quantité de livres contre les murs, par terre, sur les tables, dans le water, dans la minuscule cuisine où il y avait un œuf sur le plat à demi pourri et pétrifié, merveilleux selon Etienne, bon à jeter selon Babs, d'où discussion chuchotante pendant que Wong ouvrait respectueusement le *Dissertatio de morbis a fascino et fascino contra morbos*, de Zwinger, que Perico, monté sur un tabouret selon sa bonne habitude, parcourait une rangée de poètes espagnols du siècle d'Or, examinait un petit astrolabe d'étain et d'ivoire, et que Ronald, immobile devant la table de Morelli, une bouteille de cognac sous chaque bras, contemplait le tapis de velours vert, tout à fait un endroit pour Balzac, mais on n'y imaginait pas Morelli. Alors c'était vrai, le vieux avait vécu là, à deux pas du Club, et ce maudit éditeur qui le déclarait en Autriche ou sur la Costa Brava chaque fois qu'on lui demandait son adresse par téléphone. Les dossiers en pile à droite et à gauche, une trentaine de toutes les couleurs, vides ou pleins et, au milieu, un cendrier qui était comme une autre archive de Morelli, un amoncellement pompéien de cendres et d'allumettes brûlées.

— Elle a jeté la nature morte à la poubelle, dit rageusement Etienne. Si la Sibylle était là, elle ne lui aurait pas laissé un poil sur la tête. Tandis que toi, le mari...

— Regarde, dit Ronald en lui montrant la table pour le calmer. Et puis Babs a dit qu'il était pourri, tu n'as aucune raison de t'entêter. La séance est ouverte. Etienne préside, il le faut bien. Et l'Argentin ?

— Il manque l'Argentin et le Transylvanien, Guy qui est parti à la campagne et la Sibylle qui est Dieu sait où. De toute façon, il y a la majorité. Wong, rédacteur des actes.

— Attendons encore un peu Oliveira et Ossip. Babs, trésorière.

— Ronald, secrétaire. Préposé au bar. Sweet, get some glasses, will you ?

— Passons au paragraphe quatre, dit Etienne en s'asseyant devant la table. Le Club se réunit ce soir pour exaucer un désir de Morelli. En attendant qu'Oliveira arrive, s'il arrive, buvons à la santé du vieux pour qu'il vienne vite se rasseoir devant cette table. Quel spectacle pénible, ma mère ! On dirait un cauchemar que Morelli est en train de rêver à l'hôpital. Horrible. Que cela soit couché sur le procès-verbal.

— Parlons un peu de lui, dit Ronald les yeux pleins de larmes, en se battant avec le bouchon du cognac. Il n'y aura jamais une autre séance comme celle-là, cela faisait des années que j'étais en noviciat et je ne le savais pas. Et toi, et Wong, et Perico. Tous. Damn it, I could cry. On doit éprouver la même chose quand on atteint le sommet d'un pic ou qu'on bat un record, ce genre de truc. Sorry.

Etienne lui posa la main sur l'épaule. Ils s'assirent tous autour de la table. Wong éteignit les lampes sauf celle qui éclairait le tapis vert. Une scène digne d'Eusapia Paladino, pensa Etienne qui respectait le spiritisme. Ils se mirent à parler des livres de Morelli et à boire du cognac.

(-94)

## 97

Gregorovius, agent de forces hétéroclites, s'était intéressé à cette note de Morelli : « Pénétrer dans une réalité ou dans un mode possible d'une réalité quelconque, et vérifier que ce qui, à première vue, paraissait d'une absurdité totale, finit par acquérir de la valeur, par s'articuler autour d'autres formes absurdes ou non, si bien que du tissu divergent (par rapport au dessin stéréotypé de chaque jour) surgit et se précise un dessin cohérent qui ne paraîtra insensé, délirant ou incompréhensible que si on s'aventure à le comparer à l'autre. Cependant, est-ce que je ne pèche pas par excès de confiance ? Refuser de faire de la *psychologie* et oser en même temps mettre un lecteur — un certain lecteur, il est vrai — en contact avec un monde *personnalisé*, avec une expérience vécue et une méditation personnelle... Ce lecteur sentira le manque d'un pont, d'une liaison intermédiaire, d'une articulation causale. Les choses à l'état brut : comportements, résultats, rupture, catastrophes, dérisions. Là où devrait se situer une scène d'adieu on trouve un dessin sur le mur; au lieu d'un cri, une canne à pêche; une mort se transforme en un trio de mandolines. Et c'est l'adieu, le cri, la mort, mais qui donc accepte de se déplacer, de se dépayser, de se décentrer, de se découvrir? Les formes extérieures du roman ont changé, mais ses héros continuent d'être les avatars de Tristan, de Jane Eyre, de Lafcadio, de Leopold Bloom, tout un monde de la rue, de la maison, de l'alcôve, des *caractères*. Pour un héros tel qu'Ulrich (*more* Musil) ou Molloy (*more* Beckett), il y a cinq cents Darley (*more* Durrell). Je me demande, quant à moi, si je parviendrai une bonne fois à faire comprendre que le véritable et l'unique personnage qui m'intéresse c'est le lecteur, dans la mesure où un peu de ce que j'écris devrait contribuer à le modifier, à le faire changer de position, à le dépayser, à l'aliéner. » Bien que la dernière phrase fût l'aveu tacite d'un échec, Ronald trouvait à cette note un ton prétentieux qui lui déplaisait.

(-18)

# 98

Et c'est ainsi que ceux qui nous éclairent sont les aveugles.

C'est ainsi que quelqu'un, sans le savoir, peut nous montrer avec certitude un chemin qu'il serait, pour sa part, bien incapable de suivre. La Sibylle ne saura jamais que son doigt était pointé vers la fine raie qui zèbre le miroir ni combien certains silences, certaines attentions absurdes, certaines fuites de mille-pattes ébloui, étaient le mot de passe pour mon moi bien assis en moi-même, c'est-à-dire nulle part. Quant à cette histoire de fine raie... Si tu veux être heureux comme tu le dis / Pas de poésie, pas de poésie.

Considéré objectivement : Elle était incapable de me montrer quoi que ce fût sur mon propre terrain, et même sur le sien, elle allait, désorientée, à l'aveuglette, à tâtons. Une chauve-souris frénétique, le dessin de la mouche dans l'air de la chambre. Soudain, pour moi assis là à la regarder, un indice, un pressentiment. Sans qu'elle le sût, la raison de ses larmes, l'ordre de ses achats ou sa façon de faire frire les pommes de terre étaient des *signes*. Morelli parlait d'une chose semblable quand il écrivait : « Lecture d'Heisenberg jusqu'à midi, notes, fiches. Le petit de la concierge m'apporte le courrier et nous parlons d'un modèle d'avion qu'il est en train de construire dans sa cuisine. Tout en parlant il sautille d'un pied sur l'autre, deux sauts sur le pied gauche, trois sur le pied droit, deux sur le gauche. Je lui demande pourquoi deux et trois, et non pas deux et deux, ou trois et trois. Il me regarde, surpris, sans comprendre. Impression qu'Heisenberg et moi sommes de l'autre côté de la barrière, tandis que l'enfant y est encore à cheval, un pied de chaque côté

**sans le savoir et que bientôt il ne sera plus que de notre côté et que toute communication sera coupée. Communication avec quoi et pourquoi ? Enfin, continuons de lire, peut-être Heisenberg... »**

**(-38)**

# 99

— Ce n'est pas la première fois qu'il fait allusion à l'appauvrissement du langage, dit Etienne. Je pourrais citer plusieurs moments où ses personnages se méfient d'eux-mêmes dans la mesure où ils se sentent comme dessinés par leur pensée et leurs propos et craignent que le dessin ne soit trompeur. Honneur des Hommes, Saint Langage... Nous en sommes loin.

— Pas tellement, dit Ronald. Ce que Morelli veut, c'est rendre ses droits au langage. Il parle de l'expurger, de le châtier, de remplacer « choir » par « tomber », simple mesure hygiénique. Mais ce qu'il cherche, au fond, c'est rendre au verbe « choir » tout son éclat pour qu'on puisse l'utiliser comme j'utilise les allumettes et non comme un motif décoratif, un morceau de lieu commun.

— Oui, mais ce combat est mené sur plusieurs plans, dit Oliveira, sortant d'un long mutisme. Dans ce que tu viens de nous lire il apparaît clairement que Morelli condamne dans le langage le reflet d'une optique et d'un *Organum* faux ou incomplet, qui nous masquent la réalité, l'humanité. Au fond, le langage lui importe peu, sauf sur le plan esthétique. Mais cette référence à l'*ethos* est sans équivoque. Morelli pense que l'écrit purement esthétique est un escamotage et un mensonge, qu'il finit par engendrer le lecteur-femelle, le type qui ne veut pas de problèmes mais des solutions ou de faux problèmes étrangers à lui-même qui lui permettront de souffrir, confortablement installé dans son fauteuil, sans se compromettre dans ce drame qui devrait être aussi le sien. En Argentine, si vous voulez bien me permettre ce particularisme, cette sorte d'escamotage nous a tenus tranquilles et satisfaits pendant tout un siècle.

— Heureux celui qui trouve ses pairs, les lecteurs actifs, récita Wong. C'est écrit sur ce petit papier bleu, dans la chemise 21. Quand j'ai lu Morelli pour la première fois il m'a semblé que tout le livre était la Grande Tortue pattes en l'air. Difficile à comprendre. Morelli est un philosophe extraordinaire, bien que terriblement simpliste parfois.

— Comme toi, dit Perico en descendant de son tabouret et en se faisant une place à table à grands coups de coude. Toutes ces fantaisies de vouloir corriger le langage sont des vocations ratées de grammairien, mon petit, pour ne pas dire d'académicien. Choir ou tomber, l'important c'est que ton personnage s'est cassé la gueule et n'en parlons plus.

— Perico, dit Etienne, nous évite de remonter à ces abstractions que Morelli aime un peu trop parfois.

— Moi, tu sais, dit Perico péremptoire, les abstractions...

Le cognac brûla la gorge d'Oliveira qui glissait avec reconnaissance dans la discussion où il pouvait encore un moment se perdre. En un certain passage (il ne savait exactement où, il lui faudrait le rechercher) Morelli donnait quelques clefs sur une méthode de composition. Son problème majeur était toujours le dessèchement, une horreur mallarméenne de la page blanche, coïncidant avec la nécessité de se frayer un passage coûte que coûte. Inévitable qu'une partie de son œuvre fût une réflexion sur le problème de l'écrire. Il s'éloignait ainsi chaque fois davantage de l'utilisation professionnelle de la littérature, de ce type de contes ou de poèmes qui lui avait valu son prestige initial. En un autre passage, Morelli disait avoir relu avec nostalgie et même étonnement des textes de lui, vieux de plusieurs années. Comment ces inventions avaient-elles pu jaillir, ce dédoublement merveilleux mais si commode et si simplificateur du narrateur vis-à-vis de la narration ? En ce temps-là, on eût dit que ce qu'il écrivait était déjà exposé devant lui, écrire c'était passer une Lettera 22 sur des mots invisibles mais présents, comme la pointe du saphir sur le disque. A présent, il ne pouvait écrire que laborieusement, examinant à chaque pas le possible contraire, le sophisme caché (il faudrait relire, pensa Oliveira, un curieux passage qui faisait les délices d'Etienne), suspectant toute idée claire d'être toujours erreur ou vérité à demi, se méfiant des mots qui avaient tendance à s'organiser euphoniquement, rythmiquement, avec ce ronronnement heureux qui hypnotise le lecteur après avoir fait sa première victime sur l'écrivain lui-même. (« Oui, mais le vers... » « Oui, mais cette note où il parle du "swing" qui met le discours en marche... ») Morelli, par moments, optait pour une solution amèrement simple : il n'avait plus rien à dire, les réflexes conditionnés de la profession confondaient nécessité et routine, cas banal chez les écrivains après la cinquantaine et les grands prix. Mais en même temps, il sentait qu'il n'avait jamais été si désireux, si pressé d'écrire. Réflexe, routine, ce désir angoissé, délicieux, de se livrer bataille, ligne après ligne? Pourquoi aussitôt un contrecoup, le mouvement descendant du piston, le doute essoufflant, la sécheresse, le renoncement ?

— Dis donc, dit Oliveira, où est ce passage du seul mot qui te plaisait tant ?

— Je le sais par cœur, dit Etienne. C'est la conjonction *si* suivie d'une note qui à son tour est suivie d'une note, laquelle est également suivie d'une note. J'étais en train de dire à Perico que les théories de Morelli ne sont pas précisément originales. Ce qui nous le rend proche c'est sa pratique, la force avec laquelle il essaie de désécrire, comme il dit, pour gagner le droit (et le gagner pour tous) de rentrer du bon pied dans la maison de l'homme. J'emploie ses propres mots, ou à peu près.

— Les surréalistes, c'est pas ce qui a manqué, dit Perico.

— Il ne s'agit pas d'une entreprise de libération verbale, dit Etienne. Les surréalistes ont cru que le véritable langage et la véritable réalité étaient censurés et étouffés par la structure rationaliste et bourgeoise de l'Occident. Ils avaient raison, comme le sait tout poète, mais ce n'était là qu'un moment de l'épluchage délicat de la banane. Résultat, plus d'un a fini par manger la banane avec la peau. Les surréalistes se sont suspendus aux mots au lieu de s'en séparer brutalement, comme voudrait le faire Morelli à partir du mot même. Fanatiques du verbe à l'état pur, pythonisses frénétiques, ils ont accepté n'importe quoi, du moment que ça n'avait pas l'air trop grammatical. Ils n'ont pas assez compris que la création de tout un langage, même s'il finit par trahir son sens, montre irréfutablement la structure humaine, que ce soit celle d'un Chinois ou d'un Peau-Rouge. Langage veut dire résidence en une réalité, expérience d'une réalité. Il est vrai que le langage que nous employons nous trahit (et Morelli n'est pas le seul à le crier à tous les vents), mais il ne suffit pas de vouloir le libérer de ses tabous. Il faut le re-vivre, non le ré-animer.

— C'est d'un solennel, dit Perico.

— Et en plus, ça peut se trouver dans n'importe quel bon traité de philosophie, dit timidement Gregorovius qui avait feuilleté entomologiquement les dossiers et semblait à moitié endormi. On ne peut pas revivre le langage si l'on ne commence pas d'abord par percevoir d'une autre façon tout ce qui constitue notre réalité. De l'être au verbe et non du verbe à l'être.

Percevoir, dit Oliveira, c'est un de ces mots bons à tout faire. N'attribuons pas à Morelli les problèmes de Dilthey, Husserl ou Wittgenstein. La seule chose claire dans tout ce qu'a écrit le vieux c'est que, si nous continuons à employer le langage dans son registre courant, avec ses finalités courantes, nous mourrons sans avoir su le véritable nom du jour. C'est un lieu commun de répéter qu'on nous vend la vie, comme disait Malcolm Lowry, qu'on nous la donne préfabriquée. Morelli lui aussi tombe dans le lieu commun quand il insiste là-dessus, mais Etienne a raison : par la pratique, le vieux se montre et nous montre la sortie. A quoi sert un écrivain si ce n'est à détruire la littérature ? Et nous, qui ne voulons pas être des lecteurs-femelles, à quoi servons-nous si ce n'est à hâter dans la mesure du possible cette destruction ?

— Mais et après, que ferons-nous après ? demanda Babs.

— Je me le demande, dit Oliveira. Il y a encore vingt ans, il y avait la grande réponse : la Poésie, ma belle, la Poésie. On te fermait la bouche avec ce grand mot. Mais depuis la dernière guerre, plus question. Il y a encore des poètes, personne ne dit le contraire, mais personne ne les lit plus.

— Ne dis pas de bêtises, dit Perico. Je lis des montagnes de vers.

— Bien sûr, moi aussi. Mais il ne s'agit pas de vers, petit vieux, il s'agit de ce qu'annonçaient les surréalistes et que tout poète désire et cherche, la fameuse réalité poétique. Crois-moi, mon vieux, depuis mil neuf cent cinquante, nous sommes en pleine réalité technologique, statistiquement parlant du moins. Désolant, déplorable, de quoi s'arracher les cheveux, mais c'est ainsi.

99

— Moi, la technologie, je m'en fous, dit Perico. Fray Luis de León, par exemple...

— Nous sommes en mil neuf cent cinquante et quelque.

— Je suis fatigué de le savoir.

— On ne le dirait pas.

— Mais crois-tu que je vais adopter une merdeuse position historique ?

— Non, mais tu devrais lire les journaux. Je n'aime pas plus que toi la technologie, seulement je sens ce qui a changé dans le monde au cours de ces vingt dernières années. Tout type de plus de quarante printemps est bien forcé de s'en apercevoir et c'est pour ça que la question de Babs nous met tous, Morelli et nous, au pied du mur. Fort bien de faire la guerre à ce langage avachi, à la littérature, pour l'appeler ainsi, au nom d'une réalité que nous croyons véritable, que nous croyons exister en quelque endroit de l'esprit, si vous me passez ce mot. Mais Morelli lui-même ne voit que le côté négatif de sa guerre. Il sent qu'il doit la faire, comme toi et comme nous tous. Et puis ?

— Soyons méthodiques, dit Etienne. Laissons de côté ton « et puis ». La leçon de Morelli suffit comme première étape.

— Tu ne peux pas parler d'étape sans supposer un but.

— Appelle ça hypothèse de travail ou comme tu voudras. Ce que Morelli essaie de faire c'est de troubler les habitudes mentales du lecteur. Quelque chose de très modeste, comme tu peux voir, rien de comparable au passage des Alpes par Hannibal. Jusqu'à présent, du moins, il n'y a pas grand-chose de métaphysique chez Morelli, mais toi, évidemment, Horace Curiace, tu es capable de trouver de la métaphysique dans une boîte de tomates. Morelli est un artiste qui se fait une idée spéciale de l'art et cela consiste principalement à jeter à bas les formes usuelles, chose courante chez tout bon artiste. Par exemple, il a horreur du roman rouleau-chinois, du livre qui se lit du début à la fin, bien sagement. Tu as sans doute remarqué que la liaison entre les différentes parties le préoccupe de moins en moins, cette histoire du mot qui en entraîne un autre... Quand je lis Morelli, j'ai l'impression qu'il cherche une interaction moins mécanique, moins dépendante causalement des éléments qu'il manie; on sent que le déjà écrit conditionne à peine ce qu'il est en train d'écrire, d'autant que le vieux, après quelques centaines de pages, ne se rappelle plus très bien ce qu'il a dit au début.

— Moyennant quoi, dit Perico, il arrive qu'une naine à la page vingt ait deux mètres cinquante, page cent. Il y a des scènes qui commencent à six heures du soir et se terminent à cinq heures et demie. Révoltant.

— Et toi, ça ne t'arrive pas d'être nain ou géant selon ton état d'esprit ?

— Je parle du soma, dit Perico.

— Il croit au soma, dit Oliveira. Le soma dans le temps. Il croit au temps, à l'avant et à l'après. Le pauvre n'a jamais retrouvé dans un tiroir une lettre qu'il avait écrite vingt ans auparavant, il ne l'a pas relue, il ne s'est pas aperçu que rien ne tient debout si nous ne le consolidons pas avec la mie du temps, si nous n'inventons pas le temps pour ne pas devenir fou.

— Tout ça c'est du métier, mais derrière, derrière... dit Ronald.

— Un vrai poète, dit Oliveira, sincèrement touché. Tu devrais t'appeler Behind ou Beyond, Américain de mon cœur. Ou Yonder, qui est un si joli mot.

— Rien de tout cela n'aurait de sens s'il n'y avait quelque chose derrière, dit Ronald. N'importe quel best-seller écrit mieux que Morelli. Si nous lisons Morelli, si nous sommes là, ce soir, c'est parce que Morelli a ce qu'avait le Bird, ce qu'ont parfois Cummings ou Jackson Pollock, bon, suffit comme exemples. Et pourquoi suffit comme exemples ? cria Ronald, furieux, tandis que Babs le regardait, admirative et buvant-ses-paroles. J'en donnerai autant que je voudrai. Le premier venu peut se rendre compte que Morelli ne se complique pas la vie par goût et son livre, par ailleurs, est d'une provocation insolente, comme tout ce qui vaut la peine. Dans ce monde technologique dont tu parlais, Morelli veut sauver quelque chose qui est en train de mourir mais pour le sauver il faut le tuer d'abord ou du moins lui faire subir une telle transfusion de sang que ce soit comme une résurrection. L'erreur de la poésie futuriste, dit Ronald à la plus grande admiration de Babs, fut de vouloir commenter le machinisme, croire qu'ils se sauveraient ainsi de la leucémie. Mais ce n'est pas de parler littérairement des événements du cap Canaveral qui va nous faire mieux comprendre la réalité, il me semble.

99

— Il te semble fort bien, dit Oliveira. Partons à la recherche du Yonder, il y a des tas de Yonders à ouvrir les uns derrière les autres. Je dirais pour commencer que cette réalité technologique qu'acceptent aujourd'hui les hommes de science et les lecteurs de *France-Soir*, ce monde de cortisone, de rayons gamma, de fission du plutonium, a aussi peu à voir avec la réalité que le monde du *Roman de la Rose*. Si j'en ai parlé tout à l'heure à notre Perico, c'était pour lui faire remarquer que ses critères esthétiques et son échelle de valeurs n'ont plus du tout cours et que l'homme, après avoir tout attendu de l'intelligence et de l'esprit, se trouve comme trahi, obscurément conscient que ses armes se sont retournées contre lui, que la culture, la *civiltà,* l'ont amené à cette voie sans issue, où la barbarie de la science n'est qu'une réaction très compréhensible. Excusez le vocabulaire.

— Tout ça, Klages l'a déjà dit, dit Gregorovius.

— Mais je ne réclame aucun droit d'auteur, répondit Oliveira. L'idée c'est que la réalité, que ce soit celle du Saint-Siège, celle de René Char ou celle d'Oppenheimer, est toujours une réalité incomplète, conventionnelle et morcelée. L'admiration de certains devant le microscope électronique ne me paraît pas plus féconde que celle des concierges pour les miracles de Lourdes. Croire en ce qu'on appelle la matière, croire en ce qu'on appelle l'esprit, vivre en Emmanuel ou suivre des cours de Zen, considérer la destinée humaine comme un problème économique ou comme une pure absurdité, la liste est longue, le choix multiple. Mais le simple fait qu'il puisse y avoir choix et que la liste soit longue suffit à prouver que nous sommes dans la préhistoire et dans la préhumanité. Je ne suis pas optimiste, je doute beaucoup que nous accédions un jour à la véritable histoire de la véritable humanité. Cela va être difficile de parvenir au fameux Yonder de Ronald car personne ne niera que le problème de la réalité doit se poser en termes collectifs, et non pas comme le simple salut de quelques élus. Des hommes réalisés, des hommes qui ont fait le saut hors du temps et se sont intégrés à une somme, si l'on veut... Oui, je suppose qu'il y en a eu et qu'il y en a. Mais cela ne suffit pas, je sens que mon salut, en supposant que je puisse l'atteindre, doit être aussi le salut de tous, y compris du dernier des hommes. Et ça, mon vieux... Nous ne sommes plus dans la campagne d'Assise, nous ne pouvons plus espérer que l'exemple d'un saint sèmera la sainteté, que chaque gourou sera le salut de tous ses disciples.

— Reviens de Bénarès, conseilla Etienne. Nous parlions de Morelli, il me semble. Et pour enchaîner avec ce que tu disais, je pense à l'instant que ce fameux Yonder ne peut être imaginé comme un futur dans le temps ou dans l'espace. Si nous nous en tenons toujours aux catégories kantiennes, semble vouloir dire Morelli, nous ne sortirons jamais de l'impasse. Ce que nous appelons réalité, la véritable réalité que nous appelons aussi Yonder (cela aide parfois de donner plusieurs noms à une intuition, cela évite au moins que la notion ne se ferme ou ne se durcisse), eh bien cette véritable réalité n'est pas une chose à venir, un but, la dernière marche, la fin d'une évolution. C'est quelque chose qui est déjà ici, en nous. On la sent, il suffit d'avoir le courage de tendre la main dans l'obscurité. Moi, je la sens quand je peins.

— C'est peut-être le Malin, dit Oliveira. C'est peut-être une simple exaltation esthétique. Mais il se pourrait que ce fût elle. Oui, il se pourrait.

— Elle est là, dit Babs en se touchant le front. Moi, je la sens quand je suis ivre ou quand...

Elle éclata de rire et se cacha le visage. Ronald lui donna une bourrade affectueuse.

— Elle n'est pas *là*, dit Wong, très sérieux, elle *est* là.

— Nous n'irons pas loin par ce chemin, dit Oliveira. Que nous donne la poésie, sinon cette intuition ? Toi, Babs, moi... Le règne de l'homme n'est pas né pour quelques étincelles isolées. Tout le monde a eu son instant de vision, l'ennui c'est de retomber dans le *hinc* et le *nunc*.

— Bah, dit Etienne, toi tu ne comprends les choses qu'en termes d'absolu. Laisse-moi finir ce que je voulais dire. Morelli pense que si les lyrophores, comme dit notre Perico, se frayaient un passage à travers les formes pétrifiées et révolues, que ce soit un adverbe de manière, un sentiment du temps ou ce qui te plaira, ils feraient œuvre utile pour la première fois de leur vie. En achevant le lecteur-femelle, ou du moins en le réduisant sérieusement, ils aideraient tous ceux qui s'efforcent de quelque façon d'arriver au Yonder. La technique narrative de types comme lui n'est qu'une invite à sortir des sentiers battus.

— Oui, pour s'enfoncer dans la boue jusqu'au cou, dit

Perico qui après onze heures du soir était contre tout ce qu'on pouvait dire.

— Héraclite, dit Gregorovius, s'est enterré dans la merde et s'est guéri de l'hydropisie.

— Laisse Héraclite tranquille, dit Etienne. Ça commence à me donner sommeil, tout ce bla-bla-bla, mais j'ai quand même envie d'ajouter ceci, deux points : Morelli semble convaincu que si l'écrivain reste soumis au langage qu'on lui a vendu avec ses vêtements, avec son nom, sa religion et sa nationalité, son œuvre n'aura de valeur qu'esthétique, valeur que le vieux semble de plus en plus mépriser. Il est même très explicite à un moment donné : selon lui, on ne peut rien dénoncer si on le fait à l'intérieur du système dont dépend ce qui est dénoncé. Ecrire contre le capitalisme avec le bagage mental et le vocabulaire qui dérivent du capitalisme, c'est perdre son temps. On obtiendra des résultats historiques comme le marxisme ou ce que tu voudras mais le Yonder n'est précisément pas de l'histoire, le Yonder, c'est comme la pointe des doigts qui émergent des eaux de l'histoire, cherchant où s'agripper.

— Balivernes, dit Perico.

— C'est pour cela que l'écrivain doit mettre le feu au langage, en finir avec les formes coagulées et aller encore plus loin, mettre en doute que ce langage puisse encore être en contact avec ce qu'il prétend signifier. Non pas tant les mots en soi, car cela est moins important, que la structure totale d'une langue, d'un discours.

— Et pour tout ça il se sert d'une langue éminemment claire, dit Perico.

— Mais bien sûr, Morelli ne croit pas aux systèmes d'onomatopées ni aux lettrismes. Il ne s'agit pas de remplacer la syntaxe par l'écriture automatique ou par un autre truc à la mode. Ce qu'il veut, lui, c'est transgresser le fait littéraire dans sa totalité, le livre, si tu veux. Parfois dans le mot, parfois dans ce que le mot transmet. Il procède comme un guérillero, faisant sauter ce qu'il peut, et le reste suit son chemin. Il est un homme de lettres, lui aussi.

— Il faudrait penser à s'en aller, dit Babs qui avait sommeil.

— Tu diras ce que tu voudras, poursuivit Perico d'un air entêté, mais aucune véritable révolution n'a été faite contre les formes. Ce qui compte, mon petit, c'est le fond, le fond.

— Nous avons derrière nous des dizaines de siècles de littérature de fond, dit Oliveira, et tu peux voir les résultats. J'entends par littérature, évidemment, tout le parlable et le pensable.

— Sans compter que la distinction entre le fond et la forme est une chose fausse, dit Etienne. Ça fait des années que tout le monde sait ça. Distinguons plutôt entre langage expressif, autrement dit le langage en soi, et la chose exprimée, autrement dit la réalité devenant conscience.

— Comme tu voudras, dit Perico. Ce que j'aimerais savoir c'est si cette rupture que voudrait Morelli, c'est-à-dire l'éclatement de ce que tu appelles élément expressif pour mieux atteindre la chose à exprimer, peut avoir véritablement quelque valeur à ce niveau-là.

— Elle ne servira probablement à rien, dit Oliveira, mais elle nous permet de nous sentir un peu moins seuls dans cette voie sans issue au service de la Grande-Vanité-Idéaliste-Réaliste-Spiritualiste-Matérialiste de l'Occident, S.R.L.

— Tu crois que quelqu'un d'autre pourrait fouiller le langage jusqu'à atteindre ses racines ? demanda Ronald.

— Peut-être. Morelli n'a pas le génie ou la patience nécessaire. Il indique un chemin, il donne quelques coups de pique... Il laisse un livre. Ce n'est pas beaucoup.

— Allons-nous-en, dit Babs. Il est tard, on a fini le cognac.

— Et il y a autre chose, dit Oliveira. Ce qu'il poursuit est absurde dans la mesure où l'on ne connaît rien d'autre que ce qu'on connaît, c'est-à-dire une circonscription anthropologique. Wittgensteinement parlant, les problèmes s'enchaînent *vers l'arrière*, c'est-à-dire que ce que connaît un homme c'est le savoir d'un homme, mais de l'homme lui-même on ne sait pas tout ce qu'on devrait savoir pour que sa notion de la réalité soit acceptable. Les gnoséologues se sont posé le problème et ils ont même cru trouver une terre ferme d'où repartir vers l'avant, droit sur la métaphysique. Mais le recul hygiénique de Descartes nous paraît aujourd'hui partial et même insignifiant, car il y a, en cet instant même, un certain M. Wilcox de Cleveland qui, avec des électrodes et autres dispositifs, est en train de prouver l'équivalence de la pensée avec un circuit électromagnétique (chose qu'il croit à son tour connaître très bien, car il connaît très bien le langage qui les définit, etc.). Si cela ne vous suffit pas, un Suédois vient de lancer une très hardie et très brillante théorie sur la chimie cérébrale. Penser est le résultat d'une interaction entre des acides dont je ne veux pas me rappeler le nom. J'acide donc je suis. On t'en met une petite goutte sur les méninges et alors ou bien Oppenheimer, ou bien le docteur Petiot. Tu vois comme le *cogito*, l'Opération Humaine par excellence se situe aujourd'hui dans une région assez vague, mi-électromagnétique, mi-chimique et sans doute ne se différencie-t-elle pas autant que nous pensions de phénomènes tels que les aurores boréales ou les rayons infrarouges. Le voilà ton fameux *cogito*, simple chaînon du vertigineux flux de forces dont les degrés en 1950 s'appellent, entre autres, impulsions électriques, molécules, atomes, neutrons, protons, potirons, microboutons, isotopes radio-actifs, pincée de cinabre, rayons cosmiques : Words, words, words, Hamlet, acte II, je crois. Sans compter, ajouta Oliveira en soupirant, que c'est peut-être le contraire et que l'aurore boréale est un phénomène *spirituel*, et c'est pour le coup qu'on serait dans de beaux draps !

— Avec un pareil nihilisme, hara-kiri, dit Etienne.

— Mais bien sûr, frérot, dit Oliveira. Et pour en revenir au vieux, si ce qu'il poursuit est absurde, car au fond ça revient à cogner sur Ray Sugar Robinson avec une banane, c'est une offensive insignifiante au sein de la crise et de la faillite totale de l'idée classique de l'*homo sapiens*, il ne faut cependant pas oublier que toi tu es toi et que je suis moi, du moins nous semble-t-il, et bien que nous n'ayons plus la moindre certitude sur tout ce que nos illustres pères tenaient pour irréfutable, il nous reste l'aimable possibilité de vivre et d'agir *comme si*, en choisissant des hypothèses de travail, en attaquant comme Morelli ce qui nous paraît le plus faux, au nom d'un obscur sentiment de certitude qui est probablement aussi incertain que tout le reste, mais qui nous fait lever la tête et chercher la Chèvre ou le Petit Chien, ces animaux de notre enfance, ces lucioles insondables. Cognac.

— Y'en a plus, dit Babs. Partons, je m'endors.

— Et pour finir, comme toujours, un acte de foi, dit Etienne en riant. C'est encore la meilleure définition de l'homme. Maintenant, pour en revenir à l'histoire de l'œuf sur le plat...

(-35)

# 100

Il mit le jeton dans la fente, composa lentement le numéro. Etienne devait être en train de peindre et il avait horreur qu'on l'interrompe dans son travail, mais il fallait quand même qu'il lui téléphone. La sonnerie retentit de l'autre côté, dans un atelier près de la place d'Italie, à quatre kilomètres de la poste rue Danton. Une vieille bonne femme à tête de rat s'était postée devant la cabine vitrée et regardait à la dérobée Oliveira assis sur son banc, la tête collée au récepteur, et Oliveira sentait qu'elle le regardait, qu'elle commençait implacablement à compter les minutes. Les vitres de la cabine étaient propres, chose rare : les gens allaient et venaient dans la poste, on entendait le coup sourd (et funèbre, Dieu seul sait pourquoi) des tampons oblitérant les timbres. Etienne parla de l'autre côté et Oliveira appuya sur le bouton nickelé qui amorçait la communication et avalait définitivement le jeton de vingt francs.

— Tu pourrais te dispenser d'emmerder, grogna Etienne qui semblait l'avoir reconnu tout de suite. Tu sais qu'à cette heure-ci je travaille comme un fou.

— Moi aussi, dit Oliveira. Je t'ai appelé parce que justement pendant que je travaillais, j'ai fait un drôle de rêve.

— Comment, pendant que tu travaillais ?

— Oui, vers trois heures du matin. J'ai rêvé que j'allais à la cuisine, que je cherchais du pain et que je m'en coupais une tranche. C'était pas un pain comme ceux d'ici, c'était un pain français, comme ceux de Buenos Aires qui n'ont rien de français, mais qu'on appelle ainsi. Imagine un pain plutôt rond, très clair, avec beaucoup de mie. Un pain parfait pour y étendre du beurre et de la confiture, tu comprends.

— Je sais, dit Etienne. J'en ai mangé du comme ça en Italie.

— T'es pas fou, ça n'a rien à voir ! Un jour je te ferai un dessin pour que tu comprennes. Imagine un poisson large et court, quinze centimètres à peine, mais bien rond au milieu. C'est le pain français de Buenos Aires.

— Le pain français de Buenos Aires, répéta Etienne.

— Oui, mais ça se passait dans la cuisine de la rue de la Tombe-Issoire, avant que je n'aille chez la Sibylle. J'avais faim et j'ai attrapé le pain pour couper une tartine. Alors le pain s'est mis à pleurer. Oui, bien sûr, c'était un rêve mais n'empêche, le pain pleurait quand j'enfonçais le couteau. Un pain français tout ce qu'il y a de banal et il pleurait. Je me suis réveillé avant de savoir ce qui allait se passer, je crois que le couteau était encore planté dans le pain quand je me suis réveillé.

— Tiens, dit Etienne.

— Quand on se réveille d'un rêve pareil, tu comprends, on va se mettre la tête sous le robinet, on se recouche, mais on passe le reste de la nuit à fumer... C'est un peu idiot, mais il valait mieux que je t'en parle, sans compter qu'on pourrait se donner rendez-vous pour aller voir le petit vieux de l'accident que je t'ai raconté.

— Tu as bien fait, dit Etienne. On dirait un rêve d'enfant. Les enfants peuvent encore rêver des choses pareilles ou les imaginer. Mon neveu m'a dit une fois qu'il était allé dans la lune. Je lui ai demandé ce qu'il avait vu. Il m'a répondu : « Il y avait un pain et un cœur. » Tu comprendras qu'après ces expériences boulangères on ne peut plus regarder un enfant sans avoir peur.

— Un pain et un cœur, répéta Oliveira. Oui mais moi je n'ai vu qu'un pain. Enfin. Il y a là dehors une vieille qui commence à me regarder d'un mauvais œil. Combien de minutes peut-on rester dans ces cabines ?

— Six. Après quoi on frappera au carreau. Il y a seulement la vieille ?

— La vieille, une femme qui louche avec un gosse et une espèce de voyageur de commerce. Ce doit être un voyageur de commerce, car il a un carnet qu'il feuillette fébrilement et trois pointes de crayon qui dépassent de sa poche supérieure.

— Ce pourrait être un encaisseur.

— En voilà deux autres qui arrivent, un garçon de quatorze ans qui fourrage dans son nez et une vieille avec un chapeau extraordinaire, digne d'un tableau de Cranach.

— Tu commences à te sentir mieux, dit Etienne.

— Oui, elle est pas mal cette cabine. Dommage qu'il y ait tant de gens qui attendent. Tu crois que nous avons déjà parlé six minutes ?

— Absolument pas, dit Etienne. A peine trois, et pas même.

— Alors la vieille n'a aucun droit de frapper à la vitre ?

— Aucun. Qu'elle aille au diable. Tu disposes encore de trois minutes pour me raconter tous les rêves que tu voudras.

— C'était seulement celui-là, dit Oliveira. Mais le plus ennuyeux, ce n'est pas le rêve, c'est ce qu'on appelle se réveiller... Tu ne trouves pas, toi, qu'en réalité c'est plutôt maintenant que je rêve ?

— Qui sait ? dit Etienne. Mais c'est pas neuf, tout ça, petit vieux, le philosophe et le papillon, c'est du connu.

— Oui, mais excuse-moi d'insister quand même. Je voudrais que tu essaies de t'imaginer un monde où l'on puisse couper un pain sans qu'il se plaigne.

— C'est difficile, dit Etienne.

— Non, mais sérieusement, dit Oliveira. Ça ne t'arrive pas, toi, de te réveiller avec l'exacte conscience qu'à cet instant commence une incroyable équivoque ?

— Moi, je mets à profit cette équivoque pour peindre de magnifiques tableaux et peu m'importe alors si je suis un papillon ou Fu-Manchu.

— Ça n'a rien à voir. Il paraît que c'est grâce à diverses erreurs que Christophe Colomb est arrivé à Guanahani ou je ne sais quoi. Pourquoi ce critère grec de la vérité et de l'erreur, hein ?

— Dis donc, je n'y suis pour rien, dit Etienne, indigné. C'est toi qui as commencé à parler d'une incroyable équivoque.

— C'était une figure, dit Oliveira. Comme si je l'avais appelée rêve. C'est une chose qui ne peut pas être qualifiée, l'équivoque, précisément, c'est qu'on ne peut même pas dire que c'est une équivoque.

— La vieille va casser la vitre, on l'entend d'ici, dit Etienne.

— Qu'elle aille au diable, dit Oliveira. C'est pas possible que les six minutes soient passées.

— Si, plus ou moins. Et n'oublie pas la courtoisie sud-américaine, tellement vantée.

— Il n'y a pas encore six minutes. Je suis content de t'avoir raconté le rêve et quand nous nous verrons...

— Viens quand tu veux, dit Etienne. Je ne peindrai plus ce matin, tu m'as coupé le sifflet.

— Non, mais, tu l'entends frapper ? dit Oliveira. Non seulement la vieille à face de rat mais la bigleuse et le gosse. Un employé ne va pas tarder à se ramener.

— Et il va y avoir du grabuge, bien entendu.

— Non, à quoi bon ? Le grand truc c'est de faire celui qui ne comprend pas un mot de français.

— Il est vrai que tu n'en comprends guère, dit Etienne.

— Eh oui, dit Oliveira, mais ce qui est pour toi une blague est au fond une triste vérité. En fait, je ne veux rien comprendre si par comprendre il faut accepter ce que nous appelons l'équivoque. Ah, dis donc, ils ont ouvert la porte et il y a un type qui me tape sur l'épaule. Ciao, merci de m'avoir écouté.

— Ciao.

Ajustant sa veste, Oliveira sortit de la cabine. L'employé lui criait dans l'oreille le répertoire réglementaire. « Si j'avais en ce moment un couteau en main, pensa Oliveira en sortant ses cigarettes, le type se mettrait sans doute à roucouler ou se changerait en bouquet de fleurs. » Mais les choses se pétrifiaient, duraient terriblement, il fallait allumer la cigarette en faisant bien attention de ne pas se brûler, car sa main tremblait assez fort, il fallait entendre les cris du type qui s'éloignait en se retournant tous les deux pas pour lui faire des gestes, et le voyageur de commerce et la bigleuse le regardaient d'un œil tout en surveillant de l'autre la vieille pour qu'elle ne dépassât point les six minutes, et la vieille dans la cabine avait exactement l'air d'une momie quechua du Musée de l'Homme, de celles qui s'éclairent si on appuie sur un petit bouton. Mais, c'était le contraire, comme dans la plupart des rêves les choses se passaient à l'envers, c'était la vieille qui à l'intérieur appuyait sur un petit bouton et se mettait à parler à une autre petite vieille tapie dans une des mansardes de l'immense rêve.

(-76)

# 101

En relevant à peine la tête, Pola voyait l'almanach des P.T.T., une vache rose dans un pré vert sur un fond de montagnes violettes sous un ciel bleu, jeudi 1, vendredi 2, samedi 3, dimanche 4, lundi 5, mardi 6, saint Mamert, sainte Solange, saint Achille, saint Servais, saint Boniface, lever 4 h 12, coucher 19 h 23, lever 4 h 10, coucher 19 h 24, lever coucher, lever coucher, lever coucher, coucher, coucher, coucher.

Collant son visage à l'épaule d'Oliveira, elle embrassa une peau moite, tabac et sommeil. D'une main très lointaine et libre, elle lui caressait le ventre, allait et venait le long des cuisses, emmêlait ses doigts dans les poils, tirait un peu, doucement pour qu'Horacio se fâche et la morde en jouant. On traînait la savate dans l'escalier, saint Ferdinand, sainte Pétronille, saint Fortuné, sainte Blandine, un, deux, un, deux, droite, gauche, droite, gauche, bien, mal, bien, mal, en avant, en arrière, en avant, en arrière. Une main glissait sur son épaule, descendait lentement, jouant à l'araignée, un doigt, puis un autre, puis un autre, saint Fortuné, sainte Blandine, un doigt ici, l'autre là, l'autre dessus, l'autre dessous. La caresse la pénétrait lentement, venue de loin. L'heure du luxe, du surplus, se mordre lentement, chercher le contact avec une délicatesse d'antennes, avec de feintes hésitations, appuyer la pointe de la langue sur une peau, enfoncer lentement un ongle, murmurer, coucher 19 h 24, saint Ferdinand. Pola leva un peu la tête et regarda Horacio qui avait fermé les yeux. Elle se demanda s'il faisait ça aussi avec son amie, la mère du petit. Il n'aimait pas parler de l'autre, il exigeait comme une sorte de respect en ne se référant à elle que lorsqu'il y était obligé. Elle le lui demanda en lui ouvrant un œil avec deux doigts et en baisant rageusement la bouche qui se refusait à répondre, la seule chose consolante, à cette heure, c'était le silence, rester ainsi l'un contre l'autre, en s'écoutant respirer, en voyageant de temps en temps avec un pied ou une main vers l'autre corps, en entreprenant de vagues itinéraires sans conséquences, restes de caresses perdues dans le lit, dans l'air, spectres de baisers, larves de parfums ou d'habitudes. Non, il n'aimait pas faire ça avec son amie, Pola seule pouvait comprendre, se plier si parfaitement à ses caprices. Si bien à sa mesure que c'était extraordinaire. Même quand elle gémissait, car à un moment elle avait gémi, elle avait voulu se libérer mais il était trop tard, la bouche était fermée et sa révolte n'avait servi qu'à rendre plus vifs le plaisir et la douleur, le double malentendu qu'il leur fallait surmonter car il était faux, il n'était pas possible qu'en une étreinte, à moins que oui, à moins qu'il pût en être ainsi.

(-144)

## 102

Grâce à son obstination de fourmi, Wong finit par découvrir dans la bibliothèque de Morelli un exemplaire dédicacé des *Désarrois de l'élève Törless*, de Musil, dont le passage suivant était souligné énergiquement :

*Quelles sont les choses qui me déconcertent ? Les plus insignifiantes. Le plus souvent des objets inanimés. Qu'est-ce qui me déconcerte en eux ? Un quelque chose que je ne connais pas. Mais justement, voilà le point ! D'où tiré-je ce* quelque chose *? Je ressens sa présence ; il agit sur moi ; on dirait qu'il veut me parler. Je m'impatiente comme celui qui doit déchiffrer les mots grimacés par les lèvres d'un paralysé, et qui n'y parvient point. Exactement comme si je disposais d'un sens de plus que les autres, mais qu'il ne fût pas développé, un sens qui serait là, qui se manifesterait, mais ne fonctionnerait pas. Le monde me semble plein de voix muettes : suis-je pour autant un visionnaire, un halluciné ?*

Ronald trouva cette citation de *La Lettre de Lord Chandos*, de Hofmannsthal :

*Ainsi que j'avais vu un jour, à travers un verre grossissant, la peau de mon petit doigt qui ressemblait à une plaine avec des sillons et des creux ainsi je voyais maintenant les hommes et leurs actions. Je ne réussissais plus à les appréhender avec le regard simplificateur de l'habitude. Tout se décomposait en fragments qui se fragmentaient à leur tour ; rien ne se laissait plus embrasser à l'aide d'une notion définie.*

(-45)

# 103

Pola n'aurait pas compris, elle non plus, qu'il retienne son souffle, la nuit, pour l'écouter dormir, pour épier les rumeurs de son corps. Etendue sur le dos, comblée, elle respirait pesamment et, à peine, de temps en temps, agitait-elle une main, du fond de quelque rêve incertain, ou soufflait-elle, en avançant la lèvre inférieure, projetant l'air vers son nez. Horacio demeurait immobile, la tête un peu relevée ou appuyée sur son poing, la cigarette aux lèvres. A trois heures du matin la rue Dauphine se taisait, la respiration de Pola allait et venait, il y avait alors comme une légère précipitation, un minuscule tourbillon instantané, un frémissement intérieur comme d'une seconde vie, Oliveira se redressait lentement et approchait son oreille de la peau nue, il l'appuyait contre le courbe tambour, tiède et tendu, il écoutait. Rumeurs, descentes et chutes, ludions et murmures, cheminements d'écrevisses et de limaces, un monde noir et éteint qui glissait sur du feutre, éclatant ici et là puis disparaissant à nouveau (Pola soupirait, bougeait un peu). Un cosmos liquide, fluide, en gestation nocturne, plasma montant et descendant, la machine opaque et lente se mouvant laborieusement et soudain un grincement, une course vertigineuse presque contre la peau, une fuite et un gargouillement de combat ou de filtre, le ventre de Pola un ciel noir aux étoiles lourdes et lentes, aux comètes fulgurantes, révolutions d'immenses planètes vociférantes, la mer avec un plancton de murmures, ses bruissantes méduses, Pola microcosme, Pola résumé de la nuit universelle dans sa petite nuit fermentée où le yaourt et le vin blanc se mêlaient à la viande et aux légumes, centre d'une chimie infiniment riche et mystérieuse et lointaine et proche.

(-108)

# 104

La vie, comme un *commentaire* de quelque chose d'autre que nous ne pouvons atteindre, et qui est là, à portée du saut que nous ne faisons pas.

La vie, un ballet sur un thème historique, une histoire sur un fait vécu, un fait vécu sur un fait réel.

La vie, photographie du noumène, possession dans les ténèbres (femme ? monstre ?), la vie, proxénète de la mort, splendide jeu de cartes, tarot aux formules oubliées que des mains arthritiques rabaissent à n'être plus qu'un lugubre jeu de patience.

(-10)

## 105

### *Morellienne*

Je pense aux gestes oubliés, aux multiples gestes et propos de nos ancêtres, tombés peu à peu en désuétude, dans l'oubli, tombés un à un de l'arbre du temps. J'ai trouvé ce soir une bougie sur une table, et pour m'amuser je l'ai allumée et j'ai fait quelques pas avec elle dans le couloir. Elle allait s'éteindre quand je vis ma main gauche se lever d'elle-même, se replier en creux, protéger la flamme par un écran vivant qui éloignait les courants d'air. Tandis que la flamme se redressait, forte de nouveau, je pensai que ce geste avait été notre geste à tous (je pensai *tous* et je pensai bien, ou je sentis bien) pendant des milliers d'années, durant l'Age du Feu, jusqu'à ce qu'on nous l'ait changé par l'électricité. J'imaginai d'autres gestes, celui des femmes relevant le bas de leurs jupes, celui des hommes cherchant le pommeau de leur épée. Comme les mots disparus de notre enfance, entendus pour la dernière fois dans la bouche des vieux parents qui nous quittaient l'un après l'autre. Chez moi personne ne dit plus « la commode en camphrier », personne ne parle plus des « trépieds ». Comme les airs de l'époque, les valses des années vingt, les polkas qui attendrissaient nos grands-parents.

Je pense à ces objets, ces boîtes, ces ustensiles qu'on découvre parfois dans les greniers, les cuisines, les fonds de placards, *et dont personne ne sait plus à quoi ils pouvaient bien servir*. Vanité de croire que nous comprenons les œuvres du temps : il enterre ses morts et garde les clés. Seuls les rêves,

## 108

— La cloche, le clochard, la clocharde, clocharder. On a
ıême présenté une thèse en Sorbonne sur la psychologie du
:ochard.

— Possible, dit Oliveira. Mais ils n'ont aucun Juan Filloy
ımme chez nous pour leur écrire une *Caterva*. Que devient-il,
: brave Filloy ?

Mais la Sibylle ne pouvait pas le savoir, et d'abord parce
ı'elle ignorait son existence. Il fallut lui expliquer Filloy et
*aterva*. Le sujet du livre plut énormément à la Sibylle, l'idée
ıe les *linyeras* argentins étaient de la race des clochards.
lle avait toujours été convaincue que c'était une insulte
: confondre *linyeras* et mendiants et sa sympathie pour la
ocharde du Pont des Arts se fortifiait à présent d'arguments
ıi lui semblaient scientifiques. Surtout ces jours-ci où ils
'aient découvert, en se promenant sur les quais, que la clo-
ıarde était amoureuse, la sympathie que lui portait la Sibylle
son désir que tout finisse bien pour elle était quelque chose
ımme l'arche des ponts qui l'émouvait toujours ou ces fils
laiton qu'Oliveira trouvait, tête baissée, au hasard de leurs
'omenades.

— Filloy, tu parles, dit Oliveira en regardant les tours de
Conciergerie et en pensant à Cartouche. Qu'il est loin mon
ıys, dis donc, c'est incroyable qu'il puisse y avoir tant d'eau
lée dans ce monde de fous.

— Par contre il y a moins d'air, disait la Sibylle. Trente-
ux heures seulement.

— Ah ! Oui, bien sûr. Et que dis-tu de l'argent que ça coûte,
; trente-deux heures ?





la poésie, le jeu — allumer une bougie et se promener avec
elle dans le couloir — nous font approcher parfois de ce que
nous étions avant d'être ce que nous ne savons pas si nous
sommes.

(-96)

Johnny Temple :

*Between midnight and dawn, baby we may ever have to*
*[part,*
*But there's one thing about it, baby, please remember I've*
*[always been your heart.*

The Yas Yas Girl :

*Well it's blues in my house, from the roof to the ground,*
*And it's blues everywhere since my good man left town,*
*Blues in my mail-box 'cause I cain't get no mail,*
*Says blues in my bread-box 'cause my bread got stale.*
*Blues in my meal-barrel and there's blues upon my shelf*
*And there's blues in my bed, 'cause I'm sleepin' by myself.*

(-13)



Ecrit par Morelli à l'hôpital :

La plus grande qualité de mes ancêtres est d'êt
j'attends modestement mais orgueilleusement le mome
ter d'eux cette vertu. J'ai des amis qui ne manquero
m'élever une statue où ils me représenteront pench
bée sur une mare où il y aura de petites grenouille
tiques. En glissant une pièce de monnaie dans une
me verra cracher dans l'eau, et les petites grenoui
teront effarouchées et coasseront pendant une m
demie, temps suffisant pour que la statue perde tou

— Et de l'envie d'y aller. Parce que moi je n'en ai pas la moindre envie.

— Ni moi. Mais admettons. Pas la moindre chance de prendre la voie éolienne.

— Tu ne me parlais jamais de repartir, avant, dit la Sibylle.

— Mais je n'en parle pas, enfants de la patrie, je n'en parle pas. C'est seulement pour dire que tout est compliqué quand on n'a pas le rond.

— Paris est gratis, cita la Sibylle. Tu l'as dit le jour où nous nous sommes connus. Aller voir la clocharde c'est gratuit, faire l'amour, c'est gratuit, te dire que tu es méchant c'est gratuit, ne pas t'aimer... Pourquoi as-tu couché avec Pola ?

— Une question de parfums, dit Oliveira en s'asseyant sur le parapet au bord de l'eau. Il m'a semblé qu'elle sentait le Cantique des Cantiques, le cinname, la myrrhe, tous ces trucs-là. C'était vrai, d'ailleurs.

— La clocharde ne viendra pas, ce soir. Elle devrait être déjà là, elle est toujours très ponctuelle.

— La police les ramasse parfois, dit Oliveira. Pour les épouiller, je suppose, ou pour que la ville dorme la conscience tranquille au bord de son fleuve impassible. Un clochard est un plus grand scandale qu'un voleur, c'est connu; au fond, ils ne peuvent rien contre eux, ils sont bien obligés de leur fiche la paix.

— Parle-moi de Pola. Peut-être, entre-temps, verrons-nous arriver la clocharde.

— Le soir tombe, les touristes américains pensent à leur hôtel, ils ont mal aux pieds, ils ont acheté une quantité de saloperies, ils ont au complet leur Sade, leur Miller, leur *Onze mille verges*, les photos artistiques, les estampes libertines, les Sagan et les Buffet. Regarde comme le paysage se précise de l'autre côté du pont. Et laisse Pola tranquille, ce ne sont pas des choses qui se racontent. Tiens, le peintre plie son chevalet, il n'y a plus personne qui s'arrête pour le regarder. Incroyable comme on voit nettement les contours, l'air est lavé comme les cheveux de cette fille qui court là-bas, regarde, habillée de rouge.

— Parle-moi de Pola, répéta la Sibylle en lui tapotant l'épaule du revers de la main.

— Pure pornographie, dit Oliveira. Ça ne te plaira pas.

— Mais à elle tu lui parles sûrement de nous.

— Non. Quelques lignes générales seulement. Que pourrais-je lui raconter ? Pola n'existe pas, tu le sais. Où est-elle ? Montre-la-moi.

— Sophismes, dit la Sibylle qui profitait des discussions entre Etienne et Ronald. Elle n'est peut-être pas là, mais elle est rue Dauphine, ça c'est sûr.

— Mais où est la rue Dauphine ? dit Oliveira. Tiens, la clocharde qui se ramène. Oh ! mais dis donc, elle est éblouissante.

La clocharde descendait l'escalier, chancelant sous le poids d'un énorme ballot d'où dépassaient des manches de pardessus effilochés, des écharpes trouées, des pantalons ramassés dans les poubelles, des chiffons et même un rouleau de fil de fer noirci, quand elle arriva sur le quai elle lâcha une exclamation mi-soupir mi-beuglement. Sur un fond indéchiffrable où devaient s'accumuler les chemises à même la peau, les blouses données et même un corsage capable de contenir des seins redoutables, venaient s'ajouter deux, trois, peut-être quatre robes, la garde-robe complète, et par-dessus, une veste d'homme avec une manche à demi arrachée, une écharpe retenue par une broche de laiton, et dans ses cheveux, incroyablement teints en blond, une espèce de turban de gaze verte qui pendait d'un côté.

— Elle est merveilleuse, dit Oliveira, elle vient séduire ceux du pont.

— On voit bien qu'elle est amoureuse, dit la Sibylle. Et comme elle s'est fardée, regarde ses lèvres. Et le rimmel, elle a mis tout ce qu'elle avait.

— Elle ressemble à Grock, en pire. Ou à certaines têtes d'Ensor. Elle est sublime. Comment diable s'arrangent-ils pour faire l'amour, ces deux-là ? Car tu ne vas pas me dire qu'ils s'aiment à distance ?

— Je connais un coin près de l'hôtel de Sens où les clochards se réunissent pour ça. La police les laisse faire. Mme Léonie m'a dit qu'il y a toujours un mouchard de la police parmi eux et qu'à ce moment-là les secrets circulent. Il semble que les clochards en savent beaucoup sur la pègre...

— La pègre, quel mot, dit Oliveira. Oui, bien sûr qu'ils en connaissent un bout. Ils sont à la limite sociale, sur le bord de l'entonnoir. Ils doivent en savoir aussi pas mal sur les rentiers et les curés. Un bon coup d'œil dans leurs poubelles...

— Et voilà le clochard. Il est plus soûl que jamais. La pauvre, comme elle l'attend, regarde, elle a posé son ballot par terre pour lui faire signe, elle est très émue.

— Hôtel de Sens tant que tu voudras, je me demande comment ils s'arrangent, murmura Oliveira. Avec tous ces vêtements. Car elle ne s'enlève qu'une ou deux choses quand il fait moins froid, mais par-dessous, elle en a cinq ou six autres sans compter ce qu'on appelle le linge de corps. Tu t'imagines ce que ça peut donner et sur un terrain vague par-dessus le marché ? Pour le type, c'est plus facile, les pantalons, c'est si maniable.

— Ils ne se déshabillent pas, dit la Sibylle. La police ne les laisserait pas faire. Et avec la pluie, tu penses. Ils se mettent dans les coins, sur ce terrain vague il y a des sortes de trous avec des gravats sur les bords, les ouvriers y jettent leurs bouteilles et des ordures. Ils doivent faire l'amour debout.

— Avec tous ces vêtements ? Mais ce n'est pas pensable ! Tu veux dire que le type ne l'a jamais vue nue ? C'est dégoûtant.

— Regarde comme ils s'aiment, dit la Sibylle. Ils se regardent d'une façon !

— Tu parles, le type, le vin lui sort par les yeux. Tendresse à onze degrés et avec pas mal de tanin.

— Ils s'aiment, Horacio, je te dis qu'ils s'aiment. Elle s'appelle Emmanuèle, elle était putain en province. Elle est venue sur une péniche et elle est restée sur les quais. Une nuit que j'étais triste, nous avons parlé. Elle empeste abominablement, j'ai dû m'en aller au bout d'un moment. Tu sais ce que je lui ai demandé ? Je lui ai demandé quand elle changeait de linge. Que c'est bête de lui avoir demandé ça. Elle est très bonne et pas mal folle, cette nuit-là, elle croyait voir des fleurs des champs sur les pavés, elle les nommait les unes après les autres.

— Comme Ophélie, dit Horacio. La nature imite l'art.

— Ophélie ?

— Pardonne, je suis un pédant. Et que t'a-t-elle répondu quand tu lui as posé cette question sur son linge ?

— Elle s'est mise à rire et a bu un demi-litre de rouge. Elle a dit que la dernière fois qu'elle s'était enlevé quelque chose, c'était par en bas, en tirant, tout partait en lambeaux. L'hiver, ils ont très froid, ils mettent tout ce qu'ils trouvent.

— Je n'aimerais pas être infirmier et qu'on me l'apporte un soir sur un brancard. Un préjugé comme un autre. Piliers de la société. J'ai soif, Sibylle.

— Va chez Pola, dit la Sibylle, en regardant la clocharde et son amoureux qui se caressaient sous le pont. Regarde, elle va danser maintenant; elle danse toujours un peu, à cette heure-ci.

— On dirait un ours.

— Elle est tellement heureuse, dit la Sibylle en ramassant une petite pierre blanche et en la regardant avec attention.

Horacio lui prit la pierre et la lécha. Elle avait un goût de sel et de pierre.

— Elle est à moi, dit la Sibylle, en voulant la reprendre.

— Oui, mais regarde la couleur qu'elle a quand c'est moi qui la tiens. Avec moi, elle s'illumine.

— Avec moi elle est plus contente. Donne-la-moi, elle est à moi.

Ils se regardèrent. Pola.

— Parfait, dit Oliveira. Maintenant ou une autre fois, ça revient au même. Que tu es stupide, ma petite, si tu savais comme tu peux dormir tranquille.

— Dormir seule, tu parles d'un avantage. Je ne pleure pas, tu vois. Tu peux continuer à parler, je ne pleurerai pas. Je suis comme elle, regarde-la danser, regarde, elle est comme la lune, elle pèse plus qu'une montagne et elle danse, elle a la gale et elle danse. C'est une façon de dire. Donne-moi la pierre.

— Tiens. Tu sais, c'est si difficile de dire : je t'aime. Si difficile, maintenant.

— Oui, ce serait me donner la copie avec papier carbone.

— Nous parlons comme deux aigles, dit Horacio.

— De quoi rire, dit la Sibylle. Si tu veux, je te la prête un petit moment, le temps de la danse de la clocharde.

— Bien, dit Horacio en acceptant la pierre et en la léchant de nouveau. Pourquoi faut-il parler de Pola ? Elle est malade et seule, je vais la voir, nous faisons encore l'amour, mais suffit, je ne veux pas la convertir en mots, même pas avec toi.

— Emmanuèle va tomber à l'eau, dit la Sibylle; elle est plus soûle que le bonhomme.

— Non, ça va finir sordidement comme toujours, dit Oliveira en se levant du parapet. Tu vois le noble représentant de l'autorité qui s'approche ? Allons-nous-en, c'est trop triste. Et si elle avait envie de danser, la pauvre...

— C'est une vieille puritaine, là-haut, qui s'est offensée du spectacle. Si on la rencontre, tu lui flanqueras ton pied au cul.

— D'accord, et toi tu m'excuseras en disant que parfois ma jambe se détend d'un coup depuis la blessure que j'ai reçue à la bataille de Stalingrad.

— Et toi tu te mettras au garde-à-vous et tu feras le salut militaire.

— Je le fais pas mal du tout, faut pas croire, ils m'ont quand même appris ça, à la caserne. Viens, on va boire quelque chose. Je ne veux pas me retourner, tu entends comme le flic l'injurie ? Ne faudrait-il pas que je lui flanque à lui le coup de pied ? Tout le problème est là. O Arjuna, conseille-moi. Et sous les uniformes, il y a l'odeur de l'ignominie des civils. Ho detto. Viens, tirons-nous, une fois de plus. Je suis plus sale que ton Emmanuèle, c'est une crasse vieille de tant de siècles, *Persil lave plus blanc,* il faudrait un détergent pépère, mignonne, un savonnage cosmique. Tu aimes les jolis mots ? Salut, Gaston.

— Salut messieurs-dames, dit Gaston. Alors deux petits blancs secs comme l'habitude ?

— Comme d'habitude, mon vieux, comme d'habitude. Avec du Persil dedans.

Gaston le regarda et s'en alla en secouant la tête. Oliveira s'empara de la main de la Sibylle et compta attentivement ses doigts. Puis il déposa la pierre au creux de la main, referma les doigts un à un et posa un baiser par-dessus. Il avait fermé les yeux et semblait absent. « Comédien », pensa la Sibylle, attendrie.

(-64)

# 109

Morelli essayait quelque part de justifier ses incohérences narratives, soutenant que la vie des autres, telle qu'elle nous apparaît dans ce qu'on appelle la réalité, n'est pas du cinéma mais de la photographie, c'est-à-dire que nous ne pouvons appréhender l'action que fragmentairement, par recoupements éléatiques. Il n'y a rien d'autre que les moments que nous passons avec cet être dont nous croyons comprendre la vie, ou quand on nous parle de lui, ou quand il nous raconte ce qui lui est arrivé ou qu'il prévoit devant nous ce qu'il a l'intention de faire. A la fin il reste un album de photographies, des instants figés; jamais le devenir se réalisant devant nous, le passage de l'hier à l'aujourd'hui, le premier coup d'épingle de l'oubli dans le souvenir. C'est pourquoi il n'y avait rien d'étrange à ce qu'il nous parlât de ses personnages sous la forme la plus spasmodique qui soit; donner de la cohérence à une série de photographies pour qu'elles deviennent du cinéma (comme l'aurait tant aimé le lecteur qu'il appelait lecteur-femelle) signifiait remplir de littérature de présomptions, d'hypothèses et d'inventions les hiatus entre les photographies. Les photographies montraient parfois un dos, une main sur une porte, la fin d'une promenade dans la campagne, la bouche qui s'ouvre pour crier, des chaussures dans une penderie, des personnes traversant le Champ-de-Mars, un timbre oblitéré, le parfum Ma Griffe, des choses de ce genre. Morelli pensait que l'expérience vécue que représentaient ces photographies, qu'il essayait de présenter avec toute l'acuité possible, devait mettre le lecteur en condition de s'aventurer, de participer presque au destin de ses personnages. Ce qu'il apprenait d'eux, petit à petit, par l'imagination, se concrétisait immédiatement en acte, sans aucun artifice destiné à l'intégrer à ce qui était déjà écrit ou allait l'être. Les ponts entre une phase et une autre phase de ces vies si imprécises et si peu caractérisées, le lecteur aurait à les deviner ou à les inventer, depuis la manière de se coiffer, si Morelli ne la décrivait pas, jusqu'aux raisons profondes d'une conduite ou d'une inconduite, si elle paraissait insolite ou excentrique. Le livre devait être comme ces dessins que proposent les psychiatres de la Gestalt, et ainsi certains traits induiraient l'observateur à tracer, en les imaginant, les lignes qui achèveraient le visage. Mais parfois les lignes manquantes étaient les plus importantes, les seules qui auraient vraiment compté. La coquetterie et l'insolence de Morelli dans ce domaine étaient sans limites.

En lisant son livre, on avait par moments l'impression que Morelli avait espéré que l'accumulation des fragments se cristalliserait brusquement en une réalité totale. Sans avoir à inventer des ponts, ou coudre les différents morceaux du tapis, il y aurait tout d'un coup une ville, un tapis, des hommes et des femmes dans la perspective absolue de leur devenir, et Morelli, l'auteur, serait le premier spectateur émerveillé de ce monde qui accédait à la cohérence.

Mais il fallait se méfier, parce que cohérence voulait dire au fond assimilation à l'espace et au temps, ordonnance au goût du lecteur-femelle. Morelli n'aurait pas admis cela, il semblait plutôt chercher une cristallisation qui, sans altérer le désordre dans lequel circulaient les corps de son petit système planétaire, permettrait la compréhension pleine et entière de leurs raisons d'être, fussent celles-ci le désordre même, l'inanité ou la gratuité. Une cristallisation où rien ne serait sacrifié, mais où un œil lucide pourrait, en s'approchant du kaléidoscope, comprendre la grande rose polychrome, la comprendre comme une figure, *imago mundi* qui, en dehors du kaléidoscope, se résolvait en un salon de style provençal, ou une réunion de cousines de province prenant du thé avec des biscuits Bagley.

(-27)

# 110

**Le rêve était composé comme une tour formée par des couches sans fin qui s'élevaient et se perdaient dans l'infini ou s'abaissaient en cercles concentriques allant se perdre dans les entrailles de la terre. Quand il m'entraîna dans son sillage, la spirale s'amorça et cette spirale était un labyrinthe. Il n'y avait ni toit, ni sol, ni parois, ni recul. Mais il y avait des thèmes qui se répétaient avec exactitude.**

**Anais Nin, *Winter of Artifice*.**

(-48)

# 111

Ce récit a été fait par la protagoniste, Yvonne Guitry, à Nicolas Diaz, ami de Carlos Gardel à Bogota.

*Ma famille appartenait au milieu intellectuel hongrois. Ma mère était directrice d'un collège de jeunes filles où était élevée l'élite d'une ville célèbre dont je veux taire le nom. Quand survint l'époque confuse de l'après-guerre, avec l'effondrement de la monarchie, des classes sociales et des fortunes, je ne sus dans quelle voie m'engager. Ma famille était ruinée, victime des frontières du Trianon* (sic), *comme des milliers d'autres personnes. Ma beauté, ma jeunesse et mon éducation ne me permettaient pas de devenir une simple petite dactylo. Surgit alors dans ma vie le prince charmant, un aristocrate de la haute société cosmopolite, habitué des stations à la mode de l'Europe entière. Je l'épousai, le cœur plein de jeunes illusions, malgré l'opposition de ma famille, qui me trouvait trop jeune et qui lui reprochait d'être un étranger.*

*Voyage de noces. Paris, Nice, Capri. Puis, l'écroulement d'un rêve. Je ne savais où aller et n'osais pas confier à mon entourage la tragédie de mon mariage. Un mari qui ne pourrait jamais me rendre mère. J'ai maintenant seize ans et je voyage sans but précis, essayant d'oublier ma peine. L'Egypte, Java, le Japon, le Céleste Empire, tout l'Extrême-Orient, dans une débauche de champagne et de fausse allégresse, le cœur brisé.*

*Les années passent. En 1927 nous nous installons sur la Côte d'Azur. Je suis une femme du grand monde, adulée*

111

*par la société internationale des casinos, des dancings, des champs de courses.*

*Par un beau jour d'été, je prends une résolution énergique : la séparation. Toute la nature était en fleurs : la mer, le ciel, les champs s'épanouissaient en une chanson d'amour et célébraient la jeunesse.*

*La fête des mimosas à Cannes, le Corso fleuri de Nice, le printemps souriant de Paris. J'abandonnai ainsi foyer, luxe et richesses, et je partis seule vers la vie...*

*J'avais alors dix-huit ans et je vivais seule à Paris, désœuvrée. Le Paris de 1928. Le Paris des orgies et du champagne coulant à flots. Le Paris du franc dévalué. Paris, le paradis des étrangers. Plein de Yanquis et de Sud-Américains, cousus d'or. Paris de 1928, où chaque jour naissait un nouveau cabaret, quelque nouveauté sensationnelle qui vidait la bourse des étrangers.*

*Dix-huit ans, blonde, les yeux bleus. Seule à Paris.*

*Pour atténuer ma peine, je me livrai entièrement au plaisir. Dans les cabarets, j'attirais l'attention parce que j'étais toujours seule, sablant le champagne avec les danseurs et laissant des pourboires fabuleux au personnel. J'ignorais la valeur de l'argent.*

*Une fois, un de ces êtres qui rôdent toujours dans cette ambiance cosmopolite, découvre mon chagrin secret et me recommande le remède de l'oubli... Cocaïne, morphine, drogues. Je commençai alors à rechercher les endroits excentriques, les danseurs d'aspect bizarre, les Sud-Américains au teint brun et aux opulentes chevelures.*

*A cette époque, un nouveau venu, un chanteur de cabaret très applaudi, remportait tous les succès. Il débutait au* Florida *et chantait des chansons étranges dans une langue étrangère.*

*Vêtu d'un costume surprenant, jamais vu jusqu'alors dans ces endroits, il chantait des tangos, des chants de la pampa et des zambas argentines. C'était un jeune homme plutôt mince, assez brun, aux dents blanches, dont les belles de Paris se disputaient les faveurs. C'était Carlos Gardel. Ses tangos déchirants, qu'il chantait avec conviction, envoûtaient le public sans qu'on sût bien pourquoi. Ses chansons d'alors —* Caminito, La Chacarera, Aquel tapado de armiño, Queja indiana, Entre sueños — *n'étaient pas des tangos modernes, mais de vieilles chansons de l'Argentine, reflétant l'âme pure du gaucho des pampas. Gardel était à la mode.*

*Pas de dîner élégant, pas de partie de plaisir, où il ne fût convié. Son visage brun, ses dents blanches, son sourire frais et lumineux, répandaient partout leur éclat. Cabarets, théâtres, music-halls, hippodromes. C'était l'hôte permanent d'Auteuil et de Longchamp.*

*Mais Gardel aimait surtout se divertir à sa façon, parmi les siens, dans le cercle de ses intimes.*

*A cette époque, il y avait à Paris un cabaret appelé le* Palerme, *rue de Clichy, fréquenté presque exclusivement par des Sud-Américains... C'est là que je le rencontrai. Gardel s'intéressait à toutes les femmes, mais moi je ne m'intéressais qu'à la cocaïne... et au champagne. Il est vrai que cela flattait ma vanité de femme d'être vue à Paris avec l'homme du jour, l'idole des femmes, mais mon cœur était muet.*

*D'autres soirées, d'autres promenades, d'autres confidences, sous la pâle lune parisienne, à travers la campagne en fleurs, consolidèrent cette amitié. Vint une longue période d'intimité romantique. Cet homme commençait à me faire battre le cœur. Ses paroles étaient douces comme du miel, ses phrases minaient peu à peu le roc de mon indifférence. Je devins folle de lui. Mon petit appartement luxueux mais triste était maintenant plein de lumière. Je ne retournai plus dans les cabarets. Dans mon beau salon gris, à la lueur des lampes électriques, une petite tête blonde s'abandonnait tout contre un solide visage au teint basané. Ma chambre bleue, qui avait connu toutes les nostalgies d'une âme à la dérive, était devenue un vrai nid d'amour. C'était mon premier amour.*

*Le temps vola, rapide et fugace. Je ne puis dire combien de jours passèrent. La blonde exotique qui fascinait Paris par ses extravagances, par ses toilettes dernière cri* (sic), *par ses parties de plaisir où le caviar russe et le champagne étaient de rigueur, avait disparu.*

*Quelques mois plus tard, les éternels habitués du* Palerme, *du* Florida *et du* Garon, *apprirent par les journaux qu'une danseuse blonde, aux yeux bleus et qui avait alors vingt ans, rendait fous les petits messieurs de la capitale argentine avec ses danses éthérées, avec son invraisemblable impudeur, avec toute la grâce voluptueuse de sa jeunesse en fleur.*

C'était YVONNE GUITRY

(Etc.)

*La Escuela gardeleana,*
Maison d'édition Cisplatina, Montevideo.

(-49)

# 112

## *Morellienne*

Je suis en train de mettre au point un récit que je voudrais le moins littéraire possible. Entreprise désespérée dès le départ; à la relecture, des phrases insupportables me sautent tout de suite aux yeux. Un personnage arrive en haut d'un escalier : « Raymond en entreprit la descente... » Je raye et j'écris : « Raymond se mit à descendre... » J'abandonne la lecture pour me demander une fois de plus les véritables raisons de ma répulsion pour le langage « littéraire ». *En entreprendre la descente* n'a rien de mauvais, si ce n'est sa facilité; mais *se mettre à descendre* veut dire exactement la même chose, plus crûment, plus *prosaïquement* (ne visant qu'à la simple information), tandis que l'autre forme semble déjà combiner l'utile à l'agréable. En somme, ce qui me rebute dans « en entreprit la descente... » c'est l'assemblage décoratif d'un verbe et d'un substantif; je suis donc rebuté par le langage littéraire (dans mon œuvre, s'entend). Pourquoi ?

Si je persiste dans cette attitude, qui appauvrit vertigineusement presque tout ce que j'ai écrit ces dernières années, je ne tarderai pas à me sentir incapable de formuler la moindre idée, de tenter la plus simple description. Si mes raisons étaient celles du Lord Chandos de Hofmannsthal, je n'aurais pas lieu de me plaindre, mais si cette répulsion pour la rhétorique (car dans le fond c'est cela) n'est due qu'à un dessèchement verbal, corrélatif et allant de pair avec un dessèchement organique, il serait alors préférable de renoncer radicalement à toute écriture. Relire ce que j'ai écrit ces temps-ci m'ennuie. Mais en même temps, derrière cette pauvreté délibérée, derrière ce « se mit à descendre » que je substitue à « en entreprit la descente », j'entrevois quelque chose qui m'encourage. J'écris très mal, mais quelque chose transparaît. Le « style » d'autrefois était un miroir aux lecteurs-alouettes ; ils s'y regardaient, s'y divertissaient, s'y reconnaissaient, comme ce public qui attend, reconnaît et s'amuse des répliques des personnages d'un Salacrou ou d'un Anouilh. C'est beaucoup plus facile d'écrire ainsi que d'écrire (« désécrire », plutôt) comme je voudrais le faire maintenant, parce qu'il n'y a plus dialogue ou rencontre avec le lecteur, il n'y a que l'espoir d'un certain dialogue avec un certain et lointain lecteur. Bien entendu, le problème se situe sur un plan *moral*. Peut-être que l'artériosclérose, l'âge avancé accentuent cette tendance — un peu misanthropique, je le crains — à exalter l'*ethos* et à découvrir (dans mon cas c'est une découverte bien tardive) que, pour l'anxiété métaphysique, les domaines esthétiques sont un miroir plutôt qu'un passage.

J'ai la même soif d'absolu que lorsque j'avais vingt ans, mais la légère crispation, la délicieuse acidité et le mordant de l'acte créateur ou de la simple contemplation de la beauté, ne me semblent plus une récompense, un accès à une réalité absolue et satisfaisante. Une seule beauté peut encore m'octroyer cet accès : celle qui est une fin et non un moyen, et qui l'est parce que son créateur a identifié en lui-même son sens de la condition humaine avec son sens de la condition d'artiste. Par contre le plan simplement esthétique me paraît se résumer en ce seul mot : simplement. Je ne puis m'expliquer mieux.

(-154)

## 113

Nodules au cours d'une promenade à pied, de la rue de la Glacière à la rue du Sommerard :

— Jusqu'à quand continuerons-nous à dater « apr. J.-C. » ?

— Documents littéraires vus dans deux cents ans : coprolithes.

— Klages avait raison.

— Morelli et sa leçon. Par moments immonde, horrible, déplorable. Tant de mots pour se laver d'autres mots, tant de saleté pour ne plus sentir Piver, Caron, Carven et apr. J-C. Peut-être faut-il en passer par là pour recouvrer un droit perdu, l'usage original de la parole.

— L'usage original de la parole ( ?). Probablement une phrase creuse.

— Petit cercueil, boîte à cigares, Caron soufflera à peine et tu traverseras l'eau en te balançant comme un berceau. La barque est seulement pour les adultes. Les femmes et les enfants, c'est gratuit : une légère poussée et les voilà de l'autre côté. Une mort mexicaine, crâne en sucre; *Totenkinder Lieder...*

— Morelli regardera Caron. Un mythe face à un autre. Quel voyage imprévisible sur les eaux noires !

— Une marelle sur le trottoir; craie rouge, craie verte. CIEL. Le sentier, là-bas, à Burzaco, le petit caillou si soigneusement choisi, le coup bref avec la pointe du soulier, doucement, doucement, et bien que le Ciel soit proche, toute la vie devant soi.

— Un échiquier illimité, c'est si facile de l'exiger. Mais le froid pénètre les semelles percées, à la fenêtre de cet

113

hôtel un visage, comme celui d'un clown, fait des grimaces derrière la vitre. L'ombre d'un pigeon frôle une crotte de chien : Paris.

— Pola Paris. Pola ? Aller la voir, faire l'amour. *Carezza.* Comme des larves paresseuses. Mais larve veut aussi dire masque, a écrit Morelli quelque part.

(-30)

# 114

4 mai 195... (A. P.) Malgré les efforts de ses avocats, et un ultime recours en appel interjeté le 2 courant, Lou Vincent a été exécuté ce matin dans la chambre à gaz de la prison de Saint-Quentin, Etat de Californie.

...les mains et les chevilles attachées à la chaise. Le geôlier en chef ordonna à ses quatre aides de sortir de la pièce, et, après avoir tapé sur l'épaule de Vincent, il sortit à son tour. Le condamné resta seul dans la pièce, tandis que cinquante-trois témoins l'observaient à travers de petites lucarnes.

... il rejeta sa tête en arrière et aspira profondément.

... deux minutes plus tard son visage se couvrit de sueur, tandis que ses doigts s'agitaient comme s'il avait voulu se libérer des courroies...

... six minutes, les convulsions se répétèrent, et Vincent balança la tête en avant et en arrière. Un peu d'écume commença à lui sortir de la bouche.

... huit minutes, sa tête retomba sur sa poitrine, après une dernière convulsion.

... A dix heures douze minutes, le docteur Reynolds annonça que le condamné venait de mourir. Les témoins, parmi lesquels on comptait trois journalistes de...

(-117)

## 115

### *Morellienne*

En se basant sur une série de notes détachées, très souvent contradictoires, le Club déduisit que Morelli voyait dans la littérature narrative contemporaine une progression vers ce qu'on appelle à tort l'abstraction. « La musique perd la mélodie, la peinture perd l'anecdote, le roman perd la description. » Wong, maître en *collages* dialectiques, intercalait ici ce passage : « Le roman qui nous intéresse n'est pas celui qui place les personnages dans une situation, mais celui qui installe la situation dans les personnages. Si bien que ceux-ci cessent d'être des personnages pour devenir des personnes. Il se produit une sorte d'extrapolation par laquelle ils sautent vers nous, ou nous vers eux. Le K. de Kafka s'appelle comme son lecteur, ou vice versa. » Et à ceci devait faire suite une note assez confuse, où Morelli imaginait un récit dans lequel le nom des personnages serait laissé en blanc, pour que dans chaque cas cette prétendue abstraction se résolve obligatoirement par une attribution hypothétique.

(-14)

## 116

Dans un passage de Morelli, cette épigraphe de *L'Abbé C.*, de Georges Bataille : « Il souffrait d'avoir introduit des figures décharnées, qui se déplaçaient dans un monde dément, qui jamais ne pourraient convaincre. »

Une note au crayon, presque illisible : « Oui, on souffre par moments, mais c'est l'unique issue décente. Assez de romans hédoniques, prédigérés, avec de la *psychologie*. Il faut se tendre au maximum, être *voyant* comme le voulait Rimbaud. Le romancier hédoniste n'est rien de plus qu'un *voyeur*. Mais par ailleurs, assez des techniques purement descriptives, des romans « du comportement », simples scénarios de films sans même l'avantage des images. »

A rapprocher d'un autre passage : « Comment *raconter* sans cuisine, sans maquillage, sans clins d'œil au lecteur ? Peut-être en renonçant à sous-entendre qu'une narration est une œuvre d'art. La sentir comme nous sentons le plâtre que nous versons sur un visage pour en faire un moulage. Mais le visage devrait être le nôtre. »

Et peut-être aussi cette note détachée : « Lionello Venturi, parlant de Manet et de son *Olympia*, signale que Manet fait abstraction de la nature, de la beauté, de l'action et des intentions morales, pour se concentrer sur l'image plastique. Ainsi, à son insu, il opère une sorte de retour de l'art moderne au Moyen Age. Ce dernier avait compris l'art comme une série d'images, substituées pendant la Renaissance et l'époque moderne par la représentation de la réalité. Le même Venturi (ou bien Giulio Carlo Argan ?) ajoute : « L'ironie de l'histoire a voulu qu'au moment même où la représentation de la réalité devenait objective, et par suite photographique et mécanique, un brillant Parisien qui voulait faire du réalisme ait été poussé par son formidable génie à rendre à l'art sa fonction de créateur d'images... »

Morelli ajoute : « S'habituer à employer l'expression *figure* au lieu d'*image*, pour éviter des confusions. Oui, tout coïncide. Mais il ne s'agit pas d'un retour au Moyen Age ni à quoi que ce soit de semblable. Erreur de postuler un temps historique absolu : il y a des temps différents *bien que* parallèles. En ce sens, un des temps de ce qu'on appelle Moyen Age peut coïncider avec un des temps de ce qu'on appelle l'Age Moderne. C'est ce temps qui est perçu et habité par des peintres et des écrivains qui refusent de s'appuyer sur la circonstance, d'être " modernes " dans le sens où l'entendent nos contemporains, ce qui ne signifie pas qu'ils choisissent d'être anachroniques; ils sont simplement en marge du temps superficiel de leur époque, et de cet autre temps où tout accède à la condition de *figure*, où tout a une valeur en tant que signe et non en tant que thème descriptif, ils tentent une œuvre qui peut sembler étrangère ou antagonique au temps et à l'histoire qui les environnent, mais qui cependant les inclut, les explique, et en dernier ressort les oriente vers une transcendance à la limite de laquelle l'homme est à l'attente de lui-même. »

(-3)

# 117

J'ai vu un tribunal être contraint par la menace à condamner à mort deux enfants, allant ainsi à l'encontre de tout esprit scientifique, philosophique, humanitaire, de toute expérience, de toutes les idées les plus généreuses et les meilleures de l'époque.

Pour quelle raison mon ami Mr. Marshall, qui exhuma des reliques du passé des précédents qui auraient fait rougir de honte un sauvage, n'a-t-il pas lu cette phrase de Blackstone : « Un enfant de moins de quatorze ans, bien qu'il soit censé ne pouvoir commettre de crime, si l'opinion du tribunal et des jurés est qu'il a effectivement commis un crime, étant en mesure de discerner le bien du mal, cet enfant peut être inculpé et condamné à mort » ?

C'est ainsi qu'une fillette de treize ans fut brûlée pour avoir tué sa maîtresse d'école.

Un petit garçon de dix ans et un autre de onze ans, qui avaient tué leurs camarades, furent condamnés à mort, et celui de dix ans fut pendu.

Pourquoi ?

Parce qu'il savait la différence entre ce qui est bien et ce qui est mal. Il l'avait appris au catéchisme.

Clarence Darrow, *Plaidoirie pour Leopold et Loeb*, 1924.

(-15)

# 118

**Comment l'assassiné pourra-t-il convaincre son assassin qu'il ne lui apparaîtra jamais ?**

**Malcolm Lowry, *Au-dessous du volcan.***

**(-50)**

## 119

**LA PAUVRE PETITE PERRUCHE AUSTRALIENNE NE POUVAIT MÊME PAS ÉTENDRE SES AILES !**

**Un inspecteur de la S.P.A. a découvert en visitant une maison que cet oiseau était enfermé dans une cage n'ayant pas 8 pouces de diamètre ! Le propriétaire de la perruche a dû payer une amende de 2 livres sterling. Pour que nous puissions protéger les êtres sans défense, nous n'avons pas seulement besoin de votre soutien moral. La S.P.A. a besoin aussi de votre appui financier. On peut s'adresser au Secrétariat, etc.**

*The Observer*, Londres.

(-51)

## 120

à l'heure de la sieste tout le monde dormait, il lui était facile de sortir de son lit sans réveiller sa mère, d'aller à quatre pattes jusqu'à la porte, de sortir tout doucement en humant avec avidité la terre humide du sol, de s'échapper par la grande porte jusqu'aux fourrés du fond; les saules étaient remplis de ces grands vèrs qui suspendent leurs cocons aux branches, Ireneo en choisissait un bien grand et il pressait peu à peu le fond du cocon jusqu'à ce que le ver passât la tête par l'encolure soyeuse, alors il fallait le prendre délicatement par la peau du cou comme un chat, tirer mais pas trop fort pour ne pas lui faire mal, et ça y est, le ver était nu, et il se tortillait comiquement dans les airs. Ireneo le posait à côté de la fourmilière puis il s'allongeait à plat ventre à l'ombre et attendait; les fourmis noires, à cette heure-là, travaillaient fiévreusement, coupant des herbes, charriant des insectes morts ou vifs dans tous les sens; très vite, une exploratrice apercevait le ver, cette grosse masse qui s'agitait grotesquement, elle le palpait avec ses antennes comme si elle ne pouvait croire à tant de chance, elle courait de tous côtés pour frotter ses antennes à celles d'autres fourmis et une minute plus tard le ver était encerclé, monté, inutilement il se débattait pour se délivrer des pinces qui se refermaient sur lui, pour échapper aux fourmis qui le tiraient, le traînaient vers la fourmilière, Ireneo jouissait surtout de la perplexité des fourmis quand elles ne pouvaient faire entrer le ver dans le trou de la fourmilière, les fourmis étaient stupides, elles n'y comprenaient rien, elles tiraient dans tous les sens pour faire entrer le ver mais le ver se débattait furieusement, ce devrait être horrible ce qu'il sentait, les pattes et les pinces des fourmis sur tout son corps, dans les yeux, sur la peau, il se débattait pour s'en délivrer mais c'était pire car il arrivait d'autres fourmis, certaines vraiment furieuses qui enfonçaient profond leurs pinces et ne lâchaient prise que lorsque la tête du ver s'était un peu enterrée dans le puits de la fourmilière, et d'autres qui montaient du fond devaient être en train de tirer de toutes leurs forces pour le faire entrer, Ireneo aurait bien voulu, lui aussi, être dans la fourmilière pour voir comment les fourmis tiraient le ver, lui enfonçaient leurs pinces dans les yeux, dans la bouche, tiraient de toutes leurs forces jusqu'à ce qu'il ait complètement disparu dans le trou, jusqu'à ce qu'elles l'aient emmené dans les profondeurs pour le tuer et le manger.

(-16)

# 121

A l'encre rouge et avec une visible complaisance, Morelli avait recopié sur un carnet la fin d'un poème de Ferlinghetti :

*Yet I have slept with beauty*
*in my own weird way*
*and I have made an hungry scene or two*
*with beauty in my bed*
*and so spilled out another poem or two*
*and so spilled out another poem or two*
*upon the Bosch-like world.*

(-36)

# 122

Les infirmières allaient et venaient en parlant d'Hippocrate. Avec un minimum d'effort, tout morceau de réalité pouvait se plier au tracé d'un vers illustre. Mais pourquoi poser des énigmes à Etienne qui avait sorti son carnet et dessinait allégrement une fugue de portes blanches, de brancards adossés au mur et de fenêtres par où entrait une matière grise et soyeuse, un squelette d'arbre avec deux pigeons à ventre de bourgeois. Il eût aimé lui raconter l'autre rêve, c'était tellement bizarre qu'il eût été toute la matinée obsédé par le rêve du pain et soudain, au coin du boulevard Raspail et du boulevard Montparnasse, l'autre rêve lui était tombé dessus comme un mur, ou plutôt comme s'il avait été pendant toute la matinée écrasé par le mur du pain gémissant et que soudain, comme dans un film à l'envers, le mur se soit séparé de lui, se redressant d'un bond pour le laisser face au souvenir de l'autre rêve.

— Quand tu voudras, dit Etienne en refermant son carnet. Quand tu en auras envie, rien ne presse. J'espère encore vivre quelque quarante ans, ce qui fait que...

— Time present and time past, récita Oliveira, are both perhaps present in time future. Il est écrit qu'aujourd'hui tout finira par des vers de T. S. Je pensais à mon rêve, excuse-moi. On y va tout de suite.

— Oui parce que avec le rêve ça commence à bien faire. On encaisse, on encaisse mais il y a des limites.

— Il s'agit en réalité d'un autre rêve.

— Misère ! dit Etienne.

— Je ne te l'ai pas raconté au téléphone parce que sur le moment je ne me le suis pas rappelé.

— Et puis il y avait les six minutes à ne pas dépasser, dit Etienne. Au fond, les autorités sont sages. On en dit toujours pis que pendre mais il faut reconnaître qu'elles savent ce qu'elles font. Six minutes...

— Si je me l'étais rappelé à ce moment-là, je n'avais qu'à sortir de ma cabine et me mettre dans celle d'à côté.

— Ça va bien, dit Etienne. Tu me racontes le rêve et puis nous descendrons par cet escalier et nous irons boire un verre à Montparnasse. Je t'échange ton fameux petit vieux contre un rêve. Les deux, c'est trop.

— Tu tombes drôlement juste, dit Oliveira, en le regardant avec intérêt. Le problème est de savoir si ces choses peuvent s'échanger. Ce que tu me disais justement aujourd'hui : papillon ou Tchang Kaï-chek ? Et peut-être, en m'échangeant le vieux contre un rêve, c'est un rêve contre le vieux que tu m'échanges.

— A vrai dire, je m'en fous.

— Peintre, dit Oliveira.

— Métaphysicien, rétorqua Etienne. Mais il y a là une infirmière qui commence à se demander si nous sommes un rêve ou des flâneurs. Que va-t-il se passer ? Si elle nous flanque dehors, sera-ce une infirmière qui videra deux philosophes rêvant d'un hôpital où il y a un vieux et un papillon en colère ?

— C'était beaucoup plus simple, dit Oliveira en glissant un peu sur le dossier du banc et en fermant les yeux. Ce n'était que la maison de mon enfance et la chambre de la Sibylle, les deux confondues en un même rêve. Je ne me rappelle pas quand je l'ai rêvé, je l'avais complètement oublié et ce matin, tandis que je pensais au rêve du pain...

— Celui du pain tu me l'as déjà raconté.

— C'est soudain l'autre qui est revenu et le pain s'en est allé au diable parce que ce n'est pas comparable. Le rêve du pain peut m'avoir été inspiré... Inspiré, tu te rends compte quel mot !

— N'aie pas honte de le dire, si c'est ce que j'imagine.

— Tu as pensé au gosse, bien sûr. Association d'idées normale. Mais je n'ai aucun sentiment de culpabilité, mon vieux. Ce n'est pas moi qui l'ai tué.

— Les choses ne sont pas aussi simples, dit Etienne, mal

à l'aise. Allons voir le vieux, il y en a marre avec tes rêves idiots.

— Mais au fond je ne peux pas te le raconter, dit Oliveira, résigné. Imagine qu'en arrivant sur Mars un type te demande de lui décrire la cendre. C'est un peu ça.

— Oui ou non, on va voir le vieux ?

— Ça m'est absolument égal. Puisque nous y sommes. Le lit 10, je crois. On aurait pu lui apporter quelque chose, c'est stupide de venir comme ça. En tout cas, offre-lui un petit dessin.

— Mes dessins se vendent, répondit Etienne.

(-112)

## 123

Le vrai rêve se situait dans une zone imprécise, du côté de la veille mais sans qu'il eût été véritablement éveillé; pour en parler, il eût fallu se valoir d'autres termes, éliminer les péremptoires *rêver* et *s'éveiller* qui ne voulaient rien dire, se situer plutôt dans cette zone où la maison de l'enfance se proposait de nouveau à lui, le salon et le jardin dans un présent limpide, avec des couleurs comme on en voit à dix ans, des rouges bien rouges, des bleus de porte à vitres de couleur, un vert de feuilles, un vert de parfum, odeur et couleur une seule présence à hauteur du nez, des yeux et de la bouche. Mais dans le rêve, le salon avec les deux fenêtres qui donnaient sur le jardin était aussi la chambre de la Sibylle; le village oublié de la banlieue de Buenos Aires et la rue du Sommerard s'alliaient sans heurt, non pas juxtaposés ni imbriqués mais fondus, et de la contradiction abolie sans effort naissait la sensation d'être dans son élément, dans l'essentiel, comme lorsqu'on est enfant et qu'on ne doute point que le salon durera toute la vie : une appartenance inaliénable. Et c'est ainsi que la maison de Burzaco et la chambre de la rue du Sommerard étaient le *lieu*, et dans le rêve il s'agissait de choisir l'endroit le plus tranquille du lieu, il semblait même que la raison profonde du rêve fût cela, choisir un coin tranquille. Il y avait une autre personne dans la place, sa sœur qui l'aidait sans mot dire à choisir un coin tranquille, comme on intervient parfois dans les rêves sans même y être, étant sous-entendu que la personne ou la chose sont là et interviennent; une puissance sans manifestations visibles, quelque chose qui est ou agit à travers une présence qui peut se passer d'apparence. Ainsi sa sœur et lui choisissaient le salon comme endroit le plus tranquille du lieu et c'était bien choisi, car dans la chambre de la Sibylle on ne pouvait pas jouer du piano ni écouter la radio après dix heures du soir, aussitôt le vieux d'en dessus frappait au plafond ou bien ceux du quatrième envoyaient une naine bigle pour se plaindre. Sans un mot, puisqu'ils ne semblaient même pas être là, sa sœur et lui choisissaient le salon qui donnait sur le jardin et ils écartaient la chambre de la Sibylle. C'est à ce moment du rêve qu'Oliveira s'était réveillé, peut-être parce que la Sibylle avait passé une jambe entre les siennes. Les seules choses sensibles dans l'obscurité c'était de s'être trouvé un instant auparavant avec sa sœur dans le salon de l'enfance et, en plus, d'avoir une terrible envie de pisser. Repoussant sans précaution la jambe de la Sibylle, il se leva, sortit sur le palier, alluma à tâtons la mauvaise lumière des cabinets et, sans prendre la peine de refermer la porte, il se mit à pisser, s'appuyant d'une main au mur, luttant pour ne pas se rendormir et ne pas tomber dans ces ignobles chiottes, complètement envahi par l'aura du rêve, regardant sans le voir le jet qui sortait entre ses doigts et allait se perdre dans le trou ou rejaillissait sur les bords de faïence noirâtre. C'est peut-être à ce moment-là que le véritable rêve lui apparut, quand il se sentit enfin éveillé et pissant à quatre heures du matin à un cinquième étage de la rue du Sommerard, il sut alors que le salon qui donnait sur le jardin à Burzaco était la réalité, il le sut comme on sait quelques rares choses irréfutables, comme on sait qu'on est soi-même, que personne sinon soi-même est en train de penser cela, il sut sans aucun étonnement ni scandale que sa vie d'homme éveillé était pure imagination à côté de la solidité et de la permanence du salon, même si par la suite, quand il reviendrait au lit, il n'y avait plus aucun salon mais seulement la chambre de la rue du Sommerard, il sut que le vrai lieu était le salon de Burzaco avec l'odeur des jasmins du Cap qui entrait par les deux fenêtres, le salon avec le vieux piano Bluthner, avec son tapis rose et ses petites chaises sous housse, et sa sœur, sous housse elle aussi. Il fit un violent effort pour sortir de cette aura, pour quitter le lieu qui le trompait, assez éveillé à présent pour accueillir le sentiment de leurre, de rêve et de veille, mais, tandis qu'il secouait les dernières gouttes, éteignait la lumière et retraversait le palier en se frottant les yeux, tout

123

était signe moins, moins le palier, moins la porte, moins la lumière, moins le lit, moins la Sibylle. Respirant avec effort il murmura « Sibylle », il murmura « Paris », il murmura peut-être « Aujourd'hui ». Cela rendait un son encore lointain, creux, pas vraiment vécu. Il retourna au sommeil comme on cherche son lieu et sa maison après un long chemin sous la pluie et le froid.

(-145)

## 124

Selon Morelli, il fallait se proposer un mouvement en marge de toute *grâce*. Dans la mesure où il avait amorcé ce mouvement, il était facile de constater l'appauvrissement presque vertigineux de son monde romanesque, non seulement manifeste dans le dépouillement presque simiesque des personnages, mais dans le simple déroulement de leurs actions et surtout de leurs inactions. Il finissait par ne rien leur arriver, ils tournaient autour d'un commentaire sarcastique de leur inanité, ils feignaient d'adorer des idoles ridicules qu'ils se vantaient d'avoir découvertes. Morelli devait trouver de l'importance à cela car il avait multiplié les notes au sujet d'une exigence supposée, d'un recours final et désespéré pour s'arracher aux ornières de l'éthique immanente et transcendante, en quête d'une nudité qu'il qualifiait d'axiale et qu'il appelait parfois le *seuil*. Quel seuil, et donnant sur quoi ? On en déduisait une incitation à se retourner pour ainsi dire, comme un gant, de façon à recevoir sur la chair à vif le contact d'une réalité sans l'intermédiaire de mythes, de religions, de systèmes et de grilles. C'était curieux de remarquer que Morelli embrassait avec enthousiasme les hypothèses des travaux les plus récents des sciences physiques et biologiques, qu'il se montrait convaincu que le vieux dualisme s'était effrité devant l'évidence d'une réduction commune de la matière et de l'esprit à des notions d'énergie. En conséquence, ses singes savants semblaient vouloir rétrograder chaque fois un peu plus vers eux-mêmes, annulant d'une part les chimères d'une réalité médiatisée et trahie par les instruments supposés devoir nous renseigner, tout en annulant sa propre force mytho-poétique, son « âme », pour aboutir à une espèce de rencontre *ab ovo*, de rétrécissement maximum, à ce point limite où se perd la dernière étincelle de (fausse) humanité. Il semblait proposer — sans jamais le dire explicitement — un chemin qui commencerait à partir de cette liquidation externe et interne. Mais il était resté presque sans mots, sans personnages, sans objets, et potentiellement, bien sûr, sans lecteurs. Le Club soupirait, mi-découragé, mi-exaspéré, et il en était presque toujours ainsi, ou presque.

(-128)

## 125

L'impression d'être comme un chien parmi les hommes : matière à sombre réflexion, le temps d'ingurgiter deux demis et de faire un tour dans les faubourgs, soupçon croissant que seul l'alpha peut donner l'oméga, que toute obstination à croire en une étape intermédiaire — epsilon, lambda — revient à tourner sur un pied. La flèche va de la main à la cible : il n'y a pas de mi-chemin, il n'y a pas de XX^e^ siècle entre le X^e^ et le XXX^e^. Un homme devrait être capable de s'isoler de l'espèce au cœur même de l'espèce, et choisir le chien ou le poisson original comme point initial de marche vers lui-même. Il n'y a pas de passage pour le docteur ès lettres, pas d'ouverture pour l'éminent allergologue. Incrustés dans l'espèce, ils seront ce qu'ils doivent être ou ils ne seront rien. Pleins de mérite, bien sûr, mais toujours epsilon, lambda ou pi, jamais alpha et jamais oméga. L'homme dont on parle n'accepte pas ces pseudo-réalisations, le grand masque pourri de l'Occident. Le type qui est arrivé en flânant jusqu'au pont de l'avenue San Martin et fume à un coin de rue, en regardant une femme ajuster son bas, se fait une idée insensée de ce qu'il appelle réalisation, et il ne s'en plaint pas, car quelque chose lui dit que dans l'insanité est le ferment, que l'aboiement du chien est plus proche de l'oméga qu'une thèse sur le gérondif dans Tirso de Molina. Quelles métaphores stupides ! Mais il s'obstine dans sa chienne de vie, c'est le cas de le dire. Que cherche-t-il ? Se cherche-t-il ? Il ne se chercherait pas s'il ne s'était déjà trouvé (mais ceci n'est plus insensé, *ergo* il faut se méfier. A peine lui lâchez-vous la bride, la Raison vous sort un numéro spécial, vous forge le premier syllogisme d'une chaîne qui ne vous mène nulle part si ce n'est à un diplôme ou à une petite maison californienne où des bambins jouent sur le tapis pour la plus grande joie de Maman). Voyons, allons doucement : que recherche ce type ? Se cherche-t-il ? Se cherche-t-il en tant qu'individu ? En tant qu'individu prétendument intemporel, ou comme être historique ? Si c'est sous cette dernière forme, il perd son temps. Si au contraire il se cherche en marge de toute contingence, peut-être la notion de chien n'est-elle pas mauvaise. Mais allons doucement (il adore se parler ainsi, comme un père parle à son fils, pour ensuite s'offrir le plaisir de tous les fils du monde, flanquer un coup de pied dans les affaires du vieux), allons piano, pianissimo, voyons ce qu'est exactement cette recherche. Bon la recherche n'*est* pas. Subtil, non ? Ce n'est pas une recherche puisqu'il s'est trouvé. Oui, mais la rencontre ne « colle » pas. Il y a de la viande, des pommes de terre et des poireaux, mais il n'y a pas de pot-au-feu. C'est-à-dire que nous ne sommes plus avec les autres, que nous avons cessé d'être un citoyen (ce n'est pas pour rien qu'on me fout à la porte de partout, à preuve Lutèce...), mais nous n'avons pas pu, non plus, sortir du chien pour arriver à cela qui n'a pas de nom, disons à cette conciliation, à cette réconciliation.

Terrible tâche que de barboter dans un cercle dont le centre est partout et la circonférence nulle part, pour parler scolastiquement. Que cherche-t-on ? Que cherche-t-on ? Répéter ceci quinze mille fois, comme des coups de marteau sur un mur. Que cherche-t-on ? Qu'est-ce que cette conciliation sans laquelle la vie n'est qu'une sinistre plaisanterie ? Pas la conciliation du saint, car dans la notion de s'abaisser jusqu'au chien, de recommencer à partir du chien, ou du poisson, ou de la boue et de la laideur et de la misère et de tout autre antivaleur, il y a toujours comme une nostalgie de sainteté et il semble plutôt qu'on regrette une sainteté non religieuse (et là commence le non-sens), un état *sans différence*, sans le saint (parce que le saint est toujours en quelque sorte le saint *et* ceux qui ne sont pas saints, et cela scandalise un pauvre type comme celui qui regarde la jambe de la femme en train de rattacher son bas), c'est-à-dire que s'il y a conciliation elle doit être autre chose qu'un état de sainteté, qui est, dès le départ, un état « excluant » sans qu'on sacrifie le plomb pour l'or, la cellophane pour le verre, le moins pour le plus; au contraire, le non-sens exige que le plomb vaille l'or, que le plus soit dans le moins. Une alchimie, une géométrie non euclidienne, une indétermination *up to date* pour les opérations de l'esprit et leurs fruits. Il ne s'agit pas de *s'élever*, vieille idole mentale discréditée par l'histoire, vieille carotte qui ne trompe plus l'âme. Il ne s'agit pas de perfectionner, de décanter, de racheter, d'élire, d'avoir son libre arbitre, d'aller de l'alpha à l'oméga. *On y est.* Tout le monde y est. Le coup est dans le revolver; mais il faut appuyer sur une gâchette et, au lieu de cela, le doigt fait signe à l'autobus de s'arrêter, par exemple.

Comme il parle, quel bavard ce fumeur vagabond de faubourg. La femme a remis son bas, n'en parlons plus. Tu vois ? Formes de la conciliation. *Il mio supplizio...* Peut-être bien que tout est aussi simple, on tire un peu sur les mailles, un doigt mouillé de salive qu'on passe sur celle qui file. Il suffirait peut-être de se tordre l'oreille, de contrarier un tant soit peu la circonstance. Eh non ! pas comme cela non plus. Rien de plus facile que de chercher les responsables au-dehors, comme si l'on était sûr que le dehors et le dedans sont les deux poutres maîtresses de la maison. Mais c'est que tout est mal combiné, l'histoire te le prouve, et le fait même de penser cela au lieu de le vivre te prouve que tout va mal, que nous nous sommes mis dans une désharmonie totale que tous nos efforts tendent à camoufler avec l'édifice social, avec l'histoire, avec le style ionique, avec l'allégresse de la Renaissance, avec la tristesse à fleur de peau du romantisme, et c'est ainsi que nous allons, et qu'on lâche les chiens à nos trousses.

(-44)

126

— Pourquoi, avec tes enchantements infernaux, m'as-tu arraché à la tranquillité de ma première vie ? Le soleil et la lune brillaient pour moi sans artifice; je m'éveillais parmi de paisibles pensées, et au matin je repliais mes feuilles pour faire mes prières. Je ne voyais rien de mal car je n'avais pas d'yeux; je n'écoutais rien de mal car je n'avais pas d'oreilles; mais je me vengerai !

Discours de la mandragore dans *Isabelle d'Egypte*, de Achim von Arnim.

(-21)

## 127

Et alors les monstres rendaient la vie impossible à la Couca pour qu'elle quitte la pharmacie au plus vite et leur fiche la paix. Après quoi ils passaient aux choses sérieuses et discutaient du système de Zéphyrin Piriz et des idées de Morelli. Comme Morelli était encore mal connu en Argentine, Oliveira leur passa ses livres et leur parla de quelques documents manuscrits qu'il avait eus autrefois entre les mains. Ils découvrirent que Remorino qui gardait son emploi d'infirmier à la clinique et se pointait à l'heure du maté et de la *caña* était grand connaisseur des romans de Roberto Arlt, ce qui leur causa un choc considérable et fut cause que pendant une semaine on ne parla plus que de Arlt et de ce que personne n'avait encore marché sur son poncho dans un pays où l'on préférait les tapis. Mais ils parlaient surtout de Zéphyrin avec un grand sérieux et il leur arrivait parfois de se regarder d'une certaine façon, par exemple en relevant les yeux tous en même temps et en s'apercevant qu'ils faisaient tous les trois la même chose, c'est-à-dire se regarder d'une façon spéciale et inexplicable comme certains regards à la belote ou bien lorsqu'un homme désespérément amoureux doit supporter un thé avec petits fours et plusieurs dames et même un colonel en retraite qui explique pourquoi tout va mal dans le pays, et, posé sur sa chaise, l'homme dispense le même regard à tout le monde, au colonel et à la femme qu'il aime et aux tantes de la femme, il les regarde affablement car en réalité, oui, c'est une honte que le pays soit aux mains d'une bande de cryptocommunistes, alors le regard affable quitte un instant le petit chou à la crème, le troisième à la gauche du plateau et la petite cuillère pointe en l'air sur la nappe brodée par les tantes et, par-dessus les cryptocommunistes, il va s'enlacer dans les airs avec l'autre regard qui s'est levé du sucrier en matière plastique vert Nil, et il n'y a déjà plus rien, un accomplissement hors du temps devient un très doux secret et si les hommes d'aujourd'hui, jeune homme, étaient des hommes véritables et non pas de sales tantouses (Ricardo, je t'en prie ! Bien, bien, Carmen mais ça me rend malade, ma-la-de, ce qui se passe en Argentine) et, toutes proportions gardées, c'était un peu ce qui se passait avec les monstres quand il leur arrivait de se lancer un regard à la fois furtif et total, secret et beaucoup plus clair que s'ils s'étaient regardés longuement mais ce n'était pas pour rien qu'ils étaient des monstres comme le disait la Couca à son mari, et tous les trois éclataient de rire et ils étaient fort confus de s'être regardés ainsi alors qu'ils ne jouaient pas à la belote et n'avaient pas d'amours coupables. A moins que.

(-56)

## 128

**Nous sommes quelques-uns à cette époque à avoir voulu attenter aux choses, créer en nous des espaces à la vie, des espaces qui n'étaient pas et ne semblaient pas devoir trouver place dans l'espace.**

**Artaud, *Le Pèse-Nerfs.***

**(-24)**

# 129

Mais Traveler ne dormait pas. Après une ou deux tentatives où le cauchemar continuait à le hanter, il finit pas s'asseoir sur le lit et alluma la lampe. Talita n'était pas là, cette somnambule, cette phalène des nuits blanches, et Traveler but un verre de *caña* et mit sa veste de pyjama. Le fauteuil d'osier paraissait plus frais que le lit et c'était la nuit idéale pour continuer à étudier Zéphyrin Piriz.

> *Dans cet annonce ou carte,* disait textuellement Zéphyrin, *ye reponds devant ou sur votre demande de suggérer idées pour UNESCO et écrit en le journal* El Diario *de Montevideo.*

Zéphyrin, qui veut faire le Français ! Mais il n'y avait pas de danger, « La Lumière de la Paix du Monde », dont Traveler gardait précieusement des extraits, était écrit en parfait castillan, comme par exemple l'avis au lecteur :

> *Dans cette annonce je présente quelques passages extraits d'une œuvre que j'ai écrite récemment et qui s'intitule* La Lumière de la Paix du Monde. *Cette œuvre a été ou est présentée à un concours international... mais il se trouve que je ne puis vous présenter ladite œuvre dans son entier, étant donné que ladite Revue interdit pendant un certain temps que soit présentée ladite œuvre dans son ensemble à toute personne étrangère à ladite Revue...*
>
> *Si bien que je me limiterai dans cette annonce à donner quelques extraits de ladite œuvre, extraits que l'on*

*trouvera ci-après et qui ne doivent pas être publiés pour le moment.*

Bien plus clair qu'un texte équivalent du philosophe Julian Marias, par exemple. Avec deux petits verres de *caña* on établissait le contact, et ça y était. Traveler commençait à se féliciter de s'être levé, et que Talita s'en fût allée faire quelque promenade romantique. Pour la dixième fois il replongea lentement dans le texte de Zéphyrin.

*On présente dans ce livre ce que nous pourrions appeler la « grande formule en faveur de la paix mondiale ». C'est ainsi que cette grande formule comporte une Société des Nations ou une O.N.U., ladite Société ayant pour but de sauvegarder les valeurs (précieuses, etc.) et les races humaines ; et finalement, comme exemple indiscutable sur le plan international, il y est fait allusion à un pays exemplaire à tout point de vue, étant donné qu'il est composé de 45* CORPORATIONS NATIONALES *ou ministères de l'élémentaire, et de 4 Pouvoirs nationaux.*

Tel que : un ministère de l'élémentaire. Ah ! Zéphyrin, philosophe de la nature, herboriste des paradis uruguayens, chasseur de nuages...

*D'un autre côté cette grande formule, sous l'angle où elle veut être considérée, s'intègre, et réciproquement, au monde des voyants ; à la nature des principes à l'état* NAISSANT ;*. aux données naturelles qui, en une formule qui se conçoive d'elle-même, n'admettent aucune altération de ladite formule donnée d'elle-même, etc.*

Comme toujours, le savant semblait avoir la nostalgie de la voyance et de l'intuition, mais en moins de deux la manie de classification de l'*homo occidentalis* emportait le logis de Zéphyrin et entre deux matés, elle organisait la civilisation en trois étapes :

*Première étape de civilisation.*

*On peut concevoir une première étape de civilisation à partir des temps les plus lointains du passé jusqu'à l'année 1940. Etape qui se traduisait par cette constatation que tout ce qui s'était passé depuis les origines jusqu'à l'année 1940 n'avait été que préliminaires à la guerre mondiale.*

*Seconde étape de civilisation.*

*On peut également concevoir une seconde étape de civilisation allant de l'année 1940 à l'année 1953. Etape entièrement caractérisée par le fait que tout a tendu vers la paix mondiale ou reconstruction mondiale.*

*(Reconstruction mondiale : faire que dans le monde entier chacun s'en tienne à ce qui lui appartient ; reconstruire efficacement tout ce qui a été détruit antérieurement : édifices, droits de l'homme, parité universelle des prix, etc., etc.)*

*Troisième étape de civilisation.*

*Aujourd'hui également on peut concevoir une troisième étape de civilisation, qui partirait de l'année 1953 pour aller jusqu'à l'an 2000. Etape dont la caractéristique est que tout marche d'un pas assuré vers un arrangement efficace des choses.*

Il était évident que, pour Toynbee... Mais la critique restait muette devant le tracé anthropologique de Zéphyrin :

*Ceci dit, voyons le comportement des hommes dans les étapes sus-mentionnées :*

a) *Les hommes vivant dans la seconde étape elle-même, dans ces jours-là mêmes, ne se souciaient que fort peu de penser à la première étape ;*

b) *Les hommes vivant dans cette présente troisième étape, nous qui la vivons, de nos jours d'aujourd'hui, nous nous soucions assez peu de penser à la seconde étape. Et*

c) *Dans le demain qui doit venir ensuite, qui doit suivre l'an 2000, les hommes de ces jours-là, en ces jours-là, ne se soucieront guère de penser à la troisième étape : celle d'aujourd'hui.*

Pour ce qui est de l'insouciance, c'était assez bien vu,

*beati pauperes spiritu*, et déjà Zéphyrin se lançait à la manière de Paul Rivet, tête baissée, dans une classification qui avait fait les délices des réunions d'après-midi dans le patio de don Crespo, à savoir :

*On peut compter dans le monde jusqu'à six races humaines : la blanche, la jaune, la basanée, la noire, la rouge et la race pampa.*

RACE BLANCHE : *appartiennent à cette race tous les habitants de peau blanche tels que ceux des pays baltiques, les Nordiques, les Européens, les Américains, etc.*

RACE JAUNE : *appartiennent à cette race tous les habitants de peau jaune, tels que les Chinois, les Japonais, les Mongols, les Hindous pour la plupart, etc.*

RACE BASANÉE : *appartiennent à cette race les habitants de peau naturellement basanée tels que les Russes à peau basanée, les Turcs à peau basanée, les Arabes à peau basanée, les Gitans, etc.*

RACE NOIRE : *appartiennent à cette race tous les habitants à peau noire, tels que les habitants d'Afrique orientale, pour la plupart d'entre eux, etc.*

RACE ROUGE : *appartiennent à cette race tous les habitants à peau rouge, tels qu'une grande partie des Ethiopiens à peau cuivrée, et parmi lesquels le* NÉGUS *ou roi d'Ethiopie est un exemplaire de Peau-Rouge ; une grande partie des Hindous à peau cuivrée ou « café au lait » ; une grande partie des Egyptiens à peau cuivrée, etc.*

RACE PAMPA : *appartiennent à cette race tous les habitants de peau de couleur variée ou de la pampa, tels que tous les Indiens des trois Amériques.*

— Quel dommage qu'Horacio ne soit pas là, se dit Traveler. Il commentait très bien ce dernier paragraphe. En fin de compte, pourquoi pas ? Le pauvre Zéphyrin bute sur les difficultés bien connues de la classification étiquetée, et il fait ce qu'il peut, comme Linné ou les tableaux synoptiques des encyclopédies. Ce qu'il dit de la race basanée est une solution géniale, il faut le reconnaître.

On entendait marcher dans le couloir et Traveler entrouvrit la porte, qui donnait sur le bâtiment administratif. Comme aurait dit Zéphyrin, la première porte, la seconde porte et la troisième porte étaient fermées. Talita avait dû aller travailler à la pharmacie, incroyable comme ça l'enthousiasmait ce retour à la science, aux balances de précision et aux cachets antinévralgiques.

Etranger à ce prosaïsme, Zéphyrin en arrivait à sa Société des Nations modèle :

*Une Société qui peut être fondée n'importe où dans le monde, mais de préférence en Europe. Une Société qui fonctionne en permanence, et par conséquent tous les jours ouvrables. Une Société dont le siège principal ou palais, dispose d'au moins sept* (7) *bureaux ou salons de grandes proportions. Etc.*

*Mais voici : des sept bureaux mentionnés du palais de ladite Société, un premier bureau sera occupé par les Délégués des pays de race blanche, et par leur Président de même couleur; un second bureau sera occupé par les Délégués des pays de race jaune, et par leur Président de même couleur; un troi...*

Et ainsi de suite pour toutes les races, si bien qu'on pouvait sauter l'énumération, *mais ce n'était pas la même chose* après quatre petits verres de caña (argentine, par uruguayenne, dommage, parce que l'hommage patriotique aurait été tout indiqué) ; ce n'était absolument pas la même chose, parce que la pensée de Zéphyrin était cristallographique, saisissait toutes les lignes de force et les points d'intersection, régie par la symétrie et l'horreur du vide, donc

*... un troisième bureau sera occupé par les Délégués des pays de race basanée, et par leur Président de même couleur; un quatrième bureau sera occupé par les Délégués des pays de race noire, et par leur Président de même couleur; un cinquième bureau sera occupé par les Délégués des pays de race rouge, et par leur Président de même couleur; un sixième bureau sera occupé par les Délégués des pays de race pampa, et par leur Président de même couleur; et un — le — septième bureau sera occupé par l' « Etat-Major » de toute ladite Société des Nations.*

Traveler avait toujours été fasciné par ce « le » qui interrompait la rigoureuse cristallisation du système, comme le mystérieux *crapaud* de saphir, ce mystérieux point de la gemme qui peut-être déterminait la coalescence du système et qui irradiait dans les saphirs sa transparente lumière céleste comme une énergie congelée dans le cœur de la pierre. (Pourquoi l'appelait-on *crapaud*, à moins d'imaginer quelque bestiaire de contes de fées ?)

Zéphyrin, beaucoup moins déliquescent, soulignait tout de suite l'importance de la question :

*Autres détails sur le septième bureau sus-mentionné : dans ledit septième bureau du palais de la Société des Nations, doivent siéger le Secrétaire général de ladite Société dont s'agit et le Président général, également de ladite Société dont s'agit, mais le Secrétaire général sera également le Premier Secrétaire dudit Président général.*

*D'autres détails encore : bon, dans le premier bureau se tiendra son Président correspondant, lequel devra toujours présider ledit premier bureau; en ce qui concerne le second bureau,* idem; *en ce qui concerne le troisième bureau,* idem; *en ce qui concerne le quatrième bureau,* idem; *en ce qui concerne le cinquième bureau,* idem; *et en ce qui concerne le sixième bureau,* idem.

Traveler s'attendrissait à l'idée que Zéphyrin n'avait dû se résoudre qu'avec peine à cet *idem*. C'était une extraordinaire condescendance envers le lecteur. Mais il était maintenant au cœur de son sujet et il procédait à l'énumération de ce qu'il appelait : « Délicate mission de la Société des Nations modèle », c'est-à-dire :

*1. Voir (pour ne pas dire fixer) la ou les valeurs de l'argent dans son circuit international; 2. Définir les salaires des ouvriers, les appointements des employés, etc.; 3. Définir les valeurs de ce qui est international (donner ou fixer le prix de tout article faisant partie des choses vendables, et donner valeur ou estimation à bien d'autres choses encore : combien d'armes de guerre doit avoir un pays, combien d'enfants doit mettre au monde, par convention internationale, une femme, etc.) ; 4. Déterminer le chiffre exact de la somme que devra toucher pour sa retraite un retraité, un pensionné, etc.; 5. Combien d'enfants une femme peut dans chaque cas mettre au monde; 6. De la distribution équitable sur le plan international; etc.*

Pourquoi, se demandait avec raison Traveler, cette répétition en matière de liberté des ventres et de démographie ? Dans le 3 on en parlait comme d'une valeur, et dans le 5 comme d'une question concrète relevant de la compétence de la Société. Curieuses infractions à la symétrie, à la rigueur implacable de l'énumération consécutive et ordonnée, qui traduisaient peut-être une inquiétude, le soupçon que l'ordre classique devait comme toujours être sacrifié par la vérité à la beauté. Mais Zéphyrin se lavait de ce soupçon de romantisme que lui prêtait Traveler, en procédant à une distribution exemplaire.

*Distribution des armes de guerre :*

*On sait que chacun des pays du monde comporte un certain nombre de kilomètres carrés qui lui sont propres.*

*Voici donc un exemple :*

a) *Le pays qui aurait, supposons, 1 000 kilomètres carrés, aura 1 000 canons; le pays qui aurait, supposons, 5 000 kilomètres carrés, aura 5 000 canons; etc.*

*(En d'autres termes, 1 canon par kilomètre carré) ; etc.*

b) *Le pays qui a, supposons, 1 000 kilomètres carrés, devra avoir 2 000 fusils, le pays qui a, supposons, 5 000 kilomètres carrés, devra avoir 10 000 fusils, etc.*

*(En d'autres termes, 2 fusils par kilomètre carré) ; etc.*

*Cet exemple devra s'appliquer à tous les pays existants : la France a deux fusils par kilomètre carré; l'Espagne,* idem; *la Belgique,* idem; *etc.; la Russie,* idem; *l'Amérique du Nord,* idem; *l'Uruguay,* idem; *la Chine,* idem; *etc. Ceci devra aussi s'appliquer à toutes sortes d'armes de guerre existantes :* a) *chars de combat;* b) *mitrailleuses;* c) *bombes terrifiantes; fusils, etc.*

(-139)

## 130

### DES DANGERS DE LA FERMETURE A GLISSIÈRE

*Le* British Medical Journal *nous informe d'une nouvelle sorte d'accident dont peuvent être victimes les petits garçons. L'accident en question est causé par l'emploi de la fermeture à glissière en lieu et place des boutons sur la braguette des pantalons (écrit notre correspondant médical).*

*Le danger est que le prépuce reste pris dans la fermeture. Deux cas ont déjà été enregistrés. On dut, dans les deux cas, pratiquer la circoncision pour libérer le petit garçon.*

*L'accident risque surtout de se produire quand l'enfant va seul aux cabinets. En essayant de l'aider, les parents peuvent aggraver les choses en tirant la fermeture dans le mauvais sens, car l'enfant n'est pas en mesure d'expliquer si l'accident s'est produit en tirant la fermeture vers le haut ou vers le bas. Si l'enfant a déjà été circoncis, l'accident peut être beaucoup plus grave.*

*Le médecin prétend qu'en coupant la partie inférieure de la fermeture à glissière avec des pinces ou des tenailles, on peut séparer facilement les deux moitiés. Mais il conviendra de faire une anesthésie locale pour extraire la partie incrustée dans la peau.*

The Observer, *Londres.*

**(-151)**

# 131

— Et si nous entrions dans la Corporation Nationale des Moines bénisseurs, qu'en dis-tu ?

— Ça ou alors entrer au Budget de la Nation...

— On aurait des obligations formidables, dit Traveler en surveillant la respiration d'Oliveira. Je me rappelle parfaitement, nous aurions à prier, à bénir soit les personnes, soit les objets et aussi ces lieux si mystérieux que Zéphyrin appelle lieux de parages.

— Ce doit en être un ici, dit Oliveira comme de loin. C'est même on ne peut plus un lieu de parage, petit vieux.

— Et nous bénirions aussi les semailles et les fiancés haïs par un rival.

— Appelle donc Zeph, dit la voix d'Oliveira du fond d'un lieu de parage. Comme j'aimerais... Tiens mais j'y pense, Zeph est uruguayen.

Traveler ne lui répondit pas et regarda Ovejero qui était entré et se penchait pour prendre le pouls de la histeria matinensis yugulata.

— Moines qui devront combattre sans cesse tout mal spirituel, dit distinctement Oliveira.

— Ah, ah ! dit Ovejero pour l'encourager.

(-58)

## 132

Et tandis que quelqu'un est, comme toujours, en train d'expliquer quelque chose, moi je suis, je ne sais pourquoi, au café, dans tous les cafés, à l'Eléphant & Castle, au Dupont Barbès, au Sacher, au Pedrocchi, au Gijón, au Greco, au café de la Paix, au café Mozart, au Florian, au Capoulade, aux Deux-Magots, dans le bar qui sort ses chaises sur la place du Colleone, au café Dante, à cinquante mètres de la tombe des Scaligeri, du visage comme brûlé par les larmes de sainte Marie l'Egyptienne sur son sarcophage rose, au café devant la Giudecca, avec ses vieilles marquises ruinées qui boivent un thé minutieux et interminable en compagnie de faux ambassadeurs miteux, au Jandilla, au Floccos, au Cluny, au Richmond, rue Suipacha, au café El Olmo, à la Closerie des Lilas, au Stéphane (rue Mallarmé), au Tokyo (à Chivilcoy), au café du Chien qui Fume, à l'Opern Café, au Dôme, aux Deux-Garçons, au café du Vieux-Port, dans les cafés d'ici ou d'ailleurs, où :

*We make our meek adjustments,*
*Contented with such random consolations*
*As the wind deposits*
*In slithered and too ample pockets.*

Hart Crane *dixit*. Mais ils sont plus que cela encore, ils sont le territoire neutre pour les apatrides de l'âme, le centre immobile de la roue d'où l'on peut s'atteindre soi-même en pleine course, se voir entrer et sortir comme un maniaque, entouré de femmes, les poches bourrées de billets de caisse ou de thèses épistémologiques, et d'où l'on peut, en tournant son café dans la petite tasse qui va de bouche en bouche au fil des jours, tenter avec détachement de faire le point, ou un bilan, à égale distance du moi qui est entré il y a une heure et de celui qui en sortira une heure plus tard. Autotémoin et autojuge, autobiographe ironique entre deux cigarettes.

Dans les cafés je me souviens de mes rêves, un *no man's land* en suscite un autre; je me souviens d'un à l'instant, mais non, je me rappelle seulement que j'ai dû rêver quelque chose de merveilleux et qu'à la fin je me sentais comme expulsé (ou m'en allant, mais sous l'effet d'une contrainte) du rêve qui restait irrémédiablement derrière moi. Je me demande même si une porte ne se fermait pas dans mon dos, je crois bien que si; en fait il s'établissait une séparation entre ce que je venais de rêver (parfait, sphérique, achevé) et le présent. Mais je continuais à dormir, l'expulsion et la porte qui se ferme, je l'avais aussi rêvée. Une certitude unique et terrible dominait cet instant de transition à l'intérieur du rêve : je savais que cette expulsion comportait irrémédiablement l'oubli total des merveilles passées. Je suppose que la sensation de porte fermée, c'était cela : l'oubli fatal et instantané. Ce qui me trouble le plus est de me souvenir aussi d'avoir rêvé que j'oubliais un rêve précédent, et que ce rêve *devait* fatalement être oublié (et moi expulsé de sa sphère parfaite).

Tout ceci doit avoir, j'imagine, une origine édénique. Peut-être l'Eden, comme le pensent certains, est-il la projection mytho-poétique des bons moments fœtaux qui survivent dans l'inconscient. Je comprends mieux soudain le geste effrayant de l'Adam de Masaccio. Il se couvre le visage pour protéger sa vision, ce qui fut sien; il garde dans cette petite nuit manuelle l'ultime souvenir de son paradis. Et il pleure (car son geste est aussi celui qui cache les larmes) quand il s'aperçoit que c'est inutile, que la véritable condamnation est ce qui commence déjà : l'oubli de l'Eden, c'est-à-dire l'uniformité moutonnière, la sale joie bon marché du travail, la sueur au front et les congés payés.

(-61)

# 133

Il était bien évident, et Traveler y pensa tout de suite, que ce qui comptait, c'étaient les résultats. Cependant, pourquoi un tel pragmatisme? Il était injuste envers Zéphyrin, puisque son système géopolitique n'avait pas été expérimenté comme l'avaient été tant d'autres aussi insensés (et par cela même prometteurs, il fallait bien le reconnaître). Imperturbable, Zéphyrin restait sur le plan théorique et presque aussitôt se lançait dans une nouvelle démonstration écrasante :

*Les salaires ouvriers dans le monde :*

*En accord avec la Société des Nations, il faut ou il faudra que, si par exemple un ouvrier français, mettons un ajusteur, gagne un salaire journalier calculé sur une base minimale de $ 8,00 à $ 10,00, un ajusteur italien gagne autant, c'est-à-dire de $ 8,00 à $ 10,00 par journée de travail; mais : si un ajusteur italien gagne cela, de $ 8,00 à $ 10,00 par journée de travail, alors un ajusteur espagnol devra lui aussi gagner de $ 8,00 à $ 10,00 par journée de travail; mais : si un ajusteur espagnol gagne de $ 8,00 à $ 10,00 par journée de travail, alors un ajusteur russe devra lui aussi gagner de $ 8,00 à $ 10,00 par journée de travail; mais : si un ajusteur russe gagne de $ 8,00 à $ 10,00 par journée de travail, alors un ajusteur américain devra lui aussi gagner de $ 8,00 à $ 10,00 par journée de travail; etc.*

— Pourquoi, se dit Traveler, cet « etc. », pourquoi à un moment donné Zéphyrin s'arrête-t-il et se résout-il à cet *et cœtera* qui lui est si pénible ? Ce ne peut être seulement la fatigue de la répétition, car il est évident que celle-ci le ravit, ni la sensation de la monotonie, car il est évident que celle-ci le ravit (son style était contagieux). Le fait est que le « etc. » rendait Zéphyrin un peu nostalgique, en l'obligeant, lui, le cosmologue, à condescendre à un reader's digest irritant. Le pauvre se dédommageait en ajoutant à la suite de sa liste d'ouvriers ajusteurs :

> (*Du reste, on pourrait poursuivre, car cette thèse comprend ou comprendrait, bien sûr, respectivement tous les pays, ou mieux tous les ajusteurs de chaque pays respectif.*)

« Tout de même, pensa Traveler en se versant un autre verre de caña qu'il allongea d'eau gazeuse, c'est curieux que Talita ne revienne pas. » Il faudra aller voir ce qui se passe. Il regrettait de quitter le monde de Zéphyrin, en pleine organisation, juste au moment où ce dernier se mettait à énumérer les 45 Corporations nationales que devait comprendre un pays modèle :

> 1. CORPORATION NATIONALE DU MINISTÈRE DE L'INTÉRIEUR (*tous les services et l'ensemble des employés du ministère de l'Intérieur*). [*Administration parfaitement au point de chacun des services, etc.*];
> 2. CORPORATION NATIONALE DU MINISTÈRE DES FINANCES (*tous les services et l'ensemble des employés du ministère des Finances*). [*Administration sous forme de patronage de tout bien (toute propriété) à l'intérieur du territoire national, etc.*]; *3.*

Et ainsi de suite pour toutes les corporations au nombre de 45, parmi lesquelles se détachaient en raison de leur nature propre la 5$^{e}$, la 10$^{e}$, la 11$^{e}$ et la 12$^{e}$.

> 5. CORPORATION NATIONALE DU MINISTÈRE DES FAVEURS CIVILES (*tous les services et l'ensemble des employés dudit ministère*). [*Instruction, Performances, Amour du prochain, Contrôle, Enregistrement (fichier), Santé, Education sexuelle, etc.*] (*Administration ou Contrôle et Enregistrement [officier ministériel] pour*

*suppléer aux « Juges d'Instruction », aux « Tribunaux Civils », aux « Tribunaux pour Mineurs », aux « Juges pour la délinquance juvénile », aux « Registres d'Etat Civil » : naissances, décès, etc.)* [*Administration qui doit intervenir dans tout ce qui est du ressort du Code Civil appliqué à l'individu :* MARIAGE, PÈRE, FILS, VOISIN, DOMICILE, INDIVIDU, INDIVIDU DE BONNES OU DE MAUVAISES MŒURS, INDIVIDU D'IMMORALITÉ NOTOIRE, INDIVIDU AYANT DES MALADIES HONTEUSES, FOYER (FAMILLE ET), PERSONNE INDÉSIRABLE, CHEF DE FAMILLE, ENFANT, MINEUR, FIANÇAILLES, CONCUBINAGE, etc.]

. . . . . . . . . . . . . . . . . . . .

10. CORPORATION NATIONALE DES PROPRIÉTÉS RURALES (*tous les établissements ruraux de Gros Elevage et l'ensemble des employés desdits établissements*). [*Gros Elevage ou élevage du gros bétail : bœufs, chevaux, autruches, éléphants, chameaux, girafes, baleines, etc.*];

11. CORPORATION NATIONALE DES FERMES (*toutes les exploitations agricoles ou grosses fermes, et l'ensemble des employés desdits établissements*). [*Plantations de tous végétaux respectivement, à l'exception des légumes et des arbres fruitiers*];

12. CORPORATION NATIONALE D'ÉLEVAGES (*tous les établissements de Petit Elevage et l'ensemble des employés desdits établissements*). [*Petit Elevage ou élevage des animaux de petite taille : porcs, moutons, chevreaux, chiens, tigres, lions, chats, lièvres, poules, canards, aveilles, poissons, papillons, rats, insectes, microbes, etc.*]

Traveler, attendri, oubliait l'heure et ne s'apercevait pas que le niveau de la bouteille de caña baissait de plus en plus. Les problèmes s'imposaient à lui comme des caresses : Pourquoi excepter les légumes et les arbres fruitiers ? Pourquoi le mot *aveille* avait-il quelque chose de diabolique ? Et cette vision quasi paradisiaque d'une ferme où l'on élevait les chevreaux parmi des tigres, des rats, des papillons, des lions et des microbes... Pris de fou rire, il sortit dans le couloir. Le spectacle presque tangible d'une ferme où les employés-duditétablissement s'évertuaient à élever une baleine se superposait à la vision austère du couloir plongé dans l'obscurité. C'était une hallucination digne du lieu et de l'heure, et il paraissait tout à fait dérisoire de se demander ce que pouvait bien faire Talita dans la pharmacie ou dans la cour, alors que le classement des Corporations s'offrait à vous comme une lampe.

> 25. CORPORATION NATIONALE DES HOPITAUX ET ASSIMILÉS (*tous les hôpitaux de toute sorte, les ateliers d'entretien et de réparation, tanneries, cliniques vétérinaires pour chevaux, cliniques dentaires, salons de coiffure, entreprises de taille des arbres, bureaux pour résoudre les affaires confuses, etc., et aussi l'ensemble des employés desdits établissements*).

— Voilà, dit Traveler. Une rupture qui prouve la parfaite santé fondamentale de Zéphyrin. Horacio est dans le vrai, il n'y a pas de raison de s'en tenir aux structures conventionnelles de papa. Zeph pense que le fait de réparer quelque chose met le dentiste sur le plan de celui qui arrange des affaires confuses; l'accidentel a autant de valeur que l'essence des choses... Mais c'est la poésie même, mon pote. Zeph brise la dure croûte mentale, comme disait je ne sais qui, et il se met à voir le monde sous un autre angle. Bien sûr c'est ce qu'on appelle être cinglé.

Quand Talita revint, il en était à la vingt-huitième Corporation :

> 28. CORPORATION NATIONALE DES DÉTECTIVES SCIENTIFIQUES TRAVAILLANT A L'EXTÉRIEUR OU EN LABORATOIRE (*tous les locaux des détectives et/ou policiers de l'investigation, tous les locaux des explorateurs* [*itinérants*] *et tous les locaux des explorateurs scientifiques, ainsi que l'ensemble des employés desdits établissements eux-mêmes*). [*Tous les employés sus-mentionnés doivent appartenir à une catégorie qui devra s'intituler* « ITINÉRANTE ».]

Talita et Traveler aimaient moins ce passage, c'était comme si Zéphyrin se fût abandonné trop tôt à la manie de la persécution. Mais peut-être les détectives scientifiques itinérants n'étaient-ils pas de véritables policiers, le qualificatif d' « itinérants » leur conférait un air donquichottesque que Zéphyrin pensant peut-être que c'était évident, n'avait pas pris la peine de préciser.

29. CORPORATION NATIONALE DES DÉTECTIVES SCIENTIFIQUES S'ADONNANT A LA RECHERCHE ET LEURS LOCAUX SCIENTIFIQUES (*tous les locaux des détectives et/ou policiers de l'Investigation, et tous les locaux des investigateurs, et l'ensemble des employés desdits établissements eux-mêmes*). [*Tous les employés sus-mentionnés doivent appartenir à une catégorie qui s'intitulera* « RECHERCHE », *et les locaux et employés de cette catégorie doivent être classés séparément, et non pas avec ceux des autres catégories telle que l'* « ITINÉRANTE » *déjà mentionnée.*]

30. CORPORATION NATIONALE DES DÉTECTIVES SCIENTIFIQUES SPÉCIALISÉS DANS LES COTATIONS A FIN ET LEURS LOCAUX SCIENTIFIQUES (*tous les locaux des détectives et/ou policiers de l'Investigation, et de tous les locaux des investigations, et l'ensemble de tous les employés desdits établissements eux-mêmes*). [*Tous les employés doivent appartenir à une catégorie qui doit s'intituler* « COTATION » *et les locaux et les employés de cette catégorie seront classés séparément et non pas avec ceux des autres catégories telles que l'* « ITINÉRANTE » *et la* « RECHERCHE » *déjà mentionnées.*]

— On dirait qu'il parle d'ordres de chevalerie, dit Talita, subjuguée. Mais ce qui est étrange c'est que dans ces trois corporations de détectives, il n'est question que des locaux.

— Oui, c'est vrai. Et que veut dire, par ailleurs, « cotation à fin »?

— Ce doit être en un seul mot, *afin*. Mais cela n'explique rien. Tant pis.

— Tant pis, répéta Traveler. Tu as bien raison. Ce qui est beau c'est qu'il existe la possibilité d'un monde où il y ait des détectives itinérants, des recherches et des cotations. C'est pourquoi il me semble assez naturel que Zeph passe à présent de sa chevalerie aux ordres religieux, après un intermède qui est en fin de compte une concession à l'esprit scientificiste (il faut bien lui trouver un nom, après tout) de notre époque. Je lis :

31. CORPORATION NATIONALE DES GENS QUI SAVENT CE QU'IL FAUT FAIRE ET LEURS LOCAUX SCIENTIFIQUES (*toutes les maisons ou locaux de la communauté des gens qui savent ce qu'il faut faire et l'ensemble desdits gens eux-mêmes*). [*Gens qui savent ce qu'il faut faire : médecins, homéopathes, guérisseurs* (*tous les chirurgiens*), *sages-femmes, techniciens, mécaniciens* (*toutes les sortes de techniciens*), *ingénieurs de seconde catégorie ou architectes dans leurs domaines respectifs* (*tout exécuteur de plans déjà tracés, tel qu'un ingénieur de seconde catégorie*), *l'ensemble des classificateurs, les astronomes, les astrologues, les spirites, tous les hommes de loi, ou de lois* (*tout expert*), *les classificateurs d'espèces génériques, les comptables, les traducteurs, les instituteurs* (*tout compositeur*), *les limiers — de sexe masculin — aux trousses des assassins, cornacs ou guides, greffeurs de plantes, coiffeurs, etc.*]

— Que me dis-tu là ? s'écria Traveler en avalant d'un trait son verre de caña. Mais c'est absolument génial !

— Ce serait un beau pays pour les coiffeurs, dit Talita en se jetant sur le lit et en fermant les yeux. Quelle promotion ! Ce que je ne comprends pas c'est pourquoi les limiers aux trousses des assassins doivent être du sexe masculin.

— On n'a jamais entendu parler d'une limière, dit Traveler, et Zéphyrin a probablement pensé que ce ne serait pas convenable. Tu t'es bien aperçue qu'en matière sexuelle il est terriblement puritain, je l'ai remarqué à plusieurs reprises.

— Il fait chaud, trop chaud, dit Talita. Tu as vu avec quel zèle il mentionne les classificateurs, il les cite même deux fois ? Bon, passons à la mystique que tu m'as annoncée.

— Ecoute-moi ça.

32. CORPORATION NATIONALE DES MOINES DE LA PRIÈRE SANCTIFIANTE ET LEURS LOCAUX SCIENTIFIQUES (*toutes les maisons de communautés de moines, et tous les moines*). [*Moines ou bénisseurs qui doivent se consacrer, en dehors de tout autre culte, uniquement et*

*exclusivement au domaine de la parole et des mystères curatifs et des exorcismes.*] (*Moines qui devront combattre sans cesse tout mal spirituel, tout mauvais sort acquis ou existant dans les biens ou les corps, etc.*) [*Moines pénitents, et anachorètes qui devront prier ou bénir soit les personnes, soit les objets, soit les lieux de parage, soit les semailles, soit un fiancé haï par un rival, et cætera.*]

33. CORPORATION NATIONALE DES BIENHEUREUX GARDIENS DE COLLECTIONS ET LEURS MAISONS DE COLLECTION (*toutes les maisons de collections, et* idem, *les maisons-dépôts, magasins, archives, musées, cimetières, prisons, asiles, instituts d'aveugles, etc., et aussi l'ensemple des employés desdits établissements*). [*Collection : exemple : des archives gardent une collection de procès-verbaux ; un cimetière garde une collection de cadavres ; une prison garde une collection de prisonniers, etc.*]

— Le coup du cimetière, même les poètes romantiques ne l'auraient pas trouvé, dit Traveler. Tu ne nieras pas que l'analogie entre la nécropole et des archives... Zéphyrin a l'art des rapprochements, ce qui est au fond la véritable intelligence, tu ne crois pas ? Après un tel prologue, sa classification finale n'a rien de surprenant, au contraire. Il faudrait essayer de créer un tel monde.

Talita ne dit rien, mais elle releva sa lèvre supérieure en feston et émit un soupir qui venait de ce qu'on appelle le premier sommeil. Traveler avala un autre verre de caña et se lança dans les Corporations finales et définitives :

40. CORPORATION NATIONALE DES AGENTS AYANT A S'OCCUPER DES ESPÈCES DE COULEUR ROUGE ET LES MAISONS DONT L'ACTIVITÉ EST CONSACRÉE AUX ESPÈCES DE COULEUR ROUGE (*toutes les maisons communautaires des agents s'occupant des espèces originelles de couleur rouge, ou grands Bureaux desdits agents et aussi l'ensemble desdits agents*). [*Espèces originelles de couleur rouge : animaux à poil rouge ; végétaux dont la fleur est rouge, et minéraux d'aspect rouge.*]

41. CORPORATION NATIONALE DES AGENTS AYANT A S'OCCUPER DES ESPÈCES DE COULEUR NOIRE ET LES MAISONS DONT L'ACTIVITÉ EST CONSACRÉE AUX ESPÈCES DE COULEUR NOIRE (*toutes les maisons communautaires des agents s'occupant des espèces originelles de couleur noire, ou grands Bureaux desdits agents et aussi l'ensemble desdits agents*). [*Espèces originelles de couleur noire, ou simplement noires : animaux à poil noir ; végétaux dont la fleur est noire et minéraux d'aspect noir.*]

42. CORPORATION NATIONALE DES AGENTS AYANT A S'OCCUPER DES ESPÈCES DE COULEUR BASANÉE ET LES MAISONS DONT L'ACTIVITÉ EST CONSACRÉE AUX ESPÈCES DE COULEUR BASANÉE (*toutes les maisons communautaires des agents s'occupant des espèces originelles de couleur basanée, ou grands Bureaux desdits agents et aussi l'ensemble desdits agents*). [*Espèces originelles de couleur basanée, ou simplement basanées : animaux à poil basané ; végétaux dont la fleur est basanée et minéraux d'aspect basané.*]

43. CORPORATION NATIONALE DES AGENTS AYANT A S'OCCUPER DES ESPÈCES DE COULEUR JAUNE ET LES MAISONS DONT L'ACTIVITÉ EST CONSACRÉE AUX ESPÈCES DE COULEUR JAUNE (*toutes les maisons communautaires des agents s'occupant des espèces originelles de couleur jaune, ou grands Bureaux desdits agents et aussi l'ensemble desdits agents*). [*Espèces originelles de couleur jaune, ou simplement jaunes : animaux à poil jaune ; végétaux dont la fleur est jaune et minéraux d'aspect jaune.*]

44. CORPORATION NATIONALE DES AGENTS AYANT A S'OCCUPER DES ESPÈCES DE COULEUR BLANCHE ET LES MAISONS DONT L'ACTIVITÉ EST CONSACRÉE AUX ESPÈCES DE COULEUR BLANCHE (*toutes les maisons communautaires des agents s'occupant des espèces originelles de couleur blanche, ou grands Bureaux desdits agents et aussi l'ensemble desdits agents*). [*Espèces originelles de couleur blanche, ou simplement blanches : ani-*

*maux à poil blanc ; végétaux dont la fleur est blanche et minéraux d'aspect blanc.*]

45. CORPORATION NATIONALE DES AGENTS AYANT A S'OCCUPER DES ESPÈCES DE COULEUR PAMPA ET LES MAISONS DONT L'ACTIVITÉ EST CONSACRÉE AUX ESPÈCES DE COULEUR PAMPA (*toutes les maisons communautaires des agents s'occupant des espèces originelles de couleur pampa, ou grands Bureaux desdits agents et aussi l'ensemble desdits agents*). [*Espèces originelles de couleur pampa, ou simplement pampas : animaux à poil pampa ; végétaux dont la fleur est pampa et minéraux d'aspect pampa.*]

Briser la dure croûte mentale... Comment Zéphyrin *voyait-il* ce qu'il avait écrit ? Quelle réalité éblouissante (ou non) lui montrait des scènes où les ours polaires se mouvaient dans d'immenses espaces de marbre blanc, parmi des jasmins du Cap ? Ou des corbeaux nichant au creux de falaises de charbon, une tulipe noire dans le bec... Et comment imaginer vraiment ces couleurs telles que devait les voir Zéphyrin, et que n'arrivait à traduire aucune vision onirique michauxienne ou huxleyienne ? Les notes de Zéphyrin ne servaient qu'à vous égarer davantage (si c'était possible) et elles n'allaient pas bien loin. De toute façon :

*A propos de la susmentionnée couleur pampa : la couleur pampa est toute couleur changeante ou formée de deux ou plusieurs teintes.*

Puis un éclaircissement incontestablement nécessaire :

*A propos des agents en espèces originelles susindiqués ou mentionnés : lesdits agents doivent être des Gouverneurs, qui devront veiller à ce qu'aucune des espèces originelles ne s'éteigne dans le monde; à ce que les espèces originelles, dans leurs catégories respectives, ne se mélangent pas, ni une catégorie avec une autre, ni un spécimen avec un autre, ni une race avec une autre, ni une couleur d'espèce avec une autre couleur d'espèce, etc.*

Quel puriste, quel raciste que ce Zéphyrin Piriz ! Un cosmos de couleurs pures, mondrianesque en diable ! Dangereux Zéphyrin Piriz, toujours candidat possible à la députation, voire à la présidence ! Gare à toi, République de l'Uruguay ! (Encore un petit verre avant de retourner se coucher, tandis que Zéphyrin, ivre de couleurs, se laissait aller à un ultime poème où, comme dans une immense toile d'Ensor, éclatait tout ce qui pouvait éclater en matière de masques et d'antimasques. Brusquement, le militarisme faisait irruption dans son système, et il fallait voir alors le traitement mi-macaronique, mi-trismégistique que lui réservait le philosophe uruguayen. Voici :

> *Quant à l'œuvre annoncée,* La Lumière de la Paix dans le Monde, *il s'agit d'y expliquer en détail le militarisme, mais dès à présent, en résumé, nous donnerons la ou les versions suivantes à propos du militarisme :*
>
> *La Garde* (genre « Métropolitaine ») *pour les militaires nés sous le signe du Bélier ; les Syndicats de l'antigouvernement fondamental pour les militaires nés sous le signe du Taureau ; la Direction et Comité des Fêtes et Réunions* (bals, veillées, réunions de fiançailles : former des couples de fiancés, etc.) *pour les militaires nés sous le signe des Gémeaux ; l'Aviation* (militaire) *pour les militaires nés sous le signe du Cancer ;* la Presse fondamentalement gouvernementale (journalisme militaire, et des magies politiques en faveur du Gouvernement fondamental et national) *pour les militaires nés sous le signe du Lion ;* l'Artillerie (armes lourdes en général et bombes) *pour les militaires nés sous le signe de la Vierge ;* Responsabilité et organisation des représentations des fêtes publiques et/ou patriotiques (emploi de déguisements adéquats pour des militaires, au moment de représenter soit un défilé militaire, soit un corso, soit une mascarade, soit une fête des vendanges, etc.) *pour les militaires nés sous le signe du Scorpion ;* la Cavalerie (cavalerie à cheval ou motorisée, avec les participations respectives de dragons, ou de lanciers, ou de hussards : cas général : la « Garde Républicaine », composée de spadassins, etc.) *pour les militaires nés sous le signe du Capricorne ; et les Services Auxiliaires* (courriers, esta-

fettes, pompiers, envoyés spéciaux, canonniers, etc.) *pour les militaires nés sous le signe du Verseau.*

Secouant Talita qui se réveilla indignée, Traveler lui lut le passage concernant les militaires et ils durent étouffer leurs rires sous l'oreiller pour ne pas réveiller toute la clinique. Mais ils avaient eu le temps, auparavant, de convenir d'une chose, c'est que la majorité des militaires argentins était née sous le signe du Taureau. Traveler, Scorpion, était tellement ivre qu'il se déclara prêt à faire immédiatement valoir son grade de sous-lieutenant de réserve afin de pouvoir utiliser les déguisements réservés aux militaires de ce signe.

— Nous organiserons d'énormes fêtes style « vendanges », disait Traveler, sortant un instant sa tête de sous l'oreiller pour l'y refourrer aussi sec. Tu y viendras avec toutes tes congénères de race pampa, car ça ne fait pas l'ombre d'un pli, tu es une pampa, résultat de plusieurs croisements.

— Moi, je suis blanche, dit Talita. Mais je regrette que tu ne sois pas Capricorne car tu me plairais beaucoup en spadassin. Ou tout au moins en courrier ou en estafette.

— Je regrette, les courriers sont Verseau. Horacio est Cancer, n'est-ce pas ?

— S'il ne l'est pas, il est digne de l'être, dit Talita en fermant les yeux.

— C'est modestement l'aviation qui lui est réservée. Il n'y a qu'à l'imaginer aux commandes d'un de ces Bang-Bang pour le voir tout de suite s'écraser sur la confiserie de l'Aigle à l'heure du thé. Ce serait du joli.

Talita éteignit la lumière et se serra un peu contre Traveler qui transpirait et s'agitait dans le lit, environné de tous les signes du zodiaque, des corporations nationales des agents spécialisés et des minéraux de couleur jaune.

— Horacio a vu la Sibylle cette nuit, dit Talita d'une voix faussement endormie. Il l'a vue dans la cour il y a deux heures, pendant que tu étais de garde.

— Ah, dit Traveler en se mettant sur le dos et en cherchant les cigarettes méthode Braille. Il faudrait le ranger parmi les bienheureux gardiens de collections.

133

— La Sibylle c'était moi, dit Talita en se serrant davantage contre Traveler. Tu te rends compte ?

— Plutôt, oui.

— Il fallait que ça arrive. Ce qui m'étonne c'est qu'il ait eu l'air si surpris.

— Oh, tu sais, Horacio fait des bêtises et après, il regarde ça de l'air stupéfait des chiots qui contemplent leur caca.

— Je crois que cela a commencé le jour où on est allé le chercher au port, dit Talita. C'est inexplicable, car il ne m'a même pas regardée ce jour-là, vous m'avez tous les deux chassée comme un chien, avec le chat sous le bras.

— Animaux de petit élevage, dit Traveler.

— Il m'a prise pour la Sibylle, répéta Talita. Et tout le reste a suivi, comme dans les énumérations de Zéphyrin, une chose après l'autre.

— La Sibylle, dit Traveler en tirant sur sa cigarette qui éclaira son visage dans l'obscurité, la Sibylle, elle aussi était uruguayenne. Tu vois qu'il y a un certain ordre.

— Laisse-moi parler, Manou.

— Il vaut mieux pas, à quoi bon ?

— D'abord, il y a eu le vieux qui est arrivé avec son pigeon et après, nous sommes descendus au sous-sol. Horacio parlait, pendant tout le temps de la descente, de ces trous qui l'obsèdent. Il était désespéré, Manou, cela faisait peur de le voir si calme en apparence alors que... Nous sommes descendus dans le monte-charge et il est allé refermer une des chambres froides, c'était horrible.

— Ainsi tu es descendue, dit Traveler. Tiens, tiens, tiens.

— Non, dit Talita. Ce n'était pas vraiment descendre. Nous parlions mais je sentais qu'Horacio était ailleurs, comme s'il parlait à quelqu'un d'autre, à une femme noyée, par exemple. Cette idée me vient maintenant, mais il n'avait pas encore dit alors que la Sibylle s'était noyée.

— Elle ne s'est pas du tout noyée, dit Traveler. J'en suis sûr, bien que je n'en ai pas la moindre idée, à vrai dire. Mais il suffit de connaître Horacio.

— Il croit qu'elle est morte, Manou, et en même temps il la sent toute proche, et cette nuit, c'était moi. Il m'a dit aussi qu'il l'avait vue sur le bateau et sous le pont de l'avenue San Martin... Il n'en parle pas comme d'une hallucination et il ne prétend pas non plus qu'on le croie. Il le dit, sans plus, et c'est vrai, c'est quelque chose qui est là... Quand il est allé fermer la chambre froide, j'ai eu peur, j'ai dit je ne sais quoi, il m'a regardée alors et c'était l'autre qu'il regardait. Je ne suis le zombie de personne, Manou, je ne veux être le zombie de personne.

Traveler lui passa la main sur les cheveux mais Talita le repoussa avec impatience. Elle s'était assise sur le lit et il la sentait trembler. Avec cette chaleur, elle tremblait. Elle lui dit qu'Horacio l'avait embrassée et elle essaya d'expliquer le baiser mais comme elle ne trouvait pas ses mots, elle touchait Traveler à tâtons dans l'obscurité, ses mains tombaient comme des chiffons sur son visage, sur ses bras, elles glissaient sur sa poitrine, s'appuyaient sur ses genoux et il naissait de tout cela comme une explication que Traveler était incapable de repousser, une contagion qui venait d'ailleurs, d'en bas ou d'en haut ou de quelque endroit qui ne fût pas cette chambre et cette nuit, une contagion qui à travers Talita le gagnait à son tour, un balbutiement, comme un message indéchiffrable, l'intuition qu'il était devant quelque chose qui pouvait être un message, mais la voix qui l'apportait était brisée et, pour le communiquer, elle employait une langue inintelligible et cependant, cette présence était la seule chose essentielle là, à portée de main, réclamant d'être connue et acceptée, se débattant contre un mur spongieux de liège et de fumée, insaisissable et s'offrant, nue entre les bras mais comme une eau coulant avec les larmes.

« La dure croûte mentale », parvint à penser Traveler. Il entendait confusément, la peur, Horacio, le monte-charge, le pigeon; un système communicable pénétrait peu à peu son oreille. Ainsi le pauvre malheureux avait peur qu'il ne le tue, c'était comique.

— Te l'a-t-il vraiment dit ? J'ai peine à le croire, il est si orgueilleux.

— C'est autre chose, dit Talita en lui enlevant sa cigarette et en fumant avec une moue avide de cinéma muet. Je crois que la peur qu'il éprouve est comme un dernier refuge, la barre où il se cramponne avant de se jeter dans le vide. Il est si content d'avoir peur, cette nuit, je sais qu'il est content dans le fond.

— Ça, dit Traveler en respirant comme un véritable yogi, ça tu peux être sûre que la Couca ne le comprendrait pas.

Et moi, je dois être particulièrement intelligent cette nuit parce que cette histoire de la peur joyeuse, mon petit vieux, c'est un peu dur à avaler.

Talita s'enfonça un peu plus dans le lit et s'appuya contre Traveler. Elle savait qu'elle était de nouveau à ses côtés, qu'elle ne s'était pas noyée, qu'il la soutenait à fleur de l'eau et qu'au fond c'était dommage, merveilleusement dommage. Ils le sentirent tous les deux au même instant et ils glissèrent l'un vers l'autre comme pour retomber en eux-mêmes, sur la terre commune où les mots, les caresses et les bouches les enveloppaient comme la circonférence enveloppe le cercle, ces métaphores rassurantes, cette vieille tristesse satisfaite de redevenir l'homme de toujours, de continuer, de se maintenir à flot contre vents et marées, contre l'appel et la chute.

(-140)

## 134

### LES FLEURS AU JARDIN

Il faut savoir qu'un jardin planté d'une manière très rigoureuse, dans le style des jardins à la française, composé de massifs, bordures et plates-bandes disposés géométriquement, exige une grande compétence et beaucoup de soins.

Dans un jardin de type « anglais », au contraire, les échecs de l'amateur se remarqueront moins. Quelques arbustes, un carré de gazon et une seule plate-bande de fleurs mélangées qui se détache nettement sur un fond de mur ou de haie bien exposés, sont les éléments essentiels d'un ensemble très décoratif et très pratique.

Si, par malchance, quelques espèces ne donnent pas les résultats escomptés, il sera facile de les remplacer par des plants, l'harmonie de l'ensemble n'en souffrira pas pour autant car les autres fleurs, disposées en taches de couleur, hauteur et superficie différentes, formeront toujours un groupe satisfaisant pour la vue.

Cette façon de planter, très appréciée en Angleterre et aux Etats-Unis, est connue sous le nom de *mixed border*, c'est-à-dire « bordure mêlée ». Les fleurs ainsi disposées se mêlent, se confondent et s'enchevêtrent et donneront à votre jardin un aspect champêtre et naturel, tandis que les plantations alignées en carrés et en cercles ont toujours un caractère artificiel et exigent une perfection absolue.

C'est pour cela que, pour des raisons pratiques aussi bien qu'esthétiques, il convient de conseiller au jardinier amateur l'arrangement en *mixed border*.

*Almanach Hachette.*

(-25)

# 135

— Ils sont délicieux, dit Gekrepten. J'en ai mangé un pendant que je les faisais frire, une vraie plume, tu sais.

— Dis, vieille, prépare-moi un autre maté.

— Tout de suite, mon amour. Attends, je te change d'abord la compresse d'eau froide.

— Merci. C'est très étrange de manger des beignets les yeux ainsi couverts. On doit entraîner de cette façon les gars qui vont à la découverte du cosmos.

— Ceux qu'on envoie vers la lune dans ces appareils, non ? On les met dans une capsule ou quelque chose comme ça ?

— Oui, et on leur fait avaler des beignets et du maté.

(-63)

## 136

La manie des citations chez Morelli :

« Sur la publication, en un même livre, de poésies et d'une contestation de la poésie, du journal d'un mort et des notes d'un prélat de mes amis, j'aurais peine à m'expliquer... »

Georges Bataille, *Haine de la poésie.*

(-12)

## 137

*Morellienne*

Si le volume ou le ton de l'œuvre peuvent laisser penser que l'auteur a voulu réaliser une somme, se hâter de signaler qu'il s'agit d'une tentative tout à fait opposée, celle d'une implacable soustraction.

(-17)

# 138

Il nous arrive parfois, la Sibylle et moi, de profaner nos souvenirs. Cela tient à si peu de chose, la mauvaise humeur d'un après-midi, l'angoisse de ce qui peut arriver si nous nous regardons dans les yeux. Petit à petit, au hasard d'un dialogue qui est comme un chiffon déchiré, nous nous mettons à nous souvenir. Deux mondes distants, étrangers, presque toujours inconciliables naissent de nos paroles et la moquerie jaillit comme d'un commun accord. C'est moi généralement qui commence en me souvenant avec mépris de mon ancien culte aveugle pour les amis, de ces loyautés mal comprises et plus mal payées de retour, d'étendards brandis avec une humble obstination dans des meetings politiques, des réunions littéraires, des amours ferventes. Je me moque d'une honnêteté douteuse qui n'a servi le plus souvent qu'à faire mon propre malheur ou celui des autres tandis que, par-dessous, les trahisons et les malhonnêtetés tissaient leur toile d'araignée sans qu'on pût les en empêcher et je consentais à ce que d'autres devant moi fussent traîtres et malhonnêtes sans rien faire pour les en empêcher, de ce fait, doublement coupable. Je me moque de mes oncles, des gens bien comme il faut, plongés dans la merde jusqu'au cou où brille encore le col dur immaculé. Ils tomberaient à la renverse si on leur disait qu'ils nagent en pleine bouse, convaincus qu'ils sont d'être des patriotes modèles. Et cependant j'ai de bons souvenirs d'eux. Et cependant, je piétine ces souvenirs les jours où la Sibylle et moi on en a marre de Paris et on veut se faire mal.

Quand la Sibylle s'arrête de rire pour me demander pourquoi je dis tout ça sur mes oncles, j'aimerais qu'ils soient là, qu'ils écoutent derrière la porte comme le vieux du cinquième.

Je prépare avec soin l'explication car je ne veux être ni injuste ni excessif. Et je veux aussi que la Sibylle en fasse son profit, elle qui n'a jamais été capable de comprendre quoi que ce soit aux questions de morale (comme Etienne mais d'une façon moins égoïste; elle ne croit qu'à la responsabilité de l'instant présent, au moment même où il faut être bon ou noble; au fond, pour des raisons aussi hédoniques et égoïstes que celles d'Etienne).

Alors je lui explique que mes deux honorables oncles sont deux Argentins parfaits comme on l'entendait en 1915, époque culminante de leur vie, mi-bureaucratiques, mi-*gentlemen-farmers*. Et quand on parle de ces « gens d'une autre époque », c'est de xénophobes, d'antisémites qu'on parle, de bourgeois attachés à leur maison campagnarde où de petites bonnes leur préparent le maté pour dix pesos par mois, pétris de sentiments patriotiques aux couleurs du drapeau, pleins de respect pour tout ce qui est militaire et expéditions au désert, ayant des douzaines de chemises empesées même si leur solde ne leur permet pas de payer régulièrement cet être abject que toute la famille appelle « le youpin » et qu'on abreuve de cris et de menaces ou, au mieux, de grossièretés. Quand la Sibylle s'est bien pénétrée de cette vision, je m'empresse de lui démontrer qu'à l'intérieur de ce cadre général, mes oncles et leur famille sont des gens pleins d'excellentes qualités. Pères et fils pleins d'abnégation, citoyens présents à tous les comices et lisant consciencieusement les journaux les plus modérés, fonctionnaires diligents et très aimés de leur chef et de leurs collègues, gens capables de veiller toute une nuit au chevet d'un malade ou d'avoir de beaux gestes de solidarité. La Sibylle me regarde d'un air perplexe, il me faut insister, lui expliquer pourquoi j'aime tant mes oncles et pourquoi parfois j'éprouve le besoin de tendre la muleta à leurs ombres et de piétiner les souvenirs qui restent encore d'eux. Alors la Sibylle prend courage et commence à me dire du mal de sa mère qu'elle aime ou déteste selon le moment. Je suis atterré de la façon dont elle me raconte parfois un épisode d'enfance qu'elle m'a d'autres fois raconté en riant comme une chose très drôle et qui devient soudain un nœud sinistre, une espèce de marécage plein de sangsues. Le visage de la Sibylle ressemble alors à celui d'un renard, les ailes de son nez s'effilent, elle pâlit, elle parle d'une voix entrecoupée en haletant et se tordant les mains et le visage mou de la mère apparaît peu à peu, le corps mal vêtu de la mère, la rue de banlieue où la mère est restée comme un vieux pot de chambre dans un terrain vague, la misère où la mère est une main qui passe un chiffon graisseux sur les casseroles. L'ennui c'est que la Sibylle ne peut pas continuer longtemps, elle se met tout de suite à chialer, elle cache son visage contre moi, elle est bouleversée, il faut préparer du thé, tout oublier, partir se promener ou faire l'amour, faire l'amour sans la mère et sans les oncles, presque toujours ça, ou dormir, mais presque toujours ça.

(-127)

## 139

Les notes du piano (*la, ré, mi* bémol, *do, si, si* bémol, *mi, sol*), celles du violon (*la, mi, si* bémol, *mi*), celles du cornet (*la, si* bémol, *la, si* bémol, *mi, sol*) sont l'équivalent musical des noms d'ArnolD SCHoenberg, Anton WEBErn et AlBAn BErG (selon le système allemand d'après lequel H correspond à *si*, B au *si* bémol et S (ES) au *mi* bémol). Ces sortes d'anagrammes musicaux n'ont d'ailleurs rien de nouveau. On se souviendra que Bach a utilisé son propre nom d'une manière semblable et que ce même procédé était fréquemment employé par les maîtres polyphonistes du XVIe siècle... Une autre analogie significative de ce Concerto réside en la stricte symétrie de l'ensemble. Dans le Concerto pour violon, le chiffre clef est deux : deux mouvements, chacun divisé en deux parties, sans compter la division violon-orchestre dans l'ensemble des instruments. Dans le *Kammerkonzert* c'est le chiffre trois, au contraire, qu'on remarque : la dédicace symbolise le Maître et ses deux disciples; les instruments sont groupés en trois catégories : piano, violon et une combinaison d'instruments à vent; il est construit en trois mouvements enchaînés, chacun d'eux révélant plus ou moins une composition tripartite.

*Du commentaire anonyme sur le Concerto de chambre pour violon, piano et 13 instruments à vent d'Alban Berg (enregistrement Pathé Vox PL 8660).*

(-133)

## 140

En attendant quelque chose de plus excitant, exercices de profanation et de dépaysement dans la pharmacie, entre minuit et deux heures du matin, une fois que la Couca est partie (ou avant, pour la faire partir : la Couca persévère mais l'effort pour résister avec un sourire entendu aux offensives verbales des monstres, la fatigue terriblement. Elle s'en va chaque jour un peu plus tôt et les monstres sourient aimablement en lui souhaitant bonne nuit. Plus neutre, Talita colle des étiquettes ou consulte l'Index Pharmacorum Gottinga).

Exercices types : traduire en inversion hérétique un fameux sonnet :

*Le défloré, le mort et l'horrible passé*
*Va-t-il nous recréer d'un coup de son ail' sobre ?*

Lecture d'une feuille du carnet de Traveler. « En attendant son tour chez le coiffeur, tomber sur une publication de l'Unesco et découvrir les noms suivants : Opintotoveri / Työläisopiskelija / Työväenopisto. Il paraît que ce sont les titres de plusieurs revues pédagogiques finlandaises. Irréalité totale pour le lecteur argentin. Cela existe-t-il ? Pour des millions de blonds, Opintotoveri signifie « Le Moniteur de l'Education ». Pour moi... (Colère). Mais ils ne savent pas, eux, ce que veut dire « cafisho » (satisfaction portègne). Multiplication de l'irréalité. Et dire que les technologues prévoient que par le fait d'atteindre Helsinki en quelques heures grâce au Boeing 707... Conséquences que l'on peut en tirer personnellement. Faites-moi une coupe très basse, Pedro. »

Formes linguistiques du dépaysement. Talita pensive en face

de Genshiryoku Kokunaï Jijo qui ne peut absolument pas représenter pour elle le développement des activités nucléaires au Japon. Elle s'est laissé convaincre par comparaison et superposition, lorsque son mari, malin collecteur de matériaux récoltés dans les salons de coiffure, lui montre la variante Genshyrioku Kaigai Jijo, déroulement à ce qu'il paraît, des activités nucléaires à l'étranger. Enthousiasme de Talita, analytiquement convaincue que Kokunaï = Japon et Kaigai = étranger. Etonnement de Matsui, le teinturier de la rue Lascano, devant la démonstration de polyglottisme de Talita qui, la pauvre, rentre chez elle l'oreille basse.

Côté profanations : partir de suppositions telles que : « la perceptible homosexualité du Christ », et dresser un système cohérent et satisfaisant. Supposer Beethoven coprophage. Défendre l'indéniable sainteté de Sir Roger Casement telle qu'elle apparaît dans *The Black Diaries*. Stupeur de la Couca, baptisée et pratiquante.

Ce dont il s'agit au fond, c'est de s'aliéner par pure abnégation professionnelle. Ils rient et plaisantent encore trop (Attila ne pouvait tout de même pas collectionner des timbres), mais ce *Arbeit macht frei* donnera des résultats, soyez-en sûre, Couca. Ainsi le viol de l'évêque de Fano est un cas de...

(-138)

## 141

On s'apercevait sans peine, au bout de quelques pages, que Morelli visait à autre chose. Ses allusions aux couches profondes du *Zeitgeist*, les passages où la lo[gi]que finissait par s'étrangler avec un lacet de chaussure, incapable même de repousser l'insolite érigé en loi, mettait en évidence l'intention spéléologique de l'œuvre. Morelli avançait et reculait en violant à tel point les lois de l'équilibre et des principes qu'on pourrait appeler *moraux* de l'espace, qu'il se pouvait très bien (quoique en fait cela ne se produisît pas, mais on n'était sûr de rien) que les événements qu'il relatait permissent en moins de cinq minutes de rattacher la bataille d'Actium à l'Anschluss de l'Autriche (les trois A n'étant sans doute pas étrangers au choix ou plus probablement à l'acceptation de ces moments historiques), ou que la personne qui appuyait sur la sonnette d'une maison au numéro douze cent de la rue Cochabamba en franchît le seuil pour pénétrer dans l'atrium de la maison de Ménandre à Pompéi. Tout cela était plutôt trivial et buñuelesque, et il n'échappait pas aux membres du Club que cela n'avait qu'une valeur de simple incitation ou de parabole dont le sens était plus profond et plus risqué. Grâce à ces tours de passe-passe, tout à fait analogues à ceux qui prêtent tant de magnificence aux Evangiles, aux Upanishads et autres matières chargées de trinitrotoluène shamanique, Morelli se payait le luxe de continuer à feindre une littérature que dans son for intérieur il minait, contre-minait et mettait en pièces. Brusquement les mots, tout un langage, la superstructure d'un style, une sémantique, une psychologie et une facticité se livraient à de terrifiants hara-kiris. *Banzai*!

141

Jusqu'à nouvel ordre, et sans aucune garantie : à la fin il y avait toujours un fil lancé au-delà, qui dépassait le volume, vers un peut-être, un il se pourrait, un qui sait, qui laissait en suspens toute vision supposée définitive de l'œuvre. Et cela désespérait Perico Romero, homme assoiffé de certitudes, faisait trembler de joie Oliveira, exaltait l'imagination d'Etienne, de Wong et de Ronald, et obligeait la Sibylle à danser pieds nus, un artichaut dans chaque main.

Au cours de discussions saturées de calvados et de tabac, Etienne et Oliveira s'étaient demandé pourquoi Morelli détestait ainsi la littérature et pourquoi il la détestait à partir de la littérature même au lieu de répéter l'*Exeunt* de Rimbaud ou d'expérimenter sur sa tempe gauche l'efficacité bien connue d'un colt 32. Oliveira inclinait à penser que Morelli avait soupçonné la nature démoniaque de toute écriture récréative (et quelle littérature ne l'était, ne serait-ce que comme excipient destiné à faire avaler une gnose, une praxis ou un ethos parmi tous ceux qui traînent ou qu'on peut inventer ?). Après avoir analysé les passages les plus incisifs, il avait fini par devenir sensible à un certain ton qui colorait l'écriture de Morelli. La première qualification possible de ce ton était le désenchantement, mais si l'on allait plus au fond on sentait que ce désenchantement ne se référait pas aux circonstances et aux événements que narrait le livre, mais à la manière dont ils étaient racontés, manière qui — Morelli s'était efforcé de la dissimuler — rejaillissait finalement sur ce qui était raconté. L'élimination du pseudo-conflit entre le fond et la forme réapparaissait dans la mesure où le vieux dénonçait, en l'utilisant à sa façon, le matériel formel; en condamnant ses outils, il disqualifiait du même coup les travaux réalisés grâce à eux. Ce que le livre racontait ne servait à rien, n'était rien, parce que c'était mal conté, parce que c'était conté sans plus, c'était de la littérature. Une fois encore, on en revenait à l'irritation de l'auteur contre son écriture et contre toute écriture en général. Le paradoxe apparent résidait dans le fait que Morelli accumulait les épisodes imaginés et coulés dans les formes les plus diverses, en essayant de les attaquer et de les résoudre avec toutes les ressources d'un écrivain maître de son art. Il ne semblait pas se proposer une théorie, il n'était pas très porté à la réflexion intellectuelle, mais de tout ce qu'il avait écrit se dégageait, avec une efficacité infiniment plus grande que celle d'un énoncé ou d'une analyse quelconques, la corrosion profonde d'un monde dénoncé comme faux, l'attaque par accumulation et non par destruction, l'ironie presque diabolique qu'on pouvait déceler dans la réussite des grands morceaux de bravoure, des épisodes rigoureusement construits, dans l'apparente sensation de perfection littéraire qui faisait depuis des années son succès parmi les lecteurs de romans et de nouvelles. Un monde somptueusement orchestré se résolvait en néant pour un œil exercé; mais le mystère commençait là, car en même temps qu'on pressentait le nihilisme total de l'œuvre, une intuition seconde permettait de soupçonner que telle n'était pas l'intention de Morelli, que l'autodestruction en puissance dans chaque fragment du livre était comme la recherche du métal noble en pleine gangue. Ici il fallait s'arrêter, de crainte de se tromper de porte et de tomber dans le panneau. Les discussions les plus violentes entre Oliveira et Etienne éclataient à ce stade de leur espoir, parce qu'ils craignaient de se tromper, d'être deux parfaits crétins entêtés à croire qu'il n'était pas possible qu'on ait élevé la tour de Babel pour qu'en définitive elle ne servît à rien. La morale de l'Occident leur apparaissait alors comme une proxénète, leur insinuant une à une dans l'esprit toutes les illusions de trente siècles reçus en héritage et qu'il avait bien fallu assimiler et remâcher. Il était dur de renoncer à croire qu'une fleur peut être belle pour rien; il était amer d'accepter qu'on puisse danser dans les ténèbres. Les allusions de Morelli à l'inversion des signes, à un monde vu avec d'autres dimensions et sous d'autres dimensions, comme l'indispensable préparation à une vision plus pure (et tout cela écrit dans un style éblouissant, et en même temps susceptible de raillerie, de froide ironie devant le miroir) les exaspéraient en leur tendant la perche d'un semblant d'espérance, de justification, mais en leur refusant cependant la sécurité totale, les maintenant dans une ambiguïté insupportable. La seule consolation qui leur restait était de penser que Morelli lui aussi évoluait dans cette même ambiguïté, orchestrant une œuvre dont la première audition réelle n'était peut-être que le plus absolu des silences. Ils cheminaient ainsi à travers ces pages, maugréants et fascinés, et la

## 141

Sibylle finissait toujours, tel un chat, par se mettre en boule dans un fauteuil, épuisée d'incertitudes, guettant le lever du jour sur les toits d'ardoises, à travers toute cette fumée qui pouvait s'accumuler entre un regard et une fenêtre fermée et une nuit d'ardeur inutile.

(-60)

## 142

1. — Je ne sais pas ce qu'elle était, dit Ronald. Nous ne le saurons jamais. D'elle, nous connaissions surtout les effets sur les autres. Nous étions un peu ses miroirs, ou elle était le nôtre. On ne peut pas expliquer ça.
2. — Elle était si bête, dit Etienne. Heureux les simples d'esprit et cætera. Je te jure que je parle sérieusement. Sa bêtise m'irritait, Horacio prétendait que c'était seulement un manque de culture mais il se trompait. Il y a une différence bien connue entre l'ignorant et le sot et tout le monde le sait sauf lui, heureusement pour lui. Elle croyait que l'étude, la fameuse étude lui donnerait de l'intelligence. Elle confondait savoir et comprendre. Et la pauvre comprenait si bien tant de choses que nous ignorions à force de les savoir.
3. — Ne tombe pas dans l'écholalie, dit Ronald. Tout ce fatras d'antinomies, de polarisations. Pour moi sa bêtise était le prix d'une façon d'être si végétale, si coquillage, si proche des choses les plus mystérieuses. Par exemple, écoute bien : elle n'était pas capable de croire aux noms, il lui fallait poser le doigt sur la chose et alors seulement elle l'admettait. On ne va pas très loin ainsi. C'est tourner le dos à tout l'Occident, à toutes les écoles. C'est mauvais pour vivre dans une ville, pour gagner sa vie. Cela l'usait.
4. — Oui, bien sûr, mais par contre, elle était capable de félicités infinies, j'ai été le témoin envieux de certaines. La forme d'un vase, par exemple. Qu'est-ce que je cherche d'autre dans la peinture, moi, dis-moi un peu ? En me tuant, en m'obligeant à des itinéraires harassants pour déboucher sur une fourchette et deux olives. Il me faut que le sel et le centre du monde soient là, sur cette nappe. Elle arrivait et elle

. 2

le sentait. Un soir elle est montée à mon atelier et je l'ai trouvée devant un tableau terminé le matin. Elle pleurait comme elle savait pleurer, de tout son visage, horrible et merveilleuse. Elle regardait le tableau et pleurait. Je n'ai pas été assez courageux pour lui dire que moi aussi, le matin, j'avais pleuré. Et penser que cela lui aurait donné plus d'assurance, tu sais quand elle doutait, quand elle se sentait si peu de chose au milieu de nos brillantes astuces.

5. — On pleure pour des tas de raisons, dit Ronald. Cela ne prouve rien.

6. — Cela prouve du moins un contact. Combien devant cette toile ont prononcé des phrases flatteuses, ont parlé d'influences multiples, tous les commentaires possibles *autour*. Tu vois, il fallait parvenir à un certain niveau pour que la fusion des deux choses fût possible. Je crois en être là mais il y a peu d'élus.

7. — Tous les moyens te sont bons pour te passer la brosse, dit Ronald.

6. — Mais je sais que c'est vrai, dit Etienne. Cela oui, je le sais. Seulement, moi, cela m'a pris la vie entière pour concilier la main du cœur avec celle du pinceau et de la toile. Au début, j'étais de ceux qui regardent Raphaël en pensant au Perugino, sautant comme une sauterelle sur Leo Battista Alberti, faisant des rapprochements, des soudures, Pico par ici, Lorenzo Valla par là, Burckhardt dit, Berenson nie, Argan croit, ces bleus-là sont de Sienne, ces tuniques sont de Masaccio. C'était à Rome, je ne me rappelle plus quand, dans la galerie Barberini, j'étais en train d'analyser un Andrea del Sarto, ce qui s'appelle analyser, et, à un moment donné, je l'ai vu. Ne me demande pas d'expliquer. Je l'ai vu (et pas tout le tableau, à peine un détail du fond, une petite silhouette sur un chemin). Les larmes me sont venues aux yeux, c'est tout ce que je puis dire.

5. — Cela ne prouve rien, dit Ronald. On pleure pour des tas de raisons.

4. — Inutile de te répondre. Elle aurait compris, elle, beaucoup mieux. Au fond, nous suivons tous le même chemin, seulement les uns commencent par la droite et les autres par la gauche. Parfois, quelqu'un, dans le juste milieu, voit le coin de nappe avec le verre, la fourchette, les olives.

3. — Il parle par figures, dit Ronald. Il est bien toujours le même.
2. — Il n'y a pas d'autre moyen de s'approcher de tout ce qu'on a perdu et qu'on regrette. Elle en était plus près et elle le sentait. Sa seule erreur était de vouloir la preuve que sa position valait toutes nos rhétoriques. Personne ne pouvait lui donner cette preuve, d'abord parce que nous sommes incapables de la concevoir, ensuite parce que nous sommes quand même bien installés et avec satisfaction dans notre science collective. Le Littré nous permet de dormir tranquilles, c'est bien connu, il est là, à portée de main, avec toutes les réponses. Et c'est vrai, mais c'est parce que nous ne savons pas poser les questions qui le réduiraient à néant. Quand la Sibylle demandait pourquoi les arbres s'habillent en été... mais à quoi bon, mon vieux, il vaut mieux se taire.
1. — Oui, ce sont des choses qui ne peuvent pas s'expliquer, dit Ronald.

(-34)

# 143

Le matin, s'acharnant à prolonger l'assoupissement que le grincement horripilant du réveil n'arrivait pas à changer en état de veille aiguisée, ils se racontaient fidèlement les rêves de la nuit. Tête contre tête, se caressant, mêlant les jambes et les mains, ils s'efforçaient de traduire en mots tout ce qu'ils avaient vécu pendant les heures obscures. Les rêves de Talita fascinaient Traveler, un ami de jeunesse d'Oliveira, sa bouche crispée ou souriante selon le récit, les gestes et les exclamations dont elle les soulignait, ses conjectures ingénues sur la raison ou le sens de ces rêves. Après c'était son tour de raconter les siens, et parfois, au beau milieu d'un récit, leurs mains commençaient à se caresser et ils passaient des rêves à l'amour, s'endormaient de nouveau et arrivaient partout en retard.

Traveler s'étonnait, en écoutant Talita, sa voix encore un peu poisseuse de sommeil, en regardant ses cheveux épars sur l'oreiller, qu'il pût en être ainsi. Il étendait un doigt, touchait la tempe, le front de Talita. (« Ma sœur était aussi ma tante Irène mais je n'en suis pas sûre »), il constatait la barrière à quelques centimètres de sa tête (« et moi j'étais tout nu dans un champ de chaume et je voyais monter le fleuve livide, une vague gigantesque... »). Ils avaient dormi tête contre tête et là, malgré ce voisinage physique, malgré cette coïncidence presque totale des attitudes, des positions, des souffles, la même chambre, le même oreiller, la même obscurité, le même tic-tac, les mêmes stimulants de la rue et de la ville, les mêmes radiations magnétiques, la même marque de café, la même conjonction planétaire, la même nuit pour tous les deux étroitement embrassés, ils avaient fait des rêves différents, ils avaient vécu des aventures différentes, l'un avait souri pendant que l'autre fuyait épouvantée, l'un avait repassé un examen d'algèbre pendant que l'autre arrivait dans une ville de pierres blanches.

Talita prenait plaisir ou angoisse à ce recensement matinal mais Traveler, lui, s'obstinait secrètement à chercher des correspondances. Comment était-il possible que la compagnie diurne débouchât inévitablement sur ce divorce, sur cette solitude inadmissible du rêveur ? Parfois son image faisait partie du rêve de Talita ou l'image de Talita partageait l'horreur de son cauchemar. Mais *eux* ne le savaient pas, il fallait que l'autre le raconte en se réveillant. « Alors tu me prenais par la main et tu me disais... » Et Traveler s'apercevait que, pendant ce temps, lui, dans son rêve, couchait avec la meilleure amie de Talita ou parlait avec le patron du cirque « Les Etoiles » ou se baignait à Mar del Plata. La présence de son fantôme dans le rêve de l'autre le réduisait à un simple élément de travail, sans plus d'importance que les mannequins, les villes inconnues, les gares de triage, les escaliers, tout l'attirail des simulacres nocturnes. Et en étant tout contre Talita dont il enveloppait la tête et le visage de ses lèvres et de ses doigts, il sentait la barrière infranchissable, la distance vertigineuse que l'amour lui-même ne pouvait dépasser. Pendant longtemps, il espéra un miracle, que le rêve que Talita lui raconterait au matin serait le même que le sien. Il l'attendit, le sollicita, le provoqua, en faisant appel à toutes les analogies possibles, en cherchant des ressemblances qui brusquement le mèneraient à une reconnaissance. Une fois seulement, et sans que Talita y prêtât la moindre attention, ils firent des rêves analogues. Talita lui parla d'un hôtel où elle allait avec sa mère et où il fallait apporter chacun sa chaise. Traveler se rappela alors qu'il avait rêvé d'un hôtel sans lavabos, ce qui l'obligeait à traverser les voies ferrées d'une gare, sa serviette à la main, pour aller se laver dans un endroit imprécis. Il le lui dit : « Nous avons presque fait le même rêve, nous étions dans un hôtel sans chaises ni lavabos. » Talita rit, amusée, c'était déjà l'heure de se lever, c'est honteux d'être aussi paresseux.

Traveler perdit peu à peu toute confiance et tout espoir. Les songes revinrent, chacun de leur côté. Les têtes se touchaient presque dans le sommeil et en chacune le rideau se levait sur un spectacle différent. Traveler pensa ironiquement qu'ils ressemblaient aux deux cinémas contigus de la rue Lavalle et il abandonna tout espoir. Il avait perdu toute foi de voir se produire ce qu'il désirait et il savait que sans foi cela ne se produirait pas. Il savait que sans la foi rien n'arrive, et avec la foi presque jamais rien non plus.

(-100)

## 144

Les parfums, les hymnes orphiques, le musc et la bryone... Ici tu sens la sardoine. Ici la calcédoine. Ici, attends un peu, ici cela ressemble au persil, mais à peine, une feuille perdue dans une peau d'antilope. Ici, tu commences à sentir toi-même. C'est étrange, n'est-ce pas, qu'une femme ne puisse pas se sentir comme un homme la sent. Ici, exactement. Ne bouge pas, laisse-moi. Tu sens la gelée royale, le miel dans un pot de tabac, les algues, bien qu'il soit devenu un lieu commun de le dire. Il y a tant d'algues, la Sibylle sentait les algues fraîches, arrachées à la dernière vague de la mer. La vague même. Certains jours, l'odeur d'algues s'alourdissait d'une cadence plus épaisse, il fallait alors que j'en appelle à la perversité — mais c'était une perversité palatine, tu comprends, un luxe de sénéchal entouré d'obédience nocturne — pour approcher mes lèvres des siennes, toucher de la langue cette légère flamme rose qui tremblotait au milieu d'ombres et après, comme je le fais maintenant avec toi, j'écartais lentement ses cuisses, je la tournais un peu de côté et je la respirais interminablement et je sentais sa main qui venait d'elle-même me dépouiller de moi comme la flamme tire ses topazes d'un papier de journal froissé. Alors les parfums cessaient, merveilleusement ils cessaient et tout était saveur, morsure, jus essentiels qui coulaient dans la bouche, la chute dans cette ombre, the primeval darkness, le moyeu de la roue des origines. Oui, dans l'instant de l'animalité la plus accroupie, la plus près de l'excrétion et de ses appareils indescriptibles, là se dessinent les figures initiales et finales, là, dans la caverne des nécessités quotidiennes tremble Aldébaran, les gènes et les constellations bondissent, tout se résume alpha et oméga, co-

**quille, cunt, concha, con, coño, millénaire, Armagédon, terramycine, oh ! tais-toi, ne commence pas là-haut tes apparences méprisables, tes faciles miroirs. Quel silence ta peau, quels abîmes où roulent des cabochons d'émeraude, des éphémères et des phénix et des cratères...**

(-92)

# 145

*Morellienne*

Une citation :

Telles sont donc les raisons fondamentales, capitales et philosophiques qui m'ont incité à construire mon ouvrage sur la base de parties séparées, — en concevant l'œuvre comme une particule de l'œuvre et en traitant l'homme comme une fusion de parties du corps et de parties de l'âme — et tandis que l'humanité tout entière m'apparaît comme un mélange de parties. Or si quelqu'un m'objectait que cette conception partielle qui est la mienne n'est pas véritablement une conception mais une facétie, une plaisanterie, une raillerie et un leurre, et qu'au lieu de me soumettre aux sévères règles et canons de l'Art j'essaie de m'en moquer au moyen de bouffonneries, gaudrioles et autres grimaces irresponsables, je lui répondrais que oui, que c'est exact, que tel est bien mon propos. Et, mon Dieu — je n'ai pas honte d'en faire l'aveu —, j'ai autant envie d'échapper à votre Art qu'à vous-mêmes, messieurs ! Et c'est parce que je ne veux pas vous supporter, vous tous avec votre Art, vos conceptions, vos attitudes esthétiques et tous vos cénacles.

Gombrowicz,
*Ferdydurke*, chap. IV. Introduction au Philidor.

(-122)

146

*Lettre ouverte à l'*Observer

Monsieur le Directeur,

Aucun de vos lecteurs ne vous a-t-il signalé la rareté des papillons cette année ? Dans cette région où habituellement ils abondent, je n'en ai vu aucun, à l'exception de quelques essaims de papilioninés. Depuis mars, je n'ai observé jusqu'à présent qu'un seul zygoene, aucune aethère, très peu de thècles, une chélonie, aucun paon de jour, aucun catocal, pas même une cucullie argentée dans mon jardin qui, l'été dernier, était plein de papillons.

Je me demande si ce phénomène est général, et, dans l'affirmative, à quoi il est dû ?

M. Washbourn.

Pitchcombe, Glos.

(-29)

# 147

Pourquoi si loin des dieux ? Peut-être parce qu'on se le demande.

Eh quoi ? L'homme est l'animal qui pose des questions. Le jour où nous saurons vraiment poser des questions, il y aura dialogue. Pour le moment les questions que nous posons nous éloignent vertigineusement des réponses. Quelle *épiphanie* pouvons-nous espérer si nous sommes en train de nous noyer dans la plus fausse des libertés, la dialectique judéo-chrétienne ? Il nous faut un Novum Organum de vérité, il faut ouvrir toutes grandes les fenêtres et tout jeter dehors, mais il faut surtout jeter aussi la fenêtre, et nous avec. C'est la mort, ou l'envol. Il faut le faire, d'une façon ou d'une autre, il faut le faire. Avoir le courage de faire irruption dans la fête et de mettre sur la tête de l'éblouissante maîtresse de maison un énorme crapaud vert, joyau de la nuit, et d'assister sans sourciller à la vengeance des laquais.

(-31)

148

Elégante interprétation du mot *persona* par Gabius Bassus. Etymologie qu'il en donne.

Par Hercule, elle est élégante et pleine d'art, l'étymologie que Gabius Bassus nous donne du mot *persona*, masque de théâtre, dans son livre sur l'*Origine des mots* ! Il suppose qu'il vient de *personare*, résonner : « La tête et le visage, dit-il, sont entièrement recouverts par le masque, *persona*; une seule ouverture y est ménagée pour laisser passer la voix; ainsi, elle ne se perd pas dans toutes les directions; il la dirige tout entière d'un seul côté, ce qui la rend plus nette et plus sonore. C'est pour cette raison, parce qu'il rend la voix plus claire et la fait résonner, *resonare*, que le masque a été appelé *persona*. La lettre *o* y devient longue à cause de la forme du mot. »

Aulu-Gelle, *Les Nuits attiques*.

(-42)

## 149

Mes pas dans cette rue
Résonnent
                Dans une autre rue
Où
      J'entends mes pas
Passer dans cette rue
Où
Il n'y a rien d'autre que la brume.

*Octavio Paz.*

(-54)

## 150

*Invalides*

On nous informe, de l'Hôpital du Comté de York, que la Duchesse veuve de Grafton, qui s'était cassé la jambe dimanche dernier, a passé hier une assez bonne journée.

*The Sunday Times*, Londres.

(-95)

# 151

*Morellienne*

Il suffit de regarder avec ses yeux de tous les jours le comportement d'un chat ou d'une mouche pour comprendre que cette nouvelle vision vers laquelle tend la science, ce désanthropomorphisme que proposent en dernière heure les biologistes et les physiciens comme unique prise de contact possible avec des réalités telles que l'instinct ou la vie végétale, n'est autre chose que la voix lointaine, exilée, insistante par laquelle certains aspects du bouddhisme, du vedanta, du soufisme, de la mystique occidentale, nous incitent à renoncer une fois pour toutes à la mortalité.

(-152)

## 152

### ABUS DE CONFIANCE

J'habite ici une maison en tout point semblable à la mienne : disposition des pièces, odeur du vestibule, meubles, lumière oblique le matin, atténuée à midi, sournoise le soir — tout est pareil, même les allées et les arbres du jardin et cette ancienne porte à demi démolie et les pavés de la cour.

Les heures aussi et les minutes du temps qui passe sont semblables aux heures et aux minutes de ma vie. Au moment où elles tournent autour de moi : « Comme elles ont l'air vrai, me dis-je. Comme elles ressemblent aux véritables heures que je vis en ce moment ! »

Quant à moi, bien que j'aie écarté de ma maison toute surface réfléchissante, si cependant l'inévitable vitre d'une fenêtre s'obstine à me renvoyer mon reflet, je vois bien là quelqu'un qui me ressemble. Oui, qui me ressemble beaucoup, j'en conviens !...

Mais, que l'on n'aille pas prétendre que c'est moi ! Allons donc ! Tout est faux ici. Quand on m'aura rendu *ma* maison et *ma* vie — alors je retrouverai mon vrai visage.

Jean Tardieu, *La première personne du singulier.*

(-143)

# 153

— Tout natif de Buenos Aires que vous êtes, on vous tapera dessus si vous n'y prenez garde.

— J'essaierai donc de rester sur mes gardes.

— Vous ferez bien.

Cambaceres, *Música sentimental.*

(-19)

# 154

Et de toute façon les souliers foulaient déjà un sol linoléeux, le nez respirait une odeur aigre-douce de pulvérisation aseptique, le vieux était assis dans son lit, bien installé contre deux oreillers, le nez comme un crochet mordant l'air pour le maintenir assis. Livide, avec des cernes mortuaires. Zigzag extraordinaire de la feuille de température. Et pourquoi s'étaient-ils dérangés ainsi ?

C'était la moindre des choses, l'ami argentin avait été témoin par hasard de l'accident, l'ami français était peintre tachiste, tous les hôpitaux la même infinie saloperie. Morelli, oui, l'écrivain.

— Ce n'est pas possible, dit Etienne.

Et pourquoi pas, des éditions pierres dans l'eau, disparaissant sans laisser de traces. Morelli prit la peine de leur dire qu'il s'était vendu (ou donné) quelque quatre cents exemplaires. Ah mais deux, il est vrai, en Nouvelle-Zélande, détail émouvant.

Oliveira sortit une cigarette d'une main qui tremblait et regarda l'infirmière qui lui fit un signe affirmatif et s'en alla en les laissant seuls entre les deux paravents jaunâtres. Ils s'assirent au pied du lit après avoir ramassé plusieurs liasses de papiers.

— Si au moins nous avions vu la nouvelle sur les journaux... dit Etienne.

— C'est paru dans *le Figaro* dit Morelli. Sous un télégramme à propos de l'abominable homme des neiges.

— Tu te rends compte, parvint à murmurer Oliveira. Mais il vaut sans doute mieux. Il serait venu une série de vieilles rombières avec l'album des autographes et un pot de confiture faite à la maison.

— De rhubarbe, dit Morelli. Celle que je préfère. Mais il vaut mieux en effet qu'elles ne viennent pas.

— Quant à nous, enchaîna Oliveira, sincèrement préoccupé, si nous vous gênons, vous n'avez qu'à le dire. Il y aura d'autres occasions, et cœtera. Nous nous comprenons, n'est-ce pas ?

— Vous êtes venus sans savoir qui j'étais. Personnellement, je suis d'avis que vous restiez un moment. La salle est tranquille, le plus braillard s'est tu cette nuit à deux heures. Les paravents sont épatants, une attention du médecin quand il a vu que j'écrivais. A côté de ça, il m'a bien défendu d'écrire, mais les infirmières ont mis les paravents et personne ne me dérange.

— Quand pourrez-vous rentrer chez vous ?

— Jamais, dit Morelli. Les os resteront ici, mes amis.

— Bêtises, dit respectueusement Etienne.

— Simple question de temps. Mais je me sens bien, plus de problèmes avec la concierge. Personne ne m'apporte plus le courrier, même pas celui de Nouvelle-Zélande, avec ses timbres si jolis. Quand on a publié un livre qui est mort-né, le seul résultat c'est un courrier maigre mais fidèle. La dame de Nouvelle-Zélande, le jeune homme de Sheffield. Franc-maçonnerie délicate, volupté d'être si peu à participer à une aventure. Mais à présent, vraiment...

— Je n'ai jamais pensé à vous écrire, dit Oliveira. Quelques amis et moi connaissons votre œuvre et elle nous paraît si... Epargnez-moi ce genre de paroles, je crois que vous me comprenez aussi bien sans. Le fait est que nous avons passé des nuits entières à en discuter, et cependant nous n'avons jamais envisagé que vous puissiez être à Paris.

— Jusqu'à l'an dernier j'ai habité Vierzon. Je suis venu à Paris parce que je voulais explorer quelques bibliothèques. Vierzon, évidemment... L'éditeur avait ordre de ne pas donner mon adresse. Comment ces rares admirateurs ont-ils pu l'avoir, on se le demande. J'ai très mal au dos, jeunes gens.

— Vous aimez mieux que nous partions, dit Etienne. Nous reviendrons demain, en tout cas.

— Cela me fera aussi mal sans vous, dit Morelli. Nous allons fumer, profitant de la défense qui m'a été faite.

Il s'agissait de trouver un langage qui ne fût pas littéraire.

Quand l'infirmière passait, Morelli mettait son mégot dans la bouche avec une diabolique habileté et regardait Oliveira avec un air de gosse déguisé en vieil homme, qui était délicieux.

... en partant un peu des idées centrales d'un Ezra Pound mais sans la pédanterie et la confusion entre symboles périphériques et significations primordiales.

Trente-huit deux. Trente-sept cinq. Trente-huit trois. Radiographie (signe incompréhensible).

... savoir que quelques rares personnes pouvaient approcher ces tentatives sans les croire un nouveau jeu littéraire. *Benissimo.* L'ennui c'est qu'on était si loin encore du but et il allait mourir sans avoir fini le jeu.

— Au vingt-cinquième coup, les noirs abandonnent, dit Morelli, en rejetant la tête en arrière. Il paraissait soudain beaucoup plus vieux. — Dommage, la partie devenait intéressante. Est-il vrai qu'il existe un échiquier indien avec soixante pièces de chaque côté ?

— C'est pensable, dit Oliveira. La partie infinie.

— Celui qui conquiert le centre gagne. On domine de là toutes les possibilités et il est inutile que l'adversaire s'acharne à continuer. Mais le centre pourrait se trouver sur une case latérale, ou en dehors de l'échiquier.

— Ou dans une poche du gilet.

— Figures, dit Morelli. Bien difficile de leur échapper, elles sont si belles. Des femmes mentales, n'est-ce pas ? J'aurais aimé mieux comprendre Mallarmé, son sens de l'absence et du silence était beaucoup plus qu'un recours extrême, une impasse métaphysique. Un jour, à Jerez de la Frontera, j'ai entendu un coup de canon à vingt mètres et j'ai découvert un autre sens du silence. Et ces chiens qui entendent le coup de sifflet que nous ne pouvons percevoir... Vous êtes peintre, je crois ?

Les mains travaillaient de leur côté, ramassant un à un les

feuillets, lissant une feuille froissée. De temps en temps, sans cesser de parler, Morelli jetait un coup d'œil à l'une des pages et l'intercalait parmi celles déjà réunies par une attache. Il sortit une ou deux fois un crayon de la poche de son pyjama et numérota une page.

— Et vous, vous écrivez, je suppose ?

— Non, dit Oliveira. Pensez-vous, pour cela il faut avoir quelque certitude d'avoir vécu.

— L'existence précède l'essence, dit Morelli en souriant.

— Si vous voulez. Ce n'est pas exactement le cas pour moi.

— Vous vous fatiguez, dit Etienne. Partons, Horacio, si tu te lances dans un discours... Je le connais, monsieur, il est terrible.

Morelli souriait toujours et continuait à classer ses feuilles, il les regardait et paraissait les identifier et les comparer. Il glissa un peu sur ses oreillers, chercha une place plus commode pour sa tête. Oliveira se leva.

— C'est la clef de l'appartement, dit Morelli. Cela me ferait plaisir, vraiment.

— Mais on va mettre un désordre terrible, dit Oliveira.

— Non, c'est moins difficile qu'il ne paraît. Les chemises vous aideront, il y a un système de couleurs, de numéros, de lettres. On comprend tout de suite. Cette liasse, par exemple, est pour la chemise bleue, à un endroit que j'appelle la mer, mais ceci est en marge, un jeu pour mieux me comprendre. Numéro 52, il n'y a qu'à le mettre à sa place, entre le 51 et le 53. Numération arabe, la chose la plus facile du monde.

— Mais vous pourriez le faire vous-même, d'ici quelques jours, dit Etienne.

— Je dors mal. Moi aussi, je suis hors de mon classeur ! Aidez-moi puisque vous êtes venus me voir. Mettez tout cela à sa place et je me sentirai si bien ici. C'est un hôpital formidable.

Etienne regardait Oliveira et Oliveira, et cætera. La surprise imaginable. Un véritable honneur, si peu mérité.

— Après quoi, vous faites un paquet du tout et vous l'envoyez à Pakú. Editeur de livres d'avant-garde, rue de l'Arbre-

Sec. Saviez-vous que Pakú est le nom acadien d'Hermès ? J'ai toujours pensé... Mais nous en parlerons un autre jour.

— Admettez que nous nous trompions, dit Oliveira et que nous jetions la confusion partout. Dans le premier tome, il y avait une chose incompréhensible, nous avons, mon ami et moi, discuté pendant des heures pour savoir si l'on n'avait pas commis une erreur en imprimant les textes.

— Aucune importance, dit Morelli. Mon livre peut se lire au gré de chacun. Liber Fulguralis, feuilles mantiques, ce que vous voulez. Ce que j'essaie de faire, tout au plus, c'est de le mettre dans l'ordre où j'aimerais le relire. Et en admettant même que vous vous trompiez, ce peut être une chance, le livre sera parfait ainsi. Une plaisanterie d'Hermes Pakú, faiseur de tours et de trucs. Vous aimez ces deux mots ?

— Non, dit Oliveira. Ni tours ni trucs. Trop usés tous les deux.

— Il faut faire attention, dit Morelli en fermant les yeux. Nous sommes tous aux trousses de la pureté et tous nous voulons transpercer les vieilles baudruches. Uu jour, José Bergamín a failli avoir une attaque parce que je m'étais permis de démonter deux de ses pages. Mais attention, les amis, peut-être ce que nous appelons la pureté...

— Le carré de Malévich, dit Etienne.

— *Ecco.* Nous disions qu'il faut penser un peu à Hermès, le laisser jouer. Tenez, allez mettre tout cela en ordre puisque vous êtes venus me voir. Peut-être pourrai-je aller bientôt jeter un coup d'œil sur votre travail.

— Nous reviendrons demain, si vous voulez.

— Bien, mais j'aurai écrit de nouvelles choses. Vous finirez par me maudire, réfléchissez-y bien ! Apportez-moi des Gauloises.

Etienne lui passa son paquet. Oliveira, la clef en main, ne savait que dire. Tout allait de travers, cela n'aurait pas dû arriver aujourd'hui, c'était un coup ignoble sur l'échiquier des soixante pièces, la joie inutile au milieu de la pire tristesse, devoir la chasser comme une mouche, préférer la tristesse alors que la seule chose qui arrivait dans ses mains était cette clef pour la joie, ce passage vers une chose qu'il admirait et dont il avait besoin, une clef qui ouvrait la porte de Morelli, du monde de Morelli, et au milieu de la joie se sentir triste et sale, la peau terne et les yeux chassieux, respirant la nuit sans sommeil, l'absence coupable, le manque de distance pour savoir s'il avait bien fait de faire ce qu'il avait fait ou pas fait ces derniers jours, entendant les sanglots de la Sibylle, les coups au plafond, supportant une pluie glacée en plein visage, l'aube sur le Pont Marie, les rots aigres de vin mêlé de caña et de vodka et encore de vin, l'impression d'avoir dans sa poche une main qui n'était pas la sienne, la main de Rocamadour, un morceau de nuit ruisselant de bave lui mouillant les cuisses, la joie si tard venue ou peut-être trop tôt (une consolation, peut-être trop tôt, encore imméritée, mais alors, peut-être, vielleicht, maybe, forse, talvez, ah merde, merde, à demain maître, merde, merde, infiniment merde, oui, à l'heure de la visite, interminable obstination de la merde sur le monde, monde de merde, nous vous apporterons des fruits, archimerde de contremerde, supermerde d'inframerde, merde et remerde, dans cet hôpital Laennec découvrit l'auscultation : peut-être encore... Une clef, figure ineffable. Une clef. Peut-être pouvait-on encore sortir dans la rue et continuer à marcher, avec une clef en poche. Peut-être encore, une clef Morelli, un tour de clef et entrer dans autre chose, peut-être être encore possible).

— Au fond, à quelques jours près, c'est une rencontre posthume, dit Etienne au café.

— Pars, dit Oliveira. C'est très moche de te laisser tomber comme ça, mais il vaut mieux que tu partes. Préviens Ronald et Perico, nous nous retrouverons à dix heures chez le vieux.

— Mauvaise heure, dit Etienne. La concierge ne nous laissera pas entrer.

Oliveira sortit la clef de sa poche, la fit tourner sous un rayon de soleil et la remit à Étienne comme s'il lui livrait une ville.

(-85)

# 155

C'est incroyable tout ce qui peut sortir d'un pantalon, des flocons de poussière, des montres, des coupures de journaux, des bouts d'aspirine, tu mets la main dans ta poche pour prendre ton mouchoir et tu en retires un rat par la queue, c'est parfaitement possible. En chemin vers l'atelier d'Etienne et encore hanté par le rêve du pain et par un autre souvenir de rêve qui surgissait devant lui avec la brutalité d'un accident de la rue, Oliveira, soudain, avait mis la main dans la poche de son pantalon de flanelle marron, juste au coin du boulevard Raspail et du boulevard Montparnasse, tout en regardant distraitement le crapaud gigantesque tordu dans sa robe de chambre, Balzac Rodin, ou Rodin Balzac, mélange inextricable de deux éclairs, et la main avait sorti une liste des pharmacies de garde à Buenos Aires et un autre papier qui se révéla être des annonces de cartomanciennes. Amusant d'apprendre que Mme Colomier, voyante hongroise (une des mères, peut-être, de Gregorovius), habitait rue des Abbesses et qu'elle possédait les *secrets des bohèmes pour retour d'affections perdues*. On pouvait, de là, passer gaillardement à la grande promesse : *Désenvoûtements*, après quoi la référence à *voyance sur photo* paraissait un peu dérisoire. Etienne, orientaliste amateur, aurait aimé savoir que le professeur Mihn *vs offre le vérit. Talisman de l'Arbre Sacré de l'Inde. Broch. c. 1 F. B.P. 27. Cannes*. Et comment ne pas s'étonner de l'existence de Mme Samson, *Médium-Tarots, prédict. étonnantes, 23, rue Hermel* (surtout parce que Hermel, qui était peut-être zoologue, avait un nom d'alchimiste), et ne pas découvrir avec un orgueil tout sud-américain l'audacieuse proclamation d'Anita, *cartes, dates précises*, celle de Joana-

Jopez (*sic*), *secrets indiens, tarots espagnols,* ou de Mme Juanita, voyante par *domino, coquillage, fleur.* Il fallait aller voir sans faute Mme Juanita avec la Sibylle. Mais non, pas avec la Sibylle, plus avec la Sibylle. Et la Sibylle aurait pourtant aimé connaître le destin par les fleurs. *Seule* MARZAK *prouve retour affection.* Mais quel besoin de prouver quoi que ce soit ? C'est une chose qui se sait tout de suite. Préférable le ton scientifique de Jane de Nys, *reprend ses visions exactes sur photogr. cheveux, écrit. Tour magnétiste intégral.* A la hauteur du cimetière Montparnasse, Oliveira roula son papier en boule et, après avoir bien visé, il envoya les devineresses rejoindre Baudelaire, Devéria, Aloysius Bertrand de l'autre côté du mur, tous gens dignes de tendre les lignes de leur main aux voyantes, à Mme Frédérika, *la voyante de l'élite parisienne et internationale, célèbre par ses prédictions dans la presse et la radio mondiales, de retour de Cannes.* Rejoindre aussi Barbey d'Aurevilly, qui les aurait fait toutes brûler, s'il avait pu, et aussi Maupassant, si seulement la petite boule de papier avait pu tomber sur la tombe de Maupassant ou d'Aloysius Bertrand, mais ce ne sont pas des choses qu'on peut savoir du dehors.

Etienne trouvait idiot qu'Oliveira vînt l'empoisonner d'aussi bonne heure le matin, mais il l'attendit quand même avec trois nouveaux tableaux qu'il avait envie de lui montrer, seulement Oliveira déclara d'entrée qu'il valait mieux profiter du soleil formidable suspendu au-dessus du boulevard Montparnasse et pousser jusqu'à l'hôpital Necker pour aller voir le petit vieux. Etienne jura à voix basse et ferma son atelier. La concierge, qui les aimait beaucoup, leur dit qu'ils avaient tous les deux des têtes de déterrés, d'hommes de l'espace, et, par ce dernier trait, ils découvrirent que Mme Bobet lisait des bouquins de science-fiction, ce qui leur parut énorme. Arrivés au *Chien qui fume,* ils prirent deux vins blancs et discutèrent rêves et peintures comme possibles recours contre l'O.T.A.N. et autres ennuis du moment. Etienne ne trouva pas tellement bizarre qu'Oliveira allât voir quelqu'un qu'il ne connaissait pas, ils convinrent ensemble qu'après tout c'était plus facile, et cætera. Il y avait au comptoir une dame qui faisait une véhémente description du crépuscule à Nantes, où habitait, paraît-il, sa fille. Etienne et Oliveira écoutaient attentivement des mots comme soleil, brise, gazons, paix, la barbe, Dieu, six mille cinq cents francs, la brume, les rhododendrons, la vieillesse, et ta sœur, bleu pâle, pourvu qu'on ne l'oublie pas, pots de fleurs. Peu après, ils admirèrent la noble plaque : DANS CET HÔPITAL, LAENNEC DÉCOUVRIT L'AUSCULTATION, et ils pensèrent tous les deux (et se le dirent) que l'auscultation devait être une sorte de serpent ou de salamandre très bien cachée dans l'hôpital Necker et poursuivie à travers d'étranges corridors et souterrains avant de se rendre haletante aux pieds du jeune savant. Oliveira fit sa petite enquête et on les dirigea vers la salle Chauffard, deuxième étage à droite.

— Peut-être que personne ne vient le voir, dit Oliveira. Et quelle coïncidence, tu te rends compte, s'appeler Morelli !

— Il est peut-être déjà mort, dit Etienne en regardant la fontaine avec ses poissons rouges au milieu de la cour.

— On me l'aurait dit. Le type m'a simplement regardé. Je n'ai pas osé lui demander si quelqu'un était déjà venu avant nous.

— On a pu aller le voir sans passer par les renseignements.

Et cætera. Il y a des moments où, par dégoût, par peur, ou parce qu'il faut monter deux étages dans une odeur de phénol, le dialogue devient infiniment prolixe, comme, lorsqu'il faut consoler une mère qui vient de perdre son enfant, on invente les conversations les plus stupides, assis auprès de la mère on reboutonne sa robe de chambre un peu ouverte et l'on dit : « Là, il ne faut pas que tu prennes froid. » La mère soupire : « Merci. » On dit : « On ne croirait pas, mais le frais tombe vite en cette saison. » La mère dit : « Oui, c'est vrai. » On dit : « Tu ne veux pas un fichu ? » Non. Chapitre chaleur extérieure terminé. On attaque le chapitre chaleur intérieure. « Je vais te faire un thé. » Mais non, elle n'a pas envie. « Si, il faut que tu prennes quelque chose. Tu ne peux pas rester si longtemps sans rien prendre. » Elle ne sait pas quelle heure il est. « Plus de huit heures. Depuis quatre heures et demie, tu n'as rien pris. Et ce matin tu n'as presque rien mangé. Il faut que tu prennes quelque chose, ne serait-ce qu'une tartine de confiture. » Elle n'a pas envie. « Fais-le pour moi, tu verras, il n'y a que le premier pas qui coûte. » Un soupir, ni oui, ni non. « Tu vois, bien sûr que tu en as envie; je vais te faire du thé tout de suite. » Si le thé échoue, restent les sièges. « Tu n'es pas bien là, tu vas attraper une crampe. » Non, ça va. « Mais non, tu dois avoir le dos raide, tout l'après-midi dans un fauteuil si dur. Il vaut mieux que tu te couches un peu. » Ah non, ça non. Mystérieusement, le lit est comme une trahison. « Mais si, tu dormirais peut-être un peu. » Double trahison. « Tu en as besoin, tu verras, tu dormiras. Je resterai avec toi. » Non, elle est très bien ainsi. « Bon, mais alors je t'apporte un oreiller. » Bien. « Tu vas avoir les jambes ankylosées, je vais te donner un tabouret. » Merci. « Et dans un moment, au lit. Tu vas me le promettre. » Soupir. « Si, si, ne fais pas l'enfant gâtée. Si le docteur te le disait, il faudrait bien obéir. » Enfin. « Il faut dormir, ma chérie. » Variantes *ad libitum.*

— *Perchance to dream,* murmura Etienne qui avait ruminé les variantes possibles à raison d'une par marche.

— On aurait dû lui acheter une bouteille de cognac, dit Oliveira. Toi qui as de l'argent.

— Mais nous ne le connaissons pas. Et il est peut-être mort. Regarde cette rousse, je me laisserais volontiers masser par elle. J'ai parfois des envies de maladie et d'infirmières. Pas toi ?

— A quinze ans, et comment ! Une envie terrible. Eros armé d'une seringue, des filles merveilleuses qui me lavaient de haut en bas, j'en mourais dans leurs bras.

— Masturbateur, va.

— Et alors ? Pourquoi avoir honte de se masturber ? Un art mineur à côté de l'autre mais avec son nombre d'or, ses unités de temps, de lieu, d'action et autres rhétoriques. A neuf ans, je me masturbais sous un ombù, c'était éminemment patriotique.

— Un ombù ?

— Une espèce de baobab, dit Oliveira. Mais je vais te confier un secret si tu me jures de ne pas le répéter à un autre Français. L'ombù n'est pas un arbre, c'est de la mauvaise herbe.

— Ah bon, alors ce n'était pas si grave.

— Dis donc, comment se masturbent les petits Français ?

— Je ne me rappelle pas.

— Tu te rappelles parfaitement. Nous avons là-bas des systèmes formidables : « le petit marteau », « le parapluie », tu saisis ? Je ne peux pas entendre certains tangos sans me rappeler comment les jouait ma tante.

— Je ne vois pas le rapport, dit Etienne.

— Parce que tu ne vois pas le piano. Il y avait un petit espace entre le mur et le piano et je me cachais là pour me branler. Ma tante jouait *Milonguita* ou *Fleur d'ennui*, quelque chose de tellement triste, cela m'aidait dans mes rêves de mort et de sacrifice. La première fois que j'ai mouillé le parquet, ce fut horrible, je pensais que la tache ne partirait jamais. Je n'avais même pas de mouchoir sur moi. J'ai enlevé rapidement une chaussette et j'ai frotté comme fou. Ma tante jouait *La Payanca*; si tu veux, je te le siffle, c'est d'un triste...

— On ne siffle pas dans un hôpital. Mais tu pues la tristesse, ça se sent d'un kilomètre. Te voilà bien foutu, Horacio.

— Spécialité maison, vieux frère. Le roi est mort, vive le roi. Si tu crois que pour une femme... Ombù ou femme, au fond, c'est tout de la mauvaise herbe.

— Facile, dit Etienne. Trop facile. Mauvais cinéma, dialogues payés au mètre, on sait ce que c'est. Deuxième étage, stop. Madame...

— Par là, dit l'infirmière.

— Nous n'avons pas encore trouvé l'auscultation, lui fit savoir Oliveira.

— Faible, dit l'infirmière.

— Bien fait pour tes pieds, dit Etienne. Ça rêve de pain qui pleure, ça emmerde tout le monde, et après ça fait de l'esprit bon marché. Pourquoi ne vas-tu pas un peu à la campagne ? Sans blague, vieux, tu as une tête à la Soutine.

— Au fond, dit Oliveira, ce qui t'embête le plus, c'est que je sois allé te sortir de tes masturbations chromatiques, de tes cinquante points quotidiens, et que la solidarité t'oblige à traîner dans Paris avec moi, le lendemain même de l'enterrement. Ami triste, il faut le distraire, ami téléphone, il faut se résigner. Ami parle d'hôpital, c'est bon, allons-y.

— A dire vrai, dit Etienne, tu m'intéresses de moins en moins. C'est plutôt avec la pauvre Lucie que je devrais me promener. Celle-là, oui, elle en a besoin.

— Erreur, dit Oliveira en s'asseyant sur un banc. La Sibylle a Ossip, elle a des distractions, Hugo Wolf et autres trucs. Au fond, la Sibylle a une vie personnelle, même si j'ai mis du temps à m'en apercevoir. Moi, en revanche, je suis vide, une liberté sans fin pour rêver et vagabonder, tous les jouets cassés, aucun problème. Donne-moi du feu.

— On ne fume pas dans un hôpital.

— *We are the makers of manners.* T'en fais pas, c'est excellent pour l'auscultation.

— La salle Chauffard est là, dit Etienne. On ne va pas rester toute la journée sur ce banc.

— Attends un peu que je finisse ma cigarette.

(-123)

Laure Guille tient à remercier Julio Cortazar et Philippe Bataillon de l'aide inlassable qu'ils lui ont apportée.

## DU MÊME AUTEUR

*Aux Éditions Gallimard :*

LES ARMES SECRÈTES

MARELLE

GÎTES

TOUS LES FEUX, LE FEU

62 — MAQUETTE À MONTER

LIVRE DE MANUEL

OCTAÈDRE

CRONOPES ET FAMEUX

FAÇONS DE PERDRE

LE TOUR DU JOUR EN QUATRE-VINGTS MONDES

NOUS L'AIMONS TANT, GLENDA et autres récits

*En collaboration avec Carole Dunlop*

LES AUTONAUTES DE LA COSMOROUTE

*Ouvrage reproduit*
*par procédé photomécanique.*
*Impression S.E.P.C.*
*à Saint-Amand (Cher), le 2 août 1985.*
*Dépôt légal : août 1985.*
*Premier dépôt légal : décembre 1979.*
*Numéro d'imprimeur : 1135.*
ISBN 2-07-029134-0./Imprimé en France.